國學經典故事
齊國卷

萬安培　主編

《國學經典故事》
編輯委員會

序言

中華優秀傳統文化傳承需要國學傳播方式的現代表達

今天我們所說的「國學經典」，包括經、史、子、集等，範圍是非常廣泛的。廣義的「國學經典」，包括一些著名的蒙學讀物、詩詞曲賦、志怪小說、世情小說、歷史演義等。這些著作，不少是經過時間淘漉和歷史沉澱的文化精品，是傳統文化的精華。由優秀傳統文化結晶形成的文化寶庫，不僅是中華民族屹立於世界民族之林的獨特標識，也是今天實現偉大復興強國夢取之不盡、用之不竭的智慧之源。

中華優秀傳統文化或者說國學經典的傳承，不應該只是文史領域少數專家學者的孤芳自賞，至少應包括兩個主要的內容。一是各級領導幹部要帶頭學國學，以學益智、以學修身、學以致用、身體力行；二是要培養全民族特別是青少年研習國學經典的興趣，藉助於誦讀經典，提高全民族的國學素養，激發青少年熱愛中華文化的拳拳之心和殷殷之情。

近年來，由於黨和國家的高度重視，一股學國學、講國學，注重吸取優秀傳統文化滋養的良好風尚正在形成。不過，就整體而言，國學經典的普及與推廣還面臨不少障礙：一是一些人墨守過去大批判的思路，對中國傳統文化採取一概排斥、一棍子打死的態度；二是大眾古文和傳統文化基礎知識薄弱；三是網路時代速食文化盛行，大量擠佔公眾閱讀的空間與時間。

對待歷史虛無主義，最好的辦法是讓人們通過閱讀國學經典，從中汲取和提煉修身處世、治國理政的智慧，養浩然之氣，塑高尚人格，不斷提高人文素養和精神境界。面對國學基礎薄弱和速食文化盛行的挑戰，則必須考慮在經典傳播表達方式上大膽突破創新。

研讀國學經典是一種高含金量的文化閱讀，除需要一定的古文功底，還需涉獵大量的歷史典故知識。要營造全民學國學、講國學的文化氛圍，就必須在國學經典的大眾化、通俗化和趣味性方面做文章。這方面，先秦諸子百家早已為我們樹立了榜樣。他們在表達自己的政治觀點和學術主張時，從來不是長篇大論和空洞說教，而是巧借通俗生動的寓言故事，來闡發修身齊家治國平天下的大智慧。面對網路時代閱讀形態、閱讀人群和閱讀終端的新變化，國學經典的傳播不能沿襲傳統的表達和傳播方式，必須在創新上狠下功夫。習近平總書記提出要「推動中華優秀傳統文化創造性轉化、創新性發展」。我以為，傳統文化創造性轉化和創新性發展的一個重要方面，就是國學傳播方式的現代表達。中央電視臺《中國詩詞大會》節目大獲成功就是一個重要例證。

以往的國學經典傳播，大多是「原文＋註解＋翻譯＋點評」的模式。一些研究性著述引經據典，章節繁複，不厭其詳，未能考慮網路時代「90後」「00後」讀者的感受。與傳統的國學經典表達和傳播方式相比，萬安培先生主編的這套《國學經典故事》，至少具有以下三個特點：

第一是短小精悍，通俗易懂。從國學經典中選取情節精彩的篇章，以短小精悍的故事形式呈現，既保留了國學精華，又便於閱讀記憶，還可進一步培養讀者閱讀經典原著的興趣。

第二是系統全面。這套叢書上起先秦，下迄清末，含括了中國上下數千年主要國學經典著作，計劃收錄故事兩萬個以上。從目前已完成的春秋戰國卷約兩千八百個故事來看，這應該是一個較大的系統工程。《國學經典故事》的出版問世，將是國學經典普及的大事和幸事。

第三是生動活潑，寓教於樂。《國學經典故事》致力於發掘國學經典中膾炙人口、發人深省的內容，以講故事的形式傳播國學，實施倫理道德教化，受眾面更寬，能充分發揮優秀傳統文化滋養社會主義核心價值觀的功能。以往一說起國學經典，人們很自然聯想到枯燥的「之乎者也」，現在改為輕鬆快樂講故事，各個年齡層次和文化結構的人應該都會喜聞樂見。

二〇一七年一月二十五日，中共中央辦公廳和國務院辦公廳聯合印發了《關於實施中華優秀傳統文化傳承發展工程的意見》，其中特別提到要深入闡發中華優秀文化精髓，創新表達方式，編纂出版系列文化經典，綜合運用大眾傳播、群體傳播、人際傳播等方式，構建全方位、多層次、寬領域的中華文化傳播格局，推動中外文化交流，助推中華優秀傳統文化的國際傳播。萬安培先生策劃推出的《國學經典故事》系列，與該意見精神高度吻合。目前他們正策劃將國學經典故事精華譯成外文出版，爭取將其作為中外文化交流的禮品書，期待國學經典像《格林童話》《安徒生童話》《伊索寓言》一樣傳遍世界，造福全人類。相信廣大讀者對這類助推中華優秀傳統文化國際傳播的嘗試和努力，一定會給予充分肯定和大力支持。

萬安培先生是經濟學專業博士，長期在金融部門工作，但他醉心文史，嘗試國學經典傳播方式的現代表達。二〇一六年四月他推出「楚楚動人網」微信公眾號，每天發表以國學經典故事為背景的短論，很受讀者歡迎。作為企業界人士，能在繁忙的工作之餘堅持國學研究，專注於經典傳播，其精神令人感動，而他這種創新的國學經典傳播方式也值得稱許，這也是我很樂意為叢書作序的原因所在。衷心希望這套叢書能得到社會各界人士的喜愛，達到編纂者所希望的效果。

是為序。

郭齊勇

二〇一八年二月二十三日

目錄

◈下卷・田齊 307

上卷・姜齊

齊國是周武王時期分封的異姓諸侯國，侯爵，始封君為周武王國師、軍師太公望呂尚（姜子牙）。周武王於西元前一〇四六年滅紂，如以西元前一〇四六年為始，至西元前二二一年為秦國所滅，齊國共歷三十七世、八二五年。齊國又分姜姓呂氏齊國和田齊兩個時代。姜齊自呂尚封國至齊康公失國，共歷二十九代、六六七年；田齊自齊太公田和篡齊至齊王建亡國，共歷八代、一五八年。齊桓公為春秋首霸，曾「九合諸侯，一匡天下」；管仲、晏嬰為著名國相；司馬穰苴、孫臏、田單為著名軍事家。

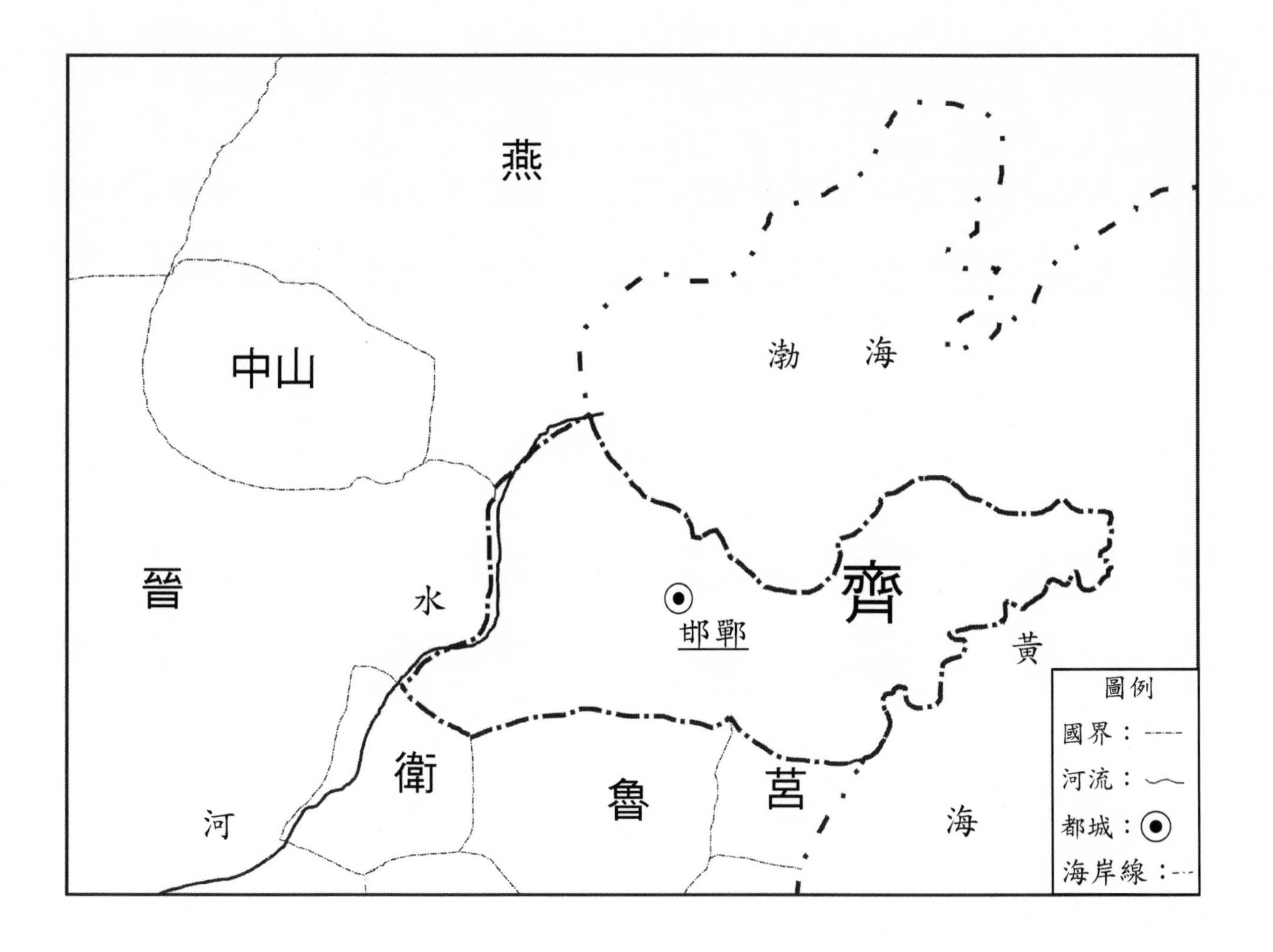
燕
中山
渤海
晉
水
齊
邯鄲
黃
衛
魯
莒
河
海
圖例
國界：
河流：
都城：
海岸線：

太公望

太公望呂尚，東海人。其先祖曾為四岳之官，輔佐夏禹治水有功。虞夏時被封在呂地，部分被封在申地，姓姜氏。呂尚是其遠代後裔。呂尚本姓姜，因以封地之名為姓，所以稱呂尚。呂尚家境窮困，年老時借釣魚的機會求見周西伯。西伯出外狩獵前占得一卦說：「所得獵物非龍非螭，非虎非熊，乃是成就霸王之業的輔臣。」後來他果然在渭河北岸遇見太公。一番交談後，西伯大喜說：「先君太公很早就說：『一定會有聖人來周，周會因此興旺。』說的就是您吧？我們太公盼望您已經很久了。」因此稱呂尚為「太公望」，與他一同乘車而歸，尊為太師。有人說，太公博學多聞，曾在商朝做事。紂王無道，太公就離開了。[1]他四處遊說列國諸侯，未得知遇之君，最終西行歸依周西伯。還有人說，呂尚乃一處士，隱居海濱。周西伯被囚禁於羑里時，西伯之臣散宜生、閎夭久聞呂尚賢名，前往召請。呂尚也聽說西伯賢德，於是欣然應召。三人為了營救西伯，尋找美女奇寶獻給紂王，西伯因此得釋。雖然呂尚歸周的說法不一，但他作為文王、武王的老師，卻是大家公認的。周西伯昌從羑里脫身歸國後，暗中和呂尚策劃如何推行德政以推翻商紂王朝，其中很多用兵權謀和奇計，都被後世奉為經典。西伯歸國未久，天下三分之二的諸侯都歸心向周，這主要應歸功於太公望的謀劃。

---

1. 據《封神演義》第十八回載：商紂王命下大夫姜尚監修鹿臺，姜尚據理勸諫，不受。紂王怒欲殺之，姜尚逃遁。

【出處】

太公望呂尚者，東海上人。其先祖嘗為四岳，佐禹平水土甚有功。虞夏之際封於呂，或封於申，姓姜氏。夏商之時，申、呂或封枝庶子孫，或為庶人，尚其後苗裔也。本姓姜氏，從其封姓，故曰呂尚。呂尚蓋嘗窮困，年老矣，以漁釣奸周西伯。西伯將出獵，卜之，曰：「所獲非龍非螭，非虎非羆；所獲霸王之輔。」於是周西伯獵，果遇太公於渭之陽，與語大說，曰：「自吾先君太公曰『當有聖人適周，周以興』。子真是邪？吾太公望子久矣。」故號之曰「太公望」，載與俱歸，立為師。或曰，太公博聞，嘗事紂。紂無道，去之。遊說諸侯，無所遇，而卒西歸周西伯。或曰，呂尚處士，隱海濱。周西伯拘羑里，散宜生、閎夭素知而招呂尚。呂尚亦曰：「吾聞西伯賢，又善養老，盍往焉。」三人者為西伯求美女奇物，獻之於紂，以贖西伯。西伯得以出，反國。言呂尚所以事周雖異，然要之為文武師。周西伯昌之脫羑里歸，與呂尚陰謀修德以傾商政，其事多兵權與奇計，故後世之言兵及周之陰權皆宗太公為本謀。周西伯政平，及斷虞芮之訟，而詩人稱西伯受命曰文王。伐崇、密須、犬夷，大作豐邑。天下三分，其二歸周者，太公之謀計居多。（《史記》〈齊太公世家〉）

上溢而下漏

文王問呂望說：「怎樣治理天下？」呂望回答說：「行王道的國家使百姓富足，行霸道的國家使士富足，僅能自保的國家使大夫富足，快滅亡的國家使國庫富足，這就叫做『上溢而下漏』。」意思是上等階層富得流油，下層百姓卻一貧如洗。文王說：「講得好。」呂望說：「知道好卻不立即實行，是不吉祥的。」當天，文王就打開糧倉和錢庫，用以賑濟鰥夫、寡婦、孤兒、孤老這類人。

【出處】

文王問於呂望曰：「為天下若何？」對曰：「王國富民，霸國富士；僅存之國，富大夫；亡道之國，富倉府；是謂上溢而下漏。」文王曰：「善！」對曰：「宿善不祥。」是日也，發其倉府，以賑鰥、寡、孤、獨。（《說苑》〈政理〉）

天下更始

商紂殺死王子比干，囚禁箕子。周武王準備出征伐紂，占卦顯示不吉利。群臣恐懼，只有被尊為「師尚父」的太公堅持出兵。武王在牧野誓師，最終擊潰商紂的軍隊。殺死紂王之後，武王登上社壇，群臣手捧明水，衛康叔封鋪好彩席，師尚父牽來祭祀之牲，史佚按照策書祈禱，向神祇稟告伐紂之事。接著散發商紂積聚在鹿臺的錢幣，發放商紂屯積在鉅橋的糧食，以賑濟貧民。又加高比干的墳墓，釋放被囚禁的箕子，把象徵天下最高權力的九鼎遷往周國。同時改善周朝政務，與天下人共創新時代。上述諸事，大多是採用「師尚父」的謀略。

【出處】

居二年，紂殺王子比干，囚箕子。武王將伐紂，卜龜兆，不吉，風雨暴至。群公盡懼，唯太公強之勸武王，武王於是遂行。十一年正月甲子，誓於牧野，伐商紂。紂師敗績。紂反走，登鹿臺，遂追斬紂。明日，武王立於社，群公奉明水，衞康叔封布采席，師尚父牽牲，史佚策祝，以告神討紂之罪。散鹿臺之錢，發鉅橋之粟，以振貧民。封比干墓，釋箕子囚。遷九鼎，修周政，與天下更始。師尚父謀居多。（《史記》〈齊太公世家〉）

齊為大國

武王平定天下後，將齊國營丘封賞給師尚父。師尚父前往自己的封國，邊行邊住，速度很慢。客舍中的人對他說：「我聽說機不可失，失易得難。客人這樣休閒自在，恐怕不是去封國就任吧。」太公聽了此言，連夜上路，很快到達齊國，正遇上萊侯帶兵來攻。齊、萊毗鄰，萊人是夷族，想趁周朝立足未穩，爭奪營丘。太公趕走萊人，修明政事，順其風俗，簡化禮儀，開放工商業，大力發展漁業、鹽業，四方民眾多來歸附。周成王年幼即位，管蔡叛亂，淮夷也背叛周朝，成王命令太公說：「東至大海，西至黃河，南至穆陵，北至無棣，此間五等諸侯，各地官守，如有罪愆，命你討伐。」齊國定都營丘，成為名副其實的大國，可以征討各國。

【出處】

於是武王已平商而王天下，封師尚父於齊營丘。東就國，道宿行遲。逆旅之人曰：「吾聞時難得而易失。客寢甚安，殆非就國者也。」太公聞之，夜衣而行，犂明至國。萊侯來伐，與之爭營丘。營丘邊萊。萊人，夷也，會紂之亂而周初定，未能集遠方，是以與太公爭國。太公至國，修政，因其俗，簡其禮，通商工之業，便魚鹽之利，而人民多歸齊，齊為大國。及周成王少時，管蔡作亂，淮夷畔周，乃使召康公命太公曰：「東至海，西至河，南至穆陵，北至無棣，五侯九伯，實得征之。」齊由此得征伐，為大國。都營丘。（《史記》〈齊太公世家〉）

以為首誅

太公望受封於東方的齊國，齊國東海邊有兄弟二人，名叫狂矞、華士，是隱居的士人，兩人確定為人處事的宗旨時說：「我們不臣服天子，不結交諸侯。靠自己耕種吃飯，靠自己掘井飲水，無求於人。不要君主給予的名聲和俸祿，不為做官忙碌而自食其力。」太公望到了營丘之後，派官吏捕殺他們，作為最先問斬的對象。周公旦在魯國聽到這件事，急派使者前往，詢問太公望說：「這兩位是賢士啊。您剛有封國就殺賢士，為什麼呢？」姜太公說：「是兩人為人處事的宗旨有問題。不臣服天子，就不能把他們看作臣子；不結交諸侯，就不能派他們出使列國；自給自足，不求助於人，就不能用賞罰來勉勵和約束他們。而且，不要君主給的名位，即使聰明，也不能為我所用；

不仰仗君主的俸祿，即使賢明，也不能為我立功。不願意做官就無法管教，不接受任用就是對上不忠。先王之所以能驅使臣民，不是依靠爵祿，就是仰仗刑罰。如果爵祿、刑罰都不足以驅使民眾，那我還做誰的主子呢？不打仗立功而顯貴，不耕田種地而揚名，這本來就不是教化國人的辦法。假如這兒有匹馬，看上去像是良馬，但驅趕牠不上前，制止牠不停步，叫牠左不左，叫牠右不右，那麼再低賤的奴僕，也不會依託牠的腳力。奴僕之所以把腳力寄託在良馬身上，是因為依託良馬可以得利。自以為是賢士而不願為君主所用，自以為行為清高而不肯為君主賣力，這就像良馬不聽人使喚一樣。因此，我要殺死他們。」

【出處】

太公望東封於齊，齊東海上有居士曰狂矞、華士昆弟二人者立議曰：「吾不臣天子，不友諸侯，耕作而食之，掘井而飲之，吾無求於人也。無上之名，無君之祿，不事仕而事力。」太公望至於營丘，使吏執殺之，以為首誅。周公旦從魯聞之，發急傳而問之曰：「夫二子，賢者也。今日饗國而殺賢者，何也？」太公望曰：「是昆弟二人立議曰：『吾不臣天子，不友諸侯，耕作而食之，掘井而飲之，吾無求於人也。無上之名，無君之祿，不事仕而事力。』彼不臣天子者，是望不得而臣也；不友諸侯者，是望不得而使也；耕作而食之，掘井而飲之，無求於人者，是望不得以賞罰勸禁也。且無上名，雖知，不為望用；不仰君祿，雖賢，不為望功。不仕，則不治；不任，則不忠。且先王之所以使其臣民者，非爵祿則刑罰也。今四者不足以使之，則望當誰為君乎？不服兵革而顯，不親耕耨而名，又所以教於國也。今有馬於此，如驥之狀者，天下之至良也。然而驅之不前，卻之不止，左之不左，右之不右，則臧獲雖賤，不托其足。臧獲之所願托其足於驥者，以驥之可以追利辟害也。今不為人用，臧獲雖賤，不托其足焉。已自謂以為世之賢士，而不為主用，行極賢而不用於君，此非明主之所以臣也，亦驥之不可左右矣，是以誅之。」（《韓非子》〈外儲說右上〉）

誹譽之情

周武王問太公望說：「倡導薦賢舉能反而使國家陷入危亡，這是為什麼呢？」太公說：「是因為只有舉賢的空名，並沒有得到真正的賢人。」周武王又問說：「過失是怎麼造成的呢？」太公望說：「過失在於君王好用小才，因而不能得到真正的賢才。」武王再問說：「好用小才會怎麼樣呢？」太公望回答說：「君王樂於聽人讚頌而不厭惡讒言，把不肖的人當賢才，以邪惡為善良，視奸臣為忠臣，把不誠信當誠信。君王認為稱譽他的人有功，說他壞話的人有罪；結果真正有功的人得不到獎賞，真正有罪的人逃脫了懲罰；結黨營私的人得到陞遷，一心為公的人被黜退。如此一來，群臣就相互勾結而壓制賢才，百官就會拉幫結派而稱許奸臣；忠臣受誹謗無罪而死，奸臣因吹捧無功受賞，國家因此陷入危亡。」周武王點頭說：「我今天才知道誹謗與讚譽的實情。」

【出處】

武王問太公曰：「舉賢而以危亡者，何也？」太公曰：「舉賢而不用，是有舉賢之名，而不得真賢之實也。」武王曰：「其失安在？」太公望曰：「其失在君好用小善而已，不得真賢也。」武王曰：「好用小善者何如？」太公曰：「君好聽譽而不惡讒也，以非賢為賢，以非善為善，以非忠為忠，以非信為信；其君以譽為功，以毀為罪；有功者不賞，有罪者不罰；多黨者進，少黨者退；是以群臣比周而蔽賢，百吏群黨而多奸；忠臣以誹死於無罪，邪臣以譽賞於無功。其國見於危亡。」武王曰：「善！吾今日聞誹譽之情矣。」（《說苑》〈君道〉）

以人言斷者殃

周武王問太公望說：「君王得到了賢才並且禮遇賢士，卻還不能治理好國家，這是為什麼呢？」太公回答說：「在於不能獨立決斷。凡事依靠他人的意見做決斷，當然要遭禍殃了。」武王又問：「具體是怎麼表現的呢？」太公回答說：「自己不能決定取捨，依別人的意見來取捨；自己不能決定獎賞與懲罰，聽從別人的意見行賞和處罰。如此一來，賢能的人不一定受重用，不肖的人不一定被黜退，士人也不會受尊敬。」武王說：「是啊！那樣的君主治國將會怎樣呢？」太公回答說：「他不善於自省，卻喜歡挑別人的毛病。這種人怎麼能治理好國家呢？」武王說：「講得好啊！」

【出處】

武王問太公曰：「得賢敬士，或不能以為治者，何也？」太公對曰：「不能獨斷，以人言斷者殃也。」武王曰：「何為以人言斷？」太公對曰：「不能定所去，以人言去；不能定所取，以人言取；不能定所為，以人言為；不能定所罰，以人言罰；不能定所賞，以人言賞。賢者不必用，不肖者不必退，而士不必敬。」武王曰：「善，其為國何如？」太公對曰：「其為人惡聞其情，而喜聞人之情；惡聞其惡，而喜聞人之惡；是以不必治也。」武王曰：「善。」(《說苑》〈君道〉)

愛之而已

周武王問姜太公說：「治國的根本是什麼？」太公回答說：「愛護百姓。」武王又問：「怎樣愛護百姓呢？」太公回答說：「使他們得利而不傷害他們，經營成功而不失敗，生活安定不遭殺戮，多給予而不掠奪，使他們開心、少受痛苦、少生怨怒，這就是治國的根本。驅使百姓的原則，必須從愛出發。百姓失去職業，利益就受到傷害；違背農時，等於毀壞他們的生機；對有罪的人加重處罰，相當於大開殺戒；增加賦稅，就是掠奪他們；大興徭役，百姓就會痛苦不堪；苦上加擾，就會使他們怨怒。善於治國的人，對待百姓就好比父母愛護子女，兄長愛護弟弟，聽說他們挨餓受凍就心疼，看見他們勞苦就傷悲。」

【出處】

武王問於太公曰：「治國之道若何？」太公對曰：「治國之道，愛民而已。」曰：「愛民若何？」曰：「利之而勿害，成之勿敗，生之勿殺，與之勿奪，樂之勿苦，喜之勿怒，此治國之道，使民之誼也，愛之而已矣。民失其所務，則害之也；農失其時，則敗之也；有罪者重其罰，則殺之也；重賦斂者，則奪之也；多徭役以罷民力，則苦之也；勞而擾之，則怒之也。故善為國者遇民，如父母之愛子，兄之愛弟，聞其飢寒為之哀，見其勞苦為之悲。」（《說苑》〈政理〉）

賢君治國

周武王問姜太公說：「賢明的君主怎樣治理國家？」太公回答說：「賢君治國，政治清平，官吏不苛刻，賦稅有節制，他個人的享用很節省，不因個人的喜好損害國法，賞罰有據，後宮不荒淫，不允許嬪妃干政，居上位的人胸懷坦蕩，居下位的人光明磊落；不新建宮室耗費錢財，不添置娛樂場所使民力疲憊，不雕花鏤刻供耳目享受，糧食和財物不多藏於官府，國內無流浪飢餓的百姓。這就是賢君治國的景象。」武王說：「太好了！」

【出處】

武王問於太公曰：「賢君治國何如？」對曰：「賢君之治國，其政平，其吏不苛，其賦斂節，其自奉薄，不以私善害公法，賞賜不加於無功，刑罰不施於無罪，不因喜以賞，不因怒以誅，害民者有罪，進賢舉過者有賞，後宮不荒，女謁不聽，上無淫慝，下不陰害，不幸宮室以費財，不多觀游臺池以罷民，不雕文刻鏤以逞耳目，宮無腐蠹之藏，國無流餓之民，此賢君之治國也。」武王曰：「善哉！」（《說苑》〈政理〉）

令出而亂

周武王問姜太公說：「治理國家頻繁改變法令，是什麼原因呢？」太公說：「治理國家頻繁改變法令，是因為治理國家的人不依法辦事，依自己的好惡更改法令，所以法令一頒布就產生混亂，一混亂又更改法令，朝令夕改，陷入惡性循環。」

【出處】

武王問於太公曰：「為國而數更法令者何也？」太公曰：「為國而數更法令者，不法法，以其所善為法者也；故令出而亂，亂則更為法，是以其法令數更也。」（《說苑》〈政理〉）

隱溪涓釣

商朝末年，紂王荒淫無度，殘暴不仁，民怨沸騰。大臣姜子牙無法忍受紂王的胡作非為，就躲到渭水河邊隱居。渭河一帶是諸侯姬昌的管轄範圍，姬昌胸懷大志，很愛惜人才。為了吸引姬昌的注意，姜子牙天天坐在河邊釣魚。他的魚鉤是直的，沒有魚餌，離水面有三尺高。他一邊釣一邊說：「魚兒呀，你快點上鉤吧！」有人好意地告訴他這樣釣不到魚，姜子牙只是笑著說：「魚兒會自願上鉤的。」人們嘲笑他，他也不理會。這件事傳到姬昌耳朵裡，姬昌認為他可能是個有才能的人，就派士兵去請。姜子牙不予理睬，繼續釣魚，嘴裡念叨說：「釣、釣、釣，魚兒不上鉤，蝦米來搗亂！」士兵回去報告，姬昌又派大臣來請，姜子牙仍然不予理睬，嘴裡繼續念叨說：「釣、釣、釣，大魚不上鉤，小魚來搗亂！」姬昌明白了姜子牙的意思，就準備了豐厚的禮品，親自拜訪姜子牙。姜子牙感受到他的誠心，就答應輔佐他。為了表示尊敬，姬昌封他為太公。姜子牙連續輔佐文王、武王，推翻商朝統治，建立了中國歷史上年代最久的王朝——周朝。

【出處】

《符子》曰：太公涓釣於隱溪，五十有六而未常得一魚。魯連子聞而觀焉，太公涓跽而屹柯，不餌而釣，仰詠俯吟，暮則釋竿。其膝所處之石皆若臼，其跗觸崖若路。魯連曰：「釣所本以在魚，無魚何釣？」太公曰：「不見康王父之釣耶？念蓬萊，釣巨海，摧岸投綸五百年矣，未常得一魚；方吾，猶一朝耳！」（《太平御覽》卷九百三十五）

覆水難收

姜太公出山輔佐周文王、周武王之前，家境貧寒，娶妻馬氏。由於姜太公只顧讀書不事生產，妻子馬氏嫌他貧窮，沒有出息，鬧著和他離婚。姜太公苦勸無效，只得由她。後來，姜太公得到周文王的重用，又幫助武王聯合諸侯各國攻滅商朝。馬氏見他既富又貴，懊悔當初離開他，便厚著臉皮找到姜太公請求恢復夫妻關係。姜太公端來一盆水潑在地上，叫馬氏把水收起來。馬氏趕緊趴在地上取水，但只收到一些泥漿。於是姜太公冷冷地對她說：「你已離我而去，就不能重新復合了；這好比倒在地上的水難以收回一樣。」

【出處】

姜太公妻馬氏，不堪其貧而去。及太公既貴，再來，太公取一壺水傾於地，令妻收之，乃語之曰：「若言離更合，覆水定難收。」（《野客叢書》〈心堅石穿覆水難收〉）

太公兵法

《太公兵法》上說：「將領要表現出慈愛之心，建立威武的戰功，使部下心悅誠服；要訓練部隊的精神銳氣，磨煉將士的節操，提高他們的士氣；軍隊分為五列，旌旗番號相互區別，以免造成混亂；行軍布陣要堅不可摧，小組小隊要彼此呼應，禁止一切為非作歹的行為。」書中關於排兵布陣的方法、軍內的法令和獎懲條例等，與現在的帶兵方略多不相同。

【出處】

《太公兵法》曰：「致慈愛之心，立武威之戰，以卑其眾；練其精銳，砥礪其節，以高其氣。分為五選，異其旗章，勿使冒亂；堅其行陣，連其什伍，以禁淫非。」壘陳之次，車騎之處，勒兵之勢，軍之法令，賞罰之數。使士赴火蹈刃，陷陣取將，死不旋踵者，多異於今之將也。(《說苑》〈指武〉)

禮不忘其本

太公封於齊，以營丘為國都。因太公留朝為太師，死後便葬在周地。此後，其五代子孫雖然死於齊，也都隨太公葬於周地。君子說：「音樂，還是故國的聲音最好聽；禮的精神，也是不忘其本。古人說：狐狸死了，也要把頭對著狐穴所在的方向，這也是不忘其本啊！」

【出處】

大公封於營丘，比及五世，皆反葬於周。君子曰：「樂樂其所自生，禮不忘其本。古之人有言曰：狐死正丘首。仁也。」(《禮記》〈檀弓上〉)

富而後乞

東閭子[2]曾經大富大貴，後來卻淪為乞丐。有人問他說：「你怎麼

2. 東閭子：齊莊公時大夫，官至相國，非常富有。之後行乞於東閭，以東閭為氏，東閭氏一世祖。

會變成這樣？」他說：「我這是咎由自取。我曾經做過六七年國相，卻沒有使一人尊貴；我曾經兩次擁有三千萬金的資產，卻沒有幫助一人致富。不懂得幫助別人，又怎麼能得到別人的幫助呢？」

【出處】

東閭子嘗富貴而後乞，人問之，曰：「公何為如是？」曰：「吾自知。吾嘗相六七年，未嘗薦一人也；吾嘗富三千萬者再，未嘗富一人；不知士出身之咎然也。」（《說苑》〈復恩〉）

齊女傅母

傅母，是齊國國君女兒的師傅。[3]齊女嫁到衛國，成為莊公的夫人，稱之莊姜。莊姜長得非常漂亮。剛嫁到衛國的時候。操行上萎靡懶散，容妝妖豔，放蕩不羈。傅母發現她不守婦道，就教育她說：「您的家族世代尊貴顯榮，理當成為百姓的楷模。您天資聰慧，通達事理，應該做人們的表率。您儀態端莊，容貌美麗，不可不注意修整。如今你穿著上過分追求奢華，連車馬也過度裝飾，就是忽略了德行啊！」於是作詩說：「那高個子的人，穿錦緞的衣服，是齊侯的女兒，衛侯的妻子，東宮的妹妹，邢侯的小姨，譚公是她姊妹婿。」以此來告誡莊姜，作為齊國君主的女兒，衛國國君的夫人，尤其要注意修身養性，不可有邪僻不正的行為。莊姜聽了傅母的訓導，深感慚

3. 據《史記》〈衛康叔世家〉載：「莊公五年，取齊女為夫人，好而無子。」衛莊公五年即齊莊公四十一年。

愧，從此修養身心。君子稱讚說：傅母真是煞費苦心，防患於未然啊。莊姜是齊國太子得臣的妹妹，自己沒有孩子，過繼戴嬀的兒子姬完為後。公子州吁是妾庶所生，倚仗得寵非常驕橫，又好舞刀弄劍，莊公未加禁止，後來州吁果然殺死了桓公姬完。《詩經》〈小雅・角弓〉裡說：「不要教獮猴爬樹。」說的正是這件事啊。

【出處】

傅母者，齊女之傅母也。女為衛莊公夫人，號曰莊姜。姜交好。始往，操行衰惰，有冶容之行，淫泆之心。傅母見其婦道不正，諭之云：「子之家，世世尊榮，當為民法則。子之質，聰達於事，當為人表式。儀貌壯麗，不可不自修整。衣錦絅裳，飾在輿馬，是不貴德也。」乃作詩曰：「碩人其頎，衣錦絅衣，齊侯之子，衛侯之妻，東宮之妹，邢侯之姨，譚公維私。」[4]砥厲女之心以高節，以為人君之子弟，為國君之夫人，尤不可有邪僻之行焉。女遂感而自修。君子善傅母之防未然也。莊姜者，東宮得臣之妹也。無子。姆戴嬀之子桓公，公子州吁嬖人之子也。有寵，驕而好兵，莊公弗禁。後州吁果殺桓公。詩曰：「毋教猱升木。」此之謂也。（《列女傳》〈母儀傳〉）

及瓜而代

齊襄公派連稱、管至父駐守葵丘，當時正好是瓜熟的時節，就說：「到明年瓜熟的時候派人來接替你們。」一年後期限到了，接替

4. 出自《詩經》〈衛風・碩人〉。

的人卻沒有來。連稱、管至父請求朝廷派人接替，齊襄公不同意，於是連稱、管至父醞釀策動叛亂。齊僖公的同母兄弟叫夷仲年，生公孫無知，受到僖公的寵信，衣服禮儀等各種待遇和嫡子一樣。齊襄公繼位後降低了公孫無知的待遇。連稱、管至父就勾結公孫無知發動叛變。連稱有個堂妹在齊襄公後宮不得寵，就讓她去偵察襄公的情況。公孫無知許諾說：「事情成功，我立你為君夫人。」冬十二月，襄公到姑棼遊玩，又到沛丘打獵。見一大豬，侍從說：「像是彭生。」襄公大怒，以箭射去，大豬如人般站立而叫。襄公害怕，從車上摔下來，傷了腳，鞋子也掉了。回去後把管鞋的侍從費鞭打了三百下攆出行宮。無知、連稱、管至父等人得知襄公受傷，就帶領徒眾攻襲襄公，正好遇上管鞋的費。費說：「先不要進去以免驚動宮中，否則就攻不進去了。」無知不相信費，費讓他驗看傷痕。於是等在宮外，讓費先進去探聽。費進宮後，馬上把襄公藏在屋門後。無知等人久等無果，心裡害怕，就衝入宮去。費和襄公的貼身侍從等反攻無知等人，未能得勝，全被殺死。無知進宮，找不到襄公。有人見屋門下露著人腳，開門一看，正是襄公，於是殺死襄公，無知自立為君。

【出處】

齊侯使連稱、管至父戍葵丘。瓜時而往，曰：「及瓜而代。」期戍，公問不至。請代，弗許。故謀作亂。僖公之母弟曰夷仲年，生公孫無知，有寵於僖公，衣服禮秩如適。襄公絀之。二人因之以作亂。連稱有從妹在公宮，無寵，使間公，曰：「捷，吾以女為夫人。」冬十二月，齊侯游於姑棼，遂田於貝丘。見大豕，從者曰：「公子彭生也。」公怒曰：「彭生敢見！」射之，豕人立而啼。公懼，墜於車，傷足喪屨。反，誅屨於徒人費。弗得，鞭之，見血。走出，遇賊於門，劫而束之。費曰：「我奚御哉！」袒而示之背，信之。費請先入，伏公而出，鬥，死於門中。石之紛如死於階下。遂入，殺孟陽於床。曰：「非君也，不類。」見公之足於戶下，遂弒之，而立無知。（《左傳》〈莊公八年〉）

智若鏃矢

齊襄公即位後，厭惡公孫無知，收回了他的祿位。無知很不高興，聯合連稱、管至父殺死了襄公。公子糾投奔魯國，公子小白逃往莒國。不久國人殺死無知，齊國一時沒有君主。公子糾與公子小白都動身回國，二人同時到達國境，爭先入主朝廷。管仲開弓射公子小白，射中了衣帶鉤。鮑叔牙讓公子小白仰面倒下去。管仲以為小白死了，告訴公子糾說：「從從容容地走吧，公子小白已經死了。」鮑叔牙乘機趕車快跑，首先進入朝廷，公子小白得以繼承君位，這就是齊桓公。管仲射箭，鮑叔牙機智地讓公子小白應聲仰面而倒，他用起智來簡直像箭一樣快啊！

【出處】

齊襄公即位，憎公孫無知，收其祿。無知不說，殺襄公。公子糾走魯，公子小白奔莒。既而國殺無知，未有君，公子糾與公子小白皆歸，俱至，爭先入公家。管仲扞弓射公子小白，中鉤。鮑叔御公子小白僵。管子以為小白死，告公子糾曰：「安之，公孫小白已死矣！」

鮑叔因疾驅先入，故公子小白得以為君。鮑叔之智應射而令公子小白僵也，其智若鏃矢也。（《呂氏春秋》〈開春論・貴卒〉）

鮑叔前驅

齊襄公即位的第二年，驅逐小白，小白逃往莒國。襄公在位十二年被殺，公子糾即位。國人召小白回國。鮑叔說：「還不回去嗎？」小白說：「不行。管仲與召忽一文一武，儘管國人召我，還是回不去的。」鮑叔說：「如果管仲的智謀能發揮作用，齊國為什麼會亂？召忽再勇武，一個人也奈何不了我們啊。」小白說：「管仲的智謀不被採用，但畢竟有智謀；召忽雖然得不到國人支持，仍然是威脅啊。」鮑叔回答說：「國家混亂的時候，智者在朝內很難發揮作用；臣子們的想法不一致，君位就可能搶奪到手。」於是鮑叔親自趕車，載著小白一起離開莒國。行進途中，小白仍然猶豫說：「管仲和召忽是奉君令行事，我還是不敢冒險。」說著就要下車。鮑叔伸腿攔住小白說：「大事成功，就在此時；如果失敗，就由我來承擔責任，您可以免責的。」於是繼續前進。到了城郊，鮑叔命令二十輛兵車在前，十輛在後，然後對小白說：「他們懷疑這些從人，但並不認識我。如果大事不能成功，我便在前面阻塞道路。」隨後交代眾人說：「一切聽從我的指揮。如果不能成功，首先要確保公子的安全。我會率領五輛兵車在前面抵擋。」於是鮑叔充當前驅進入齊國，驅逐了公子糾。管仲用箭射擊小白，射中帶鉤。小白成功繼位，管仲與公子糾、召忽只得逃返魯國。齊桓公即位以後，魯國曾經攻伐齊國，想立公子糾，但沒成功。

【出處】

明年，襄公逐小白，小白走莒。三年，襄公薨，公子糾踐位。國人召小白。鮑叔曰：「胡不行矣？」小白曰：「不可。夫管仲知，召忽強武，雖國人召我，我猶不得入也。」鮑叔曰：「管仲得行其知於國，國可謂亂乎？召忽強武，豈能獨圖我哉？」小白曰：「夫雖不得行其知，豈且不有焉乎？召忽雖不得眾，其及豈不足以圖我哉？」鮑叔對曰：「夫國之亂也，智人不得作內事，朋友不能相合摎，而國乃可圖也。」乃命車駕，鮑叔御小白乘而出於莒。小白曰：「夫二人者奉君令，吾不可以試也。」乃將下，鮑叔履其足曰：「事之濟也，在此時；事若不濟，老臣死之，公於猶之免也。」乃行。至於邑郊，鮑叔令車二十乘先，十乘後。鮑叔乃告小白曰：「夫國之疑二三子，莫忍老臣。事之未濟也，老臣是以塞道。」鮑叔乃誓曰：「事之濟也，聽我令；事之不濟也，免公子者為上，死者為下，吾以五乘之實距路。」鮑叔乃為前驅，遂入國，逐公子糾。管仲射小白，中鉤。管仲與公子糾、召忽遂走魯。桓公踐位，魯伐齊，納公子糾而不能。（《管子》〈大匡〉）

堂阜脫囚

鮑叔輔佐齊桓公如願登上君位。可是公子糾還在魯國，管仲的存在也是威脅。於是鮑叔率領軍隊代表齊桓公來到魯國，對魯莊公說：「公子糾是我齊君的親人，請君王代我齊國討伐；管仲、召忽是齊君的仇人，請把他們交給我帶回齊國處置。」於是在生竇[5]殺死了公子糾，召忽也自殺了。鮑叔將管仲押回齊國，到了齊境堂阜[6]就把他釋放了。鮑叔入宮向齊桓公進諫說：「管仲治國的才能比高傒都強，可以讓他擔任國相輔助君主。」齊桓公採納了鮑叔的意見。

【出處】

鮑叔帥師來言曰：「子糾，親也，請君討之。管、召，仇也，請受而甘心焉。」乃殺子糾於生竇，召忽死之。管仲請囚，鮑叔受之，乃堂阜而稅之。歸而以告曰：「管夷吾治於高傒，使相可也。」公從之。（《左傳》〈莊公九年〉）

鮑叔之助

管仲、鮑叔牙商量說：「君主如此昏庸，肯定會失去君位。諸公子中值得輔佐的，只有公子糾和小白。我倆各侍奉一位公子，成功的一方就收留另一方。」於是管仲跟隨公子糾，鮑叔牙跟隨小白。不久國人果然殺死君主。小白搶先一步回國坐上君位。魯國人把管仲拘禁起來獻給小白。在鮑叔牙的推薦下，管仲做了齊相。所以俗話說：「巫咸善於禱告，卻不能解除自己的災禍；秦醫善於治病，卻難以根治自己的頑疾。」憑管仲的英明，還要仰仗鮑叔牙的幫助，這就是俗

5. 生竇：春秋時期魯國地名，在今山東菏澤市北。

6. 堂阜：春秋時齊國西疆重邑，在今山東省臨沂市蒙陰縣境內。著名的「堂阜脫囚」就發生在這裡。

諺說的：「奴僕出售自己的裘衣肯定賣不出去，士人自稱善辯也沒人會信的。」

【出處】

管仲、鮑叔相謂曰：「不壽君亂甚矣，必失國。齊國之諸公子其可輔者，非公子糾，則小白也。與子人事一人焉，先達者相收。」管仲乃從公子糾，鮑叔從小白。國人果弒君。小白先入為君，魯人拘管仲而效之，鮑叔言而相之。故諺曰：「巫咸雖善祝，不能自祓也；秦醫雖善除，不能自彈也。」以管仲之聖而待鮑叔之助，此鄙諺所謂「虜自賣裘而不售，士自譽辯而不信者也」。（《韓非子》〈說林下〉）

鼎之有足

鮑叔、管仲、召忽三人是好友。召忽說：「我們三人對齊國來說，好比鼎的三足，去掉其中一個，鼎就立不起來。我看小白一定繼承不了君位。」管仲說：「不對。全國人都厭惡公子糾的母親，以至厭惡公子糾本人，而同情小白沒有母親。諸兒雖然居長，但品質卑賤，前途如何還說不定。看來統治齊國的，除了糾，就是小白。小白為人不耍小聰明，性急但有遠見，只有我管夷吾理解小白。不幸上天降禍於齊國，糾即便能繼承君位，也將一事無成，將來能安定國家的，除了鮑叔，沒有別人了。」召忽說：「我還是一心一意輔佐糾吧。如果將來不是糾而是別人繼承天下，我也不想活了。」管仲說：「作為臣子，我的使命是謹受君命主持國政，豈能為糾個人而犧牲？

只有遭遇國家破、宗廟滅、祭祀絕這三種極端情況，我才會選擇死亡，否則我一定要活下來。我活著，對齊國有利；我死了，對齊國不利。」鮑叔問道：「那我應該怎麼辦呢？」管仲說：「您去接受命令輔佐小白就是了。」鮑叔接受任命輔佐小白，問管仲說：「我該怎樣工作？」管仲說：「為人臣的，對君主必須盡心竭力才能得到信任，君主不信則說話不靈，說話不靈國家就不能安定。總之，事奉君主不能存有二心。」鮑叔鄭重承諾說：「好。」

【出處】

齊僖公生公子諸兒、公子糾、公子小白。使鮑叔傅小白，鮑叔辭，稱疾不出。管仲與召忽往見之，曰：「何故不出？」鮑叔曰：「先人有言曰：『知子莫若父，知臣莫若君。』今君知臣不肖也，是以使賤臣傅小白也。賤臣知棄矣。」召忽曰：「子固辭，無出，吾權任子以死亡，必免子。」鮑叔曰：「子如是，何不免之有乎？」管仲曰：「不可。持社稷宗廟者，不讓事，不廣閒。將有國者未可知也。子其出乎。」召忽曰：「不可。吾三人者之於齊國也，譬之猶鼎之有足也，去一焉，則必不立矣。吾觀小白，必不為後矣。」管仲曰：「不然也。夫國人憎惡糾之母，以及糾之身，而憐小白之無母也。諸兒長而賤，事未可知也。夫所以定齊國者，非此二公子者，將無已也。小白之為人無小智，惕而有大慮，非夷吾莫容小白。天下不幸降禍加殃於齊，糾雖得立，事將不濟，非子定社稷，其將誰也？」召忽曰：「百歲之後，吾君卜世，犯吾君命，而廢吾所立，奪吾糾也，雖得天下，吾不生也。兄與我齊國之政也，受君令而不改，奉所立而不濟，是吾義也。」管仲曰：「夷吾之為君臣也，將承君命，奉社稷，以持宗廟，豈死一糾哉？夷吾之所死者，社稷破，宗廟滅，祭祀絕，則夷吾死之；非此三者，則夷吾生。夷吾生，則齊國利；夷吾死，則齊國不利。」鮑叔曰：「然則奈何？」管子曰：「子出奉令則可。」鮑叔許諾。乃出奉令，遨傅小白。鮑叔謂管仲曰：「何行？」管仲曰：「為人臣者，不盡力於君則不親信，不親信則言不聽，言不聽則社稷不定。大事君者無二心。」鮑叔許諾。（《管子》〈大匡〉）

死生有分

魯君把管仲、召忽捆起來準備交給齊國使者。管仲問召忽說：「您害怕嗎？」召忽說：「我怕什麼？我不早死，是等待國家平定。現在國家平定了，讓您當齊國的左相，也一定會讓我做齊國的右相。但是，殺死我的主人糾再用我，是對我的侮辱。您做生臣，我做死臣好了。我召忽明知將得到萬乘大國的重用而死，公子糾也算是有視死如歸的忠臣了；您活著稱霸諸侯，公子糾也算是有活著的忠臣了。死者成就德行，生者完成功名。生名與死名不能兼顧，德行也來不得虛假。您努力吧，我們各盡其分。」於是上路而行，一進入齊境，召忽自刎而死。管仲順利返回齊國。君子們評論此事說：「召忽以死為賢，管仲以生為賢。」

【出處】

魯君乃遂束縛管仲與召忽。管仲謂召忽曰：「子懼乎？」召忽曰：「何懼乎？吾不蚤死，將胥有所定也；今既定矣，令子相齊之左，必令忽相齊之右。雖然，殺君而用吾身，是再辱我也。子為生臣，忽為死臣。忽也知得萬乘之政而死，公子糾可謂有死臣矣。子生而霸諸侯，公子糾可謂有生臣矣。死者成行，生者成名，名不兩立，行不虛至。子其勉之，死生有分矣。」乃行，入齊境，自刎而死。管仲遂入。君子聞之曰：「召忽之死也，賢其生也；管仲之生也，賢其死也。」（《管子》〈大匡〉）

跪而食之

管仲被捆綁著從魯國押送回齊國，路上又飢又渴。他路過綺烏邊防時，向邊防官討飯吃。綺烏邊防官跪著給管仲進食，非常恭敬。邊防官私下對管仲說：「要是你僥倖回到齊國不死，並在齊國執政，該怎樣報答我呢？」管仲說：「果真如你所說的那樣，我將任用賢人，使用能人，論功行賞，我還能用什麼報答你呢？」邊防官因此怨恨管仲。

【出處】

管仲束縛，自魯之齊，道而飢渴，過綺烏封人[7]而乞食。烏封人跪而食之，甚敬。封人因竊謂仲曰：「適幸，及齊不死而用齊，將何報我？」曰：「如子之言，我且賢之用，能之使，勞之論。我何以報子？」封人怨之。（《韓非子》〈外儲說左下〉）

---

7. 封人：守邊之官員。

管子能因

魯國遵照齊國的吩咐，將管仲捆起來裝在囚籠裡送往齊國。差役們唱著歌拉車。管仲擔心魯國變卦截留殺死自己，想儘快回到齊國，就對差役們說：「我給你們領唱，你們應和我。」他唱的歌節拍正好適合快走，差役們不覺得疲倦，因而速度很快。管仲太善於因勢利導了。差役們得以一展歌喉，管仲也順利到達了齊國。

【出處】

管子得於魯，魯束縛而檻之，使役人載而送之齊，皆謳歌而引。管子恐魯之止而殺己也，欲速至齊，因謂役人曰：「我為汝唱，汝為我和。」其所唱適宜走，役人不倦，而取道甚速。管子可謂能因矣。役人得其所欲，己亦得其所欲，以此術也。是用萬乘之國，其霸猶少，桓公則難與往也。（《呂氏春秋》〈慎大覽・順說〉）

夷吾佐予

管仲被囚禁在魯國，齊桓公想任命鮑叔為國相。鮑叔說：「您如果想成就霸業，應該任用管夷吾，我不如他。」桓公說：「管夷吾是我的仇人，他用箭射過我，不能用他。」鮑叔說：「夷吾是為他的君主射人，您如果用他為臣，他也會為您射人。」桓公不聽，堅持以鮑叔為相，鮑叔堅辭，桓公最終採納了鮑叔的意見，派使者對魯君說：「管夷吾是我的仇人，希望能押送回國，親手處死他。」魯君答應了，讓人捆住管仲的雙手，用膠帶封住眼睛，裝在大皮口袋裡，扔在車上送往齊國。齊桓公在齊國邊境迎接他，讓他齋戒沐浴後一起回到都城。桓公在宗廟舉行儀式，把管仲推薦給歷代祖先說：「自從聽了夷吾的談論，目光越發明亮，耳朵越發靈敏。我準備用他為相，不敢擅自決定，冒昧地請示先君。」桓公禱告完畢，回過頭來命令管仲說：「夷吾輔佐我！」管仲退後幾步，向桓公跪拜叩頭，接受了命令，而後離開宗廟。管仲治理齊國，只要做事有功，桓公就一定先賞賜鮑叔，讚賞說：「使齊國得到管子的是鮑叔啊！」

【出處】

管子束縛在魯，桓公欲相鮑叔。鮑叔曰：「吾君欲霸王，則管夷吾在彼。臣弗若也。」桓公曰：「夷吾，寡人之賊也，射我者也，不可。」鮑叔曰：「夷吾，為其君射人者也。君若得而臣之，則彼亦將為君射人。」桓公不聽，強相鮑叔。固辭讓而相，桓公果聽之。於是乎使人告魯曰：「管夷吾，寡人之仇也，願得之而親加手焉。」魯君許諾，乃使吏鞹其拳，膠其目，盛之以鴟夷，置之車中。至齊境，桓公使人以朝車迎之，祓以爟火，釁以犧猳焉，生與之如國。命有司除廟筵幾，而薦之曰：「自孤之聞夷吾之言也，目益明，耳益聰。孤弗敢專，敢以告於先君。」因顧而命管子曰：「夷吾佐予！」管仲還走，再拜稽首，受令而出。管子治齊國，舉事有功，桓公必先賞鮑叔，曰：「使齊國得管子者，鮑叔也。」桓公可謂知行賞矣。凡行賞欲其本也，本則過無由生矣。（《呂氏春秋》〈不苟論・贊能〉）

不令之臣

齊桓公從莒國返回齊國後，任命鮑叔為國相。鮑叔推辭說：「我只是個庸臣。您照顧我，使我不至挨餓受凍就已經是恩賜了。若論治國之才，大概只有管仲了。我有五個方面不如管仲：以寬厚溫惠來安撫民眾，我不如他；治國不忘根本，我不如他；得到百姓的忠信，我不如他；制定天下效法的禮儀，我不如他；制定軍規，使百姓們奮勇向前，我不如他。」桓公說：「管仲用箭射中我的腰鉤，使我差點丟命。」鮑叔解釋說：「那是他為主子出力啊。您若赦免他回來，他一樣會為您出力。」桓公問：「怎樣使他回來呢？」鮑叔說：「得向魯國提出請求。」桓公說：「施伯是魯君的謀臣，如果知道我起用管仲，一定不會放還的。該怎麼辦？」鮑叔說：「派人去對魯國說：『管仲是我們國君的仇人，想在群臣面前處死他，請交還我國。』這樣魯國就會放他回國了。」桓公於是派人向魯國要求押送管仲回國。

【出處】

桓公自莒反於齊，使鮑叔為宰，辭曰：「臣，君之庸臣也。君加惠於臣，使不凍餒，則是君之賜也。若必治國家者，則非臣之所能也。若必治國家者，則其管夷吾乎。臣之所不若夷吾者五：寬惠柔民，弗若也；治國家不失其柄，弗若也；忠信可結於百姓，弗若也；制禮義可法於四方，弗若也；執枹鼓立於軍門，使百姓皆加勇焉，弗若也。」桓公曰：「夫管夷吾射寡人中鉤，是以濱於死。」鮑叔對曰：「夫為其君勤也。君若宥而反之，夫猶是也。」桓公曰：「若何？」

鮑叔對曰：「請諸魯。」桓公曰：「施伯，魯君之謀臣也，夫知吾將用之，必不予我矣。若之何？」鮑子對曰：「使人請諸魯曰：『寡君有不令之臣在君之國，欲以戮於群臣，故請之。』則予我矣。」桓公使請諸魯，如鮑叔之言。（《國語》〈齊語〉）

作內政而寄軍令

管仲快到達齊國時，三次薰香沐浴，桓公親自到郊外迎接，向他請教治國之道。管仲說：「過去聖王治理天下時，曾把都城分為三區，郊野分為五區，以確定百姓的住所，讓百姓各就其業，並謹慎地運用六種權力。」桓公問：「怎樣使百姓各就其業呢？」管仲回答說：「不要讓士、農、工、商混雜居住。過去聖王讓士人居住在清靜的地方，工匠住在官府，商人居於市場，農民居於田野。」桓公說：「我想在諸侯中做一番事業，能行嗎？」管仲回答說：「不行，國家還不安定。」桓公問：「怎樣安定國家呢？」管仲說：「整頓已有的法令，選擇合用的修訂施行。然後繁殖人口，救濟貧困，安撫百姓，國家就安定了。」桓公說：「就按您說的辦。」國家安定以後，桓公又說：「現在可以有所作為了吧？」管仲說：「還不行。如果我們整頓軍隊、修造盔甲兵器，其他大國也會競相倣效；我們有進攻的武器，小國也會採取措施防禦。要想儘快稱霸於諸侯，只能把戰備寄寓於政令之中。」桓公問：「該怎麼做呢？」管仲回答說：「在整頓內政中寄寓軍令。」桓公稱讚說：「這太好了！」

【出處】

齊使受之而退。比至，三釁、三浴之。桓公親逆之於郊，而與之坐，問焉……管子對曰：「昔者聖王之治天下也，參其國而伍其鄙，定民之居，成民之事，陵為之終，而慎用其六柄焉。」桓公曰：「成民之事若何？」管子對曰：「四民者勿使雜處，雜處則其言哤，其事易。」公曰：「處士、農、工、商若何？」管子對曰：「昔聖王之處士也，使就閒燕；處工，就官府；處商，就市井；處農，就田野。」……桓公曰：「吾欲從事於諸侯，其可乎？」管子對曰：「未可，國未安。」桓公曰：「安國若何？」管子對曰：「修舊法，擇其善者而業用之；遂滋民，與無財，而敬百姓，則國安矣。」桓公曰：「諾。」遂修舊法，擇其善者而業用之；遂滋民，與無財，而敬百姓。國既安矣，桓公曰：「國安矣，其可乎？」管子對曰：「未可。君若正卒伍，修甲兵，則大國亦將正卒伍，修甲兵，則難以速得志矣。君有攻伐之器，小國諸侯有守禦之備，則難以速得志矣。君若欲速得志於天下諸侯，則事可以隱令，可以寄政。」桓公曰：「為之若何？」管子對曰：「作內政而寄軍令焉。」桓公曰：「善。」（《國語》〈齊語〉）

管仲非貪

齊桓公親自為管仲鬆綁，起用他為國相。管仲說：「我已經得寵了，但我的地位低下。」桓公於是把管仲的地位提到高、國兩大貴族之上。管仲又說：「我地位尊貴了，但我還很貧窮。」桓公於是讓他享有俸祿豐厚的家業。管仲接著說：「我富裕了，但和您的關係還非常疏遠。」於是桓公立管仲為仲父。霄略評論說：「管仲認為地位低下的人不能領導地位尊貴的人，所以要求地位在高、國兩大貴族之上；認為貧窮的人不能治理富裕的人，所以請求有俸祿豐厚的家業；認為和君主關係疏遠的人不能治理和君主關係親密的人，所以得到仲父的稱號。管仲並非貪心不足，而是為了執政治國的需要。」

【出處】

桓公解管仲之束縛而相之。管仲曰：「臣有寵矣，然而臣卑。」公曰：「使子立高、國之上。」管仲曰：「臣貴矣，然而臣貧。」公曰：「使子有三歸之家。」管仲曰：「臣富矣，然而臣疏。」於是立以為仲父。霄略曰：「管仲以賤為不可以治國，故請高、國之上；以貧為不可以治富，故請三歸；以疏為不可以治親，故處仲父。管仲非貪。以便治也。」（《韓非子》〈難一〉）

中門而立

齊桓公要立管仲為仲父，召集大夫說：「贊成我意見的人，入門靠右邊站；不贊成我意見的人，入門靠左邊站。」有一個人站在門中間。桓公問他什麼意思。那人回答說：「管子的智慧足以治理天下，其才幹之強足以奪取天下，但君上你能完全依恃他的信義嗎？內政委任他，外交事務也讓他裁斷，如果百姓都歸服於他，他就能輕易奪取政權了。」桓公說：「有道理！」於是命令隰朋治理朝廷內部的事務，管仲治理朝廷外部的事務，以便他們相互制約。

【出處】

桓公立仲父，致大夫曰：「善吾者入門而右，不善吾者入門而左。」有中門而立者，桓公問焉。對曰：「管子之知，可與謀天下，其強可與取天下。君恃其信乎？內政委焉；外事斷焉。驅民而歸之，是亦可奪也。」桓公曰：「善。」乃謂管仲：「政則卒歸於子矣，政之所不及，唯子是匡。」（《說苑》〈善說〉）

明分任職

齊桓公問管仲說：「怎樣才能做到治而不亂，明察是非而不受矇蔽呢？」管仲回答說：「明確各級官吏的職能守則，就可以做到治而不亂，明而不蔽。」桓公說：「請問怎樣才能使國家富裕？」管仲回答說：「重視農業，不違農時，國家就能富裕。」桓公又問道：「我想行廣仁大義，該怎麼做呢？」管仲回答說：「懲罰強暴，禁止惡行，復活被滅亡的國家，延續將斷絕的世族，赦免被冤枉的『罪人』，那就是廣仁大義。」桓公說：「我聽說要做到這些，就必須擁有戰勝敵人的武器和策略，是這樣嗎？」管仲說：「精選材料交給良工巧匠，就能打造優良的武器，摧毀敵人的裝備，毀散敵人的積蓄，奪取敵人的糧食，就可以輕易地攻城掠地。」桓公又問道：「如何招徠天下賢才呢？」管仲回答說：「致以敬意，優待不欺，不愁天下賢才不來。」桓公說：「怎樣挑選優質的材料？」管仲回答說：「高價求購

中門而立

即可。」桓公說：「如何招聘良工巧匠呢？」管仲回答說：「只要肯出三倍的工錢，良工巧匠就會不遠千里而來。」桓公說：「明白。請問率兵襲擊敵方城邑，如何才能及時掌握動向，不失地利？」管仲回答說：「要花錢收買敵方耳目，研究敵國地圖以熟悉地形。」桓公說：「怎樣才能保持野戰必勝呢？」管仲回答說：「運用奇兵。」桓公說：「我想掌握天下各國諸侯的動向，該怎麼做？」管仲回答說：「小的方面如不認真了解，就不能了解天下的情況。」桓公說：「要使將士具備必死的堅定信念，該怎麼做？」管仲回答說：「要明確三個根本條件。」桓公說：「哪三個？」管仲回答說：「一固，二尊，三質。」桓公說：「請解釋。」管仲回答說：「故國、父母和祖墳都在齊國，是穩固他們的條件；田地、房產和爵祿，是尊顯他們的條件；妻子兒女，相當於人質的條件。有了這三個條件，然後再曉以國家的威嚴，激勵他們的鬥志，將士就會有必死的信念。」

【出處】

桓公問管子曰：「治而不亂，明而不蔽，若何？」管子對曰：「明分任職，則治而不亂，明而不蔽矣。」公曰：「請問富國奈何？」管子對曰：「力地而動於時，則國必富矣。」公又問曰：「吾欲行廣仁大義，以利天下，奚為而可？」管子對曰：「誅暴禁非，存亡繼絕，而赦無罪，則仁廣而義大矣。」公曰：「吾聞之也，夫誅暴禁非，而赦無罪者，必有戰勝之器、攻取之數，而後能誅暴禁非，而赦無罪。」公曰：「請問戰勝之器？」管子對曰：「選天下之豪傑，致天下之精材，來天下之良工，則有戰勝之器矣。」公曰：「攻取之數何如？」管子對曰：「毀其備，散其積，奪之食，則無固城矣。」公曰：「然則取之若何？」管子對曰：「假而禮之，厚而無欺，則天下之士至矣。」公曰：「致天下之精材若何？」管子對曰：「五而六之，九而十之，不可為數。」公曰：「來工若何？」管子對曰：「三倍，不遠千里。」桓公曰：「吾已知戰勝之器、攻取之數矣。請問行軍襲邑，舉錯而知先後，不失地利若何？」管子對曰：「用貨，察圖。」公曰：「野戰必勝若何？」管子對曰：「以奇。」公曰：「吾欲遍知天下若何？」管子對曰：「小以吾不識，則天下不足識也。」公曰：「守戰，遠見，有患。夫民不必死，則不可與出乎守戰之難；不必信，則不可恃而外知。夫恃不死之民而求以守戰，恃不信之人而求以外知，此兵之三暗也。使民必死必信若何？」管子對曰：「明三本。」公曰：「何謂三本？」管子對曰：「三本者，一曰固，二曰尊，三曰質。」公曰：「何謂也？」管子對曰：「故國父母墳墓之所在，固也；田宅爵祿，尊也；妻子，質也。三者備，然後大其威，厲其意，則民必死而不我欺也。」（《管子》〈小問〉）

以百姓為天

齊桓公問管仲說：「做君主的應該重視什麼？」管仲說：「重視天。」桓公抬起頭來看天。管仲說：「我所說的天，不是蒼蒼莽莽的天空。當國君的應該視百姓為天。百姓親附他，社會就安定；輔助他，國家就強盛；指責他，統治就危險；背叛他，政權就覆亡。《詩經》裡說：『統治者如不賢良，一方的百姓都將怨恨他。』被百姓抱怨的朝廷，沒有不滅亡的。」

【出處】

齊桓公問管仲曰：「王者何貴？」曰：「貴天。」桓公仰而視天，管仲曰：「所謂天者，非謂蒼蒼莽莽之天也；君人者以百姓為天，百姓與之則安，輔之則強，非之則危，背之則亡。」詩云：「人而無良，相怨一方。」[8]民怨其上，不遂亡者，未之有也。（《說苑》〈建本〉）

昭然如日月

齊桓公對管仲說：「我想在國內處理政事，採用光明磊落的手段，無論多麼愚笨的民眾都理解贊成，可以嗎？」管仲說：「當然好。但這並不是聖人治國的辦法。」桓公問：「為什麼呢？」管仲回答說：「短繩不能用在深井中打水，知識貧乏的人不可以與他談論聖人之道。可以與聰明的人討論具體事物，與智慧的人探討無邊的宇宙，與聖人探索神聖的精神世界。那聖賢的作為，並不是一般人所能企及的。一般人明知對方勝過自己十倍，往往還要與他爭勝，說不如自己。如果超過自己百倍，就會挑剔他的過錯；超過自己千倍，就會極盡譏諷表示不相信。因此，對百姓不能輕易打賞，只能歸併管理；也不能施暴誅殺，只能懷柔招攬；也不宜挨家挨戶訓導，只能樹立榜樣讓他們效仿。」

8. 「人而無良，相怨一方」，《詩經》〈小雅‧角弓〉作「民之無良，相怨一方」。

【出處】

齊桓公謂管仲曰：「吾欲舉事於國，昭然如日月，無愚夫愚婦皆曰善，可乎？」仲曰：「可。然非聖人之道。」桓公曰：「何也？」對曰：「夫短綆不可以汲深井，知鮮不可以與聖人言，慧士可與辨物，智士可與辨無方，聖人可與辨神明；夫聖人之所為，非眾人之所及也。民知十己，則尚與之爭，曰不如吾也，百己則疵其過，千己則誰而不信。是故民不可稍而掌也，可並而牧也；不可暴而殺也，可麾而致也；眾不可戶說也，可舉而示也。」（《說苑》〈政理〉）

牧民何先

齊桓公向管仲討教治理百姓的方法，管仲回答說：「治理百姓，一是要了解他們的疾苦，二是要厚施德惠，三是不濫施刑罰，四是不施行暴政。注意這四點，就能治理好百姓。」桓公說：「具體該如何實現呢？」管仲回答說：「誠信而仁愛，嚴肅而有禮，認真注意這四點，就可以實現。」桓公說：「請詳細說明。」管仲回答說：「恪守信用，人民就信任；施行仁政，人民就感恩懷德；執政嚴肅，人民就充滿敬畏；講究禮儀，人民就讚美歌頌。常言說：寧肯捨棄性命也不肯食言，就是信；不是人民想要的不強加於人，就是仁；內心堅定而儀表端正，就是嚴；誠信而謙讓，就是禮。」桓公說：「好啊。政和德，治民應當以哪個為先呢？」管仲問答說：「有時先施以政，有時先施以德。在風調雨順的年景裡，河流通暢，糧食豐收，家禽與人同食菽麥，民間也沒有疾病和瘟疫，人民富有而驕傲。此時政府應該大量收購和貯存糧食，禁止入山下水採伐捕獲，改善政治，完善刑法，並結合禮樂來淨化社會環境，這就是先施以『政』。如果遇上荒年，或暴雨為害，或乾旱絕收，民間疾病和瘟疫流行，此時百姓生活窮困、身心疲憊。政府應該打開倉門、開放山林沼澤，盡量減少勞役，以幫助百姓渡過難關，這就叫作先施以『德』。豐年收購和囤積各類物品，不奪民財；荒年賑濟災民渡過難關，不失有德；國家強了，君主富了，老百姓也得到滿足，這就是聖王之治。」桓公說：「好。」

【出處】

桓公問治民於管子。管子對曰：「凡牧民者，必知其疾，而憂之以德，勿懼以罪，勿止以力。慎此四者，足以治民也。」桓公曰：「寡人睹其善也，何為其寡也？」管仲對曰：「夫寡非有國者之患也。昔者天子中立，地方千里，四言者該焉，何為其寡也？夫牧民不知其疾則民疾，不憂以德則民多怨，懼之以罪則民多詐，止之以力則往者不反，來者鷙距。故聖王之牧民也，不在其多也。」桓公曰：「善，勿已，如是又何以行之？」管仲對曰：「質信極忠，嚴以有禮，慎此四者，所以行之也。」桓公曰：「請聞其說。」管仲對曰：「信也者，民信之；忠也者，民懷之；嚴也者，民畏之；禮也者，民美之。語曰：澤命不渝，信也；非其所欲，勿施於人，仁也；堅中外正，嚴也；質信以讓，禮也。」桓公曰：「善哉！牧民何先？」管子對曰：「有時先事，有時先政，有時先德，有時先恕。飄風暴雨不為人害，涸旱不為民患，百川道，年穀熟，糴貸賤，禽獸與人聚食民食，民不疾疫。當此時也，民富且驕。牧民者厚收善歲以充倉廩，禁藪澤，（此謂）先之以事，隨之以刑，敬之以禮樂以振其淫。此謂先之以政。飄風暴雨為民害，涸旱為民患，年穀不熟，歲飢，糴貸貴，民疾疫。當此時也，民貧且罷。牧民者發倉廩、山林、藪澤以共其財，後之以事，先之以恕，以振其罷。此謂先之以德。其收之也，不奪民財；其施之也，不失有德。富上而足下，此聖王之至事也。」桓公曰：「善。」（《管子》〈小問〉）

勝民為易

桓公說：「我想要馴服百姓，該怎麼辦？」管仲回答說：「這不是人君該說的話。馴服百姓很容易。但是馴服百姓這個辦法，卻不是統治天下的正道。您想馴服百姓，就讓官吏頒布刑律，確定揭發有罪的人得賞，加強審查嚴加懲處，百姓自然服服帖帖。然而馴服百姓這個辦法，終不是統治天下的正道。不過，百姓畏懼您而不親近您，麻煩也來了。人們畏葸不前，不肯為國出力，這對國家也很不利。」

【出處】

桓公曰：「我欲勝民，為之奈何？」管仲對曰：「此非人君之言也。勝民為易。夫勝民之為道，非天下之大道也。君欲勝民，則使有司疏獄，而謁有罪者償，數省而嚴誅，若此，則民勝矣。雖然，勝民之為道，非天下之大道也。使民畏公而不見親，禍亟及於身，雖能不久，則人待莫之弒也，危哉，君之國岌乎。」（《管子》〈小問〉）

小罪謫以金

齊桓公問道：「軍令已經包含在政令中實施了，可是齊國缺少鎧甲和武器，怎麼籌辦呢？」管仲回答說：「減輕對罪犯的懲罰，讓他們用鎧甲和武器來贖罪。」桓公說：「怎樣操作呢？」管仲回答說：「判死刑的罪犯可以用犀牛皮製成的甲冑和一支車戟來贖罪；犯輕罪的可以用鞼盾和一支車戟來贖罪；犯普通小過的，罰他金錢；有犯罪嫌疑的，予以赦免。要求打官司的先禁閉三天，把訴詞考慮停當；訴詞定下不變後，交一束箭再予以審理。好的金屬用來鑄造劍戟，用狗馬來試驗是否鋒利；差的金屬用來鑄造農具，用土壤來檢驗是否合用。」桓公採納了管仲的建議，齊國的鎧甲和武器日漸充足。

【出處】

桓公問曰：「夫軍令則寄諸內政矣，齊國寡甲兵，為之若何？」管子對曰：「輕過而移諸甲兵。」桓公曰：「為之若何？」管子對曰：「制重罪贖以犀甲一戟，輕罪贖以鞼盾一戟，小罪謫以金分，宥間罪。索訟者，三禁而不可上下，坐成以束矢。美金以鑄劍戟，試諸狗馬；惡金以鑄鉏、夷、斤、斸，試諸壤土。」甲兵大足。(《國語》〈齊語〉)

先置後廢

桓公問管仲說：「我想征討不服從齊國的大國，可以嗎？」管仲回答說：「先愛護好國內的民眾，然後才能去懲處國外的惡人；先安頓好大臣們的家庭，然後才能去征討相鄰的敵國。以往的明君都是先立再廢，先興利再除害。」

【出處】

桓公謂管仲曰：「吾欲伐大國之不服者奈何？」管仲對曰：「先愛四封之內，然後可以惡竟外之不善者；先定卿大夫之家，然後可以危鄰之敵國。是故先王必有置也，然後有廢也；必有利也，然後有害也。」（《管子》〈小問〉）

富之以涯

桓公問管仲說：「富有沒有邊際？」管仲回答說：「水有邊際，就是到了不再有水的地方；富有邊際，就是富到已經覺得滿足。人們不知道在足夠富裕時及時收斂，怕是已忘記富裕的邊際吧！」

【出處】

桓公問管仲：「富有涯乎？」答曰：「水之以涯，其無水者也；富之以涯，其富已足者也。人不能自止於足，而亡其富之涯乎！」（《韓非子》〈說林下〉）

嘖室之議

桓公問管仲說：「我想永保江山，能做到嗎？」管仲回答說：「不急於標新立異，不強力而為，不因私害公，不做老百姓反感厭惡的事情。黃帝建立明臺的諮議制度，是為了向上徵集賢士的意見；堯帝實行衢室的詢問制度，是為了向下傾聽人民的呼聲；舜帝有號召進諫的旌旗，君主因此不受矇蔽；禹帝把諫鼓擺在朝堂上，人們隨時可以敲鼓進諫；商湯在大街上建立敞開的廳堂，用以蒐集人們的非議；周武王憑藉靈臺的報告制度，使賢者能得到進用。這就是古代聖王能長保天下的原因。」桓公說：「我也想效法先王實行這項制度，仲父覺得叫什麼名字好呢？」回答說：「可以叫『嘖室之議』。國家的法令要簡便易行，刑罰要嚴肅審慎，讓人不敢輕易觸犯；政事要去繁從簡，稅收的負擔要輕。老百姓能提出君主過失的，就授予他『正士』的榮譽，其意見都納入『嘖室之議』處理。必須有專人負責這件事情，以免有所遺漏。東郭牙為人正直，能在君主面前據理力爭，可以讓他來負責這項工作。」桓公說：「好，就這麼辦！」

【出處】

齊桓公問管子曰：「吾念有而勿失，得而勿忘，為之有道乎？」對曰：「勿創勿作，時至而隨。毋以私好惡害公正，察民所惡，以自為戒。黃帝立明臺之議者，上觀於賢也；堯有衢室之問者，下聽於人也；舜有告善之旌，而主不蔽也；禹立諫鼓於朝，而備訊唉；湯有總街之庭，以觀人誹也；武王有靈臺之復，而賢者進也。此古聖帝明王所以有而勿失，得而勿忘者也。」桓公曰：「吾欲效而為之，其名云何？」對曰：「名曰嘖室之議。曰：法簡而易行，刑審而不犯，事約而易從，求寡而易足。人有非上之所過，謂之正士，內於嘖室之議。有司執事者咸以厥事奉職，而不忘為。此嘖室之事也，請以東郭牙為之。此人能以正事爭於君前者也。」桓公曰：「善。」（《管子》〈桓公問〉）

無害於霸

齊桓公問管仲說：「我想讓酒在酒器裡變酸，肉在祭器中腐敗，這對稱霸沒有妨害吧？」管仲回答說：「這的確不是高尚的行為，但對稱霸無妨。」齊桓公問說：「那什麼會妨礙稱霸呢？」管仲回答說：「不能識別賢才，識別賢才卻不予使用，使用他卻不委以重任，重用他卻不信任他，信任他卻又讓小人干預他，這些都妨害稱霸。」齊桓公說：「講得好。」

【出處】

桓公問於管仲曰：「吾欲使爵腐於酒，肉腐於俎，得無害於霸乎？」管仲對曰：「此極非其貴者耳，然亦無害於霸也。」桓公曰：「何如而害霸？」管仲對曰：「不知賢，害霸；知而不用，害霸；用而不任，害霸；任而不信，害霸；信而復使小人參之，害霸。」桓公：「善。」（《說苑》〈尊賢〉）

取人以人

有人拜見齊桓公，請求獲得級別較高的官職，食祿達於千鍾。桓公徵求管仲的意見。管仲說：「可以答應他。」這人聽後說：「我不幹了。」桓公問他說：「為什麼呢？」回答說：「我聽說，徵求他人的意見用人，也會聽信他人的意見棄之不用，所以不幹了。」

【出處】

客或欲見於齊桓公，請仕上官，授祿千鍾。公以告管仲。曰：「君予之。」客聞之曰：「臣不仕矣。」公曰：「何故？」對曰：「臣聞取人以人者，其去人也亦用人。吾不仕矣。」（《管子》〈小問〉）

莫敢索官

齊桓公對管仲說：「官位少，求官的人卻多，我很為此擔憂。」管仲說：「您不要聽從左右親信的胡攪蠻纏。只要根據才能授予俸祿，記錄功勞給予官職，就沒人敢隨便要求官職了，您還擔憂什麼？」

【出處】

桓公謂管仲曰：「官少而索者眾，寡人憂之。」管仲曰：「君無聽左右之請，因能而受祿，祿功而與官，則莫敢索官。君何患焉？」（《韓非子》〈外儲說左下〉）

君好臣服

齊桓公對管仲說：「齊國還很弱小，財物用品不算充足，群臣的服飾車馬卻十分奢侈。我想禁止這種風氣，可以嗎？」管仲說：「我聽說君王品嚐的東西，臣子就愛吃它；君王喜好的服飾，臣子就愛穿它。現在君王吃的是丹桂肉湯，穿的是紫衣狐袍，難怪群臣要競相奢侈了。《詩經》上說：『處事不誠，不從自身做起，百姓就不會相信。』您想禁止這種不良風氣，為何不從自己做起呢？」桓公說：「好吧。」於是改穿白色絲綢衣帽上朝。一年之後，齊國上下節儉蔚然成風。

【出處】

齊桓公謂管仲曰：「吾國甚小，而財用甚少，而群臣衣服輿駕甚汰，吾欲禁之，可乎？」管仲曰：「臣聞之，君嘗之，臣食之；君好之，臣服之。今君之食也必桂之漿，衣練紫之衣，狐白之裘。此群臣之所奢汰也。詩云：『弗躬弗親，庶民弗信。』[9]君欲禁之，胡不自親乎？」桓公曰：「善。」於是更制練帛之衣，大白之冠，朝一年而齊國儉也。（《說苑》〈反質〉）

9. 「弗躬弗親，庶民弗信」，出自《詩經》〈小雅・節南山〉。

惡紫之臭

齊桓公偏好紫色的衣服，全國人就跟著穿紫色的衣服。一段時期，五匹素布的價格還抵不上一匹紫布。桓公深以為憂，對管仲說：「我喜歡穿紫色衣服，全國百姓都喜歡穿紫色衣服，價格攀升，日甚一日，該怎麼辦呢？」管仲說：「君王想制止這種狀況，為何不嘗試脫去紫色衣服呢？您只須對近侍說：『我討厭紫色衣服的氣味。』如果有穿紫色衣服的人進見，您不妨說：『請退後點，我厭惡紫色衣服的氣味。』」桓公說：「好吧。」第一天，君主左右沒人再穿紫色衣服；第二天，國都中沒人再穿紫色衣服；第三天，齊國境內沒有人再穿紫色衣服。

【出處】

齊桓公好服紫，一國盡服紫。當是時也，五素不得一紫。桓公患之，謂管仲曰：「寡人好服紫，紫貴甚，一國百姓好服紫不已，寡人奈何？」管仲曰：「君欲止之，何不試勿衣紫也？謂左右曰：『吾甚惡紫之臭。』於是左右適有衣紫而進者，公必曰：『少卻，吾惡紫臭。』」公曰：「諾。」於是日，郎中莫衣紫，其明日，國中莫衣紫；三日，境內莫衣紫也。（《韓非子》〈外儲說左上〉）

國之社鼠

齊桓公問管仲說：「治理國家最擔心什麼？」管仲回答說：「擔

心社鼠。」桓公問：「什麼意思？」管仲回答說：「土地廟是用木頭捆紮後塗上泥巴做成的，老鼠寄身在裡面，用煙熏牠恐怕引燃木頭，用水灌牠又怕沖壞泥塑。老鼠之所以不能殺死，是由於土地廟的緣故。國家也有社鼠，君主左右的親信就是。他們在宮內對君主隱瞞善惡的真相，在宮外向百姓炫耀手握的大權。不除掉他們就會釀成禍亂，要剷除他們，卻往往被君主袒護和豢養。有個賣酒的人，他的酒具十分清潔，懸掛的酒帘也很高，但酒放酸了也賣不出去。他向鄰里請教原因，鄰里回答說：『你的狗太凶了，別人提壺進來買酒，那狗就撲上來咬人，這就是酒放酸了賣不出去的原因啊。』國家也有惡狗，當權的人就是。有道德學問的賢士想要拜見君主，當權的人像狗一樣撲上去咬他。左右的親信是社鼠，當權的人是惡狗，有道德學問的賢才就得不到任用，這就是治理國家最擔心的事。」

【出處】

齊桓公問於管仲曰：「國何患？」管仲對曰：「患夫社鼠。」桓公曰：「何謂也？」管仲對曰：「夫社束木而涂之，鼠因往托焉，熏之則恐燒其木，灌之則恐敗其涂，此鼠所以不可得殺者，以社故也。夫國亦有社鼠，人主左右是也；內則蔽善惡於君上，外則賣權重於百姓，不誅之則為亂，誅之則為人主所案據，腹而有之，此亦國之社鼠也。人有酤酒者，為器甚潔清，置表甚長，而酒酸不售，問之里人其故，里人云：『公之狗猛，人挈器而入，且酤公酒，狗迎而噬之，此酒所以酸不售之故也。』夫國亦有猛狗，用事者是也；有道術之士，欲明萬乘之主，而用事者迎而齕之，此亦國之猛狗也。左右為社鼠，用事者為猛狗，則道術之士不得用矣，此治國之所患也。」（《說苑》〈政理〉）

親善鄰國

齊桓公說：「我打算稱霸於諸侯，時機成熟了嗎？」管仲回答說：「還不行。鄰國還沒有親近我們。要建立霸業，首先要親近鄰國。」桓公說：「怎樣親近呢？」管仲回答說：「審定我國的疆界，歸還侵奪鄰國的土地，承認鄰國疆界的合法性，不占鄰國的便宜；還要多送禮給鄰國，派使者到周邊鄰國作親善訪問，使他們感到安定，這樣周邊鄰國就會親近我們了。可以選派擅長外交的說客八十人，讓他們帶著車馬、衣裘和錢財周遊列國，籠絡和吸納賢能之士。讓百姓將皮毛、幣帛和玩賞之物販賣出境，以此來觀察各國朝野的愛好追求，然後選擇奢侈腐化的國家首先征伐它。」

【出處】

桓公曰：「吾欲從事於諸侯，其可乎？」管子對曰：「未可。鄰國未吾親也。君欲從事於天下諸侯，則親鄰國。」桓公曰：「若何？」管子對曰：「審吾疆場，而反其侵地；正其封疆，無受其資；而重為之皮幣，以驟聘眺於諸侯，以安四鄰，則四鄰之國親我矣。為游士八十人，奉之以車馬、衣裘，多其資幣，使周遊於四方，以號召天下之賢士。皮幣玩好，使民鬻之四方，以監其上下之所好，擇其淫亂者而先征之。」（《國語》〈齊語〉）

民歸之如流水

桓公坐朝，管仲、隰朋進見。窗外有鴻雁飛過，桓公遠望嘆息說：「仲父，那些鴻雁時而南飛，時而北飛。不畏路途遙遠，想飛向哪裡就飛向哪裡，是不是因為長有翅膀的緣故，才自由翱翔呢？」管仲和隰朋一時無語。桓公問說：「你們倆為什麼不回答？」管仲說：「君主您有成就霸業的雄心，而我不是成就霸業的大臣，所以不敢回答。」桓公說：「仲父何必謙虛？我有仲父，恰似飛鴻有翅膀，渡河有舟船。仲父不開導我，我豈不是白長了兩隻耳朵？」管子回答說：「您要成就霸業，就必須抓住根本。」桓公離開座位，拱手發問說：「什麼才是根本？」管子回答說：「齊國的百姓，就是您的根本。百姓擔心飢餓，您收的稅卻重；百姓恐懼死罪，您的刑法嚴酷；百姓擔心徭役過重，您一年四季擾民不休。如果您能輕徵賦稅，百姓就不會飢餓；寬緩刑政，百姓就身心舒坦；舉事不違農時，百姓的體力負擔就輕。」桓公說：「我聽懂了仲父講的三點。我私自記得還不行，還要把這些話在太廟昭示。」於是命令主管官吏事先準備好筆墨。第二天，百官都在太廟集中，桓公發布政令說：「執行百分之一的稅率，孤幼兒童免於刑事處罰，山川水澤按時對百姓開放，關卡僅履行檢查職能而不徵稅，市場只記錄交易而不取租，對國內的百姓示以忠信，對周邊的諸侯示以禮義。」實行這樣的政令沒過幾年，四面八方來歸附的百姓像潮水般湧來。

【出處】

桓公在位，管仲、隰朋見。立有間，有二鴻飛而過之。桓公嘆曰：「仲父，今彼鴻鵠有時而南，有時而北，有時而往，有時而來，四方無遠，所欲至而至焉，非唯有羽翼之故，是以能通其意於天下乎？」管仲、隰朋不對。桓公曰：「二子何故不對？」管子對曰：「君有霸王之心，而夷吾非霸王之臣也，是以不敢對。」桓公曰：「仲父胡為然？盍不當言，寡人其有鄉乎？寡人之有仲父也，猶飛鴻之有羽翼也，若濟大水有舟楫也。仲父不一言教寡人，寡人之有耳，將安聞道而得度哉。」管子對曰：「君若將欲霸王舉大事乎？則必從其本事矣。」桓公變躬遷席，拱手而問曰：「敢問何謂其本？」管子對曰：「齊國百姓，公之本也。人甚憂飢，而稅斂重；人甚懼死，而刑政險；人甚傷勞，而上舉事不時。公輕其稅斂，則人不憂飢；緩其刑政，則人不懼死；舉事以時，則人不傷勞。」桓公曰：「寡人聞仲父之言此三者，聞命矣，不敢擅也，將薦之先君。」於是令百官有司，削方墨筆。明日，皆朝於太廟之門朝，定令於百吏。使稅者百一鐘，孤幼不刑，澤梁時縱，關譏而不徵，市書而不賦；近者示之以忠信，遠者示之以禮義。行此數年，而民歸之如流水。（《管子》〈霸形〉）

人固難全

甯戚想自薦於齊桓公，因為貧困，於是隨商隊駕車入城，晚上住在都城門外。齊桓公到郊外迎接客人，夜晚打開城門，隨從們手執火把，前呼後擁。甯戚正在車下餵牛，看到桓公，於是敲打牛角，用急促激昂的聲音唱起悲傷的商調。齊桓公聽到他的歌聲，按住車伕的手說：「奇怪啊，這位歌者不是凡人。」於是命令侍從將甯戚帶回朝廷。桓公返回城內，到了朝廷，隨從請示如何處置甯戚，桓公說：「賜給他衣服帽子，我要見他。」甯戚拜見桓公，拿增強國內凝聚力的觀點說事。第二天再見桓公，又談到稱霸天下的思路。桓公非常高興，想要重用他。群臣勸諫說：「這位客人是衛國人，衛國離齊國五百里，不算太遠，何不派人去打聽一下，果真是賢人，再重用也不晚。」桓公說：「不是這樣的。如果派人去打聽，不難挑出小毛病，因為一點小毛病而忽略大的長處，這正是天下大多數國君失去賢士的原因啊。況且人本來就很難十全十美，我們姑且用他的長處吧。」於是果斷提拔甯戚為卿大夫。

【出處】

甯戚欲干齊桓公，窮困無以自進，於是為商旅，賃車以適齊，暮宿於郭門之外。桓公郊迎客，夜開門，辟賃車者，執火甚盛，從者甚眾，甯戚飯牛於車下，望桓公而悲，擊牛角，疾商歌。桓公聞之，執其僕之手曰：「異哉！此歌者非常人也。」命後車載之。桓公反，至，從者以請。桓公曰：「賜之衣冠，將見之。」甯戚見，說桓公以合境內。明日復見，說桓公以為天下。桓公大說，將任之。群臣爭之曰：「客衛人，去齊五百里，不遠，不若使人問之，固賢人也，任之未晚也。」桓公曰：「不然。問之，恐其有小惡，以其小惡，忘人之大美，此人主所以失天下之士也。且人固難全，權用其長者。」遂舉大用之，而授之以為卿。當此舉也，桓公得之矣，所以霸也。（《新序》〈雜事第五〉）

一匡天下

管仲對齊桓公說：「開墾田地創建城邑，擴大耕地種植穀物，充分發揮土地的作用，臣下不如甯戚，請委任他為田官。進退周旋，熟悉禮儀，臣下不如隰朋，請委任他為大行人。朝會早到遲退，君主發怒時也敢於直諫，進諫出於忠心，輕視富貴，淡看生死，臣不如東郭牙，請以他為諫臣。判案依照法律無所偏頗，不放過有罪的人，不濫殺無辜，臣下不如弦寧，請派他充當大理。指揮軍隊從容有度，催動戰鼓三軍用命，臣下不如王子成甫，請以他為大司馬。主公如果只想國家安定、軍隊強大，那麼有這五位就足夠了；如果要成就霸業，則臣下管夷吾在此。」因為管仲能識別人才，桓公善用賢人，所以齊國能多次成為諸侯會盟的霸主。《詩經》裡說：「眾多人才濟濟一堂，文王可以放心安寧。」齊桓公與周文王當時的情景也差不多吧。

【出處】

管仲言齊桓公曰：「夫墾田創邑，闢田殖穀，盡地之利，則臣不若甯戚，請置以為田官。登降揖讓，進退閑習，則臣不若隰朋，請置以為大行。蚤入晏出，犯君顏色，進諫必忠，不重富貴，不避死亡，則臣不若東郭牙，請置以為諫臣。決獄折中，不誣無罪，不殺無辜，則臣不若弦寧，請置以為大理。平原廣囿，車不結軌，士不旋踵，鼓之，而三軍之士，視死若歸，則臣不若王子成甫，請署以為大司馬。君如欲治國強兵，則此五子者足矣，如欲霸王，則夷吾在此。」夫管仲能知人，桓公能任賢，所以九合諸侯，一匡天下，不用兵車，管仲

之功也。《詩》曰：「濟濟多士，文王以寧。」[10]桓公其似之矣。（《新序》〈雜事第四〉）

勞於求人，佚於得賢

主管官吏向齊桓公匯報工作，桓公說：「去跟仲父說吧。」主管官吏又來請示工作，桓公說：「去跟仲父說吧。」一連三次，都是如此。桓公的近臣說：「每次請示，都說去跟仲父說，這樣當君主，不是太容易了嗎？」桓公說：「沒得到仲父時，當然事必躬親；已經有了仲父，為什麼不超脫些呢？」當君主的最關鍵是要訪求賢才，有了賢才的輔佐就輕鬆多了。舜因為提拔了眾多的賢才主管事務，他自己不用理事就使天下太平。商湯王、周文王任用伊尹、太公，周成王任用周公、邵公，以至刑法不用、兵器不動。

【出處】

有司請事於齊桓公，桓公曰：「以告仲父。」有司又請，桓公曰：「以告仲父。」若是者三。在側者曰：「一則告仲父，二則告仲父，易哉為君。」桓公曰：「吾未得仲父則難，已得仲父，曷為其不易也。」故王者勞於求人，佚於得賢。舜舉眾賢在位，垂衣裳，恭己無為，而天下治。湯文用伊、呂，成王用周、邵，而刑措不用，兵偃而不動，用眾賢也。（《新序》〈雜事第四〉）

10.「濟濟多士，文王以寧」，出自《詩經》〈大雅・文王〉。

國君之信

齊桓公要請管仲到家裡喝酒，挖了一口新井，用柴草覆蓋。齋戒十天後召見管仲。管仲到達後，桓公手執酒爵，夫人端著酒杯為他敬酒。酒過三觴後，管仲就起身離去。桓公生氣說：「寡人齋戒十天，專門請仲父喝酒，自以為夠虔誠了，仲父卻不辭而別，為什麼呢？」鮑叔牙與隰朋追出來攔住管仲說：「桓公發怒了。」管仲只得返回。桓公說：「為請您喝酒，我齋戒十天，自以為很重視了。您才飲三觴就不辭而出，為什麼呢？」管仲回答說：「臣聽說：沉溺於哀樂就忘記憂患，貪圖美味就薄於德行，厭倦上朝就懶於政事，對國家有害就危及平安。我就是想到這些才出走的。」桓公解釋說：「我並非要自我放縱，仲父年紀大了，我也老了，我只是想慰勞一下您。」管仲回答說：「我聽說壯年人不應該懈怠，老年人不苟且偷安，順天道辦事，就會有好結果。夏桀、商紂、周幽三王之所以失國，並不是某個早上突然犯錯，您哪能有絲毫的放鬆呢？」管仲辭行，桓公以賓客之禮再拜相送。次日臨朝，桓公問管仲說：「我想聽聽有關國君威信的事。」管仲回答說：「人民愛戴，鄰國親睦，天下信任，國君就有威信。」桓公說：「怎樣才能樹立威信呢？」回答說：「開始在治身，其次在治國，最後是治天下。」桓公說：「請問如何修養身心？」回答說：「調和血脈，以求長壽、養心、積德，就是修養身心。」桓公說：「請問如何治國？」回答說：「舉用賢人，關愛百姓，對外保亡國、繼絕世，起用列國諸侯的遺孤；對內輕徭薄賦、減輕刑罰，這就是治國的要義。」桓公說：「請問如何治理天下？」回答說：「法令不苛刻擾民，司法公正不縱容犯罪，官吏寬厚而有效率，注意下層的貧民弱者，人民自由往來，老百姓悠哉閒哉，這就是天下大治。」

【出處】

公與管仲父而將飲之，掘新井而柴焉。十日齋戒，召管仲。管仲至，公執爵，夫人執尊，觴三行，管仲趨出。公怒曰：「寡人齋戒十日而飲仲父，寡人自以為修矣。仲父不告寡人而出，其故何也？」鮑叔、隰朋趨而出，及管仲於途，曰：「公怒。」管仲反，入，倍屏而立，公不與言。少進中庭，公不與言。少進傅堂，公曰：「寡人齋戒十日而飲仲父，自以為脫於罪矣。仲父不告寡人而出，未知其故也。」對曰：「臣聞之，沉於樂者洽於憂，厚於味者薄於行，慢於朝者緩於政，害於國家者危於社稷，臣是以敢出也。」公遽下堂曰：「寡人非敢自為修也，仲父年長，雖寡人亦衰矣，吾願一朝安仲父也。」對曰：「臣聞壯者無怠，老者無偷，順天之道，必以善終者也。三王失之也，非一朝之萃，君奈何其偷乎？」管仲走出，君以賓客之禮再拜送之。明日，管仲朝，公曰：「寡人願聞國君之信。」對曰：「民愛之，鄰國親之，天下信之，此國君之信。」公曰：「善。請問信安始而可？」對曰：「始於為身，中於為國，成於為天下。」公曰：「請問為身。」對曰：「道血氣，以求長年、長心、長德。此為身也。」公曰：「請問為國。」對曰：「遠舉賢人，慈愛百姓，外存亡國，繼絕世，起諸孤；薄稅斂，輕刑罰，此為國之大禮也。」公曰：「請問為天下。」對曰：「法行而不苛，刑廉而不赦，有司寬而不淩；菀濁困滯皆，法度不亡，往行不來，而民游世矣，此為天下也。」（《管子》〈中匡〉）

一日三至

齊桓公拜訪小臣稷，一天去了三次也沒見到，隨從說：「您是大國國君，他是個平民百姓，您一天之內拜訪三次都沒見到，就不要再去了。」桓公說：「不是這樣的。那些輕視爵位俸祿的士人，當然也會輕視他的君主；君主如果輕視中原霸主的地位，當然也會輕視士人。縱然先生看不起爵位俸祿，我又怎麼敢輕視中原霸主的大業呢？」去了五次終於見到了小臣稷。天下諸侯聽說這件事，都說：「齊桓公對待平民百姓尚且能屈尊請見，何況國君呢？」於是相繼來朝見齊桓公。桓公能夠多次召集諸侯會盟，匡正天下，正是因為他能善待士人啊。《詩經》上說：「為人正直的君主，四方國家都會順服他。」桓公就是這樣的君主。

【出處】

齊桓公見小臣稷，一日三至不得見也，從者曰：「萬乘之主，見布衣之士，一日三至而不得見，亦可以止矣。」桓公曰：「不然，士之傲爵祿者，固輕其主；其主傲霸王者，亦輕其士，縱夫子傲爵祿，吾庸敢傲霸王乎？」五往而後得見。天下聞之，皆曰：「桓公猶下布衣之士，而況國君乎？」於是相率而朝，靡有不至。桓公所以九合諸侯，一匡天下者，遇士於是也。《詩》云：「有覺德行，四國順之。」[11] 桓公其以之矣。（《新序》〈雜事第五〉）

11.「有覺德行，四國順之」，出自《詩經》〈大雅・抑〉。

與言極言

齊桓公、管仲、鮑叔牙、甯戚在一起喝酒。喝得高興的時候，桓公對鮑叔說：「何不起身敬酒祝壽？」鮑叔牙端起酒杯敬酒說：「希望您不要忘記逃亡在莒國的情景，希望管仲不要忘記被囚禁在魯國的情景，希望甯戚不要忘記自已住在牛車下餵食的情景。」桓公離席對鮑叔牙再拜說：「如果我和各位大夫都能牢記您的話，齊國的江山就不會有危險了！」這段時期，群臣與桓公可以暢所欲言。正因為能暢所欲言，所以能共創霸業。

【出處】

齊桓公、管仲、鮑叔、甯戚相與飲。酒酣，桓公謂鮑叔曰：「何不起為壽？」鮑叔奉杯而進曰：「使公毋忘出奔在於莒也，使管仲毋忘束縛而在於魯也，使甯戚毋忘其飯牛而居於車下。」桓公避席再拜曰：「寡人與大夫能皆毋忘夫子之言，則齊國之社稷幸於不殆矣！」當此時也，桓公可與言極言矣。可與言極言，故可與為霸。（《呂氏春秋》〈貴直論・直諫〉）

制於四海之內

桓公對管仲說：「我想成就霸業，依靠你們幾位大臣的輔佐，已經實現了。現在我想成就王業，你覺得有可能嗎？」管仲回答說：「您可以召見鮑叔牙來問一問。」桓公於是徵求鮑叔牙的意見。鮑叔牙回答說：「您還是問問賓胥無吧。」桓公於是召見賓胥無。賓胥無回答說：「古代成就王業的，都是君主德望高，大臣的德望相對較低，現在的情況正好相反。」桓公逡巡後退，肅然離開座位。三人遂慢慢走上前去。桓公說：「從前周大王賢明，王季賢明，文王賢明，武王也賢明；武王伐殷取勝，七年而死，周公旦輔佐成王治理天下，也才勉強控制天下。如今我的兒子不如我，我又遜於諸位。由此看來，我注定不能成就王業了。」

【出處】

桓公問管仲曰：「寡人欲霸，以二三子之功，既得霸矣。今吾有欲王，其可乎？」管仲對曰：「公當召易牙而問焉。」鮑叔至，公又問焉。鮑叔對曰：「公當召賓胥無而問焉。」賓胥無趨而進，公又問焉。賓胥無對曰：「古之王者，其君豐，其臣教。今君之臣豐。」公遵遁，繆然遠，二三子遂徐行而進。公曰：「昔者大王賢，王季賢，文王賢，武王賢。武王伐殷克之，七年而崩，周公旦輔成王而治天下，僅能制於四海之內矣。今寡人之子不若寡人，寡人不若二三子。以此觀之，則吾不王必矣。」（《管子》〈小問〉）

大國慚愧，小國附協

齊桓公以天下諸侯為憂。魯國發生哀姜和慶父淫亂禍國的事件，兩位國君先後被殺，君位無人繼承。桓公得知，派高子去魯國立僖公為君。狄人侵擾邢國，齊桓公在夷儀修築城堡，讓邢國遷到那裡，使邢國百姓免遭狄人的姦淫擄掠，財產得以保存。狄人進攻衛國，衛國百姓被迫逃往曹邑避難，齊桓公在楚丘修建城堡，讓衛人重建家園。衛人的牲畜在戰亂中散失，無法繁殖恢復，桓公撥送良馬三百匹。天下諸侯都稱讚桓公仁德，歸附於他。桓公讓諸侯各國攜帶輕微的禮品來齊國朝見，以重禮回贈他們。齊國以利益籠絡，用信用結交，憑武力威懾，與之締約的諸侯小國沒有誰敢背叛齊國。桓公派軍隊滅掉了不服從齊國的譚、遂兩個小國，把它們的土地分給諸侯，諸侯都稱頌他寬宏大度。又取消對東夷一帶的魚鹽禁運，命令對過往魚鹽只檢查而不收稅，諸侯都感謝他廣施恩惠。他下令修築葵兹、晏、負夏、領釜丘等多處要塞，用以防範戎人和狄人對諸侯各國的侵掠。還下令修築五鹿、中牟、蓋與、牡丘等多個關隘，用以捍衛諸夏的要地，並向中原各國顯示權威。桓公為成就霸業苦心經營的教化終於大見成效，於是鎧甲兵器封存而不用，即便穿著朝服西渡黃河與強大的晉國會盟也無所畏懼。文治的成功令其他大國自慚不及，小國紛紛歸附。因為重用管仲、甯戚、隰朋、賓胥無、鮑叔牙等一幫幹才，齊桓公的霸業才得以建立。

【出處】

桓公憂天下諸侯。魯有夫人、慶父之亂，二君弒死，國無嗣。桓公聞之，使高子存之。狄人攻邢，桓公築夷儀以封之，男女不淫，牛馬選具。狄人攻衛，衛人出廬於曹，桓公城楚丘以封之。其畜散而無育，桓公與之繫馬三百。天下諸侯稱仁焉。於是天下諸侯知桓公之為己勤也，是故諸侯歸之。桓公知諸侯之歸己也，故使輕其幣而重其禮。故天下諸侯罷馬以為幣，縷綦以為奉，鹿皮四個。諸侯之使，垂橐而入，捆載而歸。故拘之以利，結之以信，示之以武，故天下小國諸侯既許桓公，莫之敢背，就其利而信其仁，畏其武。桓公知天下諸侯多與己也，故又大施忠焉，可為動者為之動，可為謀者為之謀，軍譚、遂而不有也，諸侯稱寬焉。通齊國之魚鹽於東萊，使關市幾而不徵，以為諸侯利，諸侯稱廣焉。築葵茲、晏、負夏、領釜丘，以禦戎狄之地。所以禁暴於諸侯也。築五鹿、中牟、蓋與、牡丘，以衛諸夏之地，所以示權於中國也。教大成，定三革，隱五刃，朝服以濟河，而無怵惕焉，文事勝矣。是故大國慚愧，小國附協。唯能用管夷吾、甯戚、隰朋、賓胥無、鮑叔牙之屬，而伯功立。（《國語》〈齊語〉）

庭燎求賢

齊桓公為方便想來見他的士人，專門在庭院裡設置了火炬。然而一年過去了，卻始終沒有士人前來拜見。這時國都東郊有個鄉下人以九九乘法求見，齊桓公說：「九九算術也值得拿來求見嗎？」鄉下人回答說：「我也不認為憑九九算術就值得君主接見，但聽說君主在庭院設置火炬禮待士人，整整一年都沒人肯來。君主是天下少有的賢君，天下士子一定認為自己不及君王，所以才不敢來見。九九算術只是彫蟲小技，如果能得到禮遇，更有才能的人一定會接踵而來。泰山不嫌一土一石，江海不拒一溪一流，因此能成為名山大川。《詩經》裡說：『古人有話不應忘記，請教樵夫大有裨益。』意思是即便是打柴的山民也值得請教。」齊桓公點頭說：「講得好！」於是對他以禮相待。一個月之後，天下士人果然攜手而至。

【出處】

齊桓公設庭燎，為士之欲造見者。期年而士不至，於是東野鄙人有以九九之術見者，桓公使戲之，曰：「九九足以見乎？」鄙人對曰：「臣非以九九為足以見也，臣聞主君設庭燎以待士，期年而士不至；夫士之所以不至者，以君天下賢君也，四方之士皆自以論而不及君，故不至也。夫九九，薄能耳，而君猶禮之，況賢於九九者乎？夫太山不辭壤石，江海不辭逆小流，所以成其大也。詩云：『先民有言，詢於芻蕘。』[12]言博謀也。」桓公曰：「善。」乃因禮之。期月，四方之士相導而至矣。詩曰：「自堂徂基，自羊徂牛。」[13]言以內及外，以小成大也。（《說苑》〈尊賢〉）

三辱其君

楚國征伐莒國，莒國國君使人求救於齊桓公。管仲勸諫說：「您不必出兵相救。」桓公問道：「為什麼呢？」管仲回答說：「我同莒國的使臣談話，三次侮辱他的國君，他面不改色；我讓隨行的官員把送給他的禮物稍加削減，使臣便拚死力爭。莒君有這樣的使臣，他自己肯定也是個小人。所以說不必救他。」桓公於是坐視莒國滅亡。

12.「先民有言，詢於芻蕘」，出自《詩經》〈大雅・板〉。

13.「自堂徂基，自羊徂牛」，出自《詩經》〈周頌・絲衣〉。

【出處】

楚伐莒，莒君使人求救於齊。桓公將救之，管仲曰：「君勿救也。」公曰：「其故何也？」管仲對曰：「臣與其使者言，三辱其君，顏色不變。臣使官無滿其禮，三強其使者，爭之以死。莒君，小人也。君勿救。」桓公果不救而莒亡。（《管子》〈小問〉）

君子之德

陽春三月，桓公與群臣到郊外春游。桓公問道：「你們覺得大自然哪樣東西能與君子的德行媲美？」隰朋回答說：「粟粒，它身在甲胄（穀皮之內），中間有卷層（外殼）保護，外面有尖銳的兵刃（穀芒）。即便如此，仍不敢自恃強大，謙虛地自稱為粟，這應該可比君子之德。」管仲說：「禾苗吧。禾秧的時候，柔順得像個孺子；茁壯長大，莊重得有如將士；待到成熟的時候，和悅地低下謙虛的頭，多麼像個君子啊。天下擁有它就安定，失去它就危險，所以取名叫禾。這應該可以與君子的德行媲美了。」桓公說：「說得太好了。」

【出處】

桓公放春，三月觀於野。桓公曰：「何物可比於君子之德乎？」隰朋對曰：「夫粟，內甲以處，中有卷城，外有兵刃，未敢自恃，自命曰粟。此其可比於君子之德乎！」管仲曰：「苗，始其少也，眴眴乎何其孺子也！至其壯也，莊莊乎何其士也！至其成也，由由乎茲俯，何其君子也！天下得之則安，不得則危，故命之曰禾。此其可比

於君子之德矣。」桓公曰：「善。」（《管子》〈小問〉）

愚公之谷

齊桓公外出打獵，追逐一頭鹿進入山谷，看見一位老翁，問他說：「這是什麼谷？」老翁回答說：「是愚公谷。」齊桓公問道：「為什麼取這個名字呢？」老翁回答說：「是因為我的緣故。」齊桓公說：「看您的相貌，不像是愚蠢人啊？」老翁回答說：「是這樣：從前我養過一頭母牛，生下的牛犢長大後，我賣了小牛買回一匹馬駒。有個年輕人說：『牛是不能生馬的。』於是牽走了我的馬駒。鄰居們聽說這件事，都說我太蠢了，就把這個山谷命名為愚公谷。」齊桓公說：「你確實太蠢了！為什麼要把馬駒給他呢？」齊桓公回到宮中，告訴管仲這件事。管仲整理衣襟拜了兩拜說：「這是我的過錯，假若堯舜在上，咎繇掌管司法，怎麼會有搶人馬駒的事呢？如果有人像老翁一樣被欺凌，也決不會給他馬駒的。老翁知道司法不公，告到官府也沒用，所以把馬駒給了他。請讓我下去修明政治吧。」孔子說：「弟子們記住啊：齊桓公是建立霸業的國君，管仲是賢明的輔臣，尚且會把智叟當成愚蠢的人，何況比不上桓公、管仲的人呢！」

【出處】

齊桓公出獵，逐鹿而走，入山谷之中，見一老公而問之曰：「是為何谷？」對曰：「為愚公之谷。」桓公曰：「何故？」對曰：「以臣名之。」桓公曰：「今視公之儀狀，非愚人也，何為以公名？」對曰：「臣請陳之，臣故畜牸牛，生子而大，賣之而買駒，少年曰：『牛不能生馬。』遂持駒去。傍鄰聞之，以臣為愚，故名此谷為愚公之谷。」桓公曰：「公誠愚矣，夫何為而與之？」桓公遂歸。明日朝，以告管仲，管仲正衿再拜曰：「此夷吾之過也，使堯在上，咎繇為理，安有取人之駒者乎？若有見暴如是叟者，又必不與也，公知獄訟之不正，故與之耳，請退而修政。」孔子曰：「弟子記之，桓公，霸君也；管仲，賢佐也；猶有以智為愚者也，況不及桓公、管仲者也？」（《說苑》〈政理〉）

麥丘邑人

齊桓公打獵到麥丘，遇見一位當地老人，問他說：「您今年多大年紀了？」回答說：「八十三歲。」桓公說：「好福氣，這麼高壽啊，請用您的高壽為寡人祈禱吧。」老人說：「祝君主萬壽，賤看金玉珠寶，以人民為重。」桓公說：「說得好啊，大德不應孤單，好話一定成雙，您再來一句。」老人又說：「願君主以好學為榮，不以向地位低的人請教為恥，賢能之士追隨，身邊有稱職的諫官。」桓公說：「說得好啊，吉言該有三句，您再來一句吧。」老人再說：「願君主不得罪群臣百姓。」桓公聽了很不高興，臉色大變說：「我只聽說兒子得罪父親，臣下得罪君主，沒聽說君主得罪臣下的，這一句話不配跟前兩句並列，您改改。」老人拜過桓公說：「這句話是前兩句的綱領，兒子得罪父親，可以通過姑母叔父來排解，父親會赦免他；臣下得罪君主，可以通過君主的左右親信謝罪，君主能赦免他。從前夏桀得罪了商湯王，商紂得罪了周武王，這就是君主得罪於臣下的例證，沒有人從中斡旋，到如今他們的罪過還沒能赦免。」桓公說：「說得好。依靠國家的福祉、社稷的威靈，使寡人在這裡見到您。」於是扶老人上車，親自駕車回朝，給予極高的禮遇，把麥丘封給他，讓他參與治理朝政。

【出處】

桓公田，至於麥丘，見麥丘邑人，問之：「子何為也？」對曰：「麥丘邑人也。」公曰：「年幾何？」對曰：「八十有三矣。」公曰：「美哉壽乎！子其以子壽祝寡人。」麥丘邑人曰：「祝主君，使主君萬壽，金玉是賤，人為寶。」桓公曰：「善哉！至德不孤，善言必再，吾子其復之。」麥丘邑人曰：「祝主君，使主君無羞學，無下問，賢者在傍，諫者得人。」桓公曰：「善哉！至德不孤，善言必三，吾子其復之。」麥丘邑人曰：「祝主君，使主君無得罪群臣百姓。」桓公拂然作色曰：「吾聞之，子得罪於父，臣得罪於君，未嘗聞君得罪於臣者也，此一言者，非夫二言者之匹也，子更之。」麥丘邑人坐拜而起曰：「此一言者，夫二言之長也，子得罪於父，可以因姑姊叔父而解之，父能赦之。臣得罪於君，可以因便辟左右而謝之，君能赦之。昔桀得罪於湯，紂得罪於武王，此則君之得罪於其臣者也。莫為謝，至今不赦。」公曰：「善，賴國家之福，社稷之靈，使寡人得吾子於此。」扶而載之，自御以歸，禮之於朝，封之以麥丘，而斷政焉。（《新序》〈雜事第四〉）

郭氏之墟

齊桓公出城郊遊，路過一片廢墟，問周邊的百姓說：「這是哪個國家的廢墟？」百姓回答說：「是郭氏的廢墟。」桓公問：「郭氏是怎麼滅亡的？」回答說：「郭氏喜好美德、厭棄邪惡。」桓公說：「喜好美德厭惡邪惡，這是好事啊，那怎麼會亡國呢？」回答說：「喜好美德卻不能任用好人，厭棄邪惡卻不貶斥壞人，因此郭氏才變成廢墟。」桓公回來，把郊遊的見聞告訴管仲，管仲問說：「說這話的人呢？」桓公說：「不知道啊。」管仲說：「看來您也是郭氏。」於是桓公讓人找到那位百姓，給了他賞賜。

【出處】

昔者，齊桓公出遊於野，見亡國故城郭氏之墟。問於野人曰：「是為何墟？」野人曰：「是為郭氏之墟。」桓公曰：「郭氏者曷為墟？」野人曰：「郭氏者善善而惡惡。」桓公曰：「善善而惡惡，人之善行也，其所以為墟者，何也？」野人曰：「善善而不能行，惡惡而不能去，是以為墟也。」桓公歸，以語管仲，管仲曰：「其人為誰？」桓公曰：「不知也。」管仲曰：「君亦一郭氏也。」於是桓公招野人而賞焉。（《新序》〈雜事第四〉）

家貧無以妻

齊桓公微服出訪，遇見一個上了年紀的老人，仍然在自食其力。

問老人原因，回答說：「我有三個兒子，家裡窮，無法為他們娶妻，出去當雇工還沒回來。」桓公回到宮裡告訴管仲，管仲說：「宮中有積蓄腐敗的財物，民眾就得挨餓；宮中有年長而不能及時出嫁的女子，民眾就娶不到妻子。」桓公說：「是這樣。」隨即考察宮中未婚年長的女子，讓她們出嫁。對百姓下令說：「男子二十歲娶妻，女子十五歲嫁人。」

另一種說法是：齊桓公微服出訪，見到有個叫鹿門稷的人，年已七十仍然沒有娶妻。桓公問管仲說：「有年老而沒有娶妻的人嗎？」管仲說：「有個叫鹿門稷的人，年已七十，卻沒有娶妻。」桓公說：「怎樣才能讓他娶到妻子呢？」管仲說：「我聽說：君主有積蓄的財物，民眾就會窮困匱乏；宮中有年長沒及時出嫁的女子，民間就會有年老無妻的鰥夫。」桓公說：「是這樣。」於是下令宮中，讓君主沒有臨幸過的女子出嫁。然後下令，男子二十娶妻，女子十五出嫁。

【出處】

齊桓公微服以巡民家，人有年老而自養者，桓公問其故。對曰：「臣有子三人，家貧無以妻之，傭未反。」桓公歸，以告管仲。管仲曰：「畜積有腐棄之財，則人飢餓；宮中有怨女，則民無妻。」桓公曰：「善。」乃論宮中有婦人而嫁之。下令於民曰：「丈夫二十而室，婦人十五而嫁。」

一曰：桓公微服而行於民間，有鹿門稷者，行年七十而無妻。桓公問管仲曰：「有民老而無妻者乎？」管仲曰：「有鹿門稷者，行年七十矣而無妻。」桓公曰：「何以令之有妻？」管仲曰：「臣聞之：

上有積財，則民臣必匱乏於下；宮中有怨女，則有老而無妻者。」桓公曰：「善。」令於宮中女子未嘗御，出嫁之。乃令男子年二十而室，女年十五而嫁。（《韓非子》〈外儲說右下〉）

老而解則無名

管仲宴請齊桓公，天已經黑了，桓公喝得很高興，讓點上蠟燭接著喝。管仲說：「白天招待您喝酒，我占卜過；至於晚上喝酒，我沒有占卜，您可以走了。」桓公很不高興地說：「仲父你年老了，我跟你一起享樂的時間還有多久呢！我們接著喝吧。」管仲說：「您錯了。貪圖美味的人輕視德行，沉湎享樂的人難免憂傷。壯年懈怠會失去機遇，老年懈怠會喪失功名。臣從今天起與您共勉，絕不能沉湎於酒啊！」

【出處】

管仲觴桓公。日暮矣，桓公樂之而征燭。管仲曰：「臣卜其晝，未卜其夜。君可以出矣。」公不說，曰：「仲父年老矣，寡人與仲父為樂將幾之！請夜之。」管仲曰：「君過矣。夫厚於味者薄於德，沉於樂者反於憂。壯而怠則失時，老而解則無名。臣乃今將為君勉之，若何其沉於酒也！」（《呂氏春秋》〈恃君覽・達郁〉）

禮之千金

復稿國的君主朝見齊桓公，桓公問他怎樣治理百姓，復稿國國君沒有回答，而是摸摸口角，提提衣襟，按按心口打啞語。齊桓公說：「是說與百姓同甘苦共飢寒吧？你把我視為聖君，認為不用開口我就能明白。」齊桓公於是送他千金之禮。

【出處】

復稿之君朝齊，桓公問治民焉，復稿之君不對，而循口操衿抑心。桓公曰：「與民共甘苦飢寒乎？夫以我為聖人也，故不用言而諭。」因禮之千金。（《說苑》〈政理〉）

社稷之福

齊桓公對鮑叔說：「我想鑄一座大鐘來昭示我的名聲。我的作為難道比堯舜遜色嗎？」鮑叔說：「請問大王的作為有哪些？」齊桓公說：「從前我圍困譚國三年，滅了它而不自我居有，這就是『仁』；我北伐孤竹國，消滅令支國而凱旋，這就是『武』；我召集諸侯在蔡丘會盟，倡導和平，這就是『文』；諸侯攜帶美玉來朝拜的有九個國家，我沒有接受，這就是『義』。文武仁義我全都具備了，哪一點比堯舜差？」鮑叔說：「大王講得很直率，我也直率地回答。以往公子糾為兄應居王位你卻不謙讓，這不是『仁』；違背先祖姜太公的遺言去侵犯魯國，這不是『義』；在盟臺上屈服於曹沫的一把劍，這不算

『武』；姊妹侄女不離懷抱，這不是『文』。大凡做了壞事卻沒有自知之明的人，即使天不降災，也一定會有人禍。老天爺雖然高高在上，對地上發生的事情卻能一覽無餘。收回您的錯話，上天也會知道的。」齊桓公說：「我有過錯，幸虧您及時提醒，這是國家的福氣；如果不是您賜教，我幾乎犯下大錯，使國家受辱。」

【出處】

齊桓公謂鮑叔曰：「寡人欲鑄大鐘，昭寡人之名焉，寡人之行，豈避堯舜哉？」鮑叔曰：「敢問君之行？」桓公曰：「昔者吾圍譚三年，得而不自與者，仁也；吾北伐孤竹，剗令支而反者，武也；吾為葵丘之會，以偃天下之兵者，文也；諸侯抱美玉而朝者九國，寡人不受者，義也。然則文武仁義，寡人盡有之矣，寡人之行豈避堯舜哉！」鮑叔曰：「君直言，臣直對。昔者公子糾在上位而不讓，非仁也；背太公之言而侵魯境，非義也；壇場之上，詘於一劍，非武也；侄娣不離懷袵，非文也。凡為不善遍於物不自知者，無天禍必有人害，天處甚高，其聽甚下；除君過言，天且聞之。」桓公曰：「寡人有過，子幸記之，是社稷之福也；子不幸教，幾有大罪以辱社稷。」（《說苑》〈正諫〉）

存亡之德

晉國討伐邢國，齊桓公打算派兵解救。鮑叔說：「為時尚早。邢國不滅亡，晉國就不會疲憊；晉國不疲憊，齊國的地位就不會顯得重要。況且扶持危國的功德，絕比不上恢復亡國的功德大。您不如晚點出兵，以使晉國疲憊，齊國才能真正得到好處；等邢國滅亡後再幫他們復國，那樣的名聲才真叫美好。」齊桓公於是按兵不動。

【出處】

晉人伐邢，齊桓公將救之。鮑叔曰：「太蚤。邢不亡，晉不敝；晉不敝，齊不重。且夫持危之功，不如存亡之德大。君不如晚救之以敝晉，齊實利。待邢亡而復存之，其名實美。」桓公乃弗救。（《韓非子》〈說林上〉）

退而修屬

正月朝見的時候，五屬大夫匯報工作。桓公挑他們中政績較差的予以譴責說：「劃定的土地和分配的百姓都是相同的，為什麼只有你政績較差？教育不善、政事不治，一次兩次可以原諒，第三次就不能赦免了。」桓公對五屬大夫依次交代說：「在你們所管轄的範圍內，發現有行義好學、孝敬父母、聰明仁惠的人，要及時向上級報告。如果埋沒賢明，要判五刑之罪。發現剛猛強健、勇力出眾的人，也要及時報告。如果埋沒賢能，也要判五刑之罪。發現不孝敬父母、不友愛兄弟、驕橫暴戾、不服從君長命令的人，也要及時上報。如果包庇壞人，也要判五刑之罪。」五屬大夫回到各自的轄地整肅政事，由屬到縣，再到鄉、卒、邑、家。政令一旦貫徹，用以守國則固若金湯，用以攻戰則強大無比。

【出處】

正月之朝，五屬大夫復事。桓公擇是寡功者而讁之，曰：「制地、分民如一，何故獨寡功？教不善則政不治，一再則宥，三則不赦。」桓公又親問焉，曰：「於子之屬，有居處為義好學，慈孝於父母，聰慧質仁，發聞於鄉里者，有則以告。有而不以告，謂之蔽明，其罪五。」有司已於事而竣。桓公又問焉，曰：「於子之屬，有拳勇股肱之力，秀出於眾者，有則以告。有而不以告，謂之蔽賢，其罪五。」有司已於事而竣。桓公又問焉，曰：「於子之屬，有不慈孝於父母，不長悌於鄉里，驕躁淫暴，不用上令者，有則以告。有而不以告，謂之下比，其罪五。」有司已於事而竣。五屬大夫於是退而修屬，屬退而修縣，縣退而修鄉，鄉退而修卒，卒退而修邑，邑退而修家。是故匹夫有善，可得而舉也。匹夫有不善，可得而誅也。政既成矣，以守則固，以征則強。（《國語》〈齊語〉）

棄身不如棄酒

齊桓公在宮中擺酒，約好中午開席。管仲到晚了，齊桓公舉杯罰他飲酒，管仲只喝了一半就將酒倒掉了。齊桓公頗不高興，說：「先是遲到，罰酒又倒掉，這在禮節上說得通嗎？」管仲回答說：「我聽說酒一入口，舌頭就大，話就會多，言多必失，說了錯話就會惹禍上身，導致自身不保，這就是所謂的『身棄』。我心裡估算一下，與其自身不保，不如把酒倒掉，這叫作『棄身不如棄酒』，兩害相權取其輕。」齊桓公笑著說：「仲父請就座。」

【出處】

齊桓公為大臣具酒，期以日中，管仲後至，桓公舉觴以飲之，管仲半棄酒。桓公曰：「期而後至，飲而棄酒，於禮可乎？」管仲對曰：「臣聞酒入舌出，舌出者言失，言失者身棄，臣計棄身不如棄酒。」桓公笑曰：「仲父起就坐。」（《說苑》〈敬慎〉）

雪之以政

齊桓公喝醉了酒，把帽子都弄丟了。他覺得很丟人，以致三天不上朝。管仲勸他說：「這的確很丟人現眼，您何不用多做善事來洗刷它呢？」桓公說：「您的建議很好。」於是打開糧倉賑濟貧窮的人，審查囚犯赦免罪刑較輕的人。三天之後，民間就傳唱說：「桓公為什麼不再丟帽子呢！」

【出處】

齊桓公飲酒醉，遺其冠，恥之，三日不朝。管仲曰：「此非有國之恥也，公胡其不雪之以政？」公曰：「胡其善！」因發倉囷賜貧窮，論囹圄出薄罪。外三日而民歌之曰：「公胡不復遺冠乎！」（《韓非子》〈難二〉）

知道之神

齊桓公北征孤竹國，距離卑耳山谷不到十里，突然停住，睜大眼睛直視前方，過了好一會兒，手持箭矢不敢發射，嘆息說：「看來戰事不順啊。前面有個人，身高只有一尺，戴著帽子，跟正常人的穿戴一樣，撩起左邊衣襟從馬前跑過去了。」管仲說：「事情肯定能成。這個人是知道之神。跑在馬前，是做嚮導。左邊衣襟撩起，表明前方有水，要我們從左邊渡過。」前進十里，果然有河，名叫遼水。測量水深並做上標記，從左邊蹚涉只齊腳踝，從右邊渡則深至膝蓋。渡過遼水後，進攻果然順利。桓公在管仲馬前拱拜說：「仲父的聖明竟達到這種地步，寡人崇拜至極。」管仲說：「我聽說聖人能從無形中預知吉凶，我不過根據情形判斷。這是我善於接受教誨，並非聖明。」

【出處】

齊桓公北征孤竹，未至卑耳溪中十里，闟然而止，瞠然而視，有頃，奉矢未敢發也，喟然嘆曰：「事其不濟乎！有人長尺，冠冕，大人物具焉。左袪衣，走馬前者。」管仲曰：「事必濟，此人，知道之神也。走馬前者，導也。左袪衣者，前有水也。從左方渡。」行十里，果有水曰遼水。表之，從左方渡至踝，從右方渡至膝。已渡，事果濟。桓公再拜管仲馬前曰：「仲父之聖至如是，寡人得罪久矣。」管仲曰：「夷吾聞之：聖人先知無形。今已有形乃知之，是夷吾善承教，非聖也。」（《說苑》〈辨物〉）

燕君失禮

齊桓公向北討伐山戎，進軍路線要經過燕國境內，燕莊公出境迎接他。齊桓公問管仲說：「諸侯之間相迎，本來就要出境嗎？」管仲說：「不是天子駕到，就不出境相迎。」齊桓公說：「那麼是燕君害怕齊國而有失禮儀了。是我缺乏道德，才使燕君失禮的。」於是就將燕莊公到達的地方割讓給燕國。各國諸侯知道這件事後，都到齊國來朝賀。

【出處】

齊桓公北伐山戎氏，其道過燕，燕君逆而出境。桓公問管仲曰：「諸侯相逆，固出境乎？」管仲曰：「非天子不出境。」桓公曰：「然則燕君畏而失禮也。寡人不道，而使燕君失禮。」乃割燕君所至之地，以與燕君。諸侯聞之，皆朝於齊。詩云：「靖恭爾位，好是正直，神之聽之，介爾景福。」[14]此之謂也。（《說苑》〈貴德〉）

報怨以德

齊桓公準備攻打山戎、孤竹兩國，請魯國出兵增援。魯君召集群臣商議，都說：「行軍數千里，深入蠻夷地區，必然一去不返。」於是口頭答應卻不付諸行動。齊國攻打山戎、孤竹以後，桓公想調轉軍

14.「靖恭爾位，好是正直，神之聽之，介爾景福」，出自《詩經》〈小雅・小明〉。

隊攻打魯國。管仲說：「不能這樣！諸侯尚未親附，攻打遠國又回師誅討近鄰，鄰國不親附，怎麼建立霸業？大王從山戎得到的寶物是中原少見的，難道不可以進獻給周公廟嗎？」齊桓公於是將從山戎得到的寶物分出一部分獻給周公廟。第二年，齊國起兵攻打莒國，魯國下令征發所有的成年男子，連三尺高的童子也應召而至。孔子說：「聖人能轉禍為福，以德報怨。」說的就是這樣的事。

【出處】

齊桓公將伐山戎、孤竹，使人請助於魯。魯君進群臣而謀，皆曰：「師行數十里，入蠻夷之地，必不反矣。」於是魯許助之而不行。齊已伐山戎、孤竹，而欲移兵於魯。管仲曰：「不可。諸侯未親，今又伐遠而還誅近鄰，鄰國不親，非霸王之道。君之所得山戎之寶器者，中國之所鮮也，不可以不進周公之廟乎？」桓公乃分山戎之寶，獻之周公之廟。明年，起兵伐莒，魯下令丁男悉發，五尺童子皆至。孔子曰：「聖人轉禍為福，報怨以德。」此之謂也。（《說苑》〈權謀〉）

老馬之智

管仲、隰朋跟隨齊桓公討伐孤竹國，春季出征，冬季凱旋，以至辨不清回國的路了。管仲說：「老馬的智慧可以借用。」於是放開老馬的韁繩，讓它在前面帶路，部隊跟隨其後。經過山地時部隊口渴，隰朋說：「螞蟻冬天住在山南面，夏天住在山北面。蟻封有一寸高的地方，地下八尺深的地方肯定有水。」於是尋找蟻封掘地，果然得到水源。憑著管仲的智慧和隰朋的聰明，尚且要向老馬和螻蟻學習，現在的人卻不肯虛心向聖人請教，豈不是很愚蠢嗎？

【出處】

管仲、隰朋從於桓公而伐孤竹，春往冬反，迷惑失道。管仲曰：「老馬之智可用也。」乃放老馬而隨之，遂得道。行山中無水，隰朋曰：「蟻冬居山之陽，夏居山之陰。蟻壤一寸而仞有水。」乃掘地，遂得水。以管仲之聖，而隰朋之智，至其所不知，不難師於老馬與蟻。今人不知以其愚心而師聖人之智，不亦過乎？（《韓非子》〈說林上〉）

聽於無聲

齊桓公與管仲在城樓上謀劃攻打莒國，密謀尚未公布便已傳遍都城。桓公感到奇怪，管仲說：「都城內一定出了聖人。」齊桓公回想說：「那天服役的人當中，有個人手執柘杵向臺上看，也許是他吧？」於是命令那天服役的人再次服役，不准替代。不一會，東郭垂來了。管仲說：「一定是這個人。」於是召他進宮，問他說：「是你傳說要攻打莒國嗎？」東郭垂回答說：「是的。」管仲問道：「我並沒說要攻打莒國，你怎麼會得出這個結論呢？」東郭垂回答說：「我聽說君子善於謀劃，小人善於猜測。我是私下猜測的。」管仲說：「為什麼有這種猜測呢？」東郭垂回答說：「我聽說君子有三種表情：悠閒自得，這是欣賞鐘鼓音樂時候的表情；憂傷清靜，這是居喪哀愁時候的表情；意氣奮發，這是要出兵打仗的表情。那天，我遠望您在高臺上神氣勃發，彷彿要出兵打仗似的；您嘴上似乎發出『吁』音但未閉口，所說的應該是莒字；您抬起手臂所指的方向，也對著莒國。我私下想著還未歸服的小國，就只有莒國了吧？所以我認為將會攻打莒國。」君子評論說：「齊桓公、管仲善於謀劃，卻不能阻礙聖人聽於無聲，視於無形。東郭垂根據表情和手勢就能得出正確的判斷，所以齊桓公賜給他優厚的俸祿，並且禮待他。」

【出處】

齊桓公與管仲謀伐莒，謀未發而聞於國。桓公怪之，以問管仲。管仲曰：「國必有聖人也。」桓公嘆曰：「歖！日之役者，有執柘杵而上視者，意其是邪！」乃令復役，無得相代。少焉，東郭垂至。管仲曰：「此必是也。」乃令儐者延而進之，分級而立。管仲曰：「子言伐莒者也？」對曰：「然。」管仲曰：「我不言伐莒，子何故言伐莒？」對曰：「臣聞君子善謀，小人善意，臣竊意之也。」管仲曰：「我不言伐莒，子何以意之？」對曰：「臣聞君子有三色：優然喜樂者，鐘鼓之色；愀然清淨者，縗絰之色；勃然充滿者，此兵革之色也。日者，臣望君之在臺上也，勃然充滿，此兵革之色。君吁而不吟，所言者莒也；君舉臂而指，所當者莒也。臣竊慮小諸侯之未服者，其惟莒乎？臣故言之。」君子曰：「凡耳之聞，以聲也。今不聞其聲，而以其容與臂，是東郭垂不以耳聽而聞也。桓公、管仲雖善謀，不能隱。聖人之聽於無聲，視於無形，東郭垂有之矣。故桓公乃尊祿而禮之。」（《說苑》〈權謀〉）

酒以成禮

陳國人殺死太子禦寇後，敬仲（陳公子完）和顓孫逃到齊國。顓孫又從齊國逃往魯國。齊桓公想任命敬仲做卿，敬仲辭謝說：「寄居在外的小臣有幸獲得寬恕，能在寬厚的政治下放下恐懼生活，所得已經很多了，哪裡還敢接受高位而招受指責？謹昧死上告。《詩經》上說：『翹翹車乘，招我以弓；豈不欲往，畏我友朋。』」齊桓公於是讓他擔任工正。敬仲招待齊桓公飲酒，桓公很高興。天晚了，桓公說：「點上蠟燭繼續喝吧。」敬仲辭謝說：「臣事先只占卜了白天招待君主，沒有占卜晚上陪飲。不敢遵命。」君子說：「請桓公飲酒是表示答謝，但要有節制，這是義；和君主飲酒而不使他過度，這是仁。」當初，懿氏要把女兒嫁給敬仲，他的妻子占卜吉凶，卦相說：「吉利。這叫作『鳳凰飛翔，唱和的聲音嘹喨。媯氏的後代，養育於齊姜。到第五代就要昌盛，官位和正卿一樣；第八代之後，沒人能與之爭強。』」

【出處】

二十二年春，陳人殺其大子禦寇。陳公子完與顓孫奔齊。顓孫自齊來奔。齊侯使敬仲為卿。辭曰：「羈旅之臣幸若獲宥，及於寬政，赦其不閑於教訓，而免於罪戾，弛於負擔，君之惠也。所獲多矣，敢辱高位以速官謗？請以死告。《詩》云：『翹翹車乘，招我以弓。豈不欲往？畏我友朋。』[15]」使為工正。飲桓公酒，樂。公曰：「以火繼

15. 禮聘賢士的車子為「翹車」。晉杜預註：「逸《詩》也，翹翹，遠貌。古者聘士以弓。」楊伯峻註：「此逸詩……引者之意蓋以車乘指齊桓公。」

之。」辭曰：「臣卜其晝，未卜其夜，不敢。」君子曰：「酒以成禮，不繼以淫，義也；以君成禮，弗納於淫，仁也。」初，懿氏卜妻敬仲。其妻占之，曰：「吉。是謂『鳳凰于飛，和鳴鏘鏘。有嬀之後，將育於姜。五世其昌，並於正卿。八世之後，莫之與京』。」（《左傳》〈莊公二十二年〉）

同惡相恤

狄人進攻邢國。管仲對齊桓公說：「戎狄好比豺狼貪得無厭；中原各國相互親近，不可拋棄；安逸好比毒藥，不可懷戀。《詩經》裡說：『難道我不想家？怕的是這個竹簡上的軍事文字。』簡書就是竹簡上記載的文字，表達的是同仇敵愾、患難與共的意思，就請按照簡書所說救援邢國吧。」於是齊國出兵救援邢國。

【出處】

狄人伐邢。管仲言於齊侯曰：「戎狄豺狼，不可厭也。諸夏親暱，不可棄也。宴安鴆毒，不可懷也。《詩》云：『豈不懷歸？畏此簡書。』[16]簡書，同惡相恤之謂也。請救邢以從簡書。」齊人救邢。（《左傳》〈閔公元年〉）

16.「豈不懷歸，畏此簡書」，出自《詩經》〈小雅・出車〉。簡書：周王傳令出征的文書。

霸王之器

魯閔公元年冬季，齊國的仲孫湫從魯國弔問後回國，對齊桓公說：「不除掉慶父，魯國的禍難不會完結。」齊桓公說：「怎麼樣才能除掉他呢？」仲孫回答說：「多行不義必自斃，您就等著吧！」齊桓公說：「可以趁機吞併魯國嗎？」仲孫說：「不行。他們還遵行周禮。周禮是立國之本。臣聽說：『國家將要滅亡，如同大樹，軀幹先要倒下，隨後枝葉才紛紛飛落。』魯國不拋棄周禮，意味著軀幹還沒倒。您不如試圖平息魯國的禍難並親近它。親近懂得禮儀的國家，依靠政權穩固的國家，離間內部渙散的國家，攻打昏暗動亂的國家，這是成就霸業的方法。」

【出處】

冬，齊仲孫湫來省難，書曰「仲孫」，亦嘉之也。仲孫歸，曰：「不去慶父，魯難未已。」公曰：「若之何而去之？」對曰：「難不已，將自斃，君其待之。」公曰：「魯可取乎？」對曰：「不可，猶秉周禮。周禮，所以本也。臣聞之：『國將亡，本必先顛，而後枝葉從之。』魯不棄周禮，未可動也。君其務寧魯難而親之。親有禮，因重固，間攜貳，覆昏亂，霸王之器也。」（《左傳》〈閔公元年〉）

衛姬請罪

衛姬是衛侯的女兒，齊桓公的夫人。桓公喜好靡靡之音，衛姬因此不聽鄭衛地方的音樂。桓公用管仲、甯戚稱霸諸侯，各國都來朝賀，只有衛國不來，桓公和管仲計劃討伐衛國。桓公退朝回到宮中，衛姬遠遠看見桓公，立即摘下簪子、耳環、珮飾等，退到堂下跪拜說：「我替衛國向您請罪。」桓公說：「我和衛國素無冤仇，你請什麼罪呀？」衛姬回答說：「我聽說君主有三種神色：興高采烈、喜好聲色，是鐘鼓酒食之色；沉寂清靜、神情凝重，是喪禍之色；滿臉怒氣、磨掌擦拳，是攻伐之色。今天我看見君主走路步伐凝重，神色嚴厲，聲音高揚，肯定是要討伐衛國了，所以要請罪。」桓公答應了衛姬。第二天上朝，管仲上奏說：「看君主的神色，恭敬而氣不躁，說話吞吞吐吐，應該是要放過衛國吧。」桓公說：「說對了。」於是立衛姬為夫人，稱管仲為仲父。說：「夫人負責管理內宮，管仲負責處理朝政。寡人雖然愚笨，也足可稱霸天下了。」

【出處】

衛姬者，衛侯之女，齊桓公之夫人也。桓公好淫樂，衛姬為之不聽鄭衛之音。桓公用管仲、甯戚，行霸道，諸侯皆朝，而衛獨不至。桓公與管仲謀伐衛。罷朝入閨，衛姬望見桓公，脫簪珥，解環珮，下堂再拜，曰：「願請衛之罪。」桓公曰：「吾與衛無故，姬何為請耶？」對曰：「妾聞之：人君有三色，顯然喜樂，容貌淫樂者，鐘鼓酒食之色；寂然清靜，意氣沉抑者，喪禍之色；忿然充滿，手足矜動者，攻伐之色。今妾望君舉趾高，色厲音揚，意在衛也。是以請之。」桓公許諾。明日臨朝，管仲趨進曰：「君之涖朝也，恭而氣下，言則徐，無伐國之志，是釋衛也。」桓公曰：「善。」乃立衛姬為夫人，號管仲為仲父。曰：「夫人治內，管仲治外。寡人雖愚，足

以立於世矣。」君子謂衛姬信而有行。詩曰：「展如之人兮，邦之媛也。」[17]（《列女傳》〈賢明傳〉）

寢席之戲

魯僖公三年，齊桓公與夫人蔡姬乘船遊玩。蔡姬熟悉水性，搖晃船隻。桓公害怕，命她停止，她卻搖個不停。下船之後，桓公餘怒未消，令人將蔡姬送回娘家，但沒說斷絕婚姻關係。蔡侯覺得受到齊桓公的侮辱，就把蔡姬改嫁到楚國。桓公聽說後更加生氣，打算聯合諸侯興兵討伐蔡國。管仲勸諫說：「夫妻之間的玩笑，不能作為討伐國家的理由。如果不能因此建功立業，就請不要計較這件事了。」桓公不聽勸諫。管仲說：「必不得已的話，楚國不向周王朝進貢苞茅已有三年了，您不如起兵替天子討伐楚國。楚國歸服了，隨後回兵襲擊蔡國，就說：『我替天子討伐楚國，而你們卻不聽命助攻。』然後就滅掉它。這樣名義正當，也達到了報仇的效果。」

【出處】

蔡女為桓公妻，桓公與之乘舟，夫人盪舟，桓公大懼，禁之不止，怒而出之，乃且復召之，因復更嫁之。桓公大怒，將伐蔡。仲父諫曰：「夫以寢席之戲，不足以伐人之國，功業不可冀也，請無以此為稽也。」桓公不聽。仲父曰：「必不得已，楚之菁茅不貢於天子三年矣，君不如舉兵為天子伐楚。楚服，因還襲蔡曰：『余為天子伐

17.「展如之人兮，邦之媛也」，出自《詩經》〈鄘風・君子偕老〉。

楚，而蔡不以兵聽從。』因遂滅之。此義於名而利於實，故必有為天子誅之名，而有報仇之實。」（《韓非子》〈外儲說左上〉）

貴買其鹿

齊桓公把楚國視為成就霸業的主要對手，整天琢磨如何削弱楚國。管仲告訴桓公說：「要成就霸業，辦法很多，戰爭並非唯一的選擇，市場的手段也可以一試。」不久，楚國的市面上突然出現一批來自齊國的客商，他們到處揚言說：「齊桓公好鹿，願不惜重金購買！」在當時，鹿是稀有動物，只有楚國多產，但楚國人僅僅把鹿當作肉食動物，花兩個銅幣就可以買一頭。齊國商人一開始花三枚銅幣買一頭鹿，半個月後漲到五枚銅幣一頭。鹿在市場上走俏的消息很快傳遍楚國。楚成王高興異常，設宴擺酒大宴群臣。酒宴上，楚成王樂呵呵地說：「十年前，衛國的衛懿公就是因為好鶴，才玩物喪志亡國的！如今齊桓公好鹿，難道不是重蹈衛國的覆轍嗎？看著吧，齊國很快就會元氣大傷，天下還是寡人的。」頓時君臣觥籌交錯，彈冠相慶，笑語喧嘩。幾天後，這些出手闊綽的齊國商人又把鹿價提高到了四十枚銅幣。楚國的農夫們見一頭鹿的價錢居然抵上萬斤糧食，於是紛紛放下農具，操起獵具到深山捕鹿。在密密的樹林裡，到處都有楚國的農民兄弟。後來就連楚國的官兵也將兵器換成獵具，偷偷去深山獵鹿。就是這一年，楚國的大片田地撂荒了，而銅幣卻盆滿缽滿。楚國人很得意：原來致富如此簡單。接下來的事情則讓楚國人傻眼了。管仲讓齊桓公發布統一號令，嚴禁諸侯各國與楚國進行糧食貿易。這下楚國人慘了，糧價瘋漲，銅幣又不能吃。楚王慌了，派人四處購糧，卻都被齊國攔截。逃往齊國的楚國難民多達本國人口的五分之二。楚國政權因而風雨飄搖，無奈之下，楚國只好遣使向齊桓公求和，承認齊國的霸主地位。管仲兵不血刃就制服了楚國。

【出處】

桓公問於管子曰：「楚者，山東之強國也，其人民習戰鬥之道。舉兵伐之，恐力不能過。兵弊於楚，功不成於周，為之奈何？」管子對曰：「即以戰鬥之道與之矣。」公曰：「何謂也？」管子對曰：「公貴買其鹿。」桓公即為百里之城，使人之楚買生鹿。楚生鹿當一而八萬。管子即令桓公與民通輕重，藏穀什之六。令左司馬伯公將白徒而鑄錢於莊山。令中大夫王邑載錢二千萬，求生鹿於楚。楚王聞之，告其相曰：「彼金錢，人之所重也，國之所以存，明王之所以賞有功。禽獸者群害也，明王之所棄逐也。今齊以其重寶貴買吾群害，則是楚之福也。天且以齊私楚也。子告吾民急求生鹿，以盡齊之寶。」楚人即釋其耕農而田鹿。管子告楚之賈人曰：「子為我致生鹿二十，賜子金百斤。什至而金千斤也。」則是楚不賦於民而財用足也。楚之男於居外，女子居涂。隰朋教民藏粟五倍，楚以生鹿藏錢五倍。管子曰：「楚可下矣。」公曰：「奈何？」管子對曰：「楚錢五倍，其君且自得而修穀。錢五倍，是楚強也。」桓公曰：「諾。」因令人閉關，不與楚通使。楚王果自得而修穀，穀不可三月而得也，楚糴四百，齊因令人載粟處芊之南，楚人降齊者十分之四。三年而楚服。（《管子》〈輕重戊〉）

直木已傅

齊桓公到馬廄視察，問養馬人說：「在馬廄裡，什麼事最難做？」養馬人尚未回答，管仲接過話題說：「從前我做過馬伕，依我之見，編排拴馬的柵欄最難。編柵欄時所用木料往往曲直混雜。如果首先使用彎曲的木料，隨後就得順勢將彎曲的木料一用到底，而筆直的木料就難以啟用；反之，如果一開始就選用筆直的木料，曲木也就派不上用場了。」

【出處】

桓公觀於廄，問廄吏曰：「廄何事最難？」廄吏未對。管仲對曰：「夷吾嘗為圉人矣，傅馬棧最難。先傅曲木，曲木又求曲木，曲木已傅，直木毋所施矣。先傅直木，直木又求直木，直木已傅，曲木亦無所施矣。」（《管子》〈小問〉）

澤有委蛇

齊桓公在沼澤地打獵，管仲親自駕車。桓公看見有鬼，趕緊握著管仲的手臂說：「仲父看見鬼沒有？」管仲說：「我什麼也沒看到啊。」齊桓公回宮後就病倒了，一連幾天臥床不起。有個名叫皇子告敖的士子主動求見桓公，對他說：「您這是自己傷害自己，人生病主要是體內氣血不暢，加上精神恍惚，鬼哪能傷害您呢？」齊桓公半信半疑說：「世間究竟有沒有鬼呢？」皇子告敖說：「有的！室內有鬼叫履，灶房有鬼叫髻。院子裡的糞土堆上，有個叫雷霆的鬼住在那裡；東北方的牆腳下，時常有倍阿、鮭蠪之類的鬼出沒其間；在西北方的牆腳下，則有泆陽鬼安家；水中的鬼叫罔象，丘陵的鬼叫峷，山上的鬼叫夔，原野上的鬼叫彷徨，沼澤地裡的鬼叫委蛇。」齊桓公趕緊追問說：「那委蛇是怎樣的形狀呢？」皇子告敖形容說：「委蛇嘛，像車轂那麼大，像車轅那麼長，穿著紫衣裳，戴著紅帽子。委蛇特別不喜歡雷車發出的隆隆聲響，聽到這種聲音就會抱頭而立。誰見到委蛇，就是要成為霸主的先兆！」齊桓公聽了這一席話，頓時笑逐顏開，興奮地說：「我所見到的正是你說的這種委蛇呀！」於是，他趕緊重整衣冠，與皇子告敖對坐交談。還不到一天時間，齊桓公的病就好了。

【出處】

桓公田於澤，管仲御，見鬼焉。公撫管仲之手曰：「仲父何見？」對曰：「臣無所見。」公反，誒詒為病，數日不出。齊士有皇子告敖者曰：「公則自傷，鬼惡能傷公！夫忿滀之氣，散而不反，則為不足；上而不下，則使人善怒；下而不上，則使人善忘；不上不下，中身當心，則為病。」桓公曰：「然則有鬼乎？」曰：「有。沈有履。灶有髻。戶內之煩壤，雷霆處之；東北方之下者，倍阿、鮭蠪躍之；西北方之下者，則泆陽處之。水有罔象，丘有峷，山有夔，野有彷徨，澤有委蛇。」公曰：「請問，委蛇之狀何如？」皇子曰：「委蛇，其大如轂，其長如轅，紫衣而朱冠。其為物也，惡聞雷車之聲，則捧其首而立。見之者殆乎霸。」桓公囅然而笑曰：「此寡人之所見者也。」於是正衣冠與之坐，不終日而不知病之去也。（《莊子》〈達生〉）

敢不下拜

齊桓公三十五年，桓公在宋國的葵丘會盟諸侯，周襄王派大臣宰孔出席，並賜給齊桓公祭肉。這是只有同姓諸侯才能得到的禮遇，齊桓公很高興。看到宰孔來到盟會現場，齊桓公連忙從座位上站起來，準備走下臺階拜謝。宰孔忙擺手說：「伯舅年紀大了，天子特別賜您不用下階拜謝。」桓公回答說：「天子雖然遠在天邊，但對於我來說，天子的威嚴就在眼前，如同咫尺之間，我豈敢不下階拜謝？」於是走下臺階行跪拜禮，然後接受賞賜。

【出處】

夏，會於葵丘，尋盟，且修好，禮也。王使宰孔賜齊侯胙，曰：「天子有事於文、武，使孔賜伯舅胙。」齊侯將下拜。孔曰：「且有後命。天子使孔曰：『以伯舅耋老，加勞，賜一級，無下拜。』」對曰：「天威不違顏咫尺，小白余敢貪天子之命無下拜？恐隕越於下，以遺天子羞。敢不下拜？」下，拜；登，受。（《左傳》〈僖公九年〉）

陪臣敢辭

齊桓公派管仲前往周朝拜會周襄王，商談與戎人講和。周襄王以上卿的禮節接待管仲。管仲辭謝說：「陪臣是低賤的官員。現在有天子任命的國氏、高氏在齊國，如果他們春秋兩季來朝拜天子，您又該

敢不下拜

用什麼禮節來招待他們呢？陪臣謹請辭謝。」管仲再三推辭，最終接受了下卿的禮節回國。君子評價說：「管氏謙讓而不忘記爵位比他高的上卿，理當受到後人的敬仰。《詩經》裡說：『和樂平易好個君子，神靈要來把你慰問。』」

【出處】

王以戎難故，討王子帶。秋，王子帶奔齊。冬，齊侯使管夷吾平戎於王，使隰朋平戎於晉。王以上卿之禮饗管仲。管仲辭曰：「臣，賤有司也。有天子之二守國、高在，若節春秋來承王命，何以禮焉？陪臣敢辭。」王曰：「舅氏，余嘉乃勳，應乃懿德，謂督不忘。往踐乃職，無逆朕命。」管仲受下卿之禮而還。君子曰：「管氏之世祀也宜哉！讓不忘其上。《詩》曰：『豈弟君子，神所勞矣。』[18]」（《左傳》〈僖公十二年〉）

春風風人

孟簡子擔任魏國國相時兼併了衛國，後因有罪逃到齊國。管仲接見他，問他說：「先生做魏國國相兼併衛國時，家中門客有多少呢？」孟簡子回答說：「有三千多人。」管仲問道：「現在有幾個與你同來？」孟簡子回答說：「有三個。」管仲問：「三個怎樣的人？」孟簡子回答說：「其中一人死了父親無力安葬，另一人死了母親無力安葬，我都替他倆安葬了；另一個我幫他把兄長從獄中救了出來，因

18.「豈弟君子，神所勞矣」，出自《詩經》〈大雅・旱麓〉。

此與我同來。」管仲由此感嘆說：「唉，我既不能像春風吹拂令人溫暖，也不能像夏雨淋淋讓人滋潤，看來我今後的處境注定困窘！」

【出處】

孟簡子相梁并衛，有罪而走齊，管仲迎而問之，曰：「吾子相梁并衛之時，門下使者幾何人矣？」孟簡子曰：「門下使者有三千餘人。」管仲曰：「今與幾何人來？」對曰：「臣與三人俱。」仲曰：「是何也？」對曰：「其一人父死無以葬，我為葬之；一人母死無以葬，亦為葬之；一人兄有獄，我為出之。是以得三人來。」管仲上車曰：「嗟茲乎！我窮必矣，吾不能以春風風人，吾不能以夏雨雨人，吾窮必矣。」（《說苑》〈貴德〉）

人之有為，非名則利

齊國流行厚葬，布帛被大量用於給死人做衣被，上好的木材都做了棺材。桓公為此非常擔憂，對管仲說：「布帛用完了，活著的人就無以遮體；木材用光了，就難以修築防禦工事。社會仍厚葬成風，該怎麼禁止呢？」管仲回答說：「大凡人的作為，不是圖名，就是圖利。」於是下令說：「棺材超過標準就刑戮屍體，處罰主喪的人。」屍體遭到刑戮就無名可言，主喪的人受到處罰，利益就會受損，人們為什麼還會厚葬呢？

【出處】

齊國好厚葬，布帛盡於衣衾，材木盡於棺槨。桓公患之，以告管仲曰：「布帛盡則無以為蔽，材木盡則無以為守備，而人厚葬之不休，禁之奈何？」管仲對曰：「凡人之有為也，非名之，則利之也。」於是乃下令曰：「棺槨過度者戮其屍，罪夫當喪者。」夫戮死無名，罪當喪者無利，人何故為之也？（《韓非子》〈內儲說上・七術〉）

桓公三難

有人出了個隱語給齊桓公猜：「一難，二難，三難，是什麼意思？」桓公答不上來，就去問管仲。管仲回答說：「一難，是指君主親近優人而疏遠士人；二難，是指君主離開國都屢次去海邊遊玩；三難，是指君主已經年邁尚未立太子。」桓公說：「我明白了。」於是趕緊在宗廟舉行儀式確立太子。

【出處】

人有設桓公隱者曰：「一難，二難，三難，何也？」桓公不能對，以告管仲。管仲對曰：「一難也，近優而遠士。二難也，去其國而數之海。三難也，君老而晚置太子。」桓公曰：「善。」不擇日而廟禮太子。（《韓非子》〈難三〉）

中婦諸子

齊桓公在外面住宿而沒有列鼎進食，中婦諸子對宮女們說：「你們還不出來準備出發嗎？君王就要外出了。」宮女們都出來侍候桓公。桓公發怒說：「誰說我要外出的？」宮女們說：「是中婦諸子講的。」桓公把中婦諸子叫來說：「你怎麼知道我要外出呢？」回答說：「據我所知，大凡您不住在宮內又不列鼎進食，不是有內憂，就是有外患。現在您出宿外舍而不列鼎進食，既然沒有內憂，所以猜想您一定要外出了。」桓公說：「好，你既然這樣猜想，那我就告訴你吧。我想召集各國諸侯，人家不來，該怎麼辦呢？」中婦諸子回答說：「我不去侍候別人，別人也不會給我幫助。外交上是否也是這個理呢？」第二天管仲上朝，桓公把這事告訴他。管仲說：「這真是聖人的話，您應該照著辦。」

【出處】

桓公外舍而不鼎饋，中婦諸子謂宮人：「盍不出從乎？君將有行。」宮人皆出從。公怒曰：「庸謂我有行者？」宮人曰：「賤妾聞之中婦諸子。」公召中婦諸子曰：「女焉聞吾有行也？」對曰：「妾人聞之，君外舍而不鼎饋，非有內憂，必有外患。今君外舍而不鼎饋，君非有內憂也，妾是以知君之將有行也。」公曰：「善，此非吾所與女及也，而言乃至焉，吾是以語女。吾欲致諸侯而不至，為之奈何？」中婦諸子曰：「自妾之身之不為人持接也，未嘗得人之布織也，意者更容不審耶？」明日，管仲朝，公告之。管仲曰：「此聖人之言也，君必行也。」（《管子》〈戒〉）

二人同心，其利斷金

齊桓公說：「金屬過於堅硬就會折斷，皮革過於堅硬就會脆裂，國君過於剛直就會亡國，臣子過於剛直就沒有朋友。」太剛直就不柔和，不柔和就沒辦法使用。拉車的四匹馬不和諧就走不了長路；父子不和家境就會衰敗；兄弟不和就不能長久相處；夫妻不和家庭就有災難。《易經》上說：「二人同心，其利斷金。」就是因為和諧。

【出處】

桓公曰：「金剛則折，革剛則裂；人君剛則國家滅，人臣剛則交友絕。」夫剛則不和，不和則不可用。是故四馬不和，取道不長；父子不和，其世破亡；兄弟不和，不能久同；夫妻不和，家室大凶。易曰：「二人同心，其利斷金。」由不剛也。（《說苑》〈敬慎〉）

倉廩實而知禮節

管仲擔任齊國國相以後，憑藉齊國瀕臨海濱的條件，重視商品流通，積攢財富，國富兵強，順應風俗。《管子》一書記載他的著名論斷說：「倉庫儲備充實了，百姓才知道禮節；衣食無憂時，百姓才知道榮辱。國君的行為得體，朝政才會穩固。不提倡禮義廉恥，國家就會滅亡。國家下達政令，應該順應民心。」政令切合下情就易於推行。百姓喜歡的東西，就盡量滿足他們；百姓抵觸的東西，就果斷廢除。管仲執政的時候，善於轉危為安、反敗為勝。他衡量事物的輕重緩急，權衡決策的利弊得失。齊桓公怨恨蔡姬改嫁想南襲蔡國，管仲就尋找藉口攻打楚國，責備它沒有向周王室進貢苞茅；桓公北上攻打山戎，管仲趁機讓燕國整頓召公時期的政教；在柯地會盟，桓公想背棄曹沫，逼迫他訂立盟約，管仲就順應形勢勸他信守盟約，諸侯各國因此順服齊國。所以說：「明白得到必先給予的道理，是治國的法寶。」

【出處】

管仲既任政相齊，以區區之齊在海濱，通貨積財，富國彊兵，與俗同好惡。故其稱曰：「倉廩實而知禮節，衣食足而知榮辱，上服度則六親固。四維不張，國乃滅亡。下令如流水之原，令順民心。」故論卑而易行。俗之所欲，因而予之；俗之所否，因而去之。其為政也，善因禍而為福，轉敗而為功。貴輕重，慎權衡。桓公實怒少姬，南襲蔡，管仲因而伐楚，責包茅不入貢於周室。桓公實北征山戎，而管仲因而令燕修召公之政。於柯之會，桓公欲背曹沫之約，管仲因而信之，諸侯由是歸齊。故曰：「知與之為取，政之寶也。」（《史記》〈管晏列傳〉）

去此五阻

齊桓公問甯戚說：「管子年事已高，或許要離開我而辭世了。我恐怕法令不能繼續施行，人民流離失所，百姓痛苦怨恨，國內盜賊橫行，我怎樣做才能使奸佞和邪惡的人不被起用，並使百姓豐衣足食呢？」甯戚回答說：「關鍵在於能得到賢士並且任用他們。」齊桓公問：「怎樣才能得到賢士？」甯戚答道：「廣開進賢的道路，認真考察後任用他們，使他們的職位尊榮，俸祿優厚，名聲顯赫，那麼天下的賢士就會紛紛動身來到這裡了。」齊桓公說：「我已經舉拔賢士並且任用他們了，可是除了先生您幸而光臨外，就沒有隱居不仕、身懷奇才的人親自上門來求見我的。」甯戚回答說：「那是因為君王您考察人才並不準確，選拔的人才也不一定重用，而用起來又有疑慮，委任的官職太低，給他們的俸祿太少。國家之所以難以得到賢才，主要有五種障礙：一是君主本身不喜歡賢能之士，又有諂諛的人守在身邊；二是主張便民利國的人才得不到重用；三是言路堵塞、真相扭曲，靠左右親信去選拔引進人才；四是司法不公、懲罰不當、用刑過度，使人才避而遠之；五是官吏獨斷專權、為所欲為。消除這五種障礙，英豪俊傑就會紛至沓來，賢才智士就會安居樂業；不剷除這五種障礙，對上就會掩蓋官吏和百姓的實情，對下就會堵塞賢才上進的道路。聖明的君王治國，好比那江海包容百川，所以才能成為天下百川的主宰；聖明的君王無所不容，才能使百姓安享國運長久。然而要使君民安定、國運長久，必須賢才雲集才行啊！」齊桓公說：「很好！我會記住這五種障礙，引以為戒。」

【出處】

齊桓公問於甯戚曰：「筦子今年老矣，為棄寡人而就世也。吾恐法令不行，人多失職，百姓疾怨，國多盜賊，吾何如而使奸邪不起，民足衣食乎？」甯戚對曰：「要在得賢而任之。」桓公曰：「得賢奈何？」甯戚對曰：「開其道路，察而用之，尊其位，重其祿，顯其名，則天下之士，騷然舉足而至矣。」桓公曰：「既以舉賢士而用之矣，微夫子幸而臨之，則未有布衣屈奇之士，踵門而求見寡人者。」甯戚對曰：「是君察之不明，舉之不顯，而用之疑，官之卑，祿之薄也。且夫國之所以不得士者，有五阻焉：主不好士，諂諛在傍，一阻也；言便事者，未嘗見用，二阻也；壅塞掩蔽，必因近習，然後見察，三阻也；訊獄詰窮其辭，以法過之，四阻也；執事適欲，擅國權命，五阻也。去此五阻，則豪俊並興，賢智求處；五阻不去，則上蔽吏民之情，下塞賢士之路。是故明王聖主之治，若夫江海無不受，故長為百川之主，明王聖君無不容，故安樂而長久。因此觀之，則安主利人者，非獨一士也。」桓公曰：「善！吾將著夫五阻，以為戒本也。」（《說苑》〈君道〉）

鮑叔能知人

鮑叔向桓公推薦管仲為國相，齊桓公得以成就霸業，九會諸侯，一匡天下，都是運用管仲的謀略。管仲說：「我年輕貧窮的時候，曾經和鮑叔一起經商，分利時自己常常多拿一些，但鮑叔並不認為我貪財，知道我是由於生活貧困的緣故；我曾經為鮑叔辦事，結果使他陷入窮困，但鮑叔並不認為我愚笨，知道是因為時運不濟；我曾經三次做官，三次被君主免職，但鮑叔並不認為我沒有才幹，知道我是沒遇上好時機；我也曾三次作戰，三次戰敗逃跑，但鮑叔並不認為我膽小，知道是因為我家有老母的緣故；公子糾爭奪君位失敗，召忽為他而死，我被囚禁遭受屈辱，但鮑叔並不認為我不知羞恥，知道我不拘泥於小節，而以功名不昭顯於天下為羞恥。生我者父母，知我者卻是鮑叔啊！」鮑叔推薦管仲之後，情願置身於管仲之下。他的子孫世世代代在齊國享有俸祿，得到封地的有十幾代，多數是著名大夫。天下人稱讚管仲的才幹，更稱讚鮑叔識才大度。

【出處】

鮑叔遂進管仲。管仲既用，任政於齊，齊桓公以霸，九合諸侯，一匡天下，管仲之謀也。管仲曰：「吾始困時，嘗與鮑叔賈，分財利多自與，鮑叔不以我為貪，知我貧也。吾嘗為鮑叔謀事而更窮困，鮑叔不以我為愚，知時有利不利也。吾嘗三仕三見逐於君，鮑叔不以我為不肖，知我不遭時也。吾嘗三戰三走，鮑叔不以我怯，知我有老母也。公子糾敗，召忽死之，吾幽囚受辱，鮑叔不以我為無恥，知我不羞小節而恥功名不顯於天下也。生我者父母，知我者鮑子也。」鮑叔既進管仲，以身下之。子孫世祿於齊，有封邑者十餘世，常為名大夫。天下不多管仲之賢而多鮑叔能知人也。（《史記》〈管晏列傳〉）

隰朋可也

管仲病重，桓公去探問他，問他說：「如果您不幸與世長辭，我將政事託付給誰呢？」管仲回答說：「從前我盡心盡力，尚且不了解這樣的人；如今病重，在彌留之際，又怎麼能清楚這件事呢？」桓公說：「這是國家大事啊，請仲父千萬要告訴我。」管仲問道：「您想用誰為相呢？」桓公說：「鮑叔牙行嗎？」管仲回答說：「不行。我對他很了解。鮑叔牙的為人，清正廉潔，疾惡如仇，不屑與能力差的人為伍，不能容忍別人的過失。不得已的話，隰朋怎麼樣？隰朋能以先王聖賢為楷模，又平易近人。他自愧德行不如黃帝，不排斥能力比自己差的人。對於國事，可以有所不問；對於政務，可以有所不管；對於無礙大節的過失，也能夠有所不見。如果沒有更合適的人選，就是隰朋了。」

【出處】

管仲有病，桓公往問之曰：「仲父之病矣，漬甚，國人弗諱，寡人將誰屬國？」管仲對曰：「昔者，臣盡力竭智猶未足以知之也，今病在於朝夕之中，臣奚能言？」桓公曰：「此大事也，願仲父之教寡人也。」管仲敬諾，曰：「公誰欲相？」公曰：「鮑叔牙可乎？」管仲對曰：「不可。夷吾善鮑叔牙。鮑叔牙之為人也清廉潔直，視不己若者不比於人，一聞人之過，終身不忘。勿已，則隰朋其可乎？隰朋之為人也，上志而下求，醜不若黃帝而哀不己若者。其於國也，有不聞也。其於物也，有不知也。其於人也，有不見也。勿已乎，則隰朋可也。」（《呂氏春秋》〈孟春紀・貴公〉）

欲封泰山

齊桓公宣稱說：「寡人南征至召陵，見到了熊耳山；北伐山戎、離枝、孤竹國；西征大夏，遠涉流沙；包纏馬蹄、掛牢戰車登上太行險道，直達卑耳山而還。諸侯無人違抗寡人。寡人召集兵車盟會三次，乘車盟會六次，九合諸侯，一匡天下。寡人的成就，與從前令人敬仰的三代開國天子有何不同？我想要封祭泰山，禪祭梁父。」管仲力諫，桓公不聽；管仲於是介紹封禪極為繁雜的禮節，需要備齊四海之內各種奇珍異物方可舉行，桓公最終只能放棄。

【出處】

於是桓公稱曰：「寡人南伐至召陵，望熊山；北伐山戎、離枝、孤竹；西伐大夏，涉流沙；束馬懸車登太行，至卑耳山而還。諸侯莫違寡人。寡人兵車之會三，乘車之會六，九合諸侯，一匡天下。昔三代受命，有何以異於此乎？吾欲封泰山，禪梁父。」管仲固諫，不聽；乃說桓公以遠方珍怪物至乃得封，桓公乃止。（《史記》〈齊太公世家〉）

以矩游為樂

齊桓公說：「天下各國，沒有比越國更強的了。現在我想北伐孤竹、離枝，恐怕越國乘虛而至，該怎樣應對呢？」管仲回答說：「請君主截住原山的流水，建築游水大池，讓人們以游水為樂。這樣，越國還敢於乘虛而至嗎？」桓公說：「具體怎麼做？」管仲回答說：「請下令修築三川，建圓形水池，還要修造能行大船的湖。這個行大船的湖應有深淵，深度達七十尺。然後下令說：『能游者賞十金。』這樣一來，齊國人游泳的技術就不弱於吳越之人了。」桓公於是出兵北伐孤竹和離枝。越國果然乘虛而入，築堤屯堵淄水的曲處淹灌齊國。但管仲有善於游泳的戰士五萬人，應戰於淄水的曲處，大敗越軍。這就叫作提前做好水戰的準備。

【出處】

桓公曰：「天下之國，莫強於越。今寡人欲北舉事孤竹、離枝，恐越人之至，為此有道乎？」管子對曰：「君請遏原流，大夫立沼池，令以矩游為樂。則越人安敢至？」桓公曰：「行事奈何？」管子對曰：「請以令隱三川，立員都，立大舟之都。大身之都有深淵，壘十仞。令曰：『能游者賜十金。』未能用金千，齊民之游水，不避吳越。」桓公終北舉事於孤竹、離枝。越人果至，隱曲蓄以水齊。管子有扶身之士五萬人，以待戰於曲菑，大敗越人。此之謂水豫。（《管子》〈輕重甲〉）

仁智之謀

齊桓公時，地處江淮之間的江國、黃國離楚國很近。楚國不斷侵犯，想吞併它們，江人、黃人憎恨楚國，敬慕桓公仗義為小國主持公道，想來參加貫澤的盟會。管仲說：「江、黃兩國離齊國很遠，離楚國較近，如果楚國攻打它們而我們不能援救，就無法使諸侯歸服我們，不能接納他們參會。」桓公沒有採納管仲的建議，堅持和江、黃兩國結盟。管仲死後，楚國進攻江國，吞併黃國，桓公鞭長莫及，無法救援，大家都為桓公惋惜。此後桓公信譽掃地，仁德衰減，諸侯不再歸附，霸業逐漸衰頹，無法恢復往日的威望。君子因此評論說：做決定不能僅憑仁慈之心，而要理智地考慮長遠。對於無力保護的國家，就不能接受它們的結盟，相比桓公的輕率，管仲可以說是善於謀劃了。《詩經》裡說：「竟不聽這樣的忠言，終於亡國喪身。」意思是不聽忠言就將亡國喪身，說的正是這種事。

【出處】

齊桓公時，江國，黃國，小國也，在江淮之間。近楚，楚，大國也，數侵伐，欲滅取之；江人黃人患楚。齊桓公方存亡繼絕，救危扶傾；尊周室，攘夷狄，為陽穀之會，貫澤之盟，與諸侯方伐楚。江人、黃人慕桓公之義，來會盟於貫澤。管仲曰：「江、黃遠齊而近楚，楚為利之國也，若伐而不能救，無以宗諸侯，不可受也。」桓公不聽，遂與之盟。管仲死，楚人伐江滅黃，桓公不能救，君子閔之。是後桓公信壞德衰，諸侯不附，遂陵遲不能復興。夫仁智之謀，即事有漸，力所不能救，未可以受其質，桓公之過也，管仲可謂善謀矣。詩云：「曾是莫聽，大命以傾。」[19]此之謂也。（《新序》〈善謀第九〉）

齊國良工

管仲、鮑叔牙執政時期，齊國東部邊境地區的人能及時反映困苦的情況。管仲死後，豎刀、易牙掌權，朝廷只願聽到民眾反映高興的事情，國內的人不敢反映貧困疾苦的情況。管仲因此成為齊國著名的政治家，恩澤惠及子孫。

19.「曾是莫聽，大命以傾」，出自《詩經》〈大雅・蕩〉。

【出處】

管子、鮑叔佐齊桓公舉事，齊之東鄙人有常致苦者。管子死，豎刀、易牙用，國之人常致不苦，不知致苦。卒為齊國良工，澤及子孫，知大禮。知大禮，雖不知國可也。(《呂氏春秋》〈慎大覽・不廣〉)

屍蟲出於戶

管仲死後，桓公不聽管仲之言，堅持親近任用易牙、豎刀和開方三人。當初，齊桓公有三位夫人：王姬、徐姬和蔡姬，都沒生兒子。桓公好色，寵妾甚多，其中地位等同於夫人的「如夫人」就有六個：長衛姬，生子無詭；少衛姬，生子惠公元；鄭姬，生子孝公昭；葛嬴，生子昭公潘；密姬，生子懿公商人；宋華子，生子公子雍。齊桓公和管仲商量後立孝公昭為太子，託付給宋襄公。易牙得桓公長衛姬寵信，又通過宦者豎刀獻美味與桓公得到寵信，使桓公答應改立無詭為太子。管仲死後，五位公子爭立太子。冬十月乙亥日，齊桓公死。易牙進宮，與豎刀聯手殺死諸大夫，立公子無詭為齊君，太子昭逃往宋國。五公子各自結黨，互相攻戰，以致無暇顧及父君的殮葬。桓公屍體被擱置六十七天，屍體生蛆，爬出門外。直到十二月乙亥日無詭即位，才將桓公裝棺並向各國報喪。因為諸子爭戰，直到次年八月桓公才得以安葬。

【出處】

管仲死，而桓公不用管仲言，卒近用三子，三子專權。……四十三年。初，齊桓公之夫人三：曰王姬、徐姬、蔡姬，皆無子。桓公好內，多內寵，如夫人者六人，長衛姬，生無詭；少衛姬，生惠公元；鄭姬，生孝公昭；葛嬴，生昭公潘；密姬，生懿公商人；宋華子，生公子雍。桓公與管仲屬孝公於宋襄公，以為太子。雍巫有寵於衛共姬，因宦者豎刀以厚獻於桓公，亦有寵，桓公許之立無詭。管仲卒，五公子皆求立。冬十月乙亥，齊桓公卒。易牙入，與豎刀因內寵殺群吏，而立公子無詭為君。太子昭奔宋。桓公病，五公子各樹黨爭立。及桓公卒，遂相攻，以故宮中空，莫敢棺。桓公屍在床上六十七日，屍蟲出於戶。十二月乙亥，無詭立，乃棺赴。辛巳夜，斂殯。（《史記》〈齊太公世家〉）

固卻其忠言

管仲病重，桓公去探望他，問他說：「仲父有什麼教誨呢？」管仲說：「齊國鄉下有句諺語說：『家居的人不用準備外出時車上裝載的東西，行路的人不用準備家居時需要埋藏的東西。』我是要走的人了，哪裡還值得詢問呢？」桓公說：「希望仲父您不要推辭。」管仲回答說：「希望您疏遠易牙、豎刀、常之巫和衛公子啟方[20]。」桓公說：「易牙烹飪兒子以滿足我的口味，這樣的人還要懷疑嗎？」管仲回答說：「愛子是人的本性，他能狠心殺死親兒子，又怎麼會在意您

20. 衛公子啟方：一說衛公子開方，為同一人。

呢？」桓公又說：「豎刀不惜閹割自己以侍奉我，這樣的人還要懷疑嗎？」管仲回答說：「愛惜身體是人的本性，他能狠心將自己閹割，對您一樣能下狠心啊。」桓公又說：「常之巫能明察死生，驅魔除邪，這樣的人還要懷疑嗎？」管仲回答說：「死生由命，生病是因為精神不濟而無關鬼神。您不服從天命，守住根本，卻聽任常之巫胡言亂語，他將仰仗您的寵信胡作非為。」桓公又說：「衛公子啟方侍奉我十五年，他父親死了都不回去奔喪，這樣的人還要懷疑嗎？」管仲回答說：「愛父母是人的本性，他連自己的父親都能撇開，又怎麼能熱愛您呢？」桓公說：「好吧。我聽您的。」管仲死後，桓公把易牙等人全都驅逐了。桓公吃飯不香甜，後宮不安定，疾病纏身，朝綱混亂。過了三年，桓公說：「仲父也太言過其實了吧，誰說仲父的話全都可信呢！」於是又把易牙等人全部召回。第二年，桓公病了，常之巫從宮內出來說：「君主將在某日去世。」易牙、豎刀、常之巫一起作亂，堵塞宮門，築起高牆，不讓人進宮，假稱是桓公的命令。賤妾晏娥兒翻牆進入宮內，見到桓公。桓公說：「我想吃飯。」婦人說：「我沒辦法弄到飯菜。」桓公又說：「我想喝水。」晏娥兒說：「沒辦法弄到水喝。」桓公說：「這是為什麼？」晏娥兒回答說：「常之巫從宮內出來說：『君主將在某日去世。』易牙、豎刀、常之巫一起作亂，堵塞了宮門，築起了高牆，不讓人進來，所以沒辦法弄到飯和水。衛公子啟方帶著四十社的土地和人口投降了衛國。」桓公流淚嘆息說：「唉！聖人的預見不是很遠嗎？如果死者有知，我有什麼臉去見仲父呢？」於是用衣袖矇住臉死在壽宮。屍蟲爬出門外，屍身蓋著門板，過了三個月還不能下葬。這就是桓公沒有聽從管仲勸告的後果啊。桓公並非輕視禍患、厭惡管仲，而是智力不及，以致於無法理解和採納管仲的忠言，親近和寵信小人，終於自食其果。

【出處】

管仲有疾，桓公往問之曰：「仲父之疾病矣，將何以教寡人？」管仲曰：「齊鄙人有諺曰：『居者無載，行者無埋。』今臣將有遠行，胡可以問？」桓公曰：「願仲父之無讓也。」管仲對曰：「願君之遠易牙、豎刀、常之巫、衛公子啟方。」公曰：「易牙烹其子以慊寡人，猶尚可疑邪？」管仲對曰：「人之情，非不愛其子也，其子之忍，又將何有於君？」公又曰：「豎刀自宮以近寡人，猶尚可疑邪？」管仲對曰：「人之情，非不愛其身也，其身之忍，又將何有於君？」公又曰：「常之巫審於死生，能去苛病，猶尚可疑邪？」管仲對曰：「死生命也。苛病失也。君不任其命、守其本，而恃常之巫，彼將以此無不為也。」公又曰：「衛公子啟方事寡人十五年矣，其父死而不敢歸哭，猶尚可疑邪？」管仲對曰：「人之情，非不愛其父也，其父之忍，又將何有於君？」公曰：「諾。」管仲死，盡逐之，食不甘，宮不治，苛病起，朝不肅。居三年，公曰：「仲父不亦過乎！孰謂仲父盡之乎！」於是皆復召而反。明年，公有病，常之巫從中出曰：「公將以某日薨。」易牙、豎刀、常之巫相與作亂，塞宮門，築高牆，不通人，矯以公令。有一婦人逾垣入，至公所。公曰：「我欲食。」婦人曰：「吾無所得。」公又曰：「我欲飲。」婦人曰：「吾無所得。」公曰：「何故？」對曰：「常之巫從中出曰：『公將以某日薨。』易牙、豎刀常之巫相與作亂，塞宮門，築高牆，不通人，故無所得。衛公子啟方以書社四十下衛。」公慨焉嘆，涕出曰：「嗟乎！聖人之所見，豈不遠哉！若死者有知，我將何面目以見仲父乎？」蒙衣袂而絕乎壽宮。蟲流出於戶，上蓋以楊門之扇，三月不葬。此不卒聽管仲之言也。桓公非輕難而惡管子也，無由接見也。無由接，固卻其忠言，而愛其所尊貴也。（《呂氏春秋》〈先識覽・知接〉）

一人之身，榮辱俱施

齊桓公仁義嗎？他殺死兄長公子糾繼位不算仁義。齊桓公恭謹有節制嗎？與婦人同乘輦車在都城兜風，不算恭謹有節制。齊桓公操守清白嗎？後宮內有不嫁的姊妹多人，不算操守清白。這三樣事，是亡國之君的荒淫行為，齊桓公全都占了。但因為得到管仲、隰朋之類的賢才，就能九合諸侯，一匡天下，成為春秋五霸之首；一旦失去管仲、隰朋，任用豎刁（一作「豎刀」）、易牙，他就陳屍後宮，屍蟲爬出門外。為什麼在他一人身上會同時承受榮耀與恥辱呢？那是因為他任用的人不同。由此看來，任用賢臣良佐是多麼重要！

【出處】

或曰：「將謂桓公仁義乎？殺兄而立，非仁義也。將謂桓公恭儉乎？與婦人同輿馳於邑中，非恭儉也；將謂桓公清潔乎？閨門之內，無可嫁者，非清潔也。此三者，亡國失君之行也，然而桓公兼有之，以得管仲、隰朋，九合諸侯，一匡天下，畢朝周室，為五霸長，以其得賢佐也。失管仲、隰朋，任豎刁、易牙，身死不葬，蟲流出戶。一人之身，榮辱俱施者何？其所任異也。」由此觀之，則任佐急矣。（《說苑》〈尊賢〉）

浩浩乎白水

田婧是齊國宰相管仲的愛妾。甯戚想見桓公，苦於無人引薦，就替人照料車駕隨商隊入城。夜裡，商隊歇息於齊都東門之外。剛巧碰上桓公出城，甯戚於是敲著牛角高歌，聲音非常悲傷。桓公覺得奇怪，就讓管仲迎接他。甯戚稱頌說：「浩浩乎白水！」管仲不明白他的意思，五天不上朝，一臉憂愁。田婧問他說：「先生五天不上朝，愁雲滿面，為什麼呢？」管仲說：「這不是你能了解的。」田婧說：「我聽說，不要因老人年老、賤人低賤、小孩幼稚、弱者柔弱而輕視他們。」管仲曰：「此話怎講？」田婧回答說：「太公望七十歲的時候還在朝歌宰牛，八十歲成為天子的老師，九十歲被封到齊國；伊尹原來是有莘氏陪嫁的僕人，而商湯尊用他為三公，天下得以大治；皋子五歲的時候就能輔佐大禹；駃騠出生七天奔跑就能超過母親。」於是管仲離席道歉說：「我現在告訴你其中的緣故：前些天桓公命我迎接甯戚，甯戚對我說：浩浩乎白水。我不明白什麼意思，所以憂心。」田婧笑著說：「人家已經告訴你了，你還不明白嗎？從前有首『白水詩』，詩中不是說：『浩浩白水，倏倏之魚。君來召我，我將安居。國家未定，從我焉如。』甯戚這是想要為國出力啊。」管仲聽後大喜，隨即稟報桓公。桓公於是修治官府，齋戒五天，然後召見甯戚，任用他為佐輔大臣，協助治理齊國。君子稱讚田婧是可以與之商量大事的人。

【出處】

妾婧者，齊相管仲之妾也。甯戚欲見桓公，道無從，乃為人僕。將車宿齊東門之外，桓公因出，甯戚擊牛角而商歌甚悲，桓公異之，使管仲迎之。甯戚稱曰：「浩浩乎白水！」管仲不知所謂，不朝五日，而有憂色，其妾婧進曰：「今君不朝五日，而有憂色，敢問國家之事耶？君之謀也？」管仲曰：「非汝所知也。」婧曰：「妾聞之也，毋老老，毋賤賤，毋少少，毋弱弱。」管仲曰：「何謂也？」「昔者太公望年七十，屠牛於朝歌市，八十為天子師，九十而封於齊。由是觀之，老可老邪？夫伊尹，有新婁氏之媵臣也。湯立以為三公，天下之治太平。由是觀之，賤可賤邪？皋子生五歲而贊禹。由是觀之，少可少耶？駃騠生七日而超其母。由是觀之，弱可弱邪？」於是管仲乃下席而謝曰：「吾請語子其故。昔日公使我迎甯戚，甯戚曰：『浩浩乎白水！』吾不知其所謂，是故憂之。」其妾笑曰：「人已語君矣，君不知識耶？古有《白水》之詩。詩不云乎：『浩浩白水，儵儵之魚。君來召我，我將安居？國家未定，從我焉如？』此甯戚之欲得仕國家也。」管仲大悅，以報桓公。桓公乃修官府，齊戒五日，見寧子，因以為佐，齊國以治。君子謂妾婧為可與謀。（《列女傳》〈辯通傳〉）

謀弒懿公

齊懿公做公子的時候，和邴歜的父親爭奪田地，沒有得勝。等到即位為君，就掘出邴歜父親的屍體砍去雙腳洩憤，但又讓邴歜為他駕車。懿公還強占閻職的妻子，但仍讓他任自己的驂乘。夏季五月，齊懿公在申池遊玩。邴歜、閻職二人在池子裡洗澡，邴歜用馬鞭抽打閻職，閻職發怒。邴歜說：「別人奪走你的妻子你不生氣，打你幾下又何妨？」閻職反唇相譏說：「父親被砍去雙腳，不是一樣不敢怨恨嗎？」於是二人一起策劃，在申池殺死齊懿公，把屍體藏在竹林中，然後返回宗廟祭祀，拜別祖先後從容離去。

【出處】

齊懿公之為公子也，與邴歜之父爭田，弗勝。及即位，乃掘而刖之，而使歜僕。納閻職之妻，而使職驂乘。夏五月，公游於申池。二人浴於池，歜以撲抶職。職怒。歜曰：「人奪女妻而不怒，一抶女，庸何傷？」職曰：「與刖其父而弗能病者何如？」乃謀弒懿公，納諸竹中。歸，舍爵而行。（《左傳》〈文公十八年〉）

福生於隱忍

福運在隱忍中生長，災禍在得意時發生，齊頃公的情景就是這樣。齊頃公是春秋首霸齊桓公的孫子，繼位之初，國廣民眾，兵強國富，享有霸主的餘威，因而驕傲怠惰，不肯外出與諸侯會盟，反而恃強欺侮鄰國、輕視小國。晉、魯兩國派使者前來通問修好，他竟然拿兩國使者的生理缺陷開玩笑。兩國因此結盟，連同曹、衛一起與齊國在鞍地交戰，大敗齊師，擒獲齊頃公，砍傷逢丑父。經此事件，齊頃公大為震動。回國後弔唁死者，慰問疾苦，七年不飲酒不吃肉，撤除聲樂，遠離女色，外出參與會盟，在諸侯中甘居下位，在國內推行仁政。他的聲望震動諸侯。所丟失的土地，不用索取別國就主動歸還，沒使用武力就受到尊寵。這一切都是他委曲求全、主動改變換來的。所以說，福運在隱忍中生長，災禍在得意時發生，齊頃公的失與得，就是驗證。

【出處】

夫福生於隱約，而禍生於得意，齊頃公是也。齊頃公，桓公之子孫也，地廣民眾，兵強國富，又得霸者之餘尊，驕蹇怠傲，未嘗肯出會同諸侯，乃興師伐魯，反敗衛師於新築，輕小嫚大之行甚。俄而晉、魯往聘，以使者戲。二國怒，歸求黨與，得衛及曹，四國相輔，期戰於鞍，大敗齊師，獲齊頃公，斫逢丑父。於是懼然大恐。賴逢丑父之欺，奔逃得歸。弔死問疾，七年不飲酒、不食肉，外金石絲竹之聲，遠婦女之色，出會與盟，卑下諸侯。國家內得行義，聲問震乎諸侯。所亡之地，弗求而自為來，尊寵不武而得之。可謂能詘免變化以致之。故福生於隱約，而禍生於得意，此得失之效也。（《說苑》〈敬慎〉）

唯命是聽

晉將隙克率領戰車八百乘，以士燮領上軍、欒書領下軍，討伐齊國。六月壬申日，晉軍與齊軍在靡笄山下交戰。齊軍大敗，齊頃公的車右逄丑父假扮頃公才使頃公僥倖逃脫。隙克要殺逄丑父，丑父說：「我頂替國君而死卻被殺害，以後就沒有忠於君主的臣子了。」隙克就放了他。晉國聯軍把齊軍攆至馬陘。齊頃公派賓媚人把紀甗、玉磬和土地獻給聯軍說：「如果不同意講和，隨他們怎麼辦吧。」隙克開出條件說：「講和可以，一定要讓蕭同叔子做人質，同時使齊國境內的田隴全部改為東向。」賓媚人回答說：「蕭同叔子是寡君的母親，從對等地位來說，就是晉軍的母親。您向諸侯發布命令，聲稱要以人家的母親為人質，這是以不孝來命令諸侯啊。先王劃定天下土地的疆界，主張因地制宜。現在您卻讓我們的田壟全部向東，不顧地勢是否適宜，只管自己兵車進出有利，這不符合先王的政令。違反先王的遺命就是不合道義，還怎麼做盟主？如果您肯答應齊國的請和，齊、晉兩國將繼續過去的友好，敝國破舊的器物和土地我們是不敢吝惜的；如果您不肯答應，我們就只好收集殘兵敗將，背靠城牆冒死一戰了。」魯、衛兩國勸諫隙克說：「齊侯親近的人都戰死戰敗，您如果不肯答應，齊國必定更加仇恨我們。您一雪前恥，又得到齊國國室，我們也收回了失地，這榮耀已經夠多了。齊國和晉國都是上天所授，難道只有晉國永遠處在上風嗎？」隙克這才同意齊國的求和，只讓齊國歸還侵占魯、衛二國的領土。

【出處】

晉師從齊師，入自丘輿。擊馬陘。齊侯使賓媚人賂以紀甗、玉磬與地。不可，則聽客之所為。賓媚人致賂，晉人不可，曰：「必以蕭同叔子為質，而使齊之封內盡東其畝。」對曰：「蕭同叔子非他，寡君之母也。若以匹敵，則亦晉君之母也。吾子布大命於諸侯，而曰必質其母以為信，其若王命何？且是以不孝令也。《詩》曰：『孝子不匱，永錫爾類。』[21]若以不孝令於諸侯，其無乃非德類也乎？先王疆理天下，物土之宜，而布其利。故《詩》曰：『我疆我理，南東其畝。』[22]今吾子疆理諸侯，而曰『盡東其畝』而已，唯吾子戎車是利，無顧土宜，其無乃非先王之命也乎？反先王則不義，何以為盟主？其晉實有闕。四王之王也，樹德而濟同欲焉。五伯之霸也，勤而撫之，以役王命。今吾子求合諸侯，以逞無疆之欲。《詩》曰『布政優優，百祿是遒。』[23]子實不優，而棄百祿，諸侯何害焉？不然，寡君之命使臣，則有辭矣。曰：『子以君師辱於敝邑，不腆敝賦，以犒從者。畏君之震，師徒橈敗，吾子惠徼齊國之福，不泯其社稷，使繼舊好，唯是先君之敝器、土地不敢愛。子又不許，請收合餘燼，背城借一。敝邑之幸，亦云從也。況其不幸，敢不唯命是聽？』」魯、衛諫曰：「齊疾我矣！其死亡者，皆親暱也。子若不許，仇我必甚。唯子，則又何求？子得其國寶，我亦得地，而紓於難，其榮多矣！齊、晉亦唯天所授，豈必晉？」（《左傳》〈成公二年〉）

賈余餘勇

魯成公二年，晉軍主帥隙克率上、中、下三軍，戰車八百乘，會同魯、衛、曹及狄人等國聯軍進攻由齊頃公率領的滯留在衛國的齊軍。雙方下完戰書，齊頃公決定給晉國人來個下馬威，同時也讓齊軍

21.「孝子不匱，永錫爾類」，出自《詩經》〈大雅・既醉〉。

22.「我疆我理，南東其畝」，出自《詩經》〈小雅・信南山〉。

23.「敷政優優，百祿是遒」，出自《詩經》〈商頌・長發〉。

提升士氣。於是命令上卿高固獨闖晉軍大營。晉軍沒想到對方竟然有人敢單車挑戰，結果被高固徑直闖入。高固恰好遇上一輛晉國戰車，從地上撿了一塊大石頭，一石砸死了車上的戰士，然後跳上戰車，用武器頂著御者的脖子，連戰車一起俘虜回營，半路上還捎帶連根拔起一棵桑樹繫在車子上。回到齊國軍營，高固跳下戰車，得意地對圍觀的將士說：「有想要勇氣的人嗎？我還有多餘的可以出賣。」

【出處】

六月壬申，師至於靡笄之下。齊侯使請戰，曰：「子以君師辱於敝邑，不腆敝賦，詰朝請見。」對曰：「晉與魯、衛，兄弟也。來告曰：『大國朝夕釋憾於敝邑之地。』寡君不忍，使群臣請於大國，無令輿師淹於君地。能進不能退，君無所辱命。」齊侯曰：「大夫之許，寡人之願也；若其不許，亦將見也。」齊高固入晉師，桀石以投人，禽之而乘其車，繫桑本焉，以徇齊壘，曰：「欲勇者賈余餘勇。」（《左傳》〈成公二年〉）

亡戟得矛

齊、晉兩國交戰，平阿邑的士卒丟失戰戟，得到矛。後退時，他心裡很不高興，對路人說：「我丟失戟，得到矛，可以回去嗎？」路人回答說：「戟、矛都是兵器，丟失兵器得到了兵器，有什麼不可以。」士卒又往回走，心情仍然不爽，遇到高唐邑的大夫叔無孫，就問他說：「今天作戰時，我丟失了戟，得到矛，可以回去嗎？」叔無孫說：「矛不是戟，戟不是矛，失戟得矛，回去怎麼交代呢？」士卒於是返回戰場，繼續作戰，終於戰死。叔無孫說：「我聽說君子讓人遭受禍患，自己一定要與他共患難。」於是前赴後繼，也戰死沙場。假使讓這兩個人統率軍隊，一定不會戰敗逃跑；假使讓他二人待在君主身邊，也一定會為道義而獻身。如今兩人戰死，卻沒有什麼大功勞，這是因為他們職輕位卑，夠不上考慮大事。怎麼知道天下沒有平阿士卒與叔無孫之類的廉正之士呢？只要君主認真訪求。

【出處】

齊、晉相與戰，平阿之餘子亡戟得矛，卻而去，不自快，謂路之人曰：「亡戟得矛，可以歸乎？」路之人曰：「戟亦兵也，矛亦兵也，亡兵得兵，何為不可以歸？」去行，心猶不自快，遇高唐之孤叔無孫，當其馬前曰：「今者戰，亡戟得矛，可以歸乎？」叔無孫曰：「矛非戟也，戟非矛也，亡戟得矛，豈亢責也哉？」平阿之餘子曰：「嘻！」還反戰，趨尚及之，遂戰而死。叔無孫曰：「吾聞之，君子濟人於患，必離其難。」疾驅而從之，亦死而不反。令此將眾，亦必不北矣。令此處人主之旁，亦必死義矣。今死矣而無大功，其任小故也。任小者，不知大也。今焉知天下之無平阿餘子與叔無孫也？故人主之欲得廉士者，不可不務求。（《呂氏春秋》〈離俗覽・離俗〉）

辟司徒之妻

齊頃公的戰車從徐關進入臨淄，前驅開道時遇到一位女子。女子說：「國君免於禍難了嗎？」回答說：「免了。」又問：「銳司徒免於禍難了嗎？」回答說：「免了。」她說：「國君和我父親都已倖免於難，還要怎麼樣？」於是跑開了。齊頃公認為她知禮，不久之後查詢，才知是辟司徒的妻子，於是賜給辟司徒夫妻石窌之地為封邑。

【出處】

辟女子，女子曰：「君免乎？」曰：「免矣。」曰：「銳司徒免乎？」曰：「免矣。」曰：「苟君與吾父免矣，可若何！」乃奔。齊侯以為有禮，既而問之，辟司徒之妻也。予之石窌。（《左傳》〈成公二年〉）

齊靈聲姬

聲姬，號孟子，是魯侯的女兒，齊靈公的夫人，太子光的母親。孟子與大夫慶克私通。一次，兩人蒙頭遮面乘車外出，正好被鮑牽看見，鮑牽告訴國佐，於是國佐召見慶克詢問。慶克告訴孟子說：「國佐說我的壞話。」孟子很生氣。當時國佐為國相，他陪同靈公前往柯陵與諸侯會盟，留高子、鮑子守城。盟會結束之後返回，孟子竟將城門關閉，並對靈公說：「高、鮑兩人將背叛你而擁立公子角，這事國佐也知道。」靈公大怒，將鮑牽施以刖刑，又將高子、國佐驅逐出境。高子和國佐逃奔莒國。靈公啟用崔杼為大夫，讓慶克做他的助手，率兵攻打莒國，未能取勝。國佐派人殺死慶克，與靈公和好並官復原職，孟子繼續在靈公面前誹謗國佐並讓靈公殺死他。靈公死後，高、鮑二人返回齊國，殺死孟子，齊國的內亂終於平息。《詩經》裡說：「士子勸諫聽不進，婦人內侍言必信。」說的就是靈公、孟子之類吧。

【出處】

聲姬者，魯侯之女，靈公之夫人，太子光之母也。號孟子。淫通於大夫慶克，與之蒙衣乘輦而入於閎。鮑牽見之，以告國佐。國佐召慶克，將詢之。慶克久不出，以告孟子曰：「國佐非我。」孟子怒。時國佐相靈公，會諸侯於柯陵，高子、鮑子處內守。及還，將至，閉門而索客。孟子訴之曰：「高、鮑將不內君，而欲立公子角，國佐知之。」公怒，刖鮑牽而逐高子、國佐，二人奔莒。更以崔杼為大夫，使慶克佐之。乃帥師圍莒，不勝。國佐使人殺慶克。靈公與佐盟而復之。孟子又訴而殺之。及靈公薨，高、鮑皆復，遂殺孟子，齊亂乃息。詩云：「匪教匪誨，時維婦寺。」[24]此之謂也。（《列女傳》〈孽嬖傳〉）

齊靈仲子

齊靈仲子是宋侯的女兒，齊靈公的夫人。起初，靈公娶魯國的聲姬，生子名光，立為太子。夫人仲子和她的妹妹戎子為靈公所寵。仲子生子名牙，戎子請求靈公立牙為太子，以取代光，靈公答應了。仲子卻說：「不可如此！違反倫常的廢立不吉利，諸侯各國的變故多是

24.「匪教匪誨，時維婦寺」，出自《詩經》〈大雅・瞻卬〉。

因這類事引起的。這樣做是失策。光立為太子已告知列國諸侯，現在無緣無故廢除他，有戲弄諸侯之嫌，恐怕會帶來禍患。你將來會後悔的。」齊靈公說：「立誰為太子，我說了算！」仲子說：「我並不是謙讓，這真的是引發禍患的根苗啊。」仲子以死抗爭，靈公終究沒聽她的，仍然驅逐了太子光，而立牙為太子，讓高厚輔佐他。靈公病危時，高厚暗中迎接太子光回來。等到靈公去世，崔杼擁立太子光而殺死高厚。齊靈公因為沒有聽從仲子的勸告，導致齊國大亂。君子稱讚仲子明於事理。《詩經》中說：「你若聽用我主張，不致大錯太荒唐。」說的正是仲子啊。

【出處】

齊靈仲子者，宋侯之女，齊靈公之夫人也。初，靈公娶於魯，聲姬生子光，以為太子。夫人仲子與其娣戎子皆嬖於公。仲子生子牙，戎子請以牙為太子代光，公許之。仲子曰：「不可。夫廢常，不祥；閩諸侯之難，失謀。夫光之立也，列於諸侯矣。今無故而廢之，是專絀諸侯，而以難犯不祥也。君心悔之。」「在我而已。」仲子曰：「妾非讓也，誠禍之萌也。」以死爭之，公終不聽，遂逐太子光，而立牙為太子，高厚為傅。靈公疾，高厚微迎光。及公薨，崔杼立光而殺高厚。以不用仲子之言，禍至於此。君子謂仲子明於事理。詩云：「聽用我謀，庶無大悔。」[25]仲子之謂也。（《列女傳》〈仁智傳〉）

25.「聽用我謀，庶無大悔」，出自《詩經》〈大雅・抑〉。

先審民心

齊莊子請求攻打越國，徵求和子的意見。和子說：「先君有遺命說：『不可攻打越國。越國是只猛虎。』」齊莊子說：「雖然是只猛虎，現在已經死了。」和子把這話告訴鴞子，鴞子說：「雖然已經死了，但人們以為它還活著。因此，但凡舉事，一定要先體察民心，然後才能決定是否去做。」

【出處】

齊莊子請攻越，問於和子。和子曰：「先君有遺令曰：『無攻越。越，猛虎也。』」莊子曰：「雖猛虎也，而今已死矣。」和子曰以告鴞子。鴞子曰：「已死矣，以為生。故凡舉事，必先審民心，然後可舉。」（《呂氏春秋》〈季秋紀・順民〉）

行激節厲

柱厲叔侍奉莒敖公，自己認為不被知遇，因而離開敖公到海邊居住。夏天吃菱角芡實，冬天吃橡樹籽。莒敖公遇難，柱厲叔辭別他的朋友要為敖公赴死。他的朋友說：「您自己認為不被知遇所以離開他，如今又要為他去死，這樣看來，被知遇與不被知遇就沒有什麼區別了。」柱厲叔說：「不是這樣。我自己認為不被知遇，所以離開了他；如今他死了我卻不為他去死，這就表明他果真了解我是不忠不義之臣。我將為他而死，以便使後世當君主卻不了解自己臣子的人感到慚愧，用以激勵君主的品行，磨礪君主的節操。君主的品行得到激勵，節操受到磨礪，忠臣就有可能被了解，忠臣被了解，那麼為君之道就牢固了。」

【出處】

柱厲叔事莒敖公，自以為不知，而去居於海上。夏日則食菱芡，冬日則食橡栗。莒敖公有難，柱厲叔辭其友而往死之。其友曰：「子自以為不知故去，今又往死之，是知與不知無異別也。」柱厲叔曰：「不然。自以為不知故去，今死而弗往死，是果知我也。吾將死之，以醜後世人主之不知其臣者也，所以激君人者之行，而厲人主之節也。行激節厲，忠臣幸於得察。忠臣察則君道固矣。」（《呂氏春秋》〈恃君覽・恃君〉）

愓然而寤

齊莊公的時候，有個勇士名叫賓卑聚。一天夜裡，他夢見一個壯士，身材魁梧，頭戴白色絹帽，外穿耀眼的紅色麻布盛裝，內穿棉布做的衣服，帽上墜著紅色的絲穗，腳穿一雙嶄新的白色緞鞋，身上掛著一個黑色的劍囊。這個威武的大漢走到賓卑聚面前，大聲地呵斥他，還朝他臉上吐唾沫。賓卑聚被這個突如其來的凶漢驚醒了，發現原來是個夢。儘管如此，他依然氣得無法入睡。第二天天一亮，賓卑聚就把他的朋友們請來，講述了前一天晚上做的惡夢。然後對朋友們說：「我自幼崇尚勇敢，六十年來沒受過任何欺凌侮辱。可是昨晚在夢中卻受到如此侮辱，心裡實在嚥不下這口氣。我一定要找到那個敢於在夢中罵我，並向我吐唾沫的人。如果在三天之內找到他，我就要報仇雪恨；如果三天之內找不到他，我就沒臉面活在世上了。」於是，每天一早，賓卑聚就帶著他的朋友們一起站在行人過往頻繁的交通要道上，尋找跟夢中打扮、長相一樣的人。三天過去了，始終也沒看到一個如夢中打扮的壯士。賓卑聚氣餒地回到家中，長長地嘆一口氣，然後拔劍自刎了。

【出處】

齊莊公之時，有士曰賓卑聚，夢有壯子，白縞之冠，丹績之袧。東布之衣，新素履，墨劍室，從而叱之，唾其面。惕然而寤，徒夢也，終夜坐不自快。明日，召其友而告之曰：「吾少好勇，年六十而無所挫辱。今夜辱，吾將索其形，期得之則可，不得將死之。」每朝與其友俱立乎衢，三日不得，卻而自歿。（《呂氏春秋》〈離俗覽・離俗〉）

不自量力

齊莊公外出打獵，看見一隻蟲子舉起爪子要和車輪搏鬥。他問車伕說：「這是什麼蟲子？」車伕回答說：「這就是平常所說的螳螂。這蟲子光知道前進而不知道後退，不自量力而輕視敵人。」莊公感嘆：「這蟲子要是人的話，必定是天下最英勇善戰的人了！」於是命車伕掉轉車頭避開它。天下的勇士知道這件事後，紛紛前來投奔齊莊公。

【出處】

齊莊公出獵，有一蟲舉足將搏其輪。問其御曰：「此何蟲也？」對曰：「此所謂螳螂者也。其為蟲也，知進而不知卻，不量力而輕敵。」莊公曰：「此為人而必為天下勇武矣！」回車而避之。勇武聞之，知所盡死矣。（《淮南子》〈人間訓〉）

遜辭以避咎

晏子為父親晏桓子守孝，穿著粗麻布製成的喪服，腰裡紮著用麻布搓成的孝帶，手執孝棒，腳穿草鞋，以稀粥為食，住在簡陋的棚屋裡，以草墊為席，以茅草為枕。他的老家臣說：「這不是大夫喪父的禮節呀。」晏子說：「只有卿才是大夫。」曾子將這件事告訴孔子，孔子說：「晏子是能遠離禍患的人啊。不用自己的正確駁斥他人的錯誤，而用謙遜的言語來遠避災禍，這就是義啊。」

【出處】

晏子居晏桓子之喪，粗衰，斬，苴絰帶，杖，菅屨，食粥，居倚廬，寢苫，枕草。其家老曰：「非大夫喪父之禮也。」晏子曰：「唯卿為大夫。」曾子以聞孔子，孔子曰：「晏子可謂能遠害矣。不以已之是駁人之非，遜辭以避咎，義也夫！」（《晏子春秋》〈內篇雜上第五〉）

萬民之心

莊公關閉城門，想攻打莒國，國人以為國內發生了動亂，都拿著長兵器站在閭門。莊公召見睢休相問說：「我關上城門準備攻打莒國，國人以為發生了動亂，都拿著長兵器站在閭門，怎麼辦？」休相回答說：「國人以為發生動亂，那是因為賢臣不在；請在國中宣布，就說晏子還在。」莊公說：「好。」於是在國內宣布說：「誰說發生動亂，晏子還在呢！」國人得知消息，紛紛放下兵器離去。君子評價說：「賢臣的地位多麼重要啊。晏子在朝而百姓安定，這局面不是一天形成的。這是前人的經歷，所以後人相信。」

【出處】

莊公闔門而圖莒，國人以為有亂也，皆操長兵而立於閭。公召睢休相而問曰：「寡人闔門而圖莒，國人以為有亂，皆摽長兵而立於衢閭，奈何？」休相對曰：「誠無亂而國以為有，則仁人不存。請令於國，言晏子之在也。」公曰：「諾。」以令於國：「孰謂國有亂者，晏子在焉。」然後皆散兵而歸。君子曰：「夫行不可不務也。晏子存而民心安，此非一日之所為也，所以見於前信於後者。是以晏子立人臣之位，而安萬民之心。」（《晏子春秋》〈外篇第八〉）

退而窮處

齊莊公問晏子說：「揚威當代而使天下人敬佩，是時運造成的嗎？」晏子回答說：「是行為。」莊公問：「什麼樣的行為？」回答說：「能夠愛護國內的民眾，就能使境外心懷叵測的人歸服；能夠重視百姓付出的勞苦，就能消除國內的邪惡逆亂；能聽取中正之言任用賢人，就能威懾諸侯；能施行仁義而樂於為百姓謀利，就能使天下歸服。這是顯然的道理啊。」莊公沒有聽取晏子的勸諫，晏子於是辭職歸隱。莊公任用勇猛力強的人，輕視臣僕的生死，征戰不休，導致國力疲敝，百姓遭殃。一年之後，天下大亂，莊公自己也被崔杼殺死。君子說：「盡忠報國而不以與君王交往為樂事，不受任用也不貪戀俸祿，晏子稱得上廉正了。」

【出處】

莊公問晏子曰：「威當世而服天下，時耶？」晏子對曰：「行也。」公曰：「何行？」對曰：「能愛邦內之民者，能服境外之不善；重士民之死力者，能禁暴國之邪逆；聽賃賢者，能威諸侯；安仁義而樂利世者，能服天下。不能愛邦內之民者，不能服境外之不善；輕士民之死力者，不能禁暴國之邪逆；愎諫傲賢者之言，不能威諸侯；倍仁義而貪名實者，不能威當世。而服天下者，此其道也已。」而公不用，晏子退而窮處。公任勇力之士，而輕臣僕之死，用兵無休，國罷民害，期年，百姓大亂，而身及崔氏禍。君子曰：「盡忠不豫交，不用不懷祿，其晏子可謂廉矣！」（《晏子春秋》〈內篇問上第三〉）

訟夫坐地

晏子在莊公朝為臣，莊公不喜歡他。莊公飲酒，命令召來晏子。晏子入宮，剛進門，莊公就令樂人奏樂唱歌：「算了吧，算了吧，我不喜歡你，你還來做什麼呢？」晏子入席，樂人把這段歌詞又唱了三遍，晏子這才知道唱的是自己。於是從座席上站起身，又向著北坐在地上。莊公說：「先生已經入席，為什麼又坐到地上？」晏子回答說：「我聽說爭辯是非的人要坐在地上，現在我要同君王爭辯，敢不坐在地上嗎？我聽說，人多而不講道義，強壯而不講禮儀，喜好勇力而厭惡賢人，災禍一定會降臨到自己身上，說的就是您這樣的人啊。我的善言不被採用，我請求辭職離去。」於是奔跑回家，把家中的財物交公，剩餘的財產在集市上賣掉，而後說：「君子有能力為百姓做事，就加官進爵，不推辭富貴；沒有能力為百姓做事，就與百姓同甘共苦，不厭棄貧賤。」於是徒步東行，在東海邊從事農耕。沒過幾年，齊國果然發生了崔杼之難。

【出處】

晏子臣於莊公，公不說，飲酒，令召晏子。晏子至，入門，公令樂人奏歌曰：「已哉已哉！寡人不能說也，爾何來為？」晏子入坐，樂人三奏，然後知其謂已也。遂起，北面坐地。公曰：「夫子從席，曷為坐地？」晏子對曰：「嬰聞訟夫坐地，今嬰將與君訟，敢毋坐地乎？嬰聞之，眾而無義，強而無禮，好勇而惡賢者，禍必及其身，若公者之謂矣。且嬰言不用，願請身去。」遂趨而歸，管籥其家者納之公，財在外者斥之市。曰：「君子有力於民，則進爵祿，不辭富貴；無力於民而旅食，不惡貧賤。」遂徒行而東，耕於海濱。居數年，果有崔杼之難。（《晏子春秋》〈內篇雜上第五〉）

隅為之崩

齊莊公準備攻打莒國，建立了享受五乘爵祿的侍衛隊伍，而杞梁、華舟不在其中。兩人回家後茶飯不思。杞梁的母親說：「如果活著不行道義，死了也沒有名聲，即使享受五乘的待遇，仍然會遭人嘲笑；活著能行道義，死後又有名聲，即便享受五乘爵祿的侍從，也在你們之下。」兩人趕緊吃完飯動身。杞梁、華舟駕馭同一輛戰車，跟隨莊公到達莒國。莒人迎擊齊軍，杞梁、華舟下車搏鬥，斬獲甲士首級三百。齊莊公制止他倆說：「你們住手吧，我與你們共同統治齊國。」杞梁、華舟說：「君王設置賞車五乘的侍衛隊，我倆不在其中，這是小看我們的勇氣；面臨敵人，身處險境，用利益來阻止我們的戰鬥，這是玷污我們的品行。深入敵陣多殺敵人，這是臣子的職責，至於共享齊國的好處，不是我們考慮的事情。」於是繼續衝鋒陷陣，敵軍無人可擋，到了莒國城下。莒人用火炭鋪地，兩人無法前進。車右隰侯重說：「我聽說古代的勇士之所以敢出入險境，是因為他們的犧牲能成就功名。來吧，從我身上過去！」隰侯重手持盾牌趴在火炭上，杞梁、華舟二人踏在他背上攻入城內，回頭看著隰侯重的慘狀失聲痛哭。華舟很久才停止哭泣，杞梁說：「你喪失勇氣了嗎？為什麼哭這麼久？」華舟說：「我怎會喪失勇氣！因為隰侯重與我們一樣勇敢，卻死在我們前頭，因此為他悲哀。」莒人對他們說：「你們不要拚死，我們與你們共享莒國。」杞梁、華舟說：「背叛祖國投奔敵人，不是忠臣；離開國君接受別人的賞賜，不是正當行為。凌晨雞叫時約好的事，到中午就忘了，這不是守信的人。深入敵陣多殺敵人，是臣子的職責，共享莒國的好處，不是我們考慮的事情。」於是繼續戰鬥，殺死二十七人之後戰死。杞梁妻子得知丈夫壯烈犧牲，放聲痛哭，城牆因此潰塌，牆角為之崩壞。

【出處】

齊莊公且伐莒，為五乘之賓，而杞梁、華舟獨不與焉，故歸而不食。其母曰：「汝生而無義，死而無名，則雖五乘，孰不汝笑也？汝生而有義，死而有名，則五乘之賓，盡汝下也。」趣食乃行，杞梁、華舟同車，侍於莊公而行至莒。莒人逆之，杞梁、華舟下鬥，獲甲首三百。莊公止之曰：「子止，與子同齊國。」杞梁、華舟曰：「君為五乘之賓，而舟、梁不與焉，是少吾勇也；臨敵涉難，止我以利，是污吾行也；深入多殺者，臣之事也，齊國之利，非吾所知也。」遂進鬥，壞軍陷陣，三軍弗敢當，至莒城下。莒人以炭置地，二人立有間，不能入。隰侯重為右，曰：「吾聞古之士犯患涉難者，其去遂於物也，來，吾逾子。」隰侯重仗楯伏炭，二子乘而入，顧而哭之，華舟後息。杞梁曰：「汝無勇乎？何哭之久也？」華舟曰：「吾豈無勇哉，是其勇與我同也，而先吾死，是以哀之。」莒人曰：「子毋死，與子同莒國。」杞梁華舟曰：「去國歸敵，非忠臣也；去長受賜，非正行也；且雞鳴而期，日中而忘之，非信也。深入多殺者，臣之事也，莒國之利，非吾所知也。」遂進鬥，殺二十七人而死。其妻聞之

而哭，城為之阤，而隅為之崩。此非所以起也。（《說苑》〈立節〉）

齊杞梁妻

齊杞梁妻是齊杞梁殖的妻子。莊公攻打莒國，殖不幸戰死。莊公回程途中，遇到他的妻子，派使臣在路邊弔唁。杞梁的妻子說：「如果殖有罪，豈敢勞君主的大駕來弔唁呢？如果殖沒有罪，那麼賤妾還有先人留下的破房子在，賤妾不能接受郊外的弔唁。」莊公聽說後，只好調轉車子親自到梁殖家，完成弔喪的禮節後才走。梁殖與妻子尚未生育兒女，婆家、娘家五服以內也沒有親戚，想到今後無依無靠，杞梁妻在城牆下趴在丈夫屍體上放聲痛哭，十分哀傷，路邊經過的人都為之落淚。十天之後，連城牆都被她哭塌了。安葬丈夫之後，杞梁妻說：「婦人必須有所依靠。現在我舉目無親，內外無靠，為了對丈夫的忠誠節操，我怎能再嫁？只有死路一條了！」於是投淄水自殺。君子稱讚杞梁之妻堅貞知禮。《詩經》裡說：「我內心悲傷難抑，且與您歸宿同在一起。」說的就是她啊！

【出處】

齊杞梁殖之妻也。莊公襲莒，殖戰而死。莊公歸，遇其妻，使使者弔之於路。杞梁妻曰：「今殖有罪，君何辱命焉。若令殖免於罪，則賤妾有先人之弊廬在，下妾不得與郊弔。」於是莊公乃還車詣其室，成禮然後去。杞梁之妻無子，內外皆無五屬之親。既無所歸，乃就其夫之屍於城下而哭。內誠動人，道路過者，莫不為之揮涕，十日而城為之崩。既葬，曰：「吾何歸矣？夫婦人必有所倚者也。父在則倚父，夫在則倚夫，子在則倚子。今吾上則無父，中則無夫，下則無子。內無所依以見吾誠，外無所倚以立吾節。吾豈能更二哉！亦死而已。」遂赴淄水而死。君子謂杞梁之妻貞而知禮。詩云：「我心傷悲兮，聊與子同歸兮。」[26]此之謂也。（《列女傳》〈貞順傳〉）

愷悌君子

崔杼殺了齊莊公，命令士大夫參加盟誓，必須解下佩劍才准進入。盟誓時聲音不響亮、手指不沾牲血的一概殺頭，被殺的有十個人。輪到晏子起誓，晏子手捧盛血的杯盞，仰天嘆息說：「唉！崔氏做了大逆不道的事，殺了他的君主。」參加盟誓的人都盯著他看。崔杼對晏子說：「你支持我，我和你分齊而治；你不支持我，我馬上殺死你，請你斟酌。」晏子說：「我聽說：因為利益的誘惑而背叛君主，是不仁義；因為刀劍的威脅而丟掉美德，不是勇敢。《詩經》裡說：『和樂平易好個君子，求福有道不邪不奸。』晏嬰是正人君子，絕不會以背叛君主的方式苟且偷生。」崔杼無奈放了晏子。晏子闊步而出，抓著繩索登上馬車。車伕駕車疾馳，晏子按著他的手說：「虎豹在深山密林裡生活，它們的性命卻掌握在廚師手裡。跑得快未必能多活幾天，走得慢未必會早死幾天。」車伕於是放慢節奏，像平時一樣讓馬安詳地邁著有節奏的步子離開這裡。《詩經》裡說：「他是這樣的一個人啊，豁出生命也要保持節操。」意思是那個人即便捨棄性

26.「我心傷悲兮，聊與子同歸兮」，出自《詩經》〈檜風・素冠〉。

命也不會改變初衷，說的就是晏子啊。

【出處】

崔杼弒莊公，令士大夫盟者，皆脫劍而入，言不疾指不至血者死，所殺十人。次及晏子，晏子奉杯血仰天嘆曰：「惡乎崔子，將為無道，殺其君。」盟者皆視之。崔杼謂晏子曰：「子與我，我與子分國；子不吾與，吾將殺子。直兵將推之，曲兵將勾之，唯子圖之。」晏子曰：「嬰聞回以利而背其君者，非仁也；劫以刃而失其志者，非勇也。」詩云：「愷悌君子，求福不回。」[27]嬰可謂不回矣。直兵推之，曲兵鉤之，嬰之不回也。崔子舍之，晏子趨出，授綏而乘，其僕將馳，晏子拊其手曰：「虎豹在山林，其命在庖廚，馳不益生，緩不益死，按行成節，然後去之。」詩云：「彼其之子，捨命不渝。」[28]晏子之謂也。（《新序》〈義勇第八〉）

仁者之勇

崔杼犯上作亂殺死了齊莊公。有個名叫陳不占的人，聽說國君有難，要奔赴救援。決定要去的時候，他吃飯拿不住飯勺，上車抓不住車軾。車伕說：「你如此膽怯，去了有什麼用呢？」陳不占說：「為國君犧牲，是道義準則；膽小害怕，是我個人的事情。我不能因私害公啊。」於是前往，聽到雙方交戰的喊殺聲，當場就嚇死了。人們評

27.「豈弟君子，求福不回」，出自《詩經》〈大雅・旱麓〉。

28.「彼其之子，捨命不渝」，出自《詩經》〈鄭風・羔裘〉。

價說：「陳不占的勇敢，是仁者的勇敢啊。」

【出處】

齊崔杼弒莊公也，有陳不占者，聞君難，將赴之，比去，餐則失匕，上車失軾。御者曰：「怯如是，去有益乎？」不占曰：「死君，義也；無勇，私也。不以私害公。」遂往，聞戰鬥之聲，恐駭而死。人曰：「不占可謂仁者之勇也。」（《新序》〈義勇第八〉）

古之良史

崔杼是齊國的相國。他謀殺齊莊公後，阻止太史，讓他們不要記載國君被臣下所殺和殺死國君的人。太史不聽，據實記載弒君的事實說：「崔杼弒殺了他的君主。」崔杼殺了太史。太史的弟弟繼續寫下同樣的內容，崔杼又殺了他，一連殺死了兩位史官。太史的另一個弟弟仍然堅持記載事情的真相，崔杼只好作罷。南史氏是太史的族人，聽說太史都死了，拿著竹簡趕去，準備繼續記載，聽說已經記錄下來，才轉身回家。君子評價他們為「古之良史」。

【出處】

齊崔杼者，齊之相也，弒莊公。止太史無書君弒及賊，太史不聽，遂書賊曰：「崔杼弒其君。」崔子殺之，其弟又嗣書之，崔子又殺之，死者二人，其弟又嗣覆書之，乃舍之。南史氏是其族也，聞太史盡死，執簡以往，將覆書之，聞既書矣，乃還。君子曰：「古之良

史。」(《新序》〈節士第七〉)

夙夜匪懈

崔杼殺死齊莊公後，邢蒯聵出使晉國返回齊國。車伕說：「崔杼殺了莊公，先生打算怎麼辦呢？」邢蒯聵說：「驅車前行，我將進入國都以死來回報國君。」車伕說：「國君昏庸無道，四鄰諸侯沒有不知道的。先生為他去死，讓人很難理解啊。」邢蒯聵說：「你說的很對，但是已經晚了！你早說給我聽，我還能規勸君主；規勸不聽，我就可以離開他。現在既不能規勸，又不能離開。我聽說：享受別人俸祿的，就要為別人而死。我既然已享受了昏君的俸祿，又怎麼能另擇明君而逃避死亡呢？」於是驅車進入都城而死。車伕說：「遇上昏君還能為他赴死，我有明主難道可以偷生嗎？」於是拴好馬韁，在車上拔劍自刎。君子知道這件事後評論說：「邢蒯聵堅守節操為道義而死；車伕的死雖然未必符合道義，但也有志士的氣概。《詩經》上說：『從早到晚不懈怠，事奉天子一人。』說的就是邢生這樣的人。《孟子》上說：『勇士為正義不怕奉獻自己的頭顱。』說的就是車伕這種人啊。」

【出處】

齊崔杼弒莊公，邢蒯聵使晉而反，其僕曰：「崔杼弒莊公，子將奚如？」邢蒯聵曰：「驅之，將入死而報君。」其僕曰：「君之無道也，四鄰諸侯莫不聞也，以夫子而死之，不亦難乎？」邢蒯聵曰：

「善能言也，然亦晚矣！子早言我，我能諫之，諫不聽，我能去，今既不諫，又不去。吾聞食其祿者死其事。吾既食亂君之祿矣，又安得治君而死之？」遂驅車入死。其僕曰：「人有亂君，人猶死之。我有治長，可毋死乎？」乃結轡自刎於車上。君子聞之曰：「邢蒯聵可謂守節死義矣。死者人之所難也，僕夫之死也，雖未能合義，然亦有志之意矣。詩云：『夙夜匪懈，以事一人。』[29]邢生之謂也。孟子曰：『勇士不忘喪其元。』[30]僕夫之謂也。」（《說苑》〈立節〉）

齊東郭姜

東郭姜的弟弟東郭偃是齊國大夫崔杼的車伕。東郭姜先嫁給齊棠公為妻，稱為棠姜。棠公死後，崔杼前往弔喪，目睹了棠姜的美貌，於是和東郭偃商量娶她為妻。崔杼的住所緊挨著齊莊公的宮室，莊公與棠姜私通，經常出入崔家，並拿崔子的帽子賞給僕人。崔子非常氣憤，推說生病而不上朝。莊公登上後宮的高臺眺望崔家，與院內的東郭姜嬉戲，而後跳進院子追逐東郭姜。東郭姜跑進屋子關了門，莊公推門說：「開門，是我。」東郭姜說：「我丈夫在家，您還是收斂點吧。」莊公說：「我是來探望崔子病情的呀！為什麼關門？」崔子和東郭姜由旁門出去，把大門關起來，敲鼓聚集家丁。莊公害怕起來，抱著庭柱高聲而歌，並向崔氏請求說：「我知道自己錯了，請給我改過的機會，你不相信，我們可以盟誓。崔子說：「臣不敢聽命。」說

29.「夙夜匪懈，以事一人」，出自《詩經》〈大雅・烝民〉。

30.「志士不忘在溝壑，勇士不忘喪其元」，出自《孟子》〈滕文公下〉。

完就躲到一邊。莊公又向崔氏的管家求情說：「請讓我到祖宗的廟裡去死。」管家說：「君主的臣下是崔杼，他現在有病，不在這兒，小臣也不敢作主啊。」莊公看到沒有希望，就想翻牆逃走，崔杼射中他的腳後跟，莊公跌落下來，被崔杼殺死。起初，東郭姜帶著前夫所生的兒子棠毋咎再嫁的時候，崔子很愛這孩子，還叫他當助理。崔子前妻有子二人，長子崔成，次子崔強。東郭姜嫁給崔杼後生子崔明。因為崔成有病，崔子把他廢掉而以崔明為後嗣。崔成託人向崔子要塊地方養老，崔子可憐他就答應了。可是棠毋咎和東郭偃卻不肯給他，說：「崔地，是宗廟所在的地方，一定要歸於宗主。」崔成和崔強都很生氣，想把他們殺掉，就告訴慶封。慶封是齊國大夫，暗中與崔氏爭權，對兩人說：「你們姑且退下，讓我考慮一下。」於是告訴盧蒲嫳。盧蒲嫳說：「崔杼是國君的仇人，上天或許要拋棄他，才使他家裡出亂子，您擔心什麼？崔家的削弱，就是慶家的加強。」於是慶封慫恿崔成、崔強說：「殺掉他倆！」於是崔成、崔強回到崔府殺死了棠毋咎與東郭偃。崔子怒不可遏，向慶氏申訴說：「我真不成材，有兒子而失於管教，以致於此。我跟隨您做事，國人都知道的，雖是有辱使者，也無法平息此事。」慶封就命盧蒲嫳帶領一幫人去燒掉他的倉庫、馬廄，殺死他的兒子崔成，還侮辱他的妻子。崔氏妻子說：「像這樣活著，還不如死了算啦！」於是自縊而死。崔子回來，看見庫廄全被燒光，妻室兒子都死掉了，自已也上吊死了。君子評論說：「東郭姜害死一個國君而使三家滅族，自已也受到傷害，可以說是不祥之人啊。」《詩經》中說：「枝葉雖然暫不傷，樹根已壞難久長。」說的大概就是這樣的事吧。

【出處】

齊東郭姜者，棠公之妻，齊崔杼御東郭偃之姊也。美而有色。棠公死，崔子弔而說姜，遂與偃謀娶之。既居其室，比於公宮，莊公通焉，驟如崔氏。崔子知之。異日，公以崔子之冠賜侍人。崔子慍，告有疾，不出。公登臺以臨崔子之宮，由臺上與東郭姜戲。公下從之，東郭姜奔入戶而閉之。公推之曰：「開！余。」東郭姜曰：「老夫在此，未及收發。」公曰：「余開崔子之疾也，不開？」崔子與姜自側戶出，閉門，聚眾鳴鼓。公恐，擁柱而歌。公請於崔氏曰：「孤知有罪矣，請改心事吾子。若不信，請盟。」崔子曰：「臣不敢聞命。」乃避之。公又請於崔氏之宰曰：「請就先君之廟而死焉。」崔氏之宰曰：「君之臣杼有疾不在，侍臣不敢聞命。」公踰牆而逃，崔氏射公，中踵，公反墮，遂弒公。先是時，東郭姜與前夫子棠毋咎俱入，崔子愛之，使為相室。崔子前妻子二人，大子城，少子彊。及姜入後，生二子明、成。成有疾，崔子廢成而以明為後。成使人請崔邑以老，崔子哀而許之。棠毋咎與東郭偃爭而不與。成與強怒，將欲殺之，以告慶封。慶封，齊大夫也，陰與崔氏爭權，欲其相滅也。謂二子曰：「殺之。」於是二子歸殺棠毋咎、東郭偃於崔子之庭。崔子怒，訴之於慶氏曰：「吾不肖，有子不能教也，以致於此。吾事夫子，國人之所知也，唯辱使者，不可以已。」慶封乃使盧蒲嫳帥徒眾與國人焚其庫廄而殺成、姜。崔氏之妻曰：「生若此，不若死。」遂自經而死。崔子歸，見庫廄皆焚，妻子皆死，又自經而死。君子曰：「東郭姜殺一國君而滅三室，又殘其身，可謂不祥矣。」詩曰：「枝葉未有害，本實先敗。」[31]此之謂也。（《列女傳》〈孽嬖傳〉）

31.「枝葉未有害，本實先敗」，出自《詩經》〈大雅・蕩〉。

慶封重死

崔杼和慶封合謀殺死了齊莊公。莊公死後，二人另立景公為君，以崔杼為相。接下來，慶封把崔杼逼得無家可歸，自縊而死。慶封擔任國相後，景公深以為苦。慶封外出打獵，景公乘機與陳無宇、公孫灶、公孫蠆起兵討伐慶封。慶封率領自己的家丁同景公交戰，未能取勝，於是逃往魯國。齊國責備魯國，慶封又逃往吳國，吳王把朱方邑封給他。楚靈王聽說後，就率領諸侯進攻吳國，攻占朱方，俘獲了慶封，讓他背著斧質在諸侯軍中遊行示眾，並讓他高喊說：「不要像齊國慶封那樣，殺害他的君主，欺凌喪父的新君，強迫大夫盟誓！」然後才殺死了他。人都是要死的，但像慶封這樣受盡凌辱而死，可以說是死了兩次。

【出處】

崔杼與慶封謀殺齊莊公。莊公死，更立景公，崔杼相之。慶封又欲殺崔杼而代之相，於是椓崔杼之子，令之爭後。崔杼之子相與私哄，崔杼往見慶封而告之。慶封謂崔杼曰：「且留，吾將興甲以殺之。」因令盧滿嫳興甲以誅之。盡殺崔杼之妻子及枝屬，燒其室屋，報崔杼曰：「吾已誅之矣。」崔杼歸無歸，因而自絞也。慶封相景公，景公苦之。慶封出獵，景公與陳無宇、公孫灶、公孫蠆誅封。慶封以其屬鬥，不勝，走如魯。齊人以為讓，又去魯而如吳，王予之朱方。荊靈王聞之，率諸侯以攻吳，圍朱方，拔之。得慶封，負之斧質，以徇於諸侯軍，因令其呼之曰：「毋或如齊慶封，弒其君而弱其孤，以亡其大夫。」乃殺之。黃帝之貴而死，堯、舜之賢而死，孟賁之勇而死，人固皆死。若慶封者，可謂重死矣。（《呂氏春秋》〈慎行論・慎行〉）

晏子治東阿

晏子治理東阿三年，詆毀晏子的話傳遍國都。景公很不高興，召回晏子準備免掉他的職務。晏子說：「我知道錯在哪裡了。請再給我三年時間，我保證那時讚美我的話一定會傳遍國都。」景公不忍撤晏子的職，於是重新派他治理東阿。三年後，讚譽晏子的話果然傳遍國都。景公很高興，召見晏子要賞賜他，晏子推辭不受，景公問其原因，晏子回答說：「過去我治理東阿，不接受別人的請託，不受人賄賂，輕徭薄賦，與民得利，百姓安居樂業。但因為觸動了豪強權貴的利益，處罰了游手好閒、偷盜懶惰和不守規矩的人，因此這些人到處說我的壞話。如今我治理東阿，請託之風盛行，賄賂公行，橫徵暴斂，與民奪利，巴結豪強權貴，有一半的老百姓飢餓受窮，君主卻反而要賞賜我。過去我本該受到獎賞，君主卻要處罰我；如今我本該受到處罰，君主卻要獎賞我。我實在愚昧不能再治理東阿了，請准許我辭職，為賢人讓路。」說完拜了又拜，就要退下。景公於是起身離座向他道歉說：「你勉力再治東阿，東阿就是你的東阿，我不會再對你進行干預了。」

【出處】

晏子治東阿，三年，景公召而數之曰：「吾以子為可，而使子治東阿，今子治而亂，子退而自察也，寡人將加大誅於子。」晏子對曰：「臣請改道易行，而治東阿，三年不治，臣請死之。」景公許之。於是明年上計，景公迎而賀之曰：「甚善矣！子之治東阿也。」晏子對曰：「前臣之治東阿也，屬托不行，貨賂不至，陂池之魚，以利貧民，當此之時，民無飢者，而君反以罪臣；今臣後之治東阿也，屬托行，貨賂至，並會賦斂，倉庫少內，便事左右，陂池之魚，入於權家。當此之時，飢者過半矣，君乃反迎而賀臣。愚不能復治東阿，願乞骸骨，避賢者之路。」再拜便辟。景公乃下席而謝之曰：「子強復治東阿，東阿者，子之東阿也，寡人無復與焉。」（《說苑》〈政理〉）

正德以幅

崔氏動亂時，齊國公子們各自逃亡。等到慶氏逃亡到吳國，景公就把他們都召了回來，發還封邑和器用，並另外封給晏子邶殿附近六十個城邑。晏子不肯接受。子尾說：「人人都期盼富有，為什麼唯獨您不要呢？」晏子回答說：「慶氏的城邑滿足了欲望，所以逃亡。我的城邑不能滿足欲望，加上邶殿，就滿足欲望了。滿足了欲望，離逃亡就沒有幾天了。逃亡在外，連一個城邑都不能主宰。不接受邶殿，不是討厭富有，而是害怕失去富有。富有就像布帛一樣，應該有一定的幅度，限制它保持不變。人人都想生活富裕，器用豐饒，因此必須以道德加以限制，使它不要過分，這叫作『幅利』。得利太多就會壞事，我不敢貪多，只要在幅度以內。」

【出處】

崔氏之亂，喪群公子。故鉏在魯，叔孫還在燕，賈在句瀆之丘。及慶氏亡，皆召之，具其器用，而反其邑焉。與晏子邶殿，其鄙六十，弗受。子尾曰：「富，人之所欲也，何獨弗欲？」對曰：「慶氏之邑足欲，故亡。吾邑不足欲也。益之以邶殿，乃足欲。足欲，亡無日矣。在外，不得宰吾一邑。不受邶殿，非惡富也，恐失富也。且夫富，如布帛之有幅焉，為之制度，使無遷也。夫民，生厚而用利，於是乎正德以幅之，使無黜嫚，謂之幅利。利過則為敗。吾不敢貪多，所謂幅也。」（《左傳》〈襄公二十八年〉）

美澤可以鑑

慶封從齊國逃往魯國，把車子獻給季武子。車子非常奢華，美麗光亮得可以用作鏡子。展莊叔看見後說：「車很光亮，人必然憔悴，無怪乎他要逃亡了。」叔孫穆子設便宴招待慶封，慶封不懂禮節，竟然遍祭諸神。穆子很不高興，讓樂工為他朗誦《茅鴟》這首詩，他也不明白其中的諷刺之意。恰好齊國派人前來責問，慶封無奈，只得逃往吳國。

【出處】

遂來奔。獻車於季武子，美澤可以鑑。展莊叔見之，曰：「車甚澤，人必瘁，宜其亡也。」叔孫穆子食慶封，慶封氾祭。穆子不說，使工為之誦《茅鴟》[32]，亦不知。既而齊人來讓，奔吳。（《左傳》〈襄公二十八年〉）

利以避難

慶封在齊國作亂後，想出奔到越國。同族的人說：「晉國近，幹嗎不去晉國？」慶封說：「越國遠，對避難有利。」同族的人說：「只要改掉作亂的念頭，住在晉國就行；不把這種念頭改掉，即使遠居越國，難道就安寧了嗎？」

【出處】

慶封為亂於齊而欲走越。其族人曰：「晉近，奚不之晉？」慶封曰：「越遠，利以避難。」族人曰：「變是心也，居晉而可；不變是心也，雖遠越，其可以安乎？」（《韓非子》〈說林上〉）

善惡不分

齊侯問晏子說：「從政最擔心什麼？」晏子回答說：「最擔心分

32.《茅鴟》：古逸詩篇名，刺不敬。

不清好人和壞人。」齊侯問道：「那該怎樣考察呢？」晏子回答說：「審慎地選擇身邊寵信的人，身邊的人好，百官也會一心向善而慎擇屬從，好人壞人就很好區分。」孔子知道這件事後感嘆說：「的確是這樣的。好人進用，壞人就進不來；壞人得寵，好人就受排斥啊。」

【出處】

齊侯問於晏子曰：「為政何患？」對曰：「患善惡之不分。」公曰：「何以察之？」對曰：「審擇左右，左右善，則百僚各得其所宜而善惡分。」孔子聞之曰：「此言也信矣。善進，則不善無由入矣；不善進，則善無由入矣。」（《說苑》〈政理〉）

諸侯孰危

齊侯問晏子說：「眼下哪個國家最為危險？」晏子回答說：「莒國快要滅亡了吧！」齊侯又問：「什麼原因呢？」晏子回答說：「它的土地被齊國侵占，財物被晉國榨盡，所以離亡國不遠了。」

【出處】

齊侯問於晏子曰：「當今之時，諸侯孰危？」對曰：「莒其亡乎！」公曰：「奚故？」對曰：「地侵於齊，貨竭於晉，是以亡也。」（《說苑》〈權謀〉）

忠臣事君

齊景公問晏子說：「忠臣應怎樣事奉君主？」晏子回答說：「君主有災難時不跟著他死，君主逃亡時不去送行。」景公說：「封賞土地使他富有，賜予爵位使他尊貴，國君有難時他不跟隨赴死，國君逃亡時他不送行，這能說是忠臣嗎？」晏子回答說：「忠臣的建議若被採納，君主就不會有災難，臣子又何必為君主赴死？忠臣的規勸能夠聽從，君主就不必流亡國外，臣子又為誰送行？如果忠臣的建議不被採納，君主有難臣子跟著赴死，那是無謂送死；規勸不願聽從，君主逃亡時還去送行，那是虛偽。所謂忠臣，就是這樣的人：盡其所能向君主建言獻策，而不必與他同擔禍患。」

【出處】

齊侯問於晏子曰：「忠臣之事君，何若？」對曰：「有難不死，出亡不送。」君曰：「列地而與之，疏爵而貴之，君有難不死，出亡不送，可謂忠乎？」對曰：「言而見用，終身無難，臣奚死焉？諫而見從，終身不亡，臣奚送焉？若言而不見用，有難而死，是妄死也；諫不見從，出亡而送，是詐為也。故忠臣也者，能盡善與君，而不能陷於難。」（《新序》〈雜事第五〉）

國具官而後政可善

齊景公對晏嬰說：「我想依靠先生改善齊國的政治。」晏嬰回答說：「只有官員配備到位，國家才會有好的治理。」景公不高興地說：「齊國雖小，怎麼能說官員配備不到位呢？」晏子回答說：「您沒明白我的本意。從前，先王桓公每當身體疲倦、辭不達意時，就有隰朋幫助他；左右過失多，刑罰不適當時，就有弦章幫助他；如果在內宮恣意放縱，左右害怕恐懼，就有東郭牙諫止他；田土不整治，人民不安定，就有甯戚幫助他；軍官懈怠，士兵散漫，就有王子成父幫他整治；行動不符合道義，信譽下降，品行有缺點，就有管仲幫助他。先王能用別人的長處彌補自己的短處，用別人的優點彌補自己的不足；因此他的號令暢通無阻，出兵征伐不會遭受挫折，諸侯各國都來朝賀他的盛德，天子送來祭肉賞賜他。現在君主的過失很多，卻沒有人站出來諫阻您，我說的官員沒配備到位，就是這個意思。」景公說：「好！我聽說高繚與您素有交往，我來召見他委以重用。」晏嬰說：「我聽說為了爭奪土地而進行戰爭，就不能成就帝王的功業；為了追求俸祿而當官，就很難取得卓越的政績。高繚與我一直情同兄弟，但他從未指責過我的過失，校正過我的失誤，他只不過是為了俸祿當官而已，又怎麼能輔佐君王成就大業呢？」

【出處】

齊景公問於晏子曰：「寡人欲從夫子而善齊國之政。」對曰：「嬰聞之，國具官而後政可善。」景公作色曰：「齊國雖小，則何為不具官乎？」對曰：「此非臣之所復也。昔先君桓公，身體墮懈，辭會不給，則隰朋侍；左右多過，刑罰不中，則弦章侍；居處肆縱，左右懾畏，則東郭牙侍；田野不修，人民不安，則甯戚侍；軍吏怠，戎士偷，則王子成父侍；德義不中，信行衰微，則筦子侍。先君能以人之長續其短，以人之厚補其薄；是以辭令窮遠而不逆，兵加於有罪而不頓；是故諸侯朝其德而天子致其胙。今君之失多矣，未有一士以聞者也，故曰未具。」景公曰：「善。吾聞高繚與夫子游，寡人請見之。」晏子曰：「臣聞為地戰者不能成王，為祿仕者不能成政。若高繚與嬰為兄弟久矣，未嘗干嬰之過，補嬰之闕，特祿仕之臣也，何足以補君！」（《說苑》〈君道〉）

高繚仕於晏子

高繚（弘）在晏子手下做官，晏子辭退了他。左右的人勸諫說：「高繚跟隨先生三年，先生又沒有給他什麼爵位，現在卻要辭退他，這在情理上說得過去嗎？」晏子說：「我本是個見識膚淺的人，要用禮、義、廉、恥四條原則隨時匡正我才能走正道。高繚跟隨我辦事三年，從來沒有提出和糾正過我的過失，因此要辭退他。」

【出處】

高繚仕於晏子，三年，無故，晏子逐之。左右諫曰：「高繚之事夫子三年，曾無以爵位，而逐之，其義可乎？」晏子曰：「嬰，仄陋之人也，四維之然後能直，今此子事吾三年，未嘗弼吾過，是以逐之也。」（《說苑》〈臣術〉）

尚可沒身

景公問晏子說：「我想謀劃都能實現，做事都能成功，有辦法嗎？」晏子回答說：「有啊。」景公說：「是什麼辦法？」晏子說：「謀劃事情合乎義就能實現，做事順乎民心就能成功。」景公說：「什麼意思？」回答說：「好的謀劃，沒有左右的約束和上下牽連，言行不違背道義，對上不違背天意，對下不違背民心，所以能夠實現。謀劃的事情大，就給百姓厚利，謀劃的事情小，就給百姓薄利。根據事情的大小，衡量利益的輕重，國家美名有加，百姓獲益豐厚。用這個原則辦事，一定可以成功。」景公說：「寡人不才，聽到善言而不施行，這危險有多大？」回答說：「聖明的君主擇善而從，次等的君主部分採納，最差的君主行事邪僻，羞於問善。聖明的君主能掌控全局；次等的君主偶能下問，雖然隨時可能遭遇危險，尚能保全自身；恥於下問的君主，不能保全生命。現在君主雖有危險，還可以保全自身。」

【出處】

景公問晏子曰：「謀必得，事必成，有術乎？」晏子對曰：「有。」公曰：「其術如何？」晏子曰：「謀度於義者必得，事因於民者必成。」公曰：「奚謂也？」對曰：「其謀也，左右無所繫，上下無所靡，其聲不悖，其實不逆，謀於上，不違天，謀於下，不違民，以此謀者必得矣；事大則利厚，事小則利薄，稱事之大小，權利之輕重，國有義勞，民有如利，以此舉事者必成矣。夫逃人而謨，雖成不安；傲民舉事，雖成不榮。故臣聞義謀之法以民事之本也，故及義而謀，信民而動，未聞不存者也。昔三代之興也，謀必度其義，事必因於民。及其衰也，建謀不及義，興事傷民。故度義因民，謀事之術也。」公曰：「寡人不敏，聞善不行，其危如何？」對曰：「上君全善，其次出入焉，其次結邪而羞問。全善之君能制；出入之君時問，雖日危，尚可以沒身；羞問之君，不能保其身。今君雖危，尚可沒身也。」（《晏子春秋》〈內篇問上第三〉）

修道立義

齊景公問晏子說：「我缺乏仁德，不足以執政，不如讓位給先生。」晏子說：「我是臣子，君主怎麼能說這種話？」景公說：「請問先生天下存亡的根由何在？」晏子說：「複雜的事幹不了，簡單的事又不願做，只能屈身事人；自身缺乏領導才能，又不願被人領導，只能身處卑微。好人不能親近，壞人不能疏遠，自身會很危險。與朋友交遊不被人欣賞，又不欣賞別人，勢必終生困頓。事奉君主就想謀取私利，大事做不到，小事不願做的人終生挨餓；修養道德，建立信義，大仁大德不能專一，小善小義不願行的人是不會成功的。這些足以用來觀察國家的興亡。」

【出處】

景公問晏子曰：「寡人持不仁，其無義耳也。不然，北面與夫子而義。」晏子對曰：「嬰，人臣也，公曷為出若言？」公曰：「請終問天下之所以存亡。」晏子曰：「縵密不能，蔍苴學者詘，身無以用人，而又不為人用者卑。善人不能戚，惡人不能疏者危。交游朋友從，無以說於人，又不能說人者窮。事君要利，大者不得，小者不為者餵。修道立義，大不能專，小不能附者滅。此足以觀存亡矣。」（《晏子春秋》〈內篇問上第三〉）

取人得賢之道

景公問晏子說：「怎樣選拔人才得到賢人？」晏子回答說：「考察他的言論，檢驗他的才能，懂得治國之道，就任用並親近他。親近而不輕慢，就是獲得賢人的方法。聖明的國君身居高位，淘汰冗員而任用能吏，不講求言辭的華麗而看重實幹能力，不合禮法的話不說，不合法令的事不做。」

【出處】

景公問晏子曰：「取人得賢之道何如？」晏子對曰：「舉之以語，考之以事，能論，則尚而親之，近而勿辱以取人，則得賢之道也。是以明君居上，寡其官而多其行，拙於文而工於事，言不中不言，行不法不為也。」（《晏子春秋》〈內篇問上第三〉）

左倡右優

景公問晏子說：「從前我們的先君桓公，跟隨他的戰車只有三百乘，卻能多次會盟諸侯，匡正天下。現在我有戰車千乘，可以追隨桓公再次稱霸嗎？」晏子回答說：「桓公多次會盟諸侯、匡正天下的原因，在於左有鮑叔牙，右有仲父。現在君王您左邊是倡人，右邊是優伶，前有進讒之人，後有阿諛之人，又怎麼能追隨桓公稱霸呢？」

【出處】

景公問晏子曰：「昔吾先君桓公，從車三百乘，九合諸侯，一匡天下。今吾從車千乘，可以逮先君桓公之後乎？」晏子對曰：「桓公從車三百乘，九合諸侯，一匡天下者，左有鮑叔，右有仲父。今君左為倡，右為優，讒人在前，諛人在後，又焉可逮桓公之後者乎？」（《晏子春秋》〈內篇問下第四〉）

富民安眾

景公問晏子說：「使人民富庶、民眾安心，困難嗎？」晏子回答說：「容易。節制貪欲則百姓富庶，治獄得當則民眾安心。做到這兩件事就夠了。」

【出處】

景公問晏子曰：「富民安眾難乎？」晏子對曰：「易。節欲則民富，中聽則民安，行此兩者而已矣。」（《晏子春秋》〈內篇問下第四〉）

內安其政，外歸其義

景公問晏子說：「要怎樣才能使國家安定？」晏子回答說：「百姓敢於直言，官府沒有冤案；顯達的人不奢華，貧窮的人不怨恨；高興時不隨意獎賞，憤怒時不隨意施加刑罰；在上能禮待賢士，對下能施恩於百姓；疆域遼闊而不去兼併小國，軍隊強大而不去欺凌弱國；在內老百姓安心於君主的統治，在外諸侯歸服於君主的仁義。這樣就能做到國家安定了。」

【出處】

景公問晏子曰：「國如何則可謂安矣？」晏子對曰：「下無諱言，官無怨治；通人不華，窮民不怨；喜樂無羨賞，忿怒無羨刑；上有禮於士，下有恩於民；地博不兼小，兵強不劫弱；百姓內安其政，外歸其義，可謂安矣。」（《晏子春秋》〈內篇問下第四〉）

社鼠不可熏去

景公問晏子說：「哪些是治理國家常有的禍患？」晏子回答說：「奸佞讒諂的人在君王身邊，他們專一誹謗中傷賢臣。小人當道就是國家長存的禍患。」景公說：「讒諂奸佞之臣的確不好。雖然如此，又怎麼能說他們會是國家常有的禍患呢？」晏子說：「君主以他們為耳目並同他們議事，那樣視聽就會產生謬誤。他們在上惑亂君王的視聽，在下使群臣喪失職守，難道還不是常有的禍患嗎！」景公說：

「是這樣嗎？我來剷除他們。」晏子說：「君主不可能剷除他們。」景公滿面怒色說：「先生為何小看我？」晏子說：「臣下豈敢。那些受君主寵信的臣子，個個非同尋常。雖然心藏大奸，卻要表現出格外忠誠，處處順從君王的嗜好。他們四處蒐集賢臣良才的過錯，肆意誇大，以激起君主的不滿，並且瞞著君主在外橫行霸道，強徵暴斂。他們與君主關係親密，善於偽裝，君主很難察覺他們的真面目啊。」景公說：「請問前輩聖君是怎樣做的？」晏子回答說：「前輩聖君治理國家，審慎地接見賓客，治理政事而不懈怠，群臣都能竭盡忠誠，哪裡容得下讒諛小人乘機營私呢？」景公說：「請先生協助我剷除他們，我也不用這些人辦事。」晏子說：「這些人在君主身邊，就像糧倉裡的老鼠。有句諺語說：『神社裡的老鼠不能煙熏。』讒諂奸佞的小人仰仗君主的威風來保存自己，因而難以根除。」

【出處】

景公問晏子曰：「治國之患亦有常乎？」對曰：「佞人讒夫之在君側者，好惡良臣，而行與小人，此國之長患也。」公曰：「讒佞之人，則誠不善矣；雖然，則奚曾為國常患乎？」晏子曰：「君以為耳目而好繆事，則是君之耳目繆也。夫上亂君之耳目，下使群臣皆失其職，豈不誠足患哉！」公曰：「如是乎！寡人將去之。」晏子曰：「公不能去也。」公忿然作色不說，曰：「夫子何小寡人甚也！」對曰：「臣何敢槁也！夫能自周於君者，才能皆非常也。夫藏大不誠於中者，必謹小誠於外，以成其大不誠，入則求君之嗜欲能順之，公怨良臣，則具其往失而益之，出則行威以取富。夫何密近，不為大利變，而務與君至義者也？此難得其知也。」公曰：「然則先聖奈何？」對

社鼠不可熏去

曰：「先聖之治也，審見賓客，聽治不留，群臣皆得畢其誠，讒諛安得容其私！」公曰：「然則夫子助寡人止之，寡人亦事勿用。」對曰：「讒夫佞人之在君側者，若社之有鼠也，諺言有之曰：『社鼠不可熏去。』讒佞之人，隱君之威以自守也，是難去焉。」（《晏子春秋》〈外篇第七〉）

豈以人為足恃

景公問晏子說：「強有力的臣子能依靠嗎？」晏子回答說：「不能依靠。」「強大的兄弟可以依靠嗎？」晏子回答說：「不可以依靠。」景公生氣地說：「那我今天有依靠嗎？」晏子回答說：「強有力的臣子，沒有比得上湯的；強有力的兄弟，沒有比得上桀的。湯殺了國君，桀放逐了兄弟，怎麼能把別人當作靠山而認為不會滅亡呢？」

【出處】

景公問晏子曰：「有臣而強，足恃乎？」晏子對曰：「不足恃。」「有兄弟而強，足恃乎？」晏子對曰：「不足恃。」公忿然作色曰：「吾今有恃乎？」晏子對曰：「有臣而強，無甚如湯；有兄弟而強，無甚如桀。湯有弒其君，桀有亡其兄，豈以人為足恃哉，可以無亡也！」（《晏子春秋》〈外篇第八〉）

社稷之臣

晏子陪伴在景公身旁。景公說：「早上有點寒冷，請給我拿點熱食來吧。」晏子回答說：「我不是您管理膳食的臣子，恕不遵命。」景公又說：「請給我拿件皮衣來吧！」晏子回答說：「我不是您管理起居的臣子，恕不遵命。」景公說：「那先生對我來說是幹什麼的呢？」晏子回答說：「我是國家重臣。」景公問：「什麼叫作國家重臣？」晏子回答說：「國家的重臣，能確立國政，區分百官的秩序，使他們各就各位，各司其職；起草法令，而後頒布天下。」從此以後，景公不按禮節的規定就不敢召見晏子。

【出處】

晏子侍於景公，公曰：「朝寒，請進熱食。」對曰：「嬰非君之廚養臣也，敢辭。」公曰：「請進服裘。」對曰：「嬰非君田澤之臣也，敢辭。」公曰：「然，夫子於寡人奚為者也？」對曰：「社稷之臣也。」公曰：「何謂社稷之臣？」對曰：「社稷之臣，能立社稷，辨上下之宜，使得其理；制百官之序，使得其宜；作為辭令，可分布於四方。」自是之後，君不以禮不見晏子也。（《說苑》〈臣術〉）

華而不實

景公對晏子說：「東海中有一片水是紅色的，那裡有棵棗樹，只開花而不結果，為什麼呢？」晏子回答說：「從前秦繆公乘龍舟治理天下，用黃布裹著蒸熟的棗，到東海時將包裹扔出去，黃布開了，所以水就成了紅色；棗是蒸熟的，所以只開花不結果。」景公說：「我是編假話來問你的。」晏子說：「我聽說，用假話問的，就用假話回答。」

【出處】

景公謂晏子曰：「東海之中，有水而赤，其中有棗，華而不實，何也？」晏子對曰：「昔者秦繆公乘龍舟而理天下，以黃布裹烝棗，至東海而捐其布，破黃布，故水赤；烝棗，故華而不實。」公曰：「吾詳問子何為？」對曰：「嬰聞之，詳問者，亦詳對之也。」（《晏子春秋》〈外篇第八〉）

大鵬焦冥

景公問晏子說：「天下有特大的東西嗎？」晏子回答說：「有。大鵬的腳遊蕩於浮雲之上，背朝蒼天，尾巴垂於天際，在北海跳躍啄食，頭和尾分隔在天地之間。在遼闊的空中，不知道它的翅膀伸展在哪裡。」景公說：「天下有特小的東西嗎？」晏子回答說：「有。東海有一種小蟲，在蚊子的睫毛上築巢，在巢內反覆繁育幼蟲飛進飛出，而蚊子不受驚擾。我不知道這種蟲的名字，東海裡打漁的人叫它焦冥。」

【出處】

景公問晏子曰：「天下有極大乎？」晏子對曰：「有。足游浮雲，背凌蒼天，尾偃天間，躍啄北海，頸尾咳於天地乎！然而漻漻不知六翮之所在。」公曰：「天下有極細乎？」晏子對曰：「有。東海有蟲，巢於蚊睫，再乳再飛，而蚊不為驚。臣嬰不知其名，而東海漁者命曰焦冥。」（《晏子春秋》〈外篇第八〉）

滅國之道

齊景公問晏子說：「莒國與魯國哪一個會先亡國？」回答說：「根據我的觀察，莒國的人見識短淺，多變而不受教化，貪心而好虛偽，崇尚勇力而輕視仁義，士人勇猛急躁，怨恨交集會導致速亡。所以，君王不能教育下民，下民不能侍奉君王，上下不能相互約束，那麼政治的大原則就沒有了。依我的觀察，莒國大概會先亡。」景公問：「魯國怎樣？」回答說：「魯國的君臣好行仁義，下民安居樂業，民風淳樸，不受外界影響。所以君王能教育他的百姓，百姓也能侍奉君王，上下相互約束，政治的根本原則還在。所以，魯國還可以長期保有。但它也有弱點。像鄒、滕那樣野雞奔跑幾步就能越出國境的小國，還能稱之為公侯，是以小國侍奉大國的緣故。弱國侍奉強國才能長久。魯國與齊國接壤卻親近晉國、敵視齊國，齊國大概會擁有莒國與魯國吧？」齊景公說：「魯國和莒國的情況，我已經聽到了，我的德行淺薄，後世誰能享有齊國的王位呢？」回答說：「田無宇的後人會有機會。」景公說：「為什麼呢？」回答說：「田家以小斗進、大斗出，廣布恩惠，慷慨同士人交往，器用財物沒有任何儲藏，百姓扶老攜幼來歸附他，就跟水往低處流一樣。老百姓如果擁戴他為領袖，他若不推辭，做國君不是很容易嗎？」

【出處】

公問晏子：「莒與魯孰先亡？」對曰：「以臣觀之也，莒之細人，變而不化，貪而好假，高勇而賤仁，士武以疾，忿急以速竭，是以上不能養其下，下不能事其上，上下不能相收，則政之大體失矣。故以臣觀之也，莒其先亡。」公曰：「魯何如？」對曰：「魯之君臣，猶好為義，下之妥妥也，奄然寡聞，是以上能養其下，下能事其上，上下相收，政之大體存矣。故魯猶可長守，然其亦有一焉。彼鄒滕雉奔而出其地，猶稱公侯，大之事小，弱之事強久矣，彼周者，殷之樹國也，魯近齊而親殷，以變小國，而不服於鄰，以遠望魯，滅國之道也。齊其有魯與莒乎？」公曰：「魯與莒之事，寡人既得而聞之矣，寡人之德亦薄，然後世孰踐有齊國者？」對曰：「田無宇之後為幾。」公曰：「何故也？」對曰：「公量小，私量大，以施於民，其與士交也，用財無筐篋之藏，國人負攜其子而歸之，若水之流下也。夫先與人利，而後辭其難，不亦寡乎！若苟勿辭也，從而撫之，不亦幾乎！」（《晏子春秋》〈內篇問上第三〉）

易嬰之師

晏子出任齊相三年，政治清平，百姓和樂。梁丘據看見晏子伙食簡樸，將事情告訴景公。第二天，景公便賜給晏子土地，晏子推辭不接受，說：「富貴而不驕奢的人，我從來沒聽說過；貧窮而無怨言的人，我算其中一個。我之所以貧窮而無怨言，是把善行作為自己的老師啊。您現在封賞我土地，是想替換我的老師。老師變輕了，封地就變重了，請允許我推辭。」

【出處】

晏子相齊，三年，政平民說。梁丘據見晏子中食，而肉不足，以告景公，旦日，割地將封晏子，晏子辭不受。曰：「富而不驕者，未嘗聞之。貧而不恨者，嬰是也。所以貧而不恨者，以善為師也。今封，易嬰之師，師已輕，封已重矣，請辭。」（《晏子春秋》〈內篇雜下第六〉）

參士之食

晏子出任景公的相國，粗茶淡飯，毫不講究。景公聽說之後，就到晏子家裡吃飯，考察晏子的伙食。景公感嘆說：「唉，先生家如此貧困，我竟然不知，這是我的過錯啊。」晏子回答說：「因為物資匱乏，能夠吃飽糙米飯，是士人的第一追求；燒烤野味，是士人的第二追求；苔菜、雞蛋，是士人的第三追求。我沒有高過別人的品行，而擁有士人的三種追求，君主的賞賜已經很多了，我這哪算得上窮呢！」

【出處】

晏子相景公，食脫粟之食，炙三弋、五卯、苔菜耳矣。公聞之，往燕焉，睹晏子之食也。公曰：「嘻！夫子之家如此其貧乎！而寡人不知，寡人之罪也。」晏子對曰：「以世之不足也，免粟之食飽，士之一乞也；炙三弋，士之二乞也；五卯，士之三乞也。嬰無倍人之行，而有參士之食，君之賜厚矣！嬰之家不貧。」再拜而謝。（《晏子春秋》〈內篇雜下第六〉）

齊歸於陳

晏子前往晉國撮合魯女與晉君的婚事。訂婚儀式結束後，叔向接待他，與他攀談。叔向問他說：「齊國怎麼樣？」晏子說：「到了末世了，還不知未來會怎麼樣，很可能會為陳氏取代吧。國君拋棄百姓，讓他們歸附陳氏。齊國過去有四種量器，豆、區、釜、鍾。四升為一豆，各自再翻四倍，四區為一釜，十釜為一鍾。陳氏的豆、區、釜三種量器都翻五倍，鍾的容量更大。他用私家的量器借出，再用公家的量器收回。山上的木料運到市場，價格跟出山前一樣。魚鹽蜃蛤，價格跟出海時相同。如果把老百姓的財力分成三份，兩份歸於國君，只有一份維持衣食。國庫的積蓄腐爛生蟲，民間的老人們卻挨凍受飢。國都市場上鞋子便宜，但假足昂貴。百姓有痛苦疾病，陳氏就厚加賞賜。他愛護百姓如同父母，而百姓歸附如同流水，想不得到百姓的擁護都不可能。箕伯、直柄、虞遂、伯戲這四位陳國的祖先與胡公滿、太姬的靈魂都在齊國了。」

【出處】

既成昏，晏子受禮。叔向從之宴，相與語。叔向曰：「齊其何如？」晏子曰：「此季世也，吾弗知齊其為陳氏矣！公棄其民，而歸於陳氏。齊舊四量，豆、區、釜、鍾。四升為豆，各自其四，以登於釜。釜十則鍾。陳氏三量，皆登一焉，鍾乃大矣。以家量貸，而以公量收之。山木如市，弗加於山。魚鹽蜃蛤，弗加於海。民參其力，二入於公，而衣食其一。公聚朽蠹，而三老凍餒。國之諸市，屨賤踴貴。民人痛疾，而或燠休之。其愛之如父母，而歸之如流水。欲無獲民，將焉辟之？箕伯、直柄、虞遂、伯戲，其相胡公、大姬已在齊矣。」（《左傳》〈昭公三年〉）

晏子之宅

齊景公經過晏子家，對晏子說：「您的住宅太小了，又靠近集市，請把家搬到明亮而地勢高且乾燥的地方。」晏子拜了兩拜推辭說：「我家窮，依靠集市生活，早晚都要趕集，不能離得太遠。」景公笑著說：「您家離市場近，知道什麼貴什麼便宜嗎？」晏子回答說：「斷腳人穿的假腳貴，正常人穿的鞋子便宜。」景公說：「這是什麼原因？」晏子回答說：「刑罰太多了。」景公臉上充滿驚訝說：「是我太殘暴了啊！」於是宣布減去五種刑罰。等到晏子出使晉國，齊景公強行更換了他的住宅，晏子回來，新房已經完工。晏子拜謝以後，就拆毀了新房而建造鄰居的房屋，恢復到原來的一樣，讓原來的住戶回來，解釋說：「俗話說：『不是住宅需要占卜，唯有鄰居需要占卜。』這幾位已經先占卜成為鄰居了，違背占卜不祥。君子不去做不合禮的事情，小人不去做不吉利的事情，這是古人的規矩，我哪敢違背？」終於恢復了舊居。齊景公開始不允許，晏子托陳桓子代為請求，齊景公才答應了。

【出處】

初，景公欲更晏子之宅，曰：「子之宅近市，湫隘囂塵，不可以居，請更諸爽塏者。」辭曰：「君之先臣容焉，臣不足以嗣之，於臣侈矣。且小人近市，朝夕得所求，小人之利也。敢煩里旅？」公笑曰：「子近市，識貴賤乎？」對曰：「既利之，敢不識乎？」公曰：「何貴？何賤？」於是景公繁於刑，有鬻踴者。故對曰：「踴貴，屨賤。」既已告於君，故與叔向語而稱之。景公為是省於刑。君子曰：「仁人之言，其利博哉。晏子一言，而齊侯省刑。《詩》曰：『君子如祉，亂庶遄已。』[33]其是之謂乎！」及宴子如晉，公更其宅，反，則成矣。既拜，乃毀之，而為里室，皆如其舊。則使宅人反之，曰：「諺曰：『非宅是卜，唯鄰是卜。』二三子先卜鄰矣，違卜不祥。君子不犯非禮，小人不犯不祥，古之制也。吾敢違諸乎？」卒復其舊宅，公弗許；因陳桓子以請，乃許之。（《左傳》〈昭公三年〉）

髮短心長

齊侯在莒地打獵，因犯罪受髡刑的盧蒲嫳進見，哭泣請求說：

33.「君子如祉，亂庶遄已」，出自《詩經》〈小雅・巧言〉。

「我的頭髮這麼短，我還能做什麼？」齊景公說：「好。我回去幫你求情。」回去之後就告訴了子尾和子雅。子尾想讓他官復原職，子雅不同意說：「他頭髮雖短，但心計卻長，他只怕會睡到我的皮毛上啊。」子雅於是把盧蒲嫳放逐到北燕。

【出處】

齊侯田於莒，盧蒲嫳見，泣且請曰：「余髮如此種種，余奚能為？」公曰：「諾，吾告二子。」歸而告之。子尾欲復之，子雅不可，曰：「彼其髮短而心甚長，其或寢處我矣。」九月，子雅放盧蒲嫳於北燕。（《左傳》〈昭公三年〉）

直稱之士

晏子出使晉國，晉平公問他說：「請問您的國君德行高低如何？」晏子回答說：「小有善行吧。」平公說：「不，我不是問小的善行，是問先生國君的德行高低怎樣。」晏子恭敬地回答說：「諸侯相互交往，初次見面，言辭都有所避忌。您問得很直率，我也不隱瞞您，我們的國君沒什麼值得稱讚的。」平公恭敬地辭別晏子，再次拜謝，返回後說：「我的過錯太大了！誰說齊君不賢，直言敢諫的人，就在我們朝堂上啊。」

【出處】

晏子使於晉，晉平公問曰：「吾子之君，德行高下如何？」晏子對以「小善」。公曰：「否，吾非問小善，問子之君德行高下也。」晏子蹙然曰：「諸侯之交，紹而相見，辭之有所隱也。君之命質，臣無所隱，嬰之君無稱焉。」平公蹙然而辭送，再拜而反曰：「殆哉吾過！誰曰齊君不肖！直稱之士，正在本朝也。」（《晏子春秋》〈內篇問下第四〉）

晏子使晉

晏子出使晉國，晉平公在華麗的宮室裡宴請他，宴會結束後，平公問他說：「過去我的先君是如何贏得大家擁戴的？」晏子回答說：「我聽說君子就像水一樣，江河湖澤容納他，眾人歸附於他，就像魚兒在水中歡樂暢游；假如江河湖澤乾涸，水裡的魚兒就會順水漂流，不再回來。」平公又問說：「請問齊莊公與景公哪個更為賢德？」晏子說：「兩位君王行事不同，臣不敢評價。」平公說：「王室不正，諸侯專制，想聽聽您的評價。」回答說：「先君莊公不安於平淡，飲食節儉，不喜好禮樂，好兵器作戰，同士兵一同忍饑挨餓共度寒暑。莊公強力過人，有過人之處便不可一世，因此遭到殺身之禍。現在君主喜歡建造高大的宮室和華麗的樓臺館榭，畏懼災禍而敬饗鬼神，君王的善行僅能保全自身，不可能蔭及子孫了。」

【出處】

晏子使晉，晉平公饗之文室，既靜矣，晏以，平公問焉，曰：「昔吾先君得眾若何？」晏子對曰：「君饗寡君，施及使臣，御在君側，恐懼不知所以對。」平公曰：「聞子大夫數矣，今乃得見，願終聞之。」晏子對曰：「臣聞君子如美，淵澤容之，眾人歸之，如魚有依，極其游泳之樂；若淵澤決竭，其魚動流，夫往者維雨乎，不可復已。」公又問曰：「請問莊公與今孰賢？」晏子曰：「兩君之行不同，臣不敢不知也。公曰：「王室之正也，諸侯之專制也，是以欲聞子大夫之言也。」對曰：「先君莊公不安靜處，樂節飲食，不好鐘鼓，好兵作武，士與同飢渴寒暑，君之強，過人之量，有一過不能已焉，是以不免於難。今君大宮室，美臺榭，以辟飢渴寒暑，畏禍敬鬼神，君之善，足以沒身，不足以及子孫矣。」（《晏子春秋》〈內篇問下第四〉）

怒而請絕

晏子到晉國去，路過中牟，看見一個人反穿裘衣背著草料在路邊休息。晏子認為這人是個君子，就派人問他說：「你怎麼到了這種地步？」那個人回答說：「我叫越石父，給人做奴僕已經三年了。」晏子說：「噢。」當即解下車駕左邊的馬贖下他，並讓越石父一起乘車回國。回到相府，晏子沒向他告辭就進去了。越石父很生氣，請求與晏子絕交。晏子派人回答他說：「我即使說不上善良寬厚，也總算幫您解脫了困境，為什麼這麼快就要求絕交呢？」越石父說：「我聽說君子在不了解自己的人面前可以忍受屈辱，在已經了解自己的人面前就要挺胸做人，君子也不因為對人有功德就輕薄人。我是做了別人的三年奴僕，那些人不是我的知己，現在你贖我出來，我把你當成知己。先前您坐車不同我打招呼，我以為是你一時疏忽；現在您不向我告辭就直接進門，這與把我看作奴僕是一樣的。你不能對我以禮相待，我還不如去做別人的奴僕。所以要與您絕交。」晏子於是出來見他說：「之前只是看到客人的容貌而已，現在才感覺到客人的心志。我聽說體察實情的人不留意名聲，看重行動的人不在意言辭，我誠懇地向您道歉，您能不拋棄我嗎？」晏子令人收拾廳堂，擺酒席盛情款待越石父。越石父說：「我聽說最高的尊敬不講究形式，用尊敬的禮節款待人不會遭到拒絕。先生以禮待我，實不敢當。」此後，晏子一直把越石父待為上賓。一般人做了點善事就自鳴得意，目中無人；晏子把別人從困苦中拯救出來，反而對人家謙卑恭敬，他的境界與常人真有天壤之別，這就是保全功德的方法啊！

【出處】

晏子之晉，至中牟，睹弊冠反裘負芻，息於涂側者，以為君子也，使人問焉。曰：「子何為者也？」對曰：「我越石父者也。」晏子曰：「何為至此？」曰：「吾為人臣，僕於中牟，見使將歸。」晏子曰：「何為為僕？」對曰：「不免凍餓之切吾身，是以為僕也。」晏子曰：「為僕幾何？」對曰：「三年矣。」晏子曰：「可得贖乎？」對曰：「可。」遂解左驂以贈之，因載而與之俱歸。至舍，不辭而入，越石父怒而請絕，晏子使人應之曰：「吾未嘗得交夫子也，子為僕三年，吾乃今日睹而贖之，吾於子尚未可乎？子何絕我之暴也。」越石父對之曰：「臣聞之，士者詘乎不知己，而申乎知己，故君子不以功輕人之身，不為彼功詘身之理。吾三年為人臣僕，而莫吾知也。今子贖我，吾以子為知我矣；向者子乘，不我辭也，吾以子為忘；今又不辭而入，是與臣我者同矣。我猶且為臣，請鬻於世。」晏子出，見之曰：「向者見客之容，而今也見客之意。嬰聞之，省行者不引其過，察實者不譏其辭，嬰可以辭而無棄乎！嬰誠革之。」乃令糞灑改席，尊醮而禮之。越石父曰：「吾聞之，至恭不修途，尊禮不受擯。夫子禮之，僕不敢當也。」晏子遂以為上客。君子曰：「俗人之有功則德，德則驕，晏子有功，免人於厄，而反詘下之，其去俗亦遠矣。此全功之道也。」（《晏子春秋》〈內篇雜上第五〉）

君子大義

叔向問晏子說：「君子的處世原則是什麼？」晏子回答說：「和睦但不逢迎，危急中不苟且偷生，莊嚴敬穆而不狂暴，寬和柔順而不低三下四，嚴正廉潔而不傷害別人，行為清白而不顯擺他人污穢，崇尚同一但不遺棄無能，富貴之時不驕傲，貧窮之時不改變操守，尊敬賢能之人而不排斥平庸之人。」

【出處】

叔向問晏子曰：「君子之大義何若？」晏子對曰：「君子之大義，和調而不緣，溪盎而不苛，莊敬而不狡，和柔而不銓，刻廉而不劌，行精而不以明汙，齊尚而不以遺罷，富貴不傲物，貧窮不易行，尊賢而不退不肖。此君子之大義也。」（《晏子春秋》〈內篇問下第四〉）

身無所咎

叔向問晏子說：「怎樣做可以稱之為榮耀？」晏子回答說：「事奉雙親很孝順，沒有後悔的事；事奉君主很忠誠，沒有後悔的言論；與兄弟和睦友愛，與朋友講求信用。不掩飾朋友的過錯，不索取朋友的所得；說話不相爭訟，行為不相違背。在高位治理百姓，足以使君主得到尊崇；在下位修養自身，足以為人師表。自身沒有過失，行為沒有損傷。這就可以稱得上榮耀了。」

【出處】

叔向問晏子曰：「何若則可謂榮矣？」晏子對曰：「事親孝，無悔往行，事君忠，無悔往辭；和於兄弟，信於朋友，不諂過，不責得；言不相坐，行不相反；在上治民，足以尊君，在下蒞修，足以變人，身無所咎，行無所創，可謂榮矣。」（《晏子春秋》〈內篇問下第四〉）

陳錫載周

晏子對陳桓子說：「一定要把欒氏、高氏的家產交給國君。謙讓是德行的根本，禮讓別人叫作美德。凡是有血氣的人，都有爭奪之心。對待利益不可強爭，擁有道義自然勝過別人。義是本，利是末。積聚利益就會產生禍害。姑且不要積聚吧！可以讓它慢慢生長。」陳桓子把陳氏、鮑氏的家產全部交給齊景公，並請求在莒地告老退休。

而後召見子山，私下準備了帷幕、器物、從者的衣帽鞋子，把棘地還給子山。接著又對子商、子周做了同樣的事情。陳恆子還讓子城、子公、公孫捷回國，增加他們的俸祿。凡公子、公孫中沒有俸祿的，就私下裡把封邑分給他們。對國內貧困孤寡的人，私下接濟他們糧食。他深有體會地說：「《詩經》裡說：『天帝厚賜他興起周邦。』意思是把受到的賞賜擺出來賜給別人就創建了周朝，因為樂善好施，齊桓公才得以成為霸主啊。」齊景公把莒地旁邊的城邑賜給陳桓子，他辭謝了。穆孟姬為他請求高唐為封地，陳氏的勢力開始在齊國強大起來。

【出處】

晏子謂桓子：「必致諸公。讓，德之主也。讓之謂懿德。凡有血氣，皆有爭心，故利不可強，思義為愈。義，利之本也，蘊利生孽。姑使無蘊乎！可以滋長。」桓子盡致諸公，而請老於莒。桓子召子山，私具幄幕、器用、從者之衣屨，而反棘焉。子商亦如之，而反其邑。子周亦如之，而與之夫於。反子城、子公、公孫捷，而皆益其祿。凡公子、公孫之無祿者，私分之邑。國之貧約孤寡者，私與之粟。曰：「《詩》云『陳錫載周』，能施也，桓公是以霸。」公與桓子莒之旁邑，辭。穆孟姬為之請高唐，陳氏始大。（《左傳》〈昭公十年〉）

進橘置削

齊景公派晏子出使楚國。楚王在歡迎宴會上給晏子上了一盤橘子及削皮的刀具。晏子吃橘子時沒有剝皮。楚王說：「吃橘子應當去皮剖開再吃。」晏子回答說：「我聽說，在君主面前受賜，瓜果桃李不削皮，橘子柚子不剖開。大王事先沒有下令，我就不敢剖開。我哪會不知道吃橘子要剝皮呢。」

【出處】

景公使晏子使於楚。楚王進橘置削，晏子不剖而並食之。楚王曰：「橘當去剖。」晏子對曰：「臣聞之，賜人主前者，瓜桃不削，橘柚不剖。今萬乘無教，臣不敢剖；不然，臣非不知也。」（《說苑》〈奉使〉）

晏子使楚

晏子出使楚國，因為晏子身材矮小，楚人在大門旁做了個小門請晏子進入。晏子拒絕說：「出使狗國的人才從狗門進出。現在我出使楚國，不應該從這個門進入。」接待的人改變路線從大門進入，晏子拜見楚王。楚王說：「齊國沒有人了嗎？」晏子回答說：「臨淄城有三百閭人家，舉起袖子可以遮住太陽，揮灑的汗水像下雨一樣，人們肩碰著肩，腳挨著腳十分密集，為什麼說沒有人了呢？」楚王說：「即然這樣，為什麼派你出使呢？」晏子回答說：「齊國派使者，各有其相應的對象。賢德之人出使賢德之國，無能之人出使無能之國。我最無能，所以派我出使楚國。」

【出處】

晏子使楚，以晏子短，楚人為小門於大門之側而延晏子。晏子不入，曰：「使狗國者，從狗門入；今臣使楚，不當從此門入。」儐者更道從大門入，見楚王。王曰：「齊無人耶？」晏子對曰：「臨淄三百閭，張袂成陰，揮汗成雨，比肩繼踵而在，何為無人？」王曰：「然則子何為使乎？」晏子對曰：「齊命使，各有所主，其賢者使使賢王，不肖者使使不肖王。嬰最不肖，故直使楚矣。」（《晏子春秋》〈內篇雜下第六〉）

橘生淮南

楚王聽說晏子將來楚國，對左右說：「晏嬰是齊國善於辭令的人。現在正好要來，我想羞辱他，用什麼辦法呢？」左右回答說：「在他來時，我們請求綁上一個人，從大王面前走過，王說：『這是什麼人？』回答說：『齊國人。』王說：『犯了什麼罪？』回答：『犯了盜竊罪。』」晏子來了，楚王設宴招待。酒興正濃時，兩個官吏綁著一個人來見楚王。楚王說：「綁著的是什麼人？」回答說：「齊國人，犯了盜竊罪。」楚王看著晏子說：「齊國人原來善於盜竊嗎？」晏子離開席位回答說：「我聽說，橘子長在淮河以南就是橘子，長在淮河以北就成了枳子。僅僅葉子相似，而它們的果實味道並不一樣。是為什麼呢？水土不一樣啊。現在百姓生長在齊國不盜竊，到了楚國就偷盜，莫非是楚國的水土使百姓善於偷盜嗎？」楚王笑說：「聖人是不能戲弄的，我這是自取其辱。」

【出處】

晏子將至楚，楚聞之，謂左右曰：「晏嬰，齊之習辭者也，今方來，吾欲辱之，何以也？」左右對曰：「為其來也，臣請縛一人，過王而行，王曰：『何為者也？』對曰：『齊人也。』王曰：『何坐？』曰：『坐盜。』」晏子至，楚王賜晏子酒，酒酣，吏二縛一人詣王，王曰：「縛者曷為者也？」對曰：「齊人也，坐盜。」王視晏子曰：「齊人固善盜乎？」晏子避席對曰：「嬰聞之，橘生淮南則為橘，生於淮北則為枳，葉徒相似，其實味不同。所以然者何？水土異也。今民生長於齊不盜，入楚則盜，得無楚之水土使民善盜耶？」王笑曰：「聖人非所與熙也，寡人反取病焉。」（《晏子春秋》〈內篇雜下第六〉）

二桃殺三士

公孫接、田開疆、古冶子侍奉景公，三人憑藉勇武打虎而聞名。晏子在他們面前經過，加快腳步，三個人卻沒有站起身。晏子入宮，進見景公說：「我聽說聖明的君王蓄養勇力之人，對上要有君與臣的禮儀，在下要有長官和下屬的次序。在內可以用來禁止暴力，在外可以威震敵人。君王得利於他們的功業，臣下佩服他們的勇力，所以尊崇他們的地位，提高他們的俸祿。現在國君蓄養勇力之人，對上沒有君臣的儀節，在下沒有上下級的次序。在內不能禁止暴力，在外不能威震敵人。這是對國家有害的人呀，不如除掉他們。」景公說：「這三個人，就怕捉拿不住、刺殺不中啊。」晏子說：「這些人都是靠力氣攻打強敵的人，不講長幼之禮。」於是請景公派人送去兩隻桃子，說：「你們三個人為何不按功勞來吃桃子呢？」公孫接仰天嘆道：「晏子是聰明人啊，他就是讓景公計算我們功勞的人。不接受桃子，這是不勇敢。人多而桃少，何不按功勞大小來吃桃呢？我打過一隻野豬，殺過兩隻育子的母虎，像我這樣的功勞，可以吃桃子而不與他人同享了。」拿起一隻桃子站了起來。田開疆說：「我率領軍隊兩次打敗敵人的軍隊，像我這樣的功勞，也可以吃桃子而不與他人同享了。」拿起桃子站了起來。古冶子說：「我曾經同君王渡河，一隻大鱉銜著左邊的驂馬躍入黃河的激流。那時候，我年少還不會游泳。潛入水底行走，逆流走了一百步，順流走了九里，捉到大鱉殺了它。左手拽著驂馬的尾巴，右手提著大鱉的頭，像鶴一樣躍出水面，渡船的人都說：『是河伯吧。』像我這樣的功績，也可以吃桃子，而不與他人同享，你們兩個為何不將桃子送還呢？」說完拔出寶劍立起身來。公孫接、田開疆說：「我們不如你勇敢，功勞也比不上你，拿來桃子不推辭，是貪生呀。但是不死，是不勇敢呀。」二人全都送還桃子，刎頸而死。古冶子說：「他們兩個都死了，我獨自活下來，是不仁呀；用話羞辱人，誇耀自己的名氣，是不義呀；怨恨自己的行為而不去死，是不勇敢。既然這樣，他們二人同為一隻桃子而死，很有節操，而我獨為一隻桃子而死，也是應當的。」他也送還桃子，刎頸而死。使者回覆說：「三人都已經死了。」景公用官服裝殮了他們，並按士禮給他們送葬。

【出處】

公孫接、田開疆、古冶子事景公，以勇力搏虎聞。晏子過而趨，三子者不起。晏子入見公曰：「臣聞明君之蓄勇力之士也，上有君臣之義，下有長率之倫，內可以禁暴，外可以威敵，上利其功，下服其勇，故尊其位，重其祿。今君之蓄勇力之士也，上無君臣之義，下無長率之倫，內不以禁暴，外不可威敵，此危國之器也，不若去之。」公曰：「三子者，搏之恐不得，刺之恐不中也。」晏子曰：「此皆力攻勍敵之人也，無長幼之禮。」因請公使人少饋之二桃，曰：「三子何不計功而食桃？」公孫接仰天而嘆曰：「晏子，智人也！夫使公之計吾功者，不受桃，是無勇也，士眾而桃寡，何不計功而食桃矣。接一搏猏而再搏乳虎，若接之功，可以食桃而無與人同矣。」援桃而起。田開疆曰：「吾仗兵而卻三軍者再，若開疆之功，亦可以食桃，而無與人同矣。」援桃而起。古冶子曰：「吾嘗從君濟於河，黿銜左驂以入砥柱之流。當是時也，冶少不能游，潛行逆流百步，順流九里，得黿而殺之，左操驂尾，右挈黿頭，鶴躍而出。津人皆曰：『河伯也！』若冶視之，則大黿之首。若冶之功，亦可以食桃而無與人同矣。二子何不反桃！」抽劍而起。公孫接、田開疆曰：「吾勇不子若，功不子逮，取桃不讓，是貪也；然而不死，無勇也。」皆反其桃，挈領而死。古冶子曰：「二子死之，冶獨生之，不仁；恥人以言，而誇其聲，不義；恨乎所行，不死，無勇。雖然，二子同桃而節，冶專其桃而宜。」亦反其桃，挈領而死。使者復曰：「已死矣。」公殮之以服，葬之以士禮焉。（《晏子春秋》〈內篇諫下第二〉）

斬莊賈以徇三軍

齊景公時，晉國出兵攻打齊國的東阿和甄城，燕國進犯齊國黃河南岸的領土，齊軍兩戰皆敗，景公為此深感憂慮。晏嬰於是向齊景公推薦田穰苴說：「穰苴文才武略皆備，希望君王試試他。」景公召見穰苴，跟他共同討論軍國大事，談得很投機。景公很高興，任命他為將軍，率兵抵抗燕、晉兩國的軍隊。穰苴說：「過去我地位卑微，君王把我從平民提拔為將軍，置於大夫之上，恐怕將士不服，百姓也難以信任我。資歷淺又缺乏聲望，權威很難樹立，希望派一位君王寵信、國家尊重的大臣來做監軍。」景公於是安排莊賈去做監軍。穰苴向景公辭行後，便和莊賈約定說：「明天正午在營門會合。」莊賈驕橫自大，根本沒把穰苴放在眼裡，竟然去會見為他送行的親戚朋友，飲酒作樂。到了正午，莊賈還沒來。穰苴就打倒木表，摔破漏壺，進入軍營整頓隊伍，宣布紀律。等他部署完畢，已是日暮時分，莊賈這才趕到。穰苴問說：「為什麼約定了時間還遲到？」莊賈表示歉意說：「朋友親戚們給我送行，所以耽擱了。」穰苴說：「身為將領，從接受命令的時刻起，就應當忘記家庭；來到軍隊宣布紀律後，就應忘掉個人交情；擂鼓進軍時，就應當忘掉生死。如今敵人已深入國境，戰士們在前線浴血奮戰，國君坐臥難安，食不甘味，將士百姓的生命都維繫在你我身上，哪還有心情喝酒餞行呢！」於是把執法官叫來說：「軍法對約定時刻遲到的人怎麼處置？」回答說：「按例當斬。」莊賈很害怕，派人飛馬報告景公，請他搭救。穰苴沒等報信的人返回，先將莊賈斬首，並向三軍巡行示眾，全軍將士都震驚害怕。景公派出使者持符節來赦免莊賈，車馬直入軍營。穰苴說：「將領統軍，君令有所不受。」又問執法官說：「駕車直入軍營，按軍法如何處置？」執法官說：「按例當斬。」使者非常恐懼。穰苴說：「國君的使者可以不斬。」於是將使者的僕從斬首，同時砍斷車轅、殺死馭馬，向三軍巡行示眾。穰苴讓使者回去向景公通報，然後率軍出發。士兵們安營紮寨，掘井立灶，飲水進餐，穰苴都親自過問，還把將軍專用的物資供應全部捐出來款待士兵。自己和士兵一樣平分糧食，又把體弱有病的士兵統計出來，探問疾病，安排醫藥，慰撫他們。三天後重新整頓軍隊，準備出戰。那些被挑出來的生病體弱的士兵，也要求奔赴戰場為國戰鬥。晉國軍隊知道消息，連忙撤回了軍隊。燕國軍隊渡過黃河向北撤退，齊軍趁勢追擊，收復了所有淪陷的領土，然後率兵凱旋。景公與大夫們到郊外迎接，不久就尊奉穰苴為大司馬。

【出處】

司馬穰苴者，田完之苗裔也。齊景公時，晉伐阿、甄，而燕侵河上，齊師敗績。景公患之。晏嬰乃薦田穰苴曰：「穰苴雖田氏庶孽，然其人文能附眾，武能威敵，願君試之。」景公召穰苴，與語兵事，大說之，以為將軍，將兵扞燕晉之師。穰苴曰：「臣素卑賤，君擢之閭伍之中，加之大夫之上，士卒未附，百姓不信，人微權輕，願得君之寵臣，國之所尊，以監軍，乃可。」於是景公許之，使莊賈往。穰苴既辭，與莊賈約曰：「旦日日中會於軍門。」穰苴先馳至軍，立表下漏待賈。賈素驕貴，以為將已之軍而已為監，不甚急；親戚左右送之，留飲。日中而賈不至。穰苴則僕表決漏，入，行軍勒兵，申明約束。約束既定，夕時，莊賈乃至。穰苴曰：「何後期為？」賈謝曰：「不佞大夫親戚送之，故留。」穰苴曰：「將受命之日則忘其家，臨軍約束則忘其親，援枹鼓之急則忘其身。今敵國深侵，邦內騷動，士卒暴露於境，君寢不安席，食不甘味，百姓之命皆懸於君，何謂相送乎！」召軍正問曰：「軍法期而後至者云何？」對曰：「當斬。」莊賈懼，使人馳報景公，請救。既往，未及反，於是遂斬莊賈以徇三軍。三軍之士皆振栗。久之，景公遣使者持節赦賈，馳入軍中。穰苴曰：「將在軍，君令有所不受。」問軍正曰：「馳三軍法何？」正曰：「當斬。」使者大懼。穰苴曰：「君之使不可殺之。」乃斬其僕，車之左駙，馬之左驂，以徇三軍。遣使者還報，然後行。士卒次舍井灶飲食問疾醫藥，身自拊循之。悉取將軍之資糧享士卒，身與士卒平分糧食。最比其羸弱者，三日而後勒兵。病者皆求行，爭奮出為之赴戰。晉師聞之，為罷去。燕師聞之，度水而解。於是追擊之，遂取所亡封內故境而引兵歸。未至國，釋兵旅，解約束，誓盟而後入邑。景公與諸大夫郊迎，勞師成禮，然後反歸寢。既見穰苴，尊為大司馬。（《史記》〈司馬穰苴列傳〉）

皆有加利

齊景公攻打萊國取得勝利，問晏子說：「我想賞賜攻打萊國有功的人，怎麼樣？」回答說：「我聽說以謀略使國家取勝的，提高臣子的祿位；以百姓的力量使國家取勝的，提高百姓的利益。所以君主有更多的收穫，臣民有更多的利益。國君享有美名，臣下獲得實惠。所以奉獻才智的人不懈怠，出力氣的人不辭勞苦，這就是古代善於征伐的人的做法。」景公說：「好。」於是攻破萊國的臣下、士卒都有封賞，而君主也收穫美名。

【出處】

公伐欒，勝之，問晏子曰：「吾欲賞於欒何如？」對曰：「臣聞之，以謀勝國者，益臣之祿；以民力勝國者，益民之利。故上有羨獲，下有加利，君上享其名，臣下利其實。故用智者不偷業，用力者不傷苦，此古之善伐者也。」公曰：「善。」於是破欒之臣，東邑之卒，皆有加利。是上獨擅名，利下流也。（《晏子春秋》〈內篇問上第三〉）

景公伐宋

齊景公攻打宋國，登上岐堤，登高望遠，長嘆一聲說：「從前先王齊桓公有戰車八百乘即能稱霸諸侯；現在我有戰車三千乘，卻不敢久留於此，難道是因為沒有管仲這樣的大臣嗎？」弦章回應說：「我聽說，水域寬廣才有大魚，君主英明則臣子忠誠。從前有齊桓公，所以有管仲；假如齊桓公在此，那麼車前的臣子都是管仲。」

【出處】

齊景公伐宋，至於岐堤之上，登高以望，太息而嘆曰：「昔我先君桓公，長轂八百乘，以霸諸侯；今我長轂三千乘，而不敢久處於此者，豈其無管仲歟！」弦章對曰：「臣聞之，水廣則魚大，君明則臣忠；昔有桓公，故有管仲；今桓公在此，則車下之臣儘管仲也。」（《說苑》〈尊賢〉）

以怒明神

齊景公發兵要攻打宋國，軍隊路過泰山，景公夢見兩個男人站在面前並且十分生氣。景公害怕，醒來後傳召占夢人。景公對占夢人說：「昨晚我夢見兩個男子站在我面前，不知他們說些什麼，樣子十分生氣。我還記得他們的長相與聲音。」占夢人說：「軍隊路過泰山而不祭祀，應該是泰山之神發怒了。召來祝史祭祀泰山就可以。」第二天，景公將占夢人的話告訴晏子。晏子低頭想了想，回答說：「占夢人認錯人了，不是泰山之神，而是宋國的祖先商湯和伊尹。」景公不信，晏子說：「您懷疑我的話，那就講述一下商湯和伊尹的相貌。商湯皮膚白皙，個子高，臉上有鬍鬚，面部上窄下寬，身子稍有彎曲，說話聲音較高。」景公說：「對，是這樣。」「伊尹皮膚黑，個子矮，蓬頭有鬚，臉上寬下窄，身體彎曲而聲音低沉。」景公說：「正是這樣。現在該怎麼辦？」晏子說：「商湯、太甲、武丁、祖乙，都是天下的盛德之君，不應沒有後代。現在只剩下宋，而您卻去攻打，所以商湯、伊尹生氣。請您撤回軍隊，使宋國平安。」景公沒有採納晏子的意見，繼續攻打宋國。晏子說：「攻打無罪之國觸怒神明，不改變行動以續兩國之好，一定會有災難。」部隊前行的第二天，戰鼓毀壞，將領死亡。景公趕忙向晏子謝罪，撤軍回國。

【出處】

景公舉兵將伐宋，師過泰山，公瞢見二丈夫立而怒，其怒甚盛。公恐，覺，辟門召占瞢者，至。公曰：「今夕吾瞢二丈夫立而怒，不知其所言，其怒甚盛，吾猶識其狀，識其聲。」占瞢者曰：「師過泰山而不用事，故泰山之神怒也。請趣召祝史祠乎泰山則可。」公曰：「諾。」明日，晏子朝見，公告之如占瞢之言也。公曰：「占瞢者之言曰：『師過泰山而不用事，故泰山之神怒也。』今使人召祝史祠之。」晏子俯有間，對曰：「占瞢者不識也，此非泰山之神，是宋之先湯與伊尹也。」公疑，以為泰山神。晏子曰：「公疑之，則嬰請言湯伊尹之狀也。湯質皙而長，顏以髯，兌上豐下，倨身而揚聲。」公曰：「然，是已。」「伊尹黑而短，蓬而髯，豐上兌下，僂身而下聲。」公曰：「然，是已。今若何？」晏子曰：「夫湯、太甲、武丁、祖乙，天下之盛君也，不宜無後。今惟宋耳，而公伐之，故湯伊尹怒，請散師以平宋。」景公不用，終伐宋。晏子曰：「伐無罪之國，以怒明神，不易行以續蓄，進師以近過，非嬰所知也。師若果進，軍必有殃。」軍進再舍，鼓毀將殪。公乃辭乎晏子，散師，不果伐宋。（《晏子春秋》〈內篇諫上第一〉）

惟禮之謂

齊景公登臺選射，晏子準備好射禮等候他。齊景公說：「選射的禮節我厭煩透了。我想得到天下的勇士，和他們一起圖謀霸業。」晏子回答說：「君子不講禮儀，就是平民。平民不講禮儀，就是禽獸。臣下勇力大就會殺害國君，兒子勇力大就會殺害家長，之所以不敢這麼做，只因有禮儀的約束。禮儀是用來駕馭民眾的，轡頭是用來駕馭馬匹的。沒有禮儀而能治理國家，我還從來沒聽說過這種事。」齊景公說：「您是對的。」於是整飭射禮，變換座位，以晏子為上客，整天向他請教禮儀。

【出處】

齊景公登射，晏子修禮而待。公曰：「選射之禮，寡人厭之矣。吾欲得天下勇士，與之圖國。」晏子對曰：「君子無禮，是庶人也。庶人無禮，是禽獸也。夫臣勇多則弒其君，子力多則弒其長。然而不敢者，惟禮之謂也。禮者，所以御民也；轡者，所以御馬也。無禮而能治國家者，嬰未之聞也。」景公曰：「善。」乃飭射更席，以為上客，終日問禮。（《說苑》〈修文〉）

流連忘返

景公準備出遊，問晏子說：「我想到轉附、朝舞二山觀覽，然後循海南行，到達琅琊山，我該怎樣效法先王的巡遊呢？」晏子拜了兩拜說：「君王問得好。聽說天子到諸侯國視察稱為巡狩；諸侯朝拜天子叫述職。所以春天察看農耕情況、補助貧困的百姓叫巡遊；秋天察看收成、補助不能自給的百姓叫遊樂。夏朝的諺語說：『我們君王不巡遊，我怎能得到休息？我們君王不遊樂，我怎能得到救助？又巡遊又遊樂，應該成為諸侯的法度。』現在君主巡遊不是這樣，隨從眾多而勞民傷財，貧苦的人得不到補助，勞碌的人得不到休息。登高歷時不返稱之流，從下而上遊樂不返叫作連，縱情田獵不返叫作荒，縱情遊樂不止叫作亡。古代聖明的君主從不做流連不返的巡遊，也不會有荒亡的行為。」景公說：「好。」於是命令官吏統計國家掌握的糧食，登記年老、幼小和貧困百姓的人數。官吏開倉發放給貧民的糧食有三千鍾，景公親自接見賑濟的病弱老人有七十人，而後回到國都。

【出處】

景公出游，問於晏子曰：「吾欲觀於轉附、朝舞，遵海而南，至於琅琊，寡人何修，則夫先王之游？」晏子再拜曰：「善哉！君之問也。聞天子之諸侯為巡狩，諸侯之天子為述職。故春省耕而補不足者謂之游，秋省實而助不給者謂之豫。夏諺曰：『吾君不游，我曷以休？吾君不豫，我曷以助？一游一豫，為諸侯度。』今君之游不然，師行而糧食，貧苦不補，勞者不息。夫從南歷時而不反謂之流，從下而不反謂之連，從獸而不歸謂之荒，從樂而不歸謂之亡。古者聖王無流連之游，荒亡之行。」公曰：「善。」命吏計公掌之粟，藉長幼貧氓之數。吏所委發廩出粟，以予貧民者三千鍾，公所身見癃老者七十人，振贍之，然後歸也。（《晏子春秋》〈內篇問下第四〉）

衣莫若新，人莫若故

景公和晏子站在曲潢岸上，晏子說：「衣服是新的好，人不如故交好。」景公說：「衣服確實是新的好；故交之間知道的事情也太多了。」晏子回家收拾好行李，派人向景公辭行說：「我已經年老無能了，請您不要再讓我從事壯年人該做的事。」景公自己治理國家，實力削弱到比高、國兩姓還差，百姓大亂。景公害怕了，趕忙召回晏子。諸侯忌憚晏子的威勢，高、國兩姓也服從他的治理。田野得到開墾，種桑養蠶、餵養牲畜、放牧牛馬的地方不夠用，就借燕國的地盤養蠶織絲，借魯國的地盤放牧牛馬，燕魯兩國一同入貢朝廷。墨子聽說這件事後說：「晏子知道大義，景公的見識太淺薄了。」

【出處】

景公與晏子立於曲潢之上，晏子稱曰：「衣莫若新，人莫若故。」公曰：「衣之新也，信善矣，人之故，相知情。」晏子歸，負載使人辭於公曰：「嬰故老耄無能也，請毋服壯者之事。」公自治國，身弱於高國，百姓大亂。公恐，復召晏子。諸侯忌其威，而高國服其政，田疇墾闢，蠶桑豢收之處不足，絲蠶於燕，牧馬於魯，共貢入朝。墨子聞之曰：「晏子知道，景公知窮矣。」（《晏子春秋》〈內篇雜上第五〉）

重變古常

景公登上齊國東門外的堤壩，看見老百姓爬上堤壩非常費勁，就說：「這個堤壩太高，會傷害牛馬的蹄子，為什麼不降低六尺呢？」晏子回答說：「從前我們的先君桓公非常英明，管仲也是賢能的宰相。以賢能的宰相輔佐英明的君主，東門的堤壩才得以修築完備。先人不降低堤壩的高度是有原因的。早年淄水上漲，湧入廣里，堤壩就是比現在低六尺。如果堤壩降低六尺，恐怕就沒有今天的齊都了。古人所以特別注意不輕易改變成法，說的就是這個道理。」

【出處】

景公登東門防，民單服然後上，公曰：「此大傷牛馬蹄矣，夫何不下六尺哉？」晏子對曰：「昔者吾先君桓公，明君也，而管仲賢相也。夫以賢相佐明君，而東門防全也，古者不為，殆有為也。蚤歲溜水至，入廣門，即下六尺耳，鄉者防下六尺，則無齊矣。夫古之重變古常，此之謂也。」（《晏子春秋》〈內篇雜上第五〉）

景公出獵

齊景公外出打獵，上山遇見老虎，下水遇見大蛇。景公回去後，召見晏子說：「今天我外出打獵，上山遇見老虎，下水遇到大蛇，這大概是不祥之兆吧？」晏子說：「國家有三種不祥，這些都不在之列。有賢士而不知道，這是第一個不祥；知道了卻不用他，這是第二個不祥；用他卻不委以重任，這是第三個不祥。現在大王上山看見老虎，那是老虎的出沒之地；到沼澤見到大蛇，那是蛇的洞穴所在。這太平常了，哪有什麼不祥呢？」

【出處】

齊景公出獵，上山見虎，下澤見蛇，歸，召晏子而問之曰：「今日寡人出獵，上山則見虎，下澤則見蛇，殆所謂之不祥也？」晏子曰：「國有三不祥，是不與焉。夫有賢而不知，一不祥；知而不用，二不祥；用而不任，三不祥也。所謂不祥，乃若此者也。今上山見虎，虎之室也；下澤見蛇，蛇之穴也。如虎之室，如蛇之穴，而見

之，曷為不祥也？」（《說苑》〈君道〉）

坐地而食

景公打獵，休息時坐在地上吃飯。晏子後到，拔了些蘆葦當作席子坐下。景公不高興了，說：「我沒鋪席子坐在地上，身邊這幾個人也沒有誰坐席子，而您自己拔草而坐，為什麼？」晏子回答說：「我聽說，甲冑之士不坐席，有訟案在身的人不坐席，家裡有喪事的不坐席。這三種人，都是心懷憂傷的人。臣不敢以憂傷之人的禮節陪坐。」景公說：「好。」於是命令隨從鋪上席子說：「大夫們都坐席子，我也坐席子。」

【出處】

景公獵休，坐地而食，晏子後至，左右滅葭而席。公不說，曰：「寡人不席而坐地，二三子莫席，而子獨搴草而坐之，何也？」晏子對曰：「臣聞介冑坐陳不席，獄訟不席，屍坐堂上不席，三者皆憂也。故不敢以憂侍坐。」公曰：「諾。」令人下席曰：「大夫皆席，寡人亦席矣。」（《晏子春秋》〈內篇諫下第二〉）

君憫白骨

齊景公在梧丘打獵，夜裡離天亮還早，景公坐著打瞌睡，夢見有五個男子，面向北靠著屋牆，呼喊無罪。景公醒來，召見晏子告訴夢中的情景。景公說：「我曾經誅殺過無辜的人嗎？」晏子回答說：「從前先君靈公外出打獵時，有五個男子布網嚇跑了野獸，因此殺了他們。砍下他們的頭埋在一起，稱為『五丈夫之丘』，莫非是指這件事嗎？」齊景公於是讓人掘開墳墓找尋五個人的頭骨，果然五顆頭顱在同一墓穴裡。景公吩咐官吏予以厚葬。國人不知道景公做夢的事，感嘆說：「國君憐憫白骨，何況對活著的人呢？」於是努力工作，積極建言獻策。所以說國君做善事的效應是很大的。

【出處】

景公畋於梧丘，夜猶蚤，公姑坐睡，而夢有五丈夫，北面幸盧，稱無罪焉。公覺，召晏子而告其所夢。公曰：「我其嘗殺不辜而誅無罪耶？」晏子對曰：「昔者先君靈公畋，五丈夫罟而駭獸，故殺之。斷其首而葬之，曰『五丈夫之丘』。其此耶？」公令人掘而求之，則五頭同穴而存焉。公曰：「嘻！」令吏葬之。國人不知其夢也，曰：「君憫白骨，而況於生者乎？」不遺餘力矣。不釋餘智矣。故曰人君之為善易矣。（《說苑》〈辨物〉）

景公射鳥

景公射鳥，鄉野裡有人驚飛了小鳥，景公很生氣，命令官吏殺死驚鳥的人。晏子說：「鄉人不是故意的。我聽說獎賞無功的人叫亂，處罰不知情的人叫虐，這兩條是先王的禁令，不能因為鄉人驚飛小鳥而觸犯先王的禁令。現在君王不知先王的法令，又缺乏仁愛之心，因此放縱私慾，輕易殺人。飛鳥本來就不是人餵養的，鄉人驚走它，不也應該嗎？」景公說：「好！從今以後，放寬對捕獵時的禁令，不用它來苛待百姓。」

【出處】

景公射鳥，野人駭之。公怒，令吏誅之。晏子曰：「野人不知也。臣聞賞無功謂之亂，罪不知謂之虐。兩者，先王之禁也；以飛鳥犯先王之禁，不可！今君不明先王之制，而無仁義之心，是以從欲而輕誅。夫鳥獸，固人之養也，野人駭之，不亦宜乎！」公曰：「善！自今已後，弛鳥獸之禁，無以苛民也。」（《晏子春秋》〈內篇諫上第一〉）

四肢無心

景公在署梁打獵，十八天沒有回宮。晏子從國都前往署梁拜見景公，衣冠不整，行色匆匆。景公看見晏子，連忙下馬問說：「先生為什麼這樣著急，國家不會有什麼變故吧？」晏子回答說：「也不算太緊急。即便如此，我也希望您能儘快回宮。國人都認為君主醉心田獵不理國事，喜好野獸而厭惡民眾。這怎麼行呢？」景公說：「為什麼？是我審理夫婦間的案件不公正嗎？有泰士子牛在呀。是社稷宗廟沒有祭祀嗎？有泰祝子游在呀。是諸侯賓客來往沒有人接待嗎？有行人子羽在呀。是田野沒有開墾、國庫不充實嗎？有申田在呀。是因為國家的盈虧沒人主管嗎？有先生您在呀。我有你們五人，就像心臟擁有四肢，所以我能夠安逸享樂，這有什麼不行呢？」晏子回答說：「我的理解與您所說的不同。心臟擁有四肢，當然能得安逸；可四肢沒有心臟，十八天不也太漫長了嗎！」景公於是停止田獵，返回國都。

【出處】

景公畋於署梁，十有八日而不返。晏子自國往見公。比至，衣冠不正，不革衣冠，望游而馳。公望見晏子，下而急帶曰：「夫子何為遽？國家無有故乎？」晏子對曰：「不亦急也！雖然，嬰願有復也。國人皆以君為安野而不安國，好獸而惡民，毋乃不可乎？」公曰：「何哉？吾為夫婦獄訟之不正乎？則泰士子牛存矣。為社稷宗廟之不享乎？則泰祝子游存矣。為諸侯賓客莫之應乎？則行人子羽存矣。為田野之不僻，倉庫之不實？則申田存焉。為國家之有餘不足聘乎？則吾子存矣。寡人之有五子，猶心之有四肢，心有四肢，故心得佚焉。今寡人有五子，故寡人得佚焉，豈不可哉！」晏子對曰：「嬰聞之，與君言異。若乃心之有四肢，而心得佚焉，可；得令四肢無心，十有八日，不亦久乎！」公於是罷畋而歸。（《晏子春秋》〈內篇諫上第一〉）

德音不瑕

景公從打獵的地方回來，晏子在遄臺侍迎，梁丘據也趕來了。景公說：「只有梁丘據與我相和呀。」晏子回答說：「梁丘據只能算是相同，怎麼能算相和呢。」景公說：「相和與相同不一樣嗎？」晏子回答說：「不一樣。『相和』就像肉汁湯一樣，水、火、醋、肉醬、鹽、梅，用來烹製魚肉，用柴火來燒煮，廚師調和滋味，味道不足的就再添些，味道太濃了就沖淡一些。君子吃了這些，來平和他的內心。君臣關係也是這樣，君王認為可以的，而其中有不可行之處，臣子指出其中的不可行，而成就其中可行的；君王認為不可行的，而其中有可行的，臣子指出其中可行的，去掉不可行的。所以，政治清平而不相互牴牾，百姓沒有爭奪之心。《詩經》說：『有了調和的肉羹，告誡廚師調和好，敬獻神靈無嫌隙，人們和睦不相爭。』先王調濟五味，協調五種馨香，來使其心平氣和，成就其政事。聲音也和味道一樣，是由一氣、二體、三類、四物、五聲、六律、七音、八風、九歌組成的。清濁、大小、短長、疾徐、哀樂、剛柔、遲速、高下、出入、疏密，相互調濟。君子聽著這些，以使其心平氣和，心平氣和則德義和諧。所以，《詩經》說：『德行倒也真不壞。』現在梁丘據不是這樣，君王認為可行的，梁丘據也認為可行；君王認為不可行的，梁丘據也認為不可行。如果以水調和水，誰能吃它？像琴和瑟合奏一樣單一，誰能聽它？相同的不可取之處就像這樣。」景公說：「好。」

【出處】

景公至自畋，晏子侍於遄臺，梁丘據造焉。公曰：「維據與我和夫！」晏子對曰：「據亦同也，焉得為和。」公曰：「和與同異乎？」對曰：「異。和如羹焉，水火醯醢鹽梅，以烹魚肉，燀之以薪，宰夫和之，齊之以味，濟其不及；以洩其過，君子食之，以平其心。君臣亦然。君所謂可，而有否焉，臣獻其否，以成其可；君所謂否，而有可焉，臣獻其可，以去其否。是以政平而不干，民無爭心。故詩曰：『亦有和羹，既戒既平；奏鬷無言，時靡有爭。』[34]先王之濟五味，和五聲也，以平其心，成其政也。聲亦如味：一氣，二體，三類，四物，五聲，六律，七音，八風，九歌，以相成也；清濁，大小，短長，疾徐，哀樂，剛柔，遲速，高下，出入，周流，以相濟也。君子聽之，以平其心，心平德和。故詩曰：『德音不瑕。』[35]今據不然，君所謂可，據亦曰可；君所謂否，據亦曰否。若以水濟水，誰能食之？若琴瑟之專一，誰能聽之？同之不可也如是。」公曰：「善。」（《晏子春秋》〈外篇第七〉）

言歸者死

田成子到渤海遊玩，非常高興。他下令對諸大夫說：「說要回去的處死。」顏涿聚（顏斶、顏燭)說：「您來海上遊玩得開心，然而臣子中有圖謀篡國的人該怎麼辦？您現在雖然快樂，日後可怎麼辦呢？」田成子說：「我下令說談論回去的處死。現在你違犯了我的命令。」拿起戈來就要擊殺顏涿聚，顏涿聚說：「過去夏桀殺了關龍逄，商紂殺了王子比干；現在您即使殺死我，能夠和關龍逄、比干並列也是可以的。我說話是為國家，不是為自己。」隨即伸著脖頸上前說：「來吧，殺了我吧！」田成子於是放下戈催促駕車趕回都城。回

34.「亦有和羹，既戒既平；奉鬷無言，時靡有爭」，出自《詩經》〈商頌・烈祖〉。

35.「德音不瑕」，出自《詩經》〈豳風・狼跋〉。

城三天之後，得知此前已有人在謀劃不讓田成子回城。

【出處】

昔者田成子游於海而樂之，號令諸大夫曰：「言歸者死。」顏涿聚曰：「君游海而樂之，奈臣有圖國者何？君雖樂之，將安得？」田成子曰：「寡人布令曰『言歸者死』，今子犯寡人之令。」援戈將擊之。顏涿聚曰：「昔桀殺關龍逢而紂殺王子比干，今君雖殺臣之身以三之可也。臣言為國，非為身也。」延頸而前曰：「君擊之矣！」君乃釋戈趣駕而歸。至三日，而聞國人有謀不內田成子者矣。田成子所以遂有齊國者，顏涿聚之力也。故曰：離內遠游，則危身之道也。（《韓非子》〈十過第十〉）

臣獨竊笑

景公在牛山遊玩，向北俯看齊國的國都，流淚說：「為什麼要哀傷地離開國都而死呢？」艾孔、梁丘據都跟著景公一起哭泣。唯獨晏子在一旁發笑。景公一邊揩淚，一邊回頭對晏子說：「我今天遊玩，忽發悲痛，艾孔與梁丘據都跟著我一起痛哭，您卻獨自發笑，為什麼呢？」晏子回答說：「假使賢人長存，那麼太公、桓公就還活著；假使勇者長存，那麼莊公、靈公仍然健在。這幾位君主尚在人世，君主您又怎麼能當上國君呢？因為他們依次為君，又依次死去，君位才輪到您。您為即將死去而流淚，這就是不仁德。我看到一個不仁德的君主，又看到了兩個讒佞的臣子，所以我笑。」

【出處】

景公游於牛山，北臨其國城而流涕曰：「若何滂滂去此而死乎！」艾孔、梁丘據皆從而泣。晏子獨笑於旁，公刷涕而顧晏子曰：「寡人今日遊悲，孔與據皆從寡人而涕泣，子之獨笑，何也？」晏子對曰：「使賢者常守之，則太公、桓公將常守之矣；使勇者常守之，則莊公、靈公將常守之矣。數君者將守之，則吾君安得此位而立焉？以其迭處之，迭去之，至於君也，而獨為之流涕，是不仁也。不仁之君見一，諂諛之臣見二，此臣之所以獨竊笑也。」（《晏子春秋》〈內篇諫上第一〉）

金壺丹書

景公到紀國遊玩，得到一個金壺，於是打開來看。裡面有丹書，寫著：「吃魚不要翻過來，不要騎劣馬。」景公說：「好啊！我知道這話的意思。吃魚不要翻過來，是厭惡它的腥臊；不要騎劣馬，是厭煩它走不了遠路。」晏子回答說：「不是這樣。吃魚不要翻過來，是不要用盡百姓的力量！不要騎劣馬，則是不要將不肖之人放在身邊。」景公說：「紀國有這樣的丹書，為什麼會亡國呢？」晏子回答說：「亡國是有原因的。我聽說，君子有治國的策略，要廣告天下。紀國有丹書，卻裝在壺中，不滅亡還等待什麼呢？」

【出處】

景公游於紀，得金壺，乃發視之。中有丹書，曰：「食魚無反，勿乘駑馬。」公曰:「善哉!知苦言,食魚無反,則惡其鱢也;勿乘駑馬,惡其取道不遠也。」晏子對曰:「不然。食魚無反,毋盡民力乎!勿乘駑馬,則無置不肖於側乎!」公曰:「紀有書,何以亡也?」晏子對曰:「有以亡也。嬰聞之,君子有道,懸之閭。紀有此言,注之壺,不亡何待乎!」(《晏子春秋》〈內篇雜上第五〉)

恩無不逮

齊景公在壽宮遊玩,看見有老年人背著柴火且面有飢色,景公很悲傷,嘆息著說:「唉!讓官府供養他們吧。」晏嬰說:「我聽說喜愛賢才而哀憐無能的人,是守國的根本。現在大王心疼老年人,恩惠無所不及,這是治國的根本啊。」齊景公面帶喜悅地笑了。晏嬰說:「聖明的君主見到賢人就喜歡他們,見到無能的人就同情他們。現在請訪求老年病弱無人供養的人,沒有家室的鰥夫寡婦,根據情況供給他們相應的生活用度。」齊景公說:「好吧。」於是,年老病弱的人都得到供養,鰥夫寡婦也有了家室。

【出處】

景公游於壽宮,睹長年負薪而有飢色,公悲之,喟然嘆曰:「令吏養之。」晏子曰:「臣聞之,樂賢而哀不肖,守國之本也。今君愛老而恩無不逮,治國之本也。」公笑有喜色。晏子曰:「聖王見賢以樂賢,見不肖以哀不肖。今請求老弱之不養,鰥寡之不室者,論而供秩焉。」景公曰:「諾。」於是老弱有養,鰥寡有室。(《說苑》〈貴德〉)

立而以聞

齊景公看見有幼兒在路上乞討，問晏嬰說：「這些孩子都無家可歸嗎？」晏嬰回答說：「有大王在，怎麼會無家可歸呢？如果您撫養他們，馬上就可以贏得仁慈的名聲。」

【出處】

景公睹嬰兒有乞於途者，公曰：「是無歸夫？」晏子對曰：「君存何為無歸，使養之，可立而以聞。」（《說苑》〈貴德〉）

異姓之福

景公出宮到寒涂遊玩，看見路邊有暴露的屍體，沉默著沒有過問。晏子進諫說：「從前先君桓公出遊，看見飢餓的人就給他們飯吃，看見病人就給他們錢物。派遣徭役不勞損民力，徵斂賦稅不耗費民財。先君出遊，百姓都高興地說：『國君該到我們這裡巡遊了吧？』現在君主到寒涂巡遊，方圓四十里的百姓傾盡錢財不夠繳納賦斂，竭盡全力難以完成徭役。飢寒交迫，哀鴻遍野，而國君竟不過問，實在是有失為君之道。財力耗盡，百姓沒有理由敬愛君主；驕恣放縱，國君不可能體愛百姓。上下離心，君臣不親近，這是夏、商、周三代衰亡的原因。現在君主的行為，恰是王族的危險、異姓的福音。」景公說：「你說的對。身在上位而忘了下民，徵斂過重而忘了百姓的生活，我的罪過太大了。」於是盛殮死屍，給百姓發放糧食，處在方圓四十里的百姓一年不服徭役，景公三個月不出遊。

【出處】

景公出遊於寒涂，睹死胔，默然不問。晏子諫曰：「昔吾先君桓公出遊，睹飢者與之食，睹疾者與之財，使令不勞力，籍斂不費民。先君將游，百姓皆說曰：『君當幸游吾鄉乎！』今君游於寒涂，據四十里之氓，殫財不足以奉斂，盡力不能周役民氓，飢寒凍餒，死胔相望，而君不問，失君道矣。財屈力竭，下無以親上；驕泰奢侈，上無以親下。上下交離，君臣無親，此三代之所以衰也。今君行之，嬰懼公族之危，以為異姓之福也。」公曰：「然！為上而忘下，厚藉斂而忘民，吾罪大矣。」於是斂死胔，發粟於民，據四十里之氓不服政其年，公三月不出遊。（《晏子春秋》〈內篇諫上第一〉）

隱君之賜

齊景公飲酒，陳桓子侍陪。陳桓子遠遠看見晏子，稟告景公說：「請大王罰晏子飲酒。」景公問：「為什麼呢？」陳桓子回答說：「晏子穿著粗布衣服，乘坐破車、駕駛劣馬上朝，這分明是要隱瞞君王對他的賞賜啊。」景公說：「好吧。」晏子坐下之後，敬酒的人捧著酒杯上前說：「國君要處罰您。」晏子問：「什麼原因呢？」陳桓子說：「君王賜給您上卿職位，使您的身分尊貴，給予您百萬俸祿以示恩寵，使您家室富有。群臣的爵位沒有誰比您尊貴，俸祿沒有誰比您優厚。現在您卻衣著破舊，乘簡車、駕劣馬上朝，這豈不是隱瞞君王的賞賜嗎？所以罰您。」晏子起身說：「是讓我喝了再解釋呢，還是解釋後再喝？」景公說：「先解釋吧。」晏子說：「君王賜以卿位使我身分顯榮，但我並不是因身分顯榮才接受上卿職位，而是為了君令得到貫徹；君王賜以百萬俸祿使我家室富有，但我並非因家庭富有而接受厚祿，只是為了君王的賞賜能順利下達。我聽說古代的賢臣，有領受優厚賞賜而不顧國家利益的，有身居要職卻不能勝任的，都要予以責罰。君王宮內的部屬，好比我的父兄，如果有流離失所的，這是我的罪過；君王宮外的部屬，在我職責管轄之內，假若有漂泊在外的，也是我的罪過；武器裝備不全，戰車不修，還是我的罪過。但要說乘破車劣馬來朝，想來不是我的罪過。且我憑著君王的賞賜，父輩個個有車乘，母輩人人豐衣足食，連我妻子的家族也沒有受凍挨餓的，國都的那些游士，等待我接濟才有飯吃的就有數百家。我想問：這是隱瞞君王的賞賜呢，還是顯示君王的賞賜？」齊景公激動地說：「好！替我罰陳桓子喝酒！」

【出處】

景公飲酒，陳桓子侍，望見晏子，而復於公曰：「請浮晏子。」公曰：「何故也？」對曰：「晏子衣緇布之衣，麋鹿之裘，棧軫之車，而駕駑馬以朝，是隱君之賜也。」公曰：「諾。」酌者奉觴而進之，曰：「君命浮子。」晏子曰：「何故也？」陳桓子曰：「君賜之卿位，以尊其身，寵之百萬，以富其家，群臣之爵，莫尊於子，祿莫厚於子，今子衣布衣之衣，麋鹿之裘，棧軫之車，而駕駑馬以朝，則是隱君之賜也，故浮子。」晏子避席曰：「請飲而後辭乎？其辭而後飲乎？」公曰：「辭然後飲。」晏子曰：「君賜卿位，以顯其身，嬰不敢為顯受也，為行君令也；寵之百萬，以富其家，嬰不敢為富受也，為通君賜也。臣聞古之賢君，臣有受厚賜而不顧其國族，則過之。臨事守職不勝其任，則過之。君之內隸，臣之父兄，若有離散在於野鄙者，此臣之罪也；君之外隸，臣之所職，若有播亡在於四方者，此臣之罪也；兵革不完，戰車不修，此臣之罪也。若夫敝車駑馬以朝主者，非臣之罪也！且臣以君之賜，臣父之黨無不乘車者，母之黨無不足以衣食者，妻之黨無凍餒者，國之簡士，待臣而後舉火者數百家，如此為隱君之賜乎？彰君之賜乎？」公曰：「善，為我浮桓子也。」（《說苑》〈臣術〉）

禮不可去

齊景公喝酒喝得高興，脫了衣服和帽子，親自敲缶，對身邊人說：「仁德之士也喜歡這種享受嗎？」梁丘子回答說：「仁德之士的耳朵和眼睛也和芸芸眾生一樣，為什麼就不能喜歡這種享受呢？」景公說：「趕快套車去接晏子來。」晏子穿著朝服進來。景公說：「寡人覺得這種享受太愜意了，願意和先生一起快樂，請不要拘於什麼禮法。」晏子答道：「主公的這句話不對。齊國那些五尺高的後生，氣力個個比晏嬰和主公大，之所以不敢犯上作亂，原因就在於畏懼禮法。上位的人如果沒講禮，就沒辦法驅使部下；下屬如果不知禮，就不能為上司效勞。那些麋鹿因為不知禮法，所以父子可以跟同一頭母鹿交配。人之所以比禽獸高貴，就是因為有禮法在啊。《詩經》裡說：『人要不知禮義，還不如快快死去。』所以禮法是必須講究的。」

景公說：「寡人不良，左右親信誘導寡人沉迷酒色，以致墮落到了這個地步，我希望把他們統統殺掉。」晏子說：「他們有什麼罪？主公如果講究禮數，左右親信中守禮法的人就會親近主公，不守禮法的就會引退；主公要是討厭禮法，情況也是一樣。」景公說：「好。讓我換上禮服，再恭聽您的指教。」於是中止酒宴，更換杯盞，穿著禮服坐下。敬酒三杯之後，晏子就快步離開了。

【出處】

齊景公飲酒而樂，釋衣冠自鼓缶，謂侍者曰：「仁人亦樂是夫？」梁丘子曰：「仁人耳目亦猶人也？奚為獨不樂此也。」公曰：「速駕迎晏子。」晏子朝服以至。公曰：「寡人甚樂此樂也，願與夫子共之，請去禮。」晏子對曰：「君之言過矣，齊國五尺之童子，力盡勝嬰而又勝君，所以不敢亂者，畏禮也。上若無禮，無以使其下；下若無禮，無以事其上。夫麋鹿唯無禮，故父子同麀。人之所以貴於禽獸者，以有禮也，詩曰：『人而無禮，胡不遄死？』[36]故禮不可去也。」公曰：「寡人無良，左右淫湎寡人，以致於此，請殺之。」晏子曰：「左右無罪，君若好禮，左右有禮者至，無禮者去。君若惡禮，亦將如之。」公曰：「善。請革衣冠，更受命。」乃廢酒而更尊朝服而坐，觴三行，晏子趨出。（《新序》〈刺奢第六〉）

36.「人而無禮，胡不遄死」，出自《詩經》〈鄘風・相鼠〉。

僅得不亡

齊景公深夜飲酒，移駕到晏子家裡。使者先到向晏子家通報說：「國君駕到。」晏子披上禮服，迎到門口說：「大王該不會有什麼事情吧？國家該不會有什麼變故吧？為什麼這麼晚找我呢？」齊景公說：「美酒的味道，悅耳的音樂，想要與先生同樂共享。」晏子回答說：「鋪設座席、陳列器皿有專人負責，臣不敢參與這件事。」齊景公說：「轉移到司馬穰苴家中去。」使者於是前往通報說：「國君駕到。」司馬穰苴披甲戴盔，手拿長戟迎到門口說：「大王該不是有戰事吧？大臣中該不是有叛亂吧？為什麼夜晚駕臨呢？」齊景公說：「美酒的味道，悅耳的樂聲，我想與將軍共享。」司馬穰苴回答說：「鋪設座席、陳列器皿有專人負責，臣不敢參與其中。」齊景公說：「轉移到梁丘據家中去。」使者於是再往通報說：「國君駕到。」梁丘據左手拿瑟，右手擎竽，唱著歌迎出門來。齊景公說：「今夜我飲酒真快樂啊！如果沒有晏子、司馬穰苴這兩個人，怎麼能治理好我的國家？如果沒有梁丘據這位臣子，怎麼能使我身心快樂呢？」君子說：「賢能聖明的君王，只有交好的益友，而無貪圖享樂的臣子；景公身邊這兩種人都有，只能不亡國而已。」

【出處】

景公飲酒，移於晏子家，前驅報閭，曰：「君至。」晏子被玄端，立於門，曰：「諸侯得微有故乎？國家得微有故乎？君何為非時而夜辱？」公曰：「酒醴之味，金石之聲，願與夫子樂之。」晏子對曰：「夫布薦席、陳簠簋者有人，臣不敢與焉。」公曰：「移於司馬穰苴之家。」前驅報閭，曰：「君至。」司馬穰苴介冑操戟，立於門，曰：「諸侯得微有兵乎？大臣得微有叛者乎？君何為非時而夜辱？」公曰：「酒醴之味，金石之聲，願與夫子樂之。」對曰：「夫布薦席、陳簠簋者有人，臣不敢與焉。」公曰：「移於梁丘據之家。」前驅報閭，曰：「君至。」梁丘據左操瑟，右挈竽，行歌而至。公曰：「樂哉！今夕吾飲酒也。微彼二子者，何以治吾國？微此一臣者，何以樂吾身？君子曰：賢聖之君，皆有益友，無偷樂之臣。景公弗能及，故兩用之，僅得不亡。」（《說苑》〈正諫〉）

公呼具火

晏子請齊景公飲酒，天黑了，景公招呼讓準備火燭。晏子推辭說：「《詩經》上說『頭上的帽子歪戴著』，說的是喝酒失德的樣子；『醉舞不停』，講的是醉後失態；『既使我飽飲好酒，又使我盡享恩德』，『喝酒恰到好處，賓主共享其福』，講的是賓對主的禮節。『喝醉了還要繼續，這是在傷害品德』，講的是賓對主的不敬。我只是占卜了白天請您喝酒，沒有占卜晚上宴請您。」齊景公說：「好吧。」舉起酒祭過天地，拜了兩拜告別了晏子，對身邊的侍從說：「能責怪我嗎？我把國政託付給晏子。他雖然家貧卻竭誠招待我，不讓我奢侈，何況他與我共謀國事呢？」

【出處】

晏子飲景公酒，日暮，公呼具火，晏子辭曰：「詩曰：『側弁之俄。』言失德也。『屢舞傞傞。』言失容也。『既醉以酒，既飽以德。』『既醉而出，並受其福。』賓主之禮也。『醉而不出，是謂伐德。』[37]賓主之罪也。嬰已卜其日，未卜其夜。」公曰：「善。」舉酒而祭之，再拜而出，曰：「豈過我哉？吾托國於晏子也。以其家貧善寡人，不欲淫侈也，而況與寡人謀國乎？」（《說苑》〈反質〉）

無有獨樂

晏子請齊景公飲酒，命令酒具必須準備新的。家臣說：「錢不夠用，請讓我找周邊百姓攤派一下。」晏子說：「不行。歡樂應該上下共同享受，所以天子與天下的臣民同樂，諸侯與境內的臣民同樂，大夫以下與自己的僚屬同樂，沒有獨自一人享樂的。現在居上位的人自得其樂，居下位的百姓卻要為額外開支傷心，這是獨樂而不是同樂，不能這麼做。」

【出處】

晏子飲景公酒，令器必新，家老曰：「財不足，請斂於民。」晏

37.「側弁其俄，屢舞傞傞」，出自《詩經》〈小雅・賓之初筵〉；「既醉以酒，既飽以德」，出自《詩經》〈大雅・既醉〉；「既醉而出，並受其福」，出自《詩經》〈小雅・賓之初筵〉；「醉而不出，是謂伐德」，出自《詩經》〈小雅・賓之初筵〉。

子曰：「止。夫樂者上下同之，故天子與天下，諸侯與境內，自大夫以下，各與其僚，無有獨樂。今上樂其樂，下傷其費，是獨樂者也，不可。」（《說苑》〈貴德〉）

願君廢酒

齊景公好酒貪杯，一連喝了七天七夜。大夫弦章進諫說：「您喝了七天七夜的酒，我希望您不要再喝了，不然的話，就賜我死。」晏子拜見，景公對他說：「弦章勸誡我說：『希望您不要再喝了，不然的話，就賜我死。』如果聽他的勸告，那我就被臣下控制了；假如不聽，我又捨不得處死他。」晏子回答說：「弦章遇到您這樣的國君，真是幸運！假使遇到夏桀、殷紂那樣的暴君，弦章早就死於非命了。」齊景公於是讓人撤去酒席。

【出處】

景公飲酒，七日七夜不止。弦章諫曰：「君飲酒七日七夜，章願君廢酒也。不然，章賜死。」晏子入見，公曰：「章諫吾曰：『願君之廢酒也。不然，章賜死。』如是而聽之，則臣為制也；不聽，又愛其死。」晏子曰：「幸矣，章遇君也！令章遇桀、紂者，章死久矣。」於是公遂廢酒。（《晏子春秋》〈內篇諫上第一〉）

何為無德

齊景公的賞賜遍及後宮，樓臺水榭披錦掛繡，池中的水鳥食菽吃豆。他出宮的時候看見餓死的人，問晏子說：「這人是怎麼死的？」晏子回答說：「是餓死的。」齊景公頗感驚訝說：「唉！我竟然無德到這種程度嗎？」晏子回答說：「君王恩德昭著，怎麼能說無德呢？」齊景公說：「你這話什麼意思？」晏子回答說：「君王的恩德遍及後宮和亭臺水榭，玩物披錦掛繡，水鳥以菽豆為食。君王在內宮縱情享樂，恩澤惠及宮人，怎能說無德呢！不過我對您有個請求：請君王把獨自享樂的心情，從內宮擴大到全國民眾，那樣就不會有餓死的人了。君王若只顧經營內宮的歡場，使天下財貨聚斂一處，錢糧在府庫中腐爛，恩澤不普施於全國，這是夏桀、商紂的作為啊。士人百姓之所以會反叛朝廷，都是由君主偏私造成的。君主如果能認真考慮我的意見，讓盛德廣布天下，那就是商湯、周武王一樣的聖君了。」

【出處】

齊景公嘗賞賜及後宮，文繡被臺榭，菽粟食鳧雁。出而見殣，謂晏子曰：「此何為死？」晏子對曰：「此餧而死。」公曰：「嘻！寡人之無德也何甚矣！」晏子對曰：「君之德著而彰，何為無德也？」景公曰：「何謂也？」對曰：「君之德及後宮與臺榭；君之玩物，衣以文繡；君之鳧雁，食以菽粟；君之營內自樂，延及後宮之族：何為其無德也？顧臣願有請於君：由君之意，自樂之心，推而與百姓同之，則何殣之有？君不推此，而苟營內好私，使財貨偏有所聚，菽粟幣帛，腐於囷府，惠不遍加於百姓，公心不周乎萬國，則桀、紂之所以亡也。夫士民之所以叛，由偏之也。君如察臣嬰之言，推君之盛德，公布之於天下，則湯、武可為也，一殣何足恤哉？」（《說苑》〈至公〉）

士師之策

齊景公在國內設宴賞賜，有三人獲得萬鍾糧食的賞賜，有五人獲得千鍾糧食的賞賜。命令發出多次，職計[38]卻不執行。景公大怒，下令罷免職計。命令下達多次，執掌刑獄的士師也不聽從。景公非常惱怒，對晏子說：「我聽說，統治國家的君主，寵愛誰就能賞賜誰，厭惡誰就能罷免誰。現在我寵愛的人不能受賞，厭惡的人不能罷免，已失去為君的權柄了。」晏子說：「我聽說君主行正道臣子服從叫作順；君主邪僻臣子服從叫作逆。現在君主賞賜專進讒言、阿諛奉承的人卻命令官吏聽從，就是使君主失去為君之道，臣子放棄職守。古代的帝王實施賞賜，是為了勉勵人們從善；實施懲罰，是為了禁止暴戾行為。過去夏、商、周三代興盛的原因，是有利於國家的就喜愛，有害於國家的就厭惡。所以昭明所愛，賢良的人就增多；昭明所惡，奸邪的人就絕跡。天下政治清平，百姓和睦團結。到衰敗的時候，行為惰怠輕率，生活逸蕩享樂，順從自己的就喜歡他，違背自己的就厭惡。所以昭明所愛，邪僻的人增多；昭明所惡，賢良的人絕跡。百姓離散，國家危亡。君主向上不思考聖王興盛的原因，向下不記取惰怠之

38. 職計：執掌計算的官吏。

士師之策

君衰敗的教訓，我擔心君主違背治國之道，使官吏不敢諍諫，以至國家覆亡，危及宗廟。」景公說：「是我不明智啊，請按照士師的意見行事。」於是國內的賞祿被追回了十分之三。

【出處】

景公燕賞於國內，萬鍾者三，千鍾者五，令三出，而職計莫之從。公怒，令免職計，令三出，而士師莫之從。公不說。晏子見，公謂晏子曰：「寡人聞君國者，愛人則能利之，惡人則能疏之。今寡人愛人不能利，惡人不能疏，失君道矣。」晏子曰：「嬰聞之，君正臣從謂之順，君僻臣從謂之逆。今君賞讒諛之民，而令吏必從，則是使君失其道，臣失其守也。先王之立愛，以勸善也，其立惡，以禁暴也。昔者三代之興也，利於國者愛之，害於國者惡之，故明所愛而賢良眾，明所惡而邪僻滅，是以天下治平，百姓和集。及其衰也，行安簡易，身安逸樂，順於己者愛之，逆於己者惡之，故明所愛而邪僻繁，明所惡而賢良滅，離散百姓，危覆社稷。君上不度聖王之興，而下不觀惰君之衰，臣懼君之逆政之行，有司不敢爭，以覆社稷，危宗廟。」公曰：「寡人不知也，請從士師之策。」國內之祿，所收者三也。（《晏子春秋》〈內篇諫上第一〉）

裂衣斷帶

齊景公喜歡看婦女著男裝，都城的女人以為時髦，競相倣效。齊景公派官吏禁止這件事，下令說：「凡是女子打扮成男子的，撕破她的衣服，割斷她的腰帶。」儘管裂衣斷帶的人到處可見，女性穿男裝的風氣仍然不能禁止。晏子拜見景公，景公問他說：「我派官吏禁止女子穿戴男人的服飾，撕破她們的衣服，割斷她們的腰帶，仍然不能禁止，這可怎麼辦呢？」晏子回答說：「您在宮內讓女人穿這種服飾，卻在宮外禁止這種穿戴，這就好比在門上懸掛牛頭，卻叫人來買馬肉一樣。您何不禁止宮中女人穿戴男人服飾呢？」齊景公說：「好。」於是命令宮內女人一概不准穿戴男裝，不到一個月，宮外再見不到穿男裝的女子。

【出處】

景公好婦人而丈夫飾者，國人盡服之。公使吏禁之，曰：「女子而男子飾者，裂其衣，斷其帶。」裂衣斷帶相望而不止。晏子見，公曰：「寡人使吏禁女子而男子飾者，裂其衣斷其帶相望而不止者，何也？」對曰：「君使服之於內，而禁之於外，猶懸牛首於門，而求買馬肉也。公胡不使內勿服，則外莫敢為也。」公曰：「善！」使內勿服，不旋月，而國莫之服也。（《說苑》〈政理〉）

勿傷吾仁

齊景公有匹馬，被他的馬伕殺死了。齊景公很生氣，操起長戈要殺死馬伕。晏子說：「這樣殺他，他並不知道自己犯了什麼罪，讓我來替您數說他的罪過再殺他不遲。」齊景公說：「好吧。」晏子舉起長戈對馬伕說：「你為國君養馬卻把馬殺死了，這是第一樁死罪；你使國君因為馬的原因殺了養馬人，這是第二樁死罪；你使國君因為馬的緣故而殺人傳遍四鄰諸侯，這是你的第三樁死罪。」齊景公說：「先生放了他，放了他！不要因此傷害了我仁愛的名聲。」

【出處】

景公有馬，其圉人殺之，公怒，援戈將自擊之。晏子曰：「此不知其罪而死，臣請為君數之，令知其罪而殺之。」公曰：「諾。」晏子舉戈而臨之曰：「汝為吾君養馬而殺之，而罪當死；汝使吾君以馬之故殺圉人，而罪又當死；汝使吾君以馬故殺人，聞於四鄰諸侯，汝罪又當死。」公曰：「夫子釋之！夫子釋之！勿傷吾仁也。」（《說苑》〈正諫〉）

趣庖治狗

齊景公的獵狗死了，景公命令予以厚葬和祭奠。晏子聽說後入宮勸諫。景公說：「不過是件小事情，同身邊的人取樂而已。」晏子說：「君王錯了。您徵收重稅卻不用來做對百姓有益的事，反而浪費資財與身邊的人取樂，那國家還有什麼希望？孤兒老人挨餓受凍，一條死狗卻能得到祭奠；鰥夫寡婦不得憐恤，一條死狗卻以棺木厚殮。行為邪僻如此，百姓聽說這種事，一定會怨恨您；諸侯聽說這件事，一定會輕視齊國。在百姓中積聚怨恨，在諸侯中降低威望，君主卻認為這是件小事情，您好好考慮一下吧。」景公說：「好。」於是讓廚師把狗烹了宴請朝臣。

【出處】

景公走狗死，公令外共之棺，內給之祭。晏子聞之，諫。公曰：「亦細物也，特以與左右為笑耳。」晏子曰：「君過矣！夫厚藉斂不以反民，棄貨財而笑左右，傲細民之憂，而崇左右之笑，則國亦無望已。且夫孤老凍餒，而死狗有祭，鰥寡不恤，死狗有棺，行辟若此，百姓聞之，必怨吾君，諸侯聞之，必輕吾國。怨聚於百姓，而權輕於諸侯，而乃以為細物，君其圖之。」公曰：「善。」趣庖治狗，以會朝屬。（《晏子春秋》〈內篇諫下第二〉）

下有直辭

齊景公大白天披頭散髮，帶著婦人乘坐輦車從宮中正門出來。受刖刑的守門人拍打馬背讓景公返回宮內，並且說：「您不像我們的國君。」齊景公感到羞愧，沒有上朝。晏子入宮求見，齊景公說：「我依靠您和諸位大夫的輔佐，能夠統領百姓並保住國家，現在卻被受刖刑的守門人羞辱，這對國家也是恥辱，我還有臉與列國諸侯平起平坐嗎？」晏子回答說：「國君千萬不要記恨這件事。我聽說：下無直言，上無明君；百姓講話忌諱多，國君就有驕奢的行為。君主好善，百姓講話就沒有忌諱。現在國君有了過失，守門人敢於直言，這是國君的福氣，所以我是來恭賀的。請君主獎賞守門人，以顯示君主好善；對他以禮相待，以顯示君主能夠納諫。」齊景公笑著說：「這樣做可以嗎？」晏子說：「當然可以。」於是景公下令給予受刖刑的守門人厚賞。

【出處】

景公正晝被髮，乘六馬，御婦人，以出正閨。刖跪擊其馬而反之，曰：「爾非吾君也。」公慚而不朝。晏子睹裔款而問曰：「君何故不朝？」對曰：「昔者，君正晝被髮，乘六馬，御婦人，以出正閨，刖跪擊其馬而反之，曰：『爾非吾君也。』公慚而反，不果出，是以不朝。」晏子入見，公曰：「昔者，寡人有罪，被髮，乘六馬以出正閨，刖跪，擊其馬而反之，曰：『爾非吾君也。』寡人以子大夫之賜，得率百姓以守宗廟，今見戮於刖跪，以辱社稷，吾猶可以齊於諸侯乎？」晏子對曰：「君無惡焉。臣聞之，下無直辭，上有隱君；民多諱言，君有驕行。古者，明君在上，下有直辭，君上好善，民無諱言。今君有失行，而刖跪有直辭，是君之福也，故臣來慶。請賞之，以明君之好善；禮之，以明君之受諫！」公笑曰：「可乎？」晏子曰：「可。」於是令刖跪倍資無正，時朝無事。（《說苑》〈正諫〉）

重鳥而輕士

齊景公喜歡玩鳥，派燭雛養鳥卻讓鳥飛走了。齊景公很生氣，要殺死燭雛。晏子說：「燭雛有罪，請讓我先數說他的罪過再殺死他。」齊景公說：「行。」於是晏子把燭雛叫到齊景公面前，數說他的罪過說：「你為國君養鳥卻讓它們飛走了，這是第一宗罪；使國君因鳥殺人，這是第二宗罪；使諸侯認為我們的國君看重鳥而輕賤士人，這是第三宗罪。」晏子數說完燭雛的罪過，讓景公殺他。景公說：「算了吧！謝謝你提醒我。」

【出處】

景公好弋，使燭雛主鳥而亡之，景公怒而欲殺之，晏子曰：「燭雛有罪，請數之以其罪，乃殺之。」景公曰：「可。」於是乃召燭雛數之景公前，曰：「汝為吾君主鳥而亡之，是一罪也；使吾君以鳥之故殺人，是二罪也；使諸侯聞之以吾君重鳥而輕士，是三罪也。數燭雛罪已畢，請殺之。」景公曰：「止，勿殺而謝之。」（《說苑》〈正諫〉）

鷇弱故反

齊景公掏小鳥，小鳥太幼弱，所以又放回窩裡。晏子知道了這件事，不等齊景公召請便進宮拜見。齊景公驚出一身冷汗。晏子問說：「大王今天做了什麼？」齊景公說：「我去掏小鳥，小鳥太幼弱了，所以我又放回窩裡了。」晏子跪拜祝賀說：「君主有聖王的德行了。」景公問說：「怎麼解釋呢？」晏子回答說：「大王您掏小鳥，見小鳥幼弱放回窩裡，這是幫助幼小的成長。大王的仁愛能加於禽獸，何況對百姓呢？這就是聖王的德行啊！」

【出處】

景公探爵鷇，鷇弱，故反之。晏子聞之，不待請而入見。景公汗出惕然。晏子曰：「君胡為者也？」景公曰：「我采爵鷇，鷇弱，故反之。」晏子逡巡北面再拜而賀曰：「吾君有聖王之道矣。」景公曰：「寡人入探爵鷇，鷇弱，故反之，其當聖王之道者何也？」晏子

對曰：「君探爵鷇，鷇弱，故反之，是長幼也。吾君仁愛，禽獸之加焉，而況於人乎？此聖王之道也。」（《說苑》〈貴德〉）

逡巡作色

林既穿著皮衣朝見齊景公。齊景公問他說：「這是君子的服裝呢，還是小人的服裝？」林既退後兩步，神色嚴肅地說：「僅僅憑著裝怎麼能看出士人的品行呢？從前楚國人好佩長劍戴高帽，令尹子西就出在那裡；齊國好穿短衣戴『遂偞』的帽子，管仲、隰朋就出在那裡；越國人喜歡紋身剪短髮，范蠡、文種就出在那裡；西戎人衣襟向左開口，梳椎形的髮辮，由余就出在那裡。如果像您說的那樣，穿狗皮衣的人應當學狗叫，穿羊皮衣的應當學羊叫，那您身穿狐皮衣上朝，想來應該學狐狸叫吧？」齊景公說：「你真是個勇敢強悍的人啊！我還從來沒聽過你這種詭辯。你這是與鄰人爭強呢，還是想勝過千乘之君？」林既說：「我不明白您的意思。登臨高山面對危崖，能眼不花、腿不軟的，這是工匠的勇敢強悍；潛入深淵刺殺蛟龍，能捉住黿鼉而出的，這是漁夫的勇敢強悍；進入深山刺殺虎豹，能捉住熊羆而歸的，這是獵人的勇敢強悍；不怕斷頭破腹，流血拋屍於荒野，這是武夫的勇敢強悍。現在我站在高大的朝廷上，冒犯君怒而慷慨直言，眼前有高官厚賞卻毫不動心，身後有斧質相脅而無所畏懼，這就是我的勇敢強悍。」

【出處】

林既衣韋衣，而朝齊景公，齊景公曰：「此君子之服也？小人之服也？」林既逡巡而作色曰：「夫服事何足以端士行乎？昔者，荊為長劍危冠，令尹子西出焉；齊短衣而遂傑之冠，管仲、隰朋出焉；越文身剪髮，范蠡、大夫種出焉；西戎左衽而椎結，由余亦出焉。即如君言，衣狗裘者當犬吠，衣羊裘者當羊鳴，且君衣狐裘而朝，意者得無為變乎？」景公曰：「子真為勇悍矣，今未嘗見子之奇辯也。一鄰之鬥也，千乘之勝也？」林既曰：「不知君之所謂者何也。夫登高臨危，而目不眴，而足不陵者，此工匠之勇悍也；入深淵，刺蛟龍，抱黿鼉而出者，此漁夫之勇悍也；入深山，刺虎豹，抱熊羆而出者，此獵夫之勇悍也；不難斷頭，裂腹，暴骨流血中流者，此武士之勇悍也。今臣居廣廷，作色端辯以犯主君之怒，前雖有乘軒之賞，未為之動也；後雖有斧質之威，未為之恐也：此既之所以為勇悍也。」（《說苑》〈善說〉）

商羊起舞

商羊是傳說中的神鳥，商羊起舞是大雨將臨的徵兆。一天，齊景公發現一隻獨腳的大鳥飛入宮殿，停在大殿前單腳跳舞，跳得很歡。景公沒見過這種鳥，覺得奇怪，就派人去問孔子。孔子告訴他說：「這種鳥叫商羊，像兒童玩單腳跳，邊跳邊展翅飛舞，是天要下暴雨的徵兆。商羊出現在齊國，應當告訴百姓修堤造渠，防備水患。」不久果然天降大雨，鄰國都發了洪水，只有齊國因提前做好準備而避過災禍。弟子們向孔子請教，孔子說：「以前小兒唱的歌謠說：『楚王渡江，獲得萍實，大小像拳頭，鮮紅如朝日，剖開吃它，甜美如蜜。』後來歌謠在楚國應驗了。又有小兒手拉手、彎曲一隻腳跳著唱：『天要下大雨，商羊先跳舞。』現在在齊國也應驗了。」

【出處】

齊有飛鳥，一足，來下，止於殿前，舒翅而跳。齊侯大怪之，又使聘問孔子。孔子曰：「此名商羊，急告民，趣治溝渠，天將大雨。」於是如之。天果大雨，諸國皆水，齊獨以安。孔子歸，弟子請問。孔子曰：「異哉！小兒謠曰：『楚王渡江，得萍實。大如拳，赤如日。剖而食之，美如蜜。』此楚之應也。兒又有兩兩相牽，屈一足而跳，曰：『天將大雨，商羊起舞。』今齊獲之，亦其應也。」夫謠之後，未嘗不有應隨者也。故聖人非獨守道而已也，睹物記也，即得其應矣。（《說苑》〈辨物〉）

以眾圖財

齊景公種了一些竹子，命令小吏好好看守它。景公出宮，路過竹林，發現有人在偷砍竹子。景公駕車追趕，抓到他關押起來準備治罪。晏子進來拜見說：「君王聽說過我們的先王丁公嗎？」景公說：「丁公如何？」晏子說：「丁公攻下曲城後，不妄動萊人的財物，遷出城中居住的萊人。丁公每日到曲城理事，有人用車子拉著死人出城，丁公覺得奇怪，命令小吏察看，發現車裡藏著金子寶玉。小吏請求殺死拉車的人，沒收金玉。丁公說：『用武力攻下城邑，又憑藉人多勢眾奪取錢財，這不仁義。況且我聽說，做國君的，對百姓應該寬厚仁慈，不親自下令行刑殺人。』於是下令放行。」景公說：「好。」晏子退下，景公命令釋放了偷砍竹子的人。

【出處】

景公樹竹，令吏謹守之。公出，過之，有斬竹者焉，公以車逐，得而拘之，將加罪焉。晏子入見，曰：「君亦聞吾先君丁公乎？」公曰：「何如？」晏子曰：「丁公伐曲沃，勝之，止其財，出其民。公日自蒞之，有輿死人以出者，公怪之，令吏視之，則其中金與玉焉。吏請殺其人，收其金玉。公曰：『以兵降城，以眾圖財，不仁。且吾聞之，人君者，寬惠慈眾，不身傳誅。』令舍之。」公曰：「善！」晏子退，公令出斬竹之囚。（《晏子春秋》〈內篇諫下第二〉）

齊傷槐女

齊傷槐女，指的是因傷害槐樹而將受刑的衍的女兒，名叫婧娘。景公很喜歡一棵槐樹，派專人看守，還在樹下掛了塊牌子，上面寫道：「冒犯槐樹者要受刑，傷害槐樹者要處死。」一天，衍因為喝醉酒碰傷了槐樹，景公說：「這是首先觸犯我禁令的人！」於是下令拘捕他，準備予以嚴懲。婧娘很擔心父親，就找到相國晏子門前說：「賤妾有些話，忍不住想對相國說。」晏子聽了笑著說：「我晏嬰有好色之名嗎？怎麼老了還有人私奔來投？多半有個緣故吧，讓她進來。」等到見面，才發現她愁眉緊鎖。問起原因，婧娘回答說：「我的父親衍有幸生活在都城，他看見陰陽不調，風雨違時，五穀不豐，就到名山大川去禱告，酒喝多了，觸犯了君王的命令，其罪該死。但我聽說賢明的君王治理國家不因私害公，不為六畜傷害老百姓，不為野草傷害稻苗。從前宋景公的時候，天旱三年不下雨，於是讓太祝占卜，得出的結論是要以人來祭祀。景公走下殿堂，向北方叩頭說：我之所以求雨，是為我的百姓，如果說一定要以人來祭祀，那就犧牲我吧。話未說完，天就降下大雨。為什麼會出現這種情形？因為景公心繫百姓感動了上天。如今我們的君主，竟然為槐樹下令『犯槐者刑，傷槐者死』，還準備為一棵槐樹殺死我父親，讓我變成孤兒。我擔心這樣做會傷害執政的法令，並且影響明君的正義！鄰邦聽說這件事，會以為齊國的君主愛樹賤人，這怎麼行呢？」晏子認為很有道理，次日上朝對景公說：「我聽說攫取百姓的財力是暴，熱衷於玩樂、嚴刑峻法是逆，濫殺無辜是賊。這三種行為是危害國家的大忌。如今君主搜刮民財置辦精美的食具，這不是暴嗎？建造華麗的宮室，醉心於鐘鼓音樂，這不是逆嗎？要把冒犯槐樹的人抓起來處死，這不是賊嗎？」景公說：「寡人恭敬地接受你的意見。」等晏子一走，景公就下令撤走守護槐樹的差役，摘掉那塊告示牌，廢除傷害槐樹的刑法，放出冒犯槐樹的囚徒。君子稱讚說：「衍的女兒能以言辭使父親免罪。」《詩經》中說的「請你深思熟慮，此話是否在理」，就是這個意思啊。

【出處】

齊傷槐女者，傷槐衍之女也，名婧。景公有所愛槐，使人守之，植木懸之，下令曰：「犯槐者刑，傷槐者死。」於是衍醉而傷槐。景公聞之曰：「是先犯我令。」使吏拘之，且加罪焉。婧懼，乃造於相晏子之門，曰：「賤妾不勝其欲，願得備數於下。」晏子聞之，笑曰：「嬰其有淫色乎，何為老而見奔？殆有說。內之至哉！」既入門，晏子望見之曰：「怪哉，有深憂！」進而問焉。對曰：「妾父衍幸得充城郭為公民，見陰陽不調，風雨不時，五穀不滋之故，禱祠於名山神水。不勝曲蘗之味，先犯君令，醉至於此，罪故當死。妾聞明君之蒞國也，不損祿而加刑，又不以私恚害公法，不為六畜傷民人，不為野草傷禾苗。昔者宋景公之時，大旱，三年不雨，召太卜而卜之，曰：『當以人祀之。』景公乃降堂，北面稽首曰：『吾所以請雨者，乃為吾民也。今必當以人祀，寡人請自當之。』言未卒，天大雨，方千里。所以然者，何也？以能順天慈民也。今吾君樹槐，令犯者死。欲以槐之故殺婧之父，孤妾之身，妾恐傷執政之法而害明君之義也。鄰國聞之，皆謂君愛樹而賤人，其可乎！」晏子惕然而悟。明日朝，謂景公曰：「嬰聞之，窮民財力謂之暴；崇玩好，威嚴令謂之逆；刑殺不正謂之賊。夫三者，守國之大殃也。今君窮民財力，以美飲食之具，繁鐘鼓之樂，極宮室之觀，行暴之大者也。崇玩好，威嚴令，是逆民之明者也。犯槐者刑，傷槐者死。刑殺不正，賊民之深者也。」公曰：「寡人敬受命。」晏子出，景公即時命罷守槐之役，拔植懸之木，廢傷槐之法，出犯槐之囚。君子曰：「傷槐女能以辭免。」詩云：「是究是圖，亶其然乎！」[39]此之謂也。（《列女傳》〈辯通傳〉）

39.「是究是圖，亶其然乎」，出自《詩經》〈小雅・常棣〉。

景公為履

齊景公讓魯國的鞋匠為他做了一雙鞋子，以黃金為鞋帶，用白銀裝飾，用珍珠美玉點綴。鞋長一尺，冬天穿著它上朝聽政。晏子朝見，齊景公出迎，鞋子太重，幾乎抬不起腳。景公說：「天很冷吧？」晏子看著景公的鞋說：「是君王冷吧？古代聖人製作服裝，冬季質輕而溫暖，夏季質輕而涼爽；現在君王的鞋卻又重又涼。鞋子過重會增加腳的負擔，這是很顯然的道理。這個魯國鞋匠有三條罪狀：不知冷熱適度、輕重適當，是第一條罪狀；製作鞋子不合常情，使君主遭諸侯嘲笑，這是第二條罪狀；耗費巨資令百姓怨恨，這是第三條罪狀。請把他關押起來，讓官吏治罪。」景公認為鞋匠很辛勞，要求放過他。晏子說：「不行。我聽說自身勞苦做好事的人，應該予以厚賞；自身勞苦做壞事的人，應該予以重罰。」景公不能回答。晏子出來，讓官吏抓住魯國鞋匠，將他驅逐出境。景公脫掉金玉做的鞋子，再也不敢穿了。

【出處】

景公為履，黃金之綦，飾以銀，連以珠，良玉之絇，其長尺，冰月服之以聽朝。晏子朝，公迎之，履重，僅能舉足，問曰：「天寒乎？」晏子曰：「君奚問天之寒也？古聖人製衣服也，冬輕而暖，夏輕而清。今君之履，冰月服之，是重寒也，履重不節，是過任也，失生之情矣。故魯工不知寒溫之節，輕重之量，以害正生，其罪一也；作服不常，以笑諸侯，其罪二也；用財無功，以怨百姓，其罪三也。

請拘而使吏度之。」公苦，請釋之。晏子曰：「不可。嬰聞之，苦身為善者，其賞厚；苦身為非者，其罪重。」公不對。晏子出，令吏拘魯工，令人送之境，使不得入。公撤履，不復服也。（《晏子春秋》〈內篇諫下第二〉）

伐木不自其根

景公挖了一個池子，池深可以淹沒車子。又在池上建了一座宮室，高達數仞。梁上雕刻龍蛇，立柱上畫滿鳥獸。景公穿著華美的禮服，佩戴美玉，披散著長髮南面而立，神態傲慢自得。晏子進見，景公問道：「從前管仲輔佐先君桓公霸業是什麼樣子？」晏子低頭不語。景公再問，晏子回答說：「我聽說只有狄人同龍蛇親近。現在君王梁上刻著龍蛇，立柱上畫滿鳥獸，也不過在室內欣賞而已，哪有心氣去圖謀霸業呢！而且君主自誇宮室華美，自傲衣服豔麗，也不過自我沉醉罷了。身為大國君主而醉心邪行，君王的魂魄早已沒有了，哪還有資格討論霸業呢？」景公下堂走近晏子說：「梁丘據、裔款告訴寡人宮室建好了，所以私下穿上這身衣服來和梁丘據娛樂，不巧先生到了。請讓我進去換掉這身衣服再來恭聽教誨，可以嗎？」晏子說：「那兩人以邪惡迷惑君主，君主哪還有精力去考慮國政？砍樹而不除根，新芽就會重生；您為何不除掉這兩個人，以保持耳聰目明呢？」

【出處】

景公為西曲潢，其深滅軌，高三仞，橫木龍蛇，立木鳥獸。公衣黼黻之衣，素繡之裳，一衣而五彩具焉；帶球玉而冠且，被髮亂首，南面而立，傲然。晏子見，公曰：「昔仲父之霸何如？」晏子抑首而不對。公又曰：「昔管文仲之霸何如？」晏子對曰：「臣聞之，維翟人與龍蛇比，今君橫木龍蛇，立木鳥獸，亦室一就矣，何暇在霸哉！且公伐宮室之美，矜衣服之麗，一衣而五彩具焉，帶球玉而亂首被髮，亦室一容矣，萬乘之君，而壹心於邪，君之魂魄亡矣，以誰與圖霸哉？」公下堂就晏子曰：「梁丘據、裔款以室之成告寡人，是以竊襲此服，與據為笑，又使夫子及，寡人請改室易服而敬聽命，其可乎？」晏子曰：「夫二子營君以邪，公安得知道哉！且伐木不自其根，則櫱又生也，公何不去二子者，毋使耳目淫焉。」（《晏子春秋》〈內篇諫下第二〉）

巨冠長衣

景公戴上高大的帽子，穿著長長的新裝上朝聽政，四顧左右，傲然自得，天快黑了還不退朝。晏子進諫說：「聖人服裝適中，簡便而不長大，藉以引領時尚。他們的一舉一動都符合規範，不違背常理，因而被下官和民間倣效。現在君主的服裝華而不實，環顧左右、傲然自得的樣子也不值得倣效。天色已晚，君主還是脫去衣服早點回宮休息吧。」景公說：「謹聽教導。」於是宣布退朝，脫去衣冠再也不穿。

【出處】

景公為巨冠長衣以聽朝，疾視矜立，日晏不罷。晏子進曰：「聖人之服中，俛而不駔，可以導眾，其動作，俛順而不逆，可以奉生，是以下皆法其服，而民爭學其容。今君之服，駔華不可以導眾民，疾視矜立，不可以奉生，日晏矣，君不若脫服就燕。」公曰：「寡人受命。」退朝，遂去衣冠，不復服。（《晏子春秋》〈內篇諫下第二〉）

惡愛不祥

齊景公長得很帥，有個羽人很不恭敬地凝望景公。景公對左右的人說：「問問他，為什麼那麼無禮地注視我？」羽人回答說：「說了也是死，不說也是死。我私下裡認為景公長得太帥了。」景公說：「為什麼對我色迷迷的呢？殺了他。」晏子沒等到上朝時間便進來了，見到景公說：「我聽說君王對羽人很生氣。」景公說：「是的。他迷戀我的美貌，所以我要殺了他。」晏子回答說：「我聽說拒絕欲望沒有人道，厭惡愛慕不吉利，雖然他迷戀君王的美色，按法律也不該殺他啊。」景公說：「討厭啊。如果我沐浴，我就讓他服侍我搓背。」

【出處】

景公蓋姣，有羽人視景公僭者。公謂左右曰：「問之，何視寡人之僭也？」羽人對曰：「言亦死，而不言亦死，竊姣公也。」公曰：「合色寡人也？殺之！」晏子不時而入，見曰：「蓋聞君有所怒羽人。」公曰：「然。色寡人，故將殺之。」晏子對曰：「嬰聞拒欲不道，惡愛不祥，雖使色君，於法不宜殺也。」公曰：「惡然乎！若使

沐浴，寡人將使抱背。」（《晏子春秋》〈外篇第八〉）

新樂淫君

晏子上朝，看見杜扃等候在朝堂前，望著遠處。晏子問：「君主為什麼不上朝？」杜扃回答說：「君主昨晚興奮得整夜未眠，所以沒能上朝。」晏子又問：「為什麼整夜未眠？」回答說：「梁丘據進獻了一名叫虞的樂人，能變齊國古樂而為新曲。」晏子離開朝堂，命令宗祝根據禮法規定逮捕了樂人虞。景公得知消息後大怒說：「為什麼逮捕虞？」晏子說：「因為他用新樂禍亂君心。」景公說：「諸侯之間的迎聘往來、治理百官的政務，我願意向先生請教。至於我喝什麼酒、聽什麼音樂，希望先生不要干預。欣賞音樂，為何一定要聽古曲呢？」晏子回答說：「古樂消亡，禮法就會隨之消亡；禮法消亡，政教也會隨之消亡；政教消亡，國家就會跟著消亡。國運衰敗，我害怕君主背離政治教化行事。殷紂王作《北里》，周幽王、周厲王也曾作淫靡之音，最終導致國家滅亡，君主難道還小看輕易改變古曲的壞處嗎？」景公說：「我僥倖擁有國家的政權，不假思索胡說八道，我接受您的勸告。」

【出處】

晏子朝，杜扃望羊待於朝。晏子曰：「君奚故不朝？」對曰：「君夜發不可以朝。」晏子曰：「何故？」對曰：「梁丘據扃入歌人虞，變齊音。」晏子退朝，命宗祝修禮而拘虞，公聞之而怒曰：「何故而拘虞？」晏子曰：「以新樂淫君。」公曰：「諸侯之事，百官之政，寡人願以請子。酒醴之味，金石之聲，願夫子無與焉。夫樂，何必夫故哉？」對曰：「夫樂亡而禮從之，禮亡而政從之，政亡而國從之。國衰，臣懼君之逆政之行。有歌，紂作北里，幽厲之聲，顧夫淫以鄙而偕亡。君奚輕變夫故哉？」公曰：「不幸有社稷之業，不擇言而出之，請受命矣。」（《晏子春秋》〈內篇諫上第一〉）

眾口鑠金

齊景公得了疥瘡，又發瘧疾，一年都不痊癒。他把會譴、梁丘據和晏子召來，問他們說：「我派史固和祝佗兩人四處禱告，祭祀的供品禮器無不齊備，但病一直不見好轉，反而越來越重了。我想殺死二人使上天高興，你們看行嗎？」會譴、梁丘據回答說：「可以啊。」晏子沒回答。景公問晏子說：「你是什麼意見呢？」晏子說：「國君你真認為祝禱有用嗎？」景公說：「當然了。」晏子說：「如果祝禱有用，那詛咒也會起作用。您疏遠能幹事的大臣，使忠言受阻，近臣沉默不語，遠臣欲言不能。我聽說，眾人之口可以熔化金屬。如今從聊、攝以東，姑水、尤水以西的百姓，個個怨恨，向上天詛咒您。一國的人詛咒您，兩個人替您祈禱，即使再能幹也不可能成功！再說，如果祈禱的人吐露真情，那就等於在說您的壞話；如果祈禱的人替您遮掩過錯，等於是在欺騙上天。上天神明，那就不可能上當受騙；上天不神明，祈禱就沒有用處。希望您仔細考慮這事。處罰無罪的人，這是夏、商兩代滅亡的原因啊。」齊景公高興地說：「謝謝你幫我解除了疑惑。」

【出處】

景公疥且瘧，期年不已。召會譴、梁丘據、晏子而問焉，曰：「寡人之病病矣，使史固與祝佗巡山川宗廟，犧牲珪璧，莫不備具，數其常多先君桓公，桓公一則寡人再。病不已，滋甚，予欲殺二子者以說於上帝，其可乎？」會譴、梁丘據曰：「可。」晏子不對。公曰：「晏子何如？」晏子曰：「君以祝為有益乎？」公曰：「然。」「若以為有益，則詛亦有損也。君疏輔而遠拂，忠臣擁塞，諫言不出。臣聞之，近臣嘿，遠臣喑，眾口鑠金。今自聊攝以東，姑尤以西者，此其人民眾矣，百姓之咎怨誹謗，詛君於上帝者多矣。一國詛，兩人祝，雖善祝者不能勝也。且夫祝直言情，則謗吾君也；隱匿過，則欺上帝也。上帝神，則不可欺；上帝不神，祝亦無益。願君察之也。不然，刑無罪，夏商所以滅也。」公曰：「善解余惑，加冠！」（《晏子春秋》〈內篇諫上第一〉）

野人之拙

景公背上長了毒瘡，高子、國子來探望景公，景公說：「幫我按摩按摩。」高子上前按摩。景公問道：「感覺到瘡熱嗎？」高子說：「熱。」景公說：「熱得像什麼？」高子說：「像火。」景公說：「瘡什麼顏色？」高子說：「像沒成熟的李子。」景公說：「瘡的大小呢？」高子說：「像豆子。」景公說：「瘡口潰瘍處像什麼？」高子說：「像鞋子中間斷了。」兩個人出去後，晏子來見。景公說：「我有病，不能穿戴整齊在堂上會見先生，讓先生屈尊來看我。」晏子張羅給景公洗澡，擦拭乾淨後跪下給景公按摩。景公問說：「瘡熱得像什麼？」晏子說：「像太陽。」景公說：「瘡的顏色呢？」晏子說：「像青色的玉。」景公說：「瘡的大小？」晏子說：「像璧玉。」景公說：「瘡口潰瘍處呢？」晏子說：「像珪玉。」晏子出去之後，景公嘆息說：「如果沒見到君子，就不知道野人的笨拙啊。」

【出處】

景公病疽在背，高子國子請。公曰：「職當撫瘍。」高子進而撫瘍，公曰：「熱乎？」曰：「熱。」「熱何如？」曰：「如火。」「其色何如？」曰：「如未熟李。」「大小何如？」曰：「如豆。」「墮者何如？」曰：「如屨辨。」二子者出，晏子請見。公曰：「寡人有病，不能勝衣冠以出見夫子，夫子其辱視寡人乎？」晏子入，呼宰人具盥，御者具巾，刷手溫之，發席傅薦，跪請撫瘍。公曰：「其熱何如？」曰：「如日。」「其色何如？」曰：「如蒼玉。」「大小何如？」曰：「如璧。」「其墮者何如？」曰：「如珪。」晏子出，公曰：「吾不見君子，不知野人之拙也。」（《晏子春秋》〈內篇雜下第六〉）

一陰不勝二陽

齊景公腎臟有病，十幾天臥床不起。這天夜晚，他做了個惡夢，夢見自己和兩個太陽打架，最後敗下陣來。第二天，晏子上朝，景公對他說：「昨天晚上我夢見和兩個太陽爭鬥，被打敗了。這是不是預兆我要死了？」晏子想了想，回答說：「請召見占夢的官員，讓他為您卜卜吉凶吧。」晏子出宮，派人用車接來占夢人。占夢人問晏子說：「大王為什麼事召見我？」晏子告訴他說：「大王夢見和兩個太陽爭鬥，未能取勝。大王害怕會死，所以請您來占卜一下。」占夢者說：「讓我查一下占夢的書，看上面怎麼說。」晏子說：「不必查了。景公患有水疾，是陰盛之證，太陽屬火，是陽；他獨自打不過太陽，是陽長陰退，是疾病將愈的預兆，你就這樣說吧！」占夢人進宮以後，景公說：「我夢見和兩個太陽爭鬥而不能取勝，是不是我將要死了？」占夢人回答道：「大王所患的病屬陰，日頭是陽。一陰不勝二陽，這是大王病將痊癒的吉兆。」景公聽後大喜。過了幾天，景公果然康復了，便要賞賜占夢者。占夢者說：「這不是我的功勞，是晏子教我說的。」景公又要賞賜晏子。晏子說：「要是我直接對您那樣說，您可能不會相信；這是他的功勞，我不配受賜。」景公同時賞賜了他們，並稱讚說：「晏子不爭搶別人的功勞，占夢人不隱瞞別人的智慧。」

【出處】

景公病水，臥十數日，夜瞢與二日鬥，不勝。晏子朝，公曰：「夕者瞢與二日鬥，而寡人不勝，我其死乎？」晏子對曰：「請召占瞢者。」出於閨，使人以車迎占瞢者。至，曰：「曷為見召？」晏子曰：「夜者，公瞢二日與公鬥，不勝。公曰：『寡人死乎？』故請君占瞢，是所為也。」占瞢者曰：「請反具書。」晏子曰：「毋反書。公所病者，陰也，日者，陽也。一陰不勝二陽，故病將已。以是對。」

占曹者入，公曰：「寡人曹與二日鬥而不勝，寡人死乎？」占曹者對曰：「公之所病，陰也，日者，陽也。一陰不勝二陽，公病將已。」居三日，公病大愈，公且賜占曹者。占曹者曰：「此非臣之力，晏子教臣也。」公召晏子，且賜之。晏子曰：「占曹者以占之言對，故有益也。使臣言之，則不信矣。此占曹之力也，臣無功焉。」公兩賜之，曰：「以晏子不奪人之功，以占曹者不蔽人之能。」（《晏子春秋》〈內篇雜下第六〉）

怨者滿朝

景公時賦稅沉重，案件多發，被捕的人擠滿了監獄，怨恨的情緒充斥民間。晏子進諫，景公不聽。景公對晏子說：「掌管刑獄，是國家的重要職官，想委託給先生。」晏子說：「君主想讓我整頓監獄嗎？那給我一個會寫字的婦女就足夠了。君主想整肅百姓的思想嗎？如果百姓不願意斷絕自己家庭的生計，以供奉暴君的邪僻之行，那君主可以派官吏將他們一家家全部殺死。」景公不高興說：「讓你整頓監獄你認為一個婦人就行，讓你整肅百姓思想你就說將他們殺光。先生還談什麼善於治國呢？」晏子說：「我的感受與君主不同。現在胡人養狗，每家多的十幾條，少的五六條，它們並不會相互傷害。但如果把綁住的雞肉豬肉扔給它們，相互間就會咬得血肉橫飛。如果君主端正治國之策，臣下確定尊卑貴賤，那樣就不會亂了禮法。現在君主拿著千鍾爵祿的賞賜隨便扔給身邊的人，這些人的爭鬥比胡狗還要厲害，君主卻視而不見。一寸長的管子如果沒底，全天下的糧食也填不滿。現在齊國男耕女織，夜以繼日，還不夠供奉君上，而君上的生活卻極盡奢侈，這是無底的管子啊。可悲的是君主卻毫無感覺。讓全國的兒童每人手持一根寸長的火把，全天下的柴草也不夠用。現在君主的左右卻遍是手持火把之人，而君主卻毫無感覺。鐘鼓成列，干戚起舞，即使是禹也不能禁止百姓觀看。壓抑人民的欲望，堵塞他們的耳目，禁錮他們的思想，就是聖人也難以辦到。更何況掠奪他們的財產使其受凍挨餓，役使他們的勞力使其疲憊不堪，把身陷苦難的百姓抓捕入獄殘忍治罪，這樣的做法我無法苟同。」

【出處】

景公藉重而獄多，拘者滿圄，怨者滿朝。晏子諫，公不聽。公謂晏子曰：「夫獄，國之重官也，願托之夫子。」晏子對曰：「君將使嬰敕其功乎？則嬰有壹妄能書，足以治之矣。君將使嬰敕其意乎？夫民無慾殘其家室之生，以奉暴上之僻者，則君使吏比而焚之而已矣。」景公不說，曰：「敕其功則使壹妄，敕其意則比焚，如是，夫子無所謂能治國乎？」晏子曰：「嬰聞與君異。今夫胡貉戎狄之蓄狗也，多者十有餘，寡者五六，然不相害傷。今束雞豚妄投之，其折骨決皮，可立得也。且夫上正其治，下審其論，則貴賤不相踰越。今君舉千鍾爵祿，而妄投之於左右，左右爭之，甚於胡狗，而公不知也。寸之管無當，天下不能足之以粟。今齊國丈夫耕，女子織，夜以接日，不足以奉上，而君側皆雕文刻鏤之觀。此無當之管也，而君終不知。五尺童子，操寸之煙，天下不能足以薪。今君之左右，皆操煙之徒，而君終不知。鐘鼓成肆，干戚成舞，雖禹不能禁民之觀。且夫飾民之慾，而嚴其聽，禁其心，聖人所難也，而況奪其財而飢之，勞其

力而疲之，常致其苦而嚴聽其獄，痛誅其罪，非嬰所知也。」（《晏子春秋》〈內篇諫下第二〉）

死不害於人

成子高臥病在床，慶遺進來請示說：「您的病已經危險了，萬一不治，那怎麼辦？」子高說：「我聽說：『活著應該有益於人，死了不該有害於人。』我活著的時候縱然無益於人，難道我死了還會危害於人嗎！我死後，揀一塊不長莊稼的地方把我埋掉好了。」

【出處】

成子高寢疾，慶遺入請曰：「子之病革矣，如至乎大病，則如之何？」子高曰：「吾聞之也：『生有益於人，死不害於人。』吾縱生無益於人，吾可以死害於人乎哉？我死，則擇不食之地而葬我焉。」（《禮記》〈檀弓上〉）

不計之義

晏子出使魯國，孔子命令門下弟子前去觀看。子貢回來，報告說：「誰說晏子熟習禮？《禮》中說：『上臺階不能越級，在堂上不能快步走，授給玉器不能下跪。』現在晏子全部與此相反，誰說晏子是熟習禮的人呢？」晏子結束了對魯君的拜謁後，離開宮廷去見孔子。孔子說：「禮儀的規則，上臺階不能越級，在堂上不能快步走，授給玉器不能下跪。先生違反了這些嗎？」晏子說：「我聽說兩堂之間，君臣各有其位，君主走一步，臣子走兩步。魯君走得快，所以我上臺階跨越而行，在堂上快步走以按規定的時間到達我的位置。君王授玉時身子低伏，所以跪下以比他更低。而且我聽說，大的方面不超越禮的規則，小的方面有些出入是可以的。」晏子出去了，孔子以賓客之禮相送，返回後對門下弟子說：「不合常規的禮，只有晏子能夠實行。」

【出處】

晏子使魯，仲尼命門弟子往觀。子貢反，報曰：「孰謂晏子習於禮乎？夫禮曰：『登階不歷，堂上不趨，授玉不跪。』今晏子皆反此，孰謂晏子習於禮者？」晏子既已有事於魯君，退見仲尼，仲尼曰：「夫禮，登階不歷，堂上不趨，授玉不跪。夫子反此乎？」晏子曰：「嬰聞兩楹之閒，君臣有位焉，君行其一，臣行其二。君之來速，是以登階歷堂上趨以及位也。君授玉卑，故跪以下之。且吾聞之，大者不踰閑，小者出入可也。」晏子出，仲尼送之以賓客之禮，不計之義，維晏子為能行之。（《晏子春秋》〈內篇雜上第五〉）

不敢擇君

晏子出使魯國，拜見魯昭公，昭公高興地說：「很多人在我面前誇耀先生的才華，今日見面，覺得勝於眾人的誇獎。我私下問您一個問題，請不要見怪。我聽說您侍奉的君主邪僻不正。以您的才能，為什麼竟要去侍奉一個邪僻之君呢？」晏子恭順地回答說：「晏嬰愚笨不才，家族的人又不如我，仰仗我的幫助祭祀祖先的有五百家，所以我不敢選擇君主。」晏子離去後，昭公對人說：「晏子使失位的君主返國歸位，使危亡的國家轉危為安而不謀求個人利益；殺戮崔杼的屍體，消滅叛亂的賊人而不獵取虛名；使齊國在外沒有諸侯進攻的憂慮，在內沒有國家動盪的禍患，不誇耀自己的功勞，謙虛而不自滿，推辭是家族的原因，晏子可真是仁德的人啊。」

【出處】

晏子使魯，見昭公，昭公說曰：「天下以子大夫語寡人者眾矣，今得見而羨乎所聞，請私而無為罪。寡人聞大國之君，蓋回曲之君也，曷為以子大夫之行，事回曲之君乎？」晏子逡循對曰：「嬰不肖，嬰之族又不若嬰，待嬰而祀先者五百家，故嬰不敢擇君。」晏子出，昭公語人曰：「晏子，仁人也。反亡君，安危國，而不私利焉；僇崔杼之屍，滅賊亂之徒，不獲名焉；使齊外無諸侯之憂，內無國家之患，不伐功焉；鍖然不滿，退托於族，晏子可謂仁人矣。」（《晏子春秋》〈內篇問下第四〉）

莫三人而迷

晏子訪問魯國，魯哀公問他說：「俗話說，凡事不經三人合計就會迷惑。現在我和全國民眾一起討論交流，魯國仍陷於混亂，這是為什麼呢？」晏子說：「古代所謂『莫三人而迷』，是說一個人的意見錯誤，另兩人的意見正確，三人足以形成正確的多數，所以叫『莫三人而迷』。現在魯國的臣子數以千計，但言論都站在季氏一邊。人數不是不多，但表達的只有一種聲音，就好像出自一人之口，這怎麼能稱得上三個人呢？」

【出處】

晏子聘魯。哀公問曰：「語曰：『莫三人而迷。』今寡人與一國慮之，魯不免於亂，何也？」晏子曰：「古之所謂『莫三人而迷』者，一人失之，二人得之，三人足以為眾矣，故曰『莫三人而迷』。今魯國之群臣以千百數，一言於季氏之私，人數非不眾，所言者一人也，安得三哉？」（《韓非子》〈內儲說上・七術〉）

藏餘不分則民盜

晏子到魯國去，早晨送來的膳食有小豬。晏子說：「把剩下的兩個前腿收藏起來。」送來的中餐中沒有小豬的前腿。侍者說：「剩下的小豬前腿沒了。」晏子說：「算了吧。」侍者說：「我能找到藏豬腿的人。」晏子說：「不必了，我聽說，凡事只考慮成效而不考慮民力，民力就會枯竭；收藏剩餘之物不分給欠缺的百姓，百姓就會偷盜。你應教我改正過失的方法，而不要教我怎樣找到偷盜之人。」

【出處】

晏子之魯，朝食進饋膳，有豚焉。晏子曰：「去其二肩。」晝者進膳，則豚肩不具。侍者曰：「膳豚肩亡。」晏子曰：「釋之矣。」侍者曰：「我能得其人。」晏子曰：「止。吾聞之，量功而不量力，則民盡；藏餘不分，則民盜。子教我所以改之，無教我求其人也。」（《晏子春秋》〈內篇雜上第五〉）

令兵摶治

齊景公命令士兵摶土製磚，當時是寒冬臘月，士兵挨凍受餓，沒有完成規定的數量。齊景公大怒說：「給我殺掉兩個士兵！」晏子說：「是。」過了一會兒，晏子又說：「過去我們的先君莊公攻打晉國，一次戰役殺掉了四個違反軍紀的士兵，現在君主殺掉兩個士兵，是那次戰役殺掉士兵的一半啊。」齊景公說：「是呀！這是我的過錯。」於是下令放過無辜的士兵。

【出處】

景公令兵摶治，當臘冰月之間而寒，民多凍餒，而功不成，公怒曰：「為我殺兵二人。」晏子曰：「諾。」少間，晏子曰：「昔者先君莊公之伐於晉也，其役殺兵四人，今令而殺兵二人，是師殺之半也。」公曰：「諾！是寡人之過也。」令止之。（《晏子春秋》〈內篇諫下第二〉）

助天為虐

晏子出使魯國，景公差使百姓修築高臺。天氣轉冷，還未完工，受凍挨餓的人每鄉都有。齊國的百姓期盼晏子回來。晏子回到國都，匯報公事之後，景公讓他入座，飲酒作樂。晏子說：「我請求為君主唱一首歌。」他唱道：「百姓們說：『冰水澆我，無可奈何！上天害我，無可奈何！』」唱罷，感慨地流下了眼淚。景公說：「先生如此感傷，大概是為了修築高臺的事吧，我立刻停工就是了。」晏子拜了兩拜，出去後再沒說這件事。到了高臺，拿起鞭子抽打不幹活的百姓，喝斥說：「我是個小吏，還有傘蓋和草廬來遮避太陽和雨水，國君建一個臺子卻不能馬上建好，這怎麼行！」國都的人議論說：「晏子是助君主為虐。」晏子回家，還沒到達，君王就發布命令停止築臺的徭役。孔子聽說這件事，感慨地說：「古代善於為臣的人，把好名聲歸於君王，把罪過攬於自身。在內能指正君王的錯誤，在外則稱頌君王的仁德。即便侍奉的是個昏君，也能無為而治，使諸侯前來朝聘，不敢自誇其功。能承擔這種道義的，只有晏子啊！」

【出處】

晏子使於魯，比其返也，景公使國人起大臺之役，歲寒不已，凍餒之者鄉有焉，國人望晏子。晏子至，已復事，公延坐，飲酒樂，晏子曰：「君若賜臣，臣請歌之。」歌曰：「庶民之言曰：『凍水洗我，若之何！太上靡散我，若之何！』」歌終，喟然嘆而流涕。公就止之曰：「夫子曷為至此？殆為大臺之役夫！寡人將速罷之。」晏子再拜。出而不言，遂如大臺，執朴鞭其不務者，曰：「吾細人也，皆有蓋廬，以避燥濕，君為壹臺而不速成，何為？」國人皆曰：「晏子助天為虐。」晏子歸，未至，而君出令趣罷役，車馳而人趨。仲尼聞之，喟然嘆曰：「古之善為人臣者，聲名歸之君，禍災歸之身，入則切磋其君之不善，出則高譽其君之德義，是以雖事惰君，能使垂衣裳，朝諸侯，不敢伐其功。當此道者，其晏子是耶！」（《晏子春秋》〈內篇諫下第二〉）

路寢之臺

齊景公修築路寢的高臺，三年沒有完成，又征伐民力建造長舍，兩年沒有竣工，隨後又開工修建抵達鄒國的公路。晏子進諫說：「百姓的勞役已經很重了，國君還要繼續嗎？」景公說：「大路快修完了，修完了再停止勞役吧。」晏子說：「聖明的君主不勞民傷財，勞民傷財的國君絕沒有好下場；聖明的君主不窮盡民力，窮盡民力的國君難享安樂。從前楚靈王修建頃宮，三年沒有完成，接著又修建章華臺，五年也沒竣工。征伐乾溪的戰鬥打了整整八年，因為民力不足才停息下來。靈王死在乾溪，百姓不同他一起回國。現在君主不效法明君的仁義，卻重蹈靈王的覆轍，我害怕君主激起百姓的憤怒，而不能享受高臺和長舍的快樂了。不如停止吧。」景公說：「不是先生，我還不知道得罪百姓這麼嚴重啊。」於是下令停止所有的徭役。

【出處】

景公築路寢之臺，三年未息；又為長庲之役，二年未息；又為鄒之長涂。晏子諫曰：「百姓之力勤矣！公不息乎？」公曰：「涂將成矣，請成而息之。」對曰：「明君不屈民財者，不得其利；不窮民力者，不得其樂。昔者楚靈王作頃宮，三年未息也；又為章華之臺，五年又不息也；乾溪之役，八年，百姓之力不足而自息也。靈王死於乾溪，而民不與君歸。今君不遵明君之義，而循靈王之跡，嬰懼君有暴民之行，而不睹長庲之樂也，不若息之。」公曰：「善！非夫子者，寡人不知得罪於百姓深也。」於是令勿委壞，餘財勿收，斬板而去之。（《晏子春秋》〈內篇諫下第二〉）

依物於政

景公執政時發生饑荒，晏子請求給百姓發放糧食，景公不同意。晏子主管修築路寢之臺，他命令官吏提高雇工的工錢，增加道路的長度，延緩工期而不加催促。三年後臺子築成，百姓因此得到賑濟。君主對遊覽路寢之臺感到高興，百姓也有了度過饑荒的糧食。

【出處】

景公之時飢，晏子請為民發粟，公不許。當為路寢之臺，晏子令吏重其賃，遠其兆，徐其日，而不趨。三年臺成而民振，故上說乎游，民足乎食。君子曰：「政則晏子欲發粟與民而已，若使不可得，則依物而偶於政。」（《晏子春秋》〈內篇雜上第五〉）

國之西方

景公新築成柏寢臺，讓師開在臺上彈琴。師開左手撫弄宮調，右手彈奏商調，說：「房屋偏西。」景公說：「你怎麼知道的？」師開回答說：「東邊的聲音低沉，西邊的聲音宏亮。」景公召來工匠說：「房子為何偏西？」工匠說：「造房子是以宮室為準的。」於是召來司空說：「造宮室為何偏西？」司空說：「造宮室是以城牆為準的。」第二天，晏子朝見景公，景公說：「太公在封地營丘建城，為什麼要偏向西方呢？」晏子回答說：「古時建都城，南邊向著南斗，北面對著北斗，哪有什麼東西之說呢。但今天偏向西方的原因，是因為周在西方，國都偏向西方，表示尊崇周天子呀。」景公恭敬地說：「真是博古通今的臣子啊。」

【出處】

景公新成柏寢之臺，使師開鼓琴，師開左撫宮，右彈商，曰：「室夕。」公曰：「何以知之？」師開對曰：「東方之聲薄，西方之聲揚。」公召大匠曰：「室何為夕？」大匠曰：「立室以宮矩為之。」於是召司空曰：「立宮何為夕？」司空曰：「立宮以城矩為之。」明日，晏子朝公，公曰：「先君太公以營丘之封立城，曷為夕？」晏子對曰：「古之立國者，南望南斗，北戴樞星，彼安有朝夕哉！然而以今之夕者，周之建國，國之西方，以尊周也。」公蹵然曰：「古之臣乎！」（《晏子春秋》〈內篇雜下第六〉）

堂上之樂

景公修建長長的宮舍，想把它裝修得很美觀。這時天颳起大風下起大雨，景公和晏子一起入席飲酒，享受美妙的音樂。酒喝得暢快的時候，晏子起身唱歌，放開歌喉唱道：「禾穗啊不能收割，秋風吹來啊全被刮落。莊稼全被風雨糟蹋，君主害得我們沒法生活。」唱完後轉頭流下熱淚，接著又伸開雙臂揮舞。景公走到晏子跟前制止他說：「感謝先生用歌聲來告誡我，都是我的罪過。」於是撤下酒席，停止徭役，放棄裝飾宮舍。

【出處】

景公為長庲，將欲美之，有風雨作，公與晏子入坐飲酒，致堂上之樂。酒酣，晏子作歌曰：「穗乎不得獲，秋風至兮殫零落，風雨之拂殺也，太上之靡弊也。」歌終，顧而流涕，張躬而舞。公就晏子而止之曰：「今日夫子為賜而誡於寡人，是寡人之罪。」遂廢酒，罷役，不果成長庲。（《晏子春秋》〈內篇諫下第二〉）

為君請壽

景公造路寢臺，建成了卻不上去。柏常騫說：「君王建臺建得很急切，臺子建成了，君王為何不上去呢？」景公說：「是這樣，有一隻貓頭鷹在夜裡鳴叫，聲音特別難聽，我特別討厭它，因此不上去。」柏常騫說：「我請求替君王禳除災邪。」景公說：「要準備些什麼？」回答說：「蓋一座新房子，裡面放上白茅。」景公命人蓋房子，蓋好了，裡面放上白茅。柏常騫在夜裡做法事。第二天，問景公說：「昨天晚上聽到貓頭鷹叫了嗎？」景公說：「叫了一聲就沒再聽到。」派人前往察看，貓頭鷹在臺階上，翅膀張著，趴在地上死了。齊景公對柏常騫說：「你道術高明，能增加我的壽命嗎？」柏常騫說：「可以的。」齊景公問：「能增加多少呢？」柏常騫回答說：「天子九歲，諸侯七歲，大夫五歲。」齊景公問：「有徵兆顯現嗎？」柏常騫說：「獲得延壽之後將會發生地震。」景公很高興，命令官吏趕快準備柏常騫需要的東西。柏常騫出宮，在路上遇見晏子，對他說：「我將要大祭天地，為國君祈壽。」晏子說：「能為國君祈壽是好事啊！我聽說，只能以政、德去順應神靈，才可以延壽。現在只憑祭祀可以延壽嗎？你這樣做之後有福兆顯示嗎？」柏常騫說：「得到延壽後將會有地震。」晏子說：「夜裡我看見維星消失，天樞星散亂，可能將有地震，你是憑這個吧？」柏常騫低頭臉紅了好一會兒，才抬頭回答說：「是的。」晏子說：「做這種事沒有好處，不做也沒有損害。讓國君減少賦稅，不耗費民力，這才是延壽之方啊。」

【出處】

齊景公為露寢之臺，成而不通焉。柏常騫曰：「為臺甚急，臺成，君何為不通焉？」公曰：「然。梟昔者鳴，其聲無不為也，吾惡之甚，是以不通焉。」柏常騫曰：「臣請禳而去之！」公曰：「何具？」對曰：「築新室，為置白茅焉。」公使為室，成，置白茅焉。柏常騫夜用事，明日問公曰：「今昔聞梟聲乎？」公曰：「一鳴而不復聞。」使人往視之，梟當陛布翼，伏地而死。公曰：「子之道若此其明也！亦能益寡人壽乎？」對曰：「能。」公曰：「能益幾何？」對曰：「天子九，諸侯七，大夫五。」公曰：「亦有徵兆之見乎？」對曰：「得壽，地且動。」公喜，令百官趣具騫之所求。柏常騫出，遭晏子於涂，拜馬前，辭曰：「騫為君禳梟而殺之，君謂騫曰：子之道若此其明也，亦能益寡人壽乎？騫曰能。今且大祭，為君請壽，故將往。以聞。」晏子曰：「嘻，亦善矣！能為君請壽也。雖然，吾聞之：惟以政與德順乎神，為可以益壽。今徒祭可以益壽乎？然則福名有見乎？」對曰：「得壽地將動。」晏子曰：「騫，昔吾見維星絕，樞星散，地其動。汝以是乎？」柏常騫俯有間，仰而對曰：「然。」晏子曰：「為之無益，不為無損也。薄賦斂，無費民，且令君知之！」（《說苑》〈辨物〉）

重斂於民

齊景公修建高臺，臺子建成後，又想要鑄造大鐘。晏子勸諫說：「修造高臺已讓您不堪重負，現在又想要鑄造大鐘，這樣加重對百姓的聚斂，百姓一定非常痛苦。拿百姓的痛苦換取自己的享樂，這很不吉利。」齊景公於是放棄了鑄鐘的打算。

【出處】

景公為臺，臺成，又欲為鐘，晏子諫曰：「君不勝欲為臺，今復欲為鐘，是重斂於民，民之哀矣；夫斂民之哀而以為樂，不祥。」景公乃止。（《說苑》〈正諫〉）

鐘將毀

景公造了一口大鐘，打算把它掛起來。晏子、孔子、柏常騫三人上朝，都說：「大鐘將會毀壞。」撞擊它，果然壞了。景公召來這三個人問他們原因。晏子回答說：「鐘那麼大，不祭祀先君而先用於宴飲，不符合禮儀，所以我說鐘要毀壞了。」孔子說：「鐘那麼大懸掛起來對著地，撞擊它，聲音就會從地面向上返，所以說鐘將要毀壞。」柏常騫說：「今天是庚申日，雷擊的日子，而鐘聲不能勝過雷聲，所以說鐘將要毀壞了。」

【出處】

景公為大鐘，將懸之。晏子、仲尼、柏常騫三人朝，俱曰：「鐘將毀。」沖之，果毀。公召三子者而問之。晏子對曰：「鐘大，不祀先君而以燕，非禮，是以曰鐘將毀。」仲尼曰：「鐘大而懸下，沖之其氣下回而上薄，是以曰鐘將毀。」柏常騫曰：「今庚申，雷日也，音莫勝於雷，是以曰鐘將毀也。」（《晏子春秋》〈外篇第八〉）

亂紀失民

景公造好大呂鐘後對晏子說：「我想同先生宴飲。」晏子回答說：「沒有祭祀先君而宴飲，這不合禮法。」景公說：「一定要按禮法行事嗎？」晏子回答說：「禮法是百姓的綱紀，綱紀亂了，百姓就會背離。綱紀混亂，百姓背離，就會危及王道。」景公說：「你說的對。」

於是以禮祭祀先君。

【出處】

景公為泰呂成，謂晏子曰：「吾欲與夫子燕。」對曰：「未祀先君而以燕，非禮也。」公曰：「何以禮為？」對曰：「夫禮者，民之紀，紀亂則民失，亂紀失民，危道也。」公曰：「善。」乃以祀焉。（《晏子春秋》〈內篇諫下第二〉）

孰為高臺

齊景公登路寢宮前的高臺，中途在臺階上休息，生氣地說：「誰造的這麼高的臺子，害人不淺啊。」晏子說：「君主希望自己省力就不要建這樣的高臺，讓人建了高臺就不要怪罪別人。如今臺子高也招來責怪，臺子低也招來責怪。請問有像這樣役使別人的嗎？古時帝王建造宮室，便利生活就行，從不追求奢侈，所以自身節儉，又教育了百姓。到夏朝衰落時，桀違背德行修建華美的宮室；殷朝衰落時，紂建造頃宮和靈臺，修得低有罪，建得高有賞，因此災禍延及自身。如今是檯子建高了有罪，建低了也有罪，君主的暴戾已經超過了夏、殷二代的桀紂啊；百姓的力氣已經耗盡，而您還不肯寬恕他們。我擔心國家因此衰亡，君主不再享有啊。」景公說：「我知錯了。我確實是勞民傷財，於國無益，又抱怨那些辛勤築臺的人。不是先生教誨，又哪能守住國家的基業呢？」於是下臺，再次拜謝晏子，終於沒有再登上臺頂。

【出處】

景公登路寢之臺，不能終，而息乎陛，忿然而作色，不說，曰：「孰為高臺，病人之甚也？」晏子曰：「君欲節於身而勿高，使人高之而勿罪也。今高，從之以罪，卑亦從以罪，敢問使人如此可乎？古者之為宮室也，足以便生，不以為奢侈也，故節於身，謂於民。及夏之衰也，其王桀背棄德行，為璇室玉門。殷之衰也，其王紂作為頃宮靈臺，卑狹者有罪，高大者有賞，是以身及焉。今君高亦有罪，卑亦有罪，甚於夏殷之王；民力殫乏矣，而不免於罪，嬰恐國之流失，而公不得享也！」公曰：「善！寡人自知誠費財勞民，以為無功，又從而怨之，是寡人之罪也！非夫子之教，豈得守社稷哉！」遂下，再拜，不果登臺。(《晏子春秋》〈內篇諫下第二〉)

泫然出涕

齊景公和晏子在渤海遊玩，登上柏寢的高臺，回頭眺望自己的國都說：「真美啊，泱泱大國，雄偉壯觀！後世誰能擁有如此美麗的國都？」晏子回答說：「田成子應該會有吧！」景公說：「這是我的國都，怎麼能說田成子擁有呢？」晏子回答說：「田成子很得齊國民心。他對待民眾，向上為大臣請求爵位俸祿，向下大斗出小斗進賒貸糧食。殺一頭牛，自己只拿一盤肉，剩下的用來供養士人；一年的布帛，自己只取七丈二尺，剩下的都給士人製衣穿。他運到集市的木頭和出售的魚、鹽、龜、鱉、螺、蚌類等概不加價。您重重搜刮，田成子卻處處施捨，齊國往年曾遭遇特大饑荒，路邊餓死的人不計其數，父子相攜投奔田成子的，沒聽說不能活下去的，所以老百姓都相互傳唱說：『哎呀，快完蛋了吧！算了，還是去投奔田成子吧！』《詩經》裡頭說：『雖然德行難配你，且來歡歌舞翩躚。』從田成子的恩德和民間歌謠來看，民眾都情願投奔他。所以我說：『田成子大概會擁有吧。』」齊景公兩眼含淚說：「這不是太可悲了嗎？本來屬於我的國家，卻要被田成子搶占。現在該怎麼辦呢？」晏子回答說：「您又何必擔憂？如果您想奪回它，就親近賢人，疏遠小人，勵精圖治，放寬刑罰，救濟貧困，撫卹孤寡，施行恩惠，民眾自然歸心於您。那時即便有十個田成子，又能把您怎麼樣呢？」

【出處】

景公與晏子游於少海，登柏寢之臺而還望其國，曰：「美哉！泱泱乎，堂堂乎！後世將孰有此？」晏子對曰：「其田成氏乎！「景公曰：「寡人有此國也，而曰田成氏有之，何也？」晏子對曰：「夫田氏甚得齊民，其於民也，上之請爵祿行諸大臣，下之私大斗斛區釜以出貸，小斗斛區釜以收之。殺一牛，取一豆肉，餘以食士。終歲，布帛取二制焉，餘以衣士。故市木之價不加貴於山，澤之魚鹽龜鱉蠃蚌不貴於海。君重斂，而田成氏厚施。齊嘗大飢，道旁餓死者不可勝數也，父子相牽而趨田成氏者，不聞不生。故秦周之民相與歌之曰：『謳乎，其已乎！苞乎，其往歸田成子乎！』《詩》曰：『雖無德與女，式歌且舞。』[40]今田成氏之德而民之歌舞，民德歸之矣。故曰：『其田成氏乎！』」公泫然出涕曰：「不亦悲乎！寡人有國而田成氏有

40.「雖無德與女，式歌且舞」，出自《詩經》〈小雅・車舝〉。

之，今為之奈何？」晏子對曰：「君何患焉？若君欲奪之，則近賢而遠不肖，治其煩亂，緩其刑罰，振貧窮而恤孤寡，行恩惠而給不足，民將歸君，則雖有十田成氏，其如君何？」（《韓非子》〈外儲說右上〉）

何患於彗

齊國上空出現了彗星，齊侯令巫祝禳禱消災。晏子說：「這沒什麼好處，只是自欺欺人罷了。天道不奉承誰，不會改變意向，幹嗎還去禳禱呢？況且天上出現彗星，是要告訴君主消除污穢，君主如果沒有污穢的品行，又何必禳禱呢？如果品行有污，舉行禳禱就能逃脫懲罰嗎？《詩經》裡說：『周文王小心恭敬、光明磊落地事奉天帝，求取各種福利，他的品行不違天意，因此得到四方諸侯的愛戴。』主公沒有惡行，四方諸侯自會歸順，何必擔心彗星出現？《詩經》裡說：『我沒有什麼借鑑，要有就是夏商二代的亡國之君，由於統治混亂不堪，致使老百姓流離失所。』如果品行不端，百姓就會四散逃亡，巫祝的禳禱是無濟於事的。」齊景公聽了很高興，下令停止了禳禱。

【出處】

齊有彗星，齊侯使祝禳之。晏子曰：「無益也，只取誣焉。天道不疑，不貳其君，若之何禳也。且夫天之有彗，以除穢德，君無穢德，又何禳焉？若德之穢也，禳之何益？《詩》云：『維此文王，

何患於彗

小心翼翼。昭事上帝，聿懷多福。厥德不回，以受方國。』[41]君無違德，方國將至，何患於彗？《詩》曰：『我無所監，夏後及商，用亂之故，民卒流亡。』[42]若德之回，亂民將流亡。祝史之無能補也。」公說，乃止。（《新序》〈雜事第四〉）

噎而遽掘井

魯昭公失位而逃亡到齊國，齊公問道：「您為何年紀輕輕卻早早失去了國家？為何落到這樣的地步？」昭公回答說：「我年輕的時候，很多人愛戴我，我卻禮待而不能信任他們；很多人向我進諫，而我獨斷專行不採納他們的意見。所以，內外都沒有輔佐之人，而諂諛之人卻特別多。就好像是秋蓬，它的根孤單而它的枝葉華美，秋風一到，就拔根而去了。」景公被他的話所打動，將這些話告訴了晏子，並說：「如果讓昭公返回他的國家，難道不會成為像古代賢君一樣的明君嗎？」晏子回答說：「不是這樣。愚蠢的人好後悔，無能的人好說自己有才幹，落水的人事先不問深淺，迷路的人事後才問路。這就像已經面臨大難才急忙去打造兵器，噎住了才急忙去挖井，即使再快也來不及了。」

41.「維此文王，小心翼翼。昭事上帝，聿懷多福。厥德不回，以受方國」，出自《詩經》〈大雅・大明〉。

42.「我無所監，夏後及商，用亂之故，民卒流亡」，出自《左傳》引逸詩。

【出處】

魯昭公棄國走齊，齊公問焉，曰：「君何年之少，而棄國之蚤？奚道至於此乎？」昭公對曰：「吾少之時，人多愛我者，吾體不能親；人多諫我者，吾志不能用；好則內無拂而外無輔，輔拂無一人，諂諛我者甚眾。譬之猶秋蓬也，孤其根而美枝葉，秋風一至，根且拔矣。」景公辯其言，以語晏子，曰：「使是人反其國，豈不為古之賢君乎？」晏子對曰：「不然。夫愚者多悔，不肖者自賢，溺者不問墜，迷者不問路。溺而後問墜，迷而後問路，譬之猶臨難而遽鑄兵，噎而遽掘井，雖速亦無及已。」（《晏子春秋》〈內篇雜上第五〉）

昭伯受地

景公將泰山北面數百個社的土地送給魯國國君。派晏子去送，魯國派子服昭伯接受土地，他沒有全部收下。晏子說：「我的國君送給你們土地，是無私的啊，為什麼不全部收下呢？」子服昭伯說：「我得到君王的命令：『諸侯相見，交往要禮讓，爭著處在卑下的地位，是禮的外在表現；交往餽贈的要多，接受的要少，才是真誠的行為。有禮有節，交往才能長久。』況且我聽說君子不盡奪人之所愛，不盡享他人的真心。因此我不能全部收下。」晏子回去報告景公。景公高興地說：「我喜歡魯國國君，所以給他土地。魯君的德行果然不錯，我要派人前往祝賀。」晏子說：「不行。君王因為高興贈給他土地，現在又派人去慶賀他的推辭之舉，那樣做會讓人覺得君主虛情假意，再往後交往就會不親密，贈送土地也不算有德有義了。」景公說：

「好。」於是給魯國的錢幣超過別的諸侯，禮待魯國客人超過別的賓客。君子在魯國，而後才明白行為廉潔辭讓贈地可以使國家名重一時。

【出處】

景公予魯君地，山陰數百社，使晏子致之，魯使子叔昭伯受地，不盡受也。晏子曰：「寡君獻地，忠廉也，曷為不盡受？」子叔昭伯曰：「臣受命於君曰：『諸侯相見，交讓，爭處其卑，禮之文也；交委多，爭受少，行之實也。禮成文於前，行成章於後，交之所以長久也。』且吾聞君子不盡人之歡，不竭人之忠，吾是以不盡受也。」晏子歸報公，公喜笑曰：「魯君猶若是乎。」晏子曰：「臣聞大國貪於名，小國貪於實，此諸侯之通患也。今魯處卑而不貪乎尊，辭實而不貪乎多，行廉不為苟得，道義不為苟合，不盡人之歡，不竭人之忠，以全其交，君之道義，殊於世俗，國免於公患。」公曰：「寡人說魯君，故予之地，今行果若此，吾將使人賀之。」晏子曰：「不！君以歡予之地，而賀其辭，則交不親，而地不為德矣。」公曰：「善。」於是重魯之幣，毋比諸侯，厚其禮，毋比賓客。君子於魯，而後明行廉辭地之可為重名也。（《晏子春秋》〈內篇雜上第五〉）

彗星出東北

景公三十二年的時候，天空出現彗星。景公坐在柏寢臺上嘆息說：「堂皇的亭臺，終歸誰手呢？」群臣都潸然淚下。只有晏子發笑，景公很生氣地說：「你笑什麼呢？」晏子說：「我笑群臣太愛拍馬屁了。」景公說：「彗星出現在東北天空，正對著齊國的地域位置，寡人很為此擔憂。」晏子說：「您大興土木，築高臺鑿深池，到處橫徵厚斂，濫施嚴刑峻法，連最凶的茀星都快出現了，還怕什麼彗星呢？」景公說：「可以用祈禱來禳除彗星的不祥嗎？」晏子說：「如果祈禱可以使神明降臨，詛咒也可以使它遠離。而且滿懷怨恨的百姓成千上萬，您讓一個人祈禳消災，哪裡抵得過老百姓怨聲重重呢？」當時景公熱衷於大修宮室，飼養狗馬，奢侈無度，稅重刑酷，所以晏子藉機諫止齊景公。

【出處】

三十二年，彗星見。景公坐柏寢，嘆曰：「堂堂！誰有此乎？」群臣皆泣，晏子笑，公怒。晏子曰：「臣笑群臣諛甚。」景公曰：「彗星出東北，當齊分野，寡人以為憂。」晏子曰：「君高臺深池，賦斂如弗得，刑罰恐弗勝，茀星將出，彗星何懼乎？」公曰：「可禳否？」晏子曰：「使神可祝而來，亦可禳而去也。百姓苦怨以萬數，而君令一人禳之，安能勝眾口乎？」是時景公好治宮室，聚狗馬，奢侈，厚賦重刑，故晏子以此諫之。（《史記》〈齊太公世家〉）

累卑後高

晏子向齊景公進諫說：「朝政也太嚴厲了吧？」景公說：「朝政嚴厲對治理國家有什麼害處呢？」晏子回答說：「朝政嚴厲，臣下就不敢說話；臣下不敢說話，君主就聽不到下情。臣下不敢說話叫

『啞』，君主聽不到下情叫『聾』，既聾又啞，還不妨礙治理國家嗎？菽粟雖小，歸集起來也能裝滿倉庫；絲縷雖細，也能織成寬大的幃幕；泰山很高，也是靠一塊塊石頭壘起來的；要治理天下，就必須群策群力，可以採納不用，哪有拒而不納的呢？」

【出處】

晏子復於景公曰：「朝居嚴乎？」公曰：「朝居嚴則曷害於國家哉？」晏子對曰：「朝居嚴，則下無言，下無言，則上無聞矣。下無言則謂之喑，上無聞則謂之聾，聾喑則非害治國家如何也？且合菽粟之微，以滿倉廪，合疏縷之緯，以成幃幕。太山之高，非一石也，累卑然後高也。夫治天下者，非用一士之言也，固有受而不用，惡有距而不入者哉？」（《說苑》〈正諫〉）

祠此無益

齊國大旱，齊景公召集群臣問道：「老天久不下雨，百姓面有飢色。我命人占卜，說是高山大河作祟。我想以少徵賦稅的方式來祈求山神，可以嗎？」群臣沒人應答。晏子上前說：「不行，祈求它沒用。那山神本來以石頭為身子，以草木為頭髮，老天久不下雨，山神的頭髮都枯焦了，身子也燥熱得不行，它難道不想降雨嗎？」齊景公說：「不祭山神，那祈求河伯呢？」晏子說：「也沒用。那河伯以水為國，以魚鱉為百姓，老天久不降雨，水位降低，很多河流都面臨枯竭，國家面臨覆亡，百姓面臨滅絕，它難道不想降雨嗎？」齊景公說：「那現在該怎麼辦呢？」晏子說：「君主真能離開宮殿到野外居住，與山神河伯共憂患，或許有降雨的希望。」於是齊景公搬到野外，在露天裡住了三天，天果然下起大雨，百姓都能種上莊稼了。齊景公讚歎說：「晏子的話真管用啊！他真是有德之人。」

【出處】

齊大旱之時，景公召群臣問曰：「天不雨久矣，民且有飢色。吾使人卜之，祟在高山廣水，寡人欲少賦斂以祠靈山，可乎？」群臣莫對。晏子進曰：「不可，祠此無益也。夫靈山固以石為身，以草木為髮；天久不雨，髮將焦，身將熱，彼獨不欲雨乎？祠之無益。」景公曰：「不然，吾欲祠河伯，可乎？」晏子曰：「不可，祠此無益也。夫河伯以水為國，以魚鱉為民；天久不雨，水泉將下，百川竭，國將亡，民將滅矣，彼獨不用雨乎？祠之何益？」景公曰：「今為之奈何？」晏子曰：「君誠避宮殿暴露，與靈山、河伯共憂，其幸而雨乎！」於是景公出野暴露，三日，天果大雨，民盡得種樹。景公曰：「善哉！晏子之言，可無用乎？其惟有德也！」（《說苑》〈辨物〉）

百惡可去

景公的時候，熒惑[43]長時期地出現在虛宿，整整一年沒有離去。景公很奇怪，召見晏子問他說：「我聽說，人做善事上天就降福於他，做惡事上天就降災於他。熒惑的出現是上天的懲罰。現在它停留

43. 熒惑：指火星。

在虛宿，誰該來承擔這凶兆呢？」晏子說：「齊國承擔。」景公很不高興，說：「天下有十二個大國，都是諸侯，為什麼偏偏要齊國來承擔災禍呢。」晏子說：「虛宿在齊國的分野裡。況且天下的禍殃，本來就是由富強的國家挑起的。好的計謀不被採用，政令難以施行，賢人被疏遠，小人得志。這是大國自己招致的禍殃。列宿沒有次序，變星發出光芒，熒惑去而復返，災星就在熒惑的旁邊。有賢能的人不得重用，國家怎能不亡！」景公說：「可以消除嗎？」晏子說：「能夠招致災星的人能夠消除它，不能招致災星的人不能消除它。」景公說：「我該如何做呢？」晏子說：「為什麼不免除冤獄，使受冤者返回田間，拿出百官的錢財發放給百姓，賑救孤寡、孝敬老人？如果這樣做了，百惡都可以消除，何止是災孽呢！」景公說：「是啊！」施行了三個月，熒惑就離開了齊國。

【出處】

景公之時，熒惑守於虛，期年不去。公異之，召晏子而問曰：「吾聞之，人行善者天賞之，行不善者天殃之。熒惑，天罰也，今留虛，其孰當之？」晏子曰：「齊當之。」公不說，曰：「天下大國十二，皆曰諸侯，齊獨何以當？」晏子曰：「虛，齊野也。且天之下殃，固於富強，為善不用，出政不行，賢人使遠，讒人反昌，百姓疾怨，自為祈祥，錄錄強食，進死何傷！是以列舍無次，變星有芒，熒惑回逆，孽星在旁，有賢不用，安得不亡！」公曰：「可去乎？」對曰：「可致者可去，不可致者不可去。」公曰：「寡人為之若何？」對曰：「盍去冤聚之獄，使反田矣；散百官之財，施之民矣；振孤寡而敬老人矣。夫若是者，百惡可去，何獨是孽乎！」公曰：「善。」

行之三月，而熒惑遷。（《晏子春秋》〈內篇諫上第一〉）

地可動乎

景公問太卜說：「你有什麼本事？」回答說：「我能使地震動。」景公召見晏子，告訴他這件事，說：「寡人問太卜有什麼能耐，他說能使地震動。太卜能使地震動嗎？」晏子沉默不語，出來見到太卜說：「昨晚我見到鉤星在房心的中間，恐怕是要地震了吧？」太卜說：「是的。」晏子說：「我說出來，恐怕你就要死；默不做聲，又怕君主惶恐不安。你去解釋，使君臣都得到解脫。」晏子走後，太卜進去對景公說：「不是我能使地震動，是本來就要地震了。」陳子陽聽說這件事後說：「晏子沉默不回答，是不想太卜死；去見太卜，是怕君主胡亂猜疑。晏子真是仁義的人啊。」

【出處】

景公問太卜曰：「汝之道何能？」對曰：「臣能動地。」公召晏子而告之，曰：「寡人問太卜曰：『汝之道何能？』對曰：『能動地。』地可動乎？」晏子默然不對，出，見太卜曰：「昔吾見鉤星在四心之間，地其動乎？」太卜曰：「然。」晏子曰：「吾言之，恐子死之也；默然不對，恐君之惶也。子言，君臣俱得焉。忠於君者，豈必傷人哉！」晏子出，太卜走入見公，曰：「臣非能動地，地固將動也。」陳子陽聞之，曰：「晏子默而不對者，不欲太卜之死也；往見太卜者，恐君之惶也。晏子，仁人也，可謂忠上而惠下也。」（《晏子春

秋》〈外篇第七〉）

天高幾何

齊景公問子貢說：「你的老師是誰？」子貢說：「我拜孔子為師。」齊景公說：「孔子賢明嗎？」子貢回答說：「賢明。」齊景公問：「賢明到什麼程度？」子貢回答說：「不知道。」齊景公說：「你知道他賢明，卻不知道他賢明到什麼程度，這說得通嗎？」子貢回答說：「要說天高，無論年長年幼、聰明愚笨都知道。但高到什麼程度，誰能說得清楚呢？所以我說孔子賢明，但的確說不出他有多賢明。」

【出處】

齊景公謂子貢曰：「子誰師？」曰：「臣師仲尼。」公曰：「仲尼賢乎？」對曰：「賢。」公曰：「其賢何若？」對曰：「不知也。」公曰：「子知其賢而不知其奚若，可乎？」對曰：「今謂天高，無少長愚智皆知高，高幾何？皆曰不知也，是以知仲尼之賢而不知其奚若。」（《說苑》〈善說〉）

仲尼之齊

孔子到齊國拜見景公。景公很欣賞他，想將爾稽封賞給他。把想法告訴晏子，晏子回答說：「不行。他傲慢而自以為是，不可以用來教化百姓；喜好音樂、對百姓寬緩，不能讓他掌管政事；修身從命而厭倦公務，不可能守職盡責；他主張厚葬，使百姓耗財而使國家貧窮；強調哀事長久耗費時日，因而不能體恤百姓；德行的修養重在內心，而儒者卻刻意追求外表的修飾，因而也不宜教化百姓。孔丘倡導盛大的聲樂使世風日奢，製作歌舞來聚集門徒，以繁瑣的禮節和行為規範讓老百姓效法，號稱博學卻不能為世人之儀表，號稱思慮頗多卻於民無益。即便壽命加倍也學不完他的禮教，人到壯年也搞不清他那些禮儀，竭盡資財也達不到他的禮樂標準。他是用繁文縟節來迷惑當世君主，以繁雜的聲樂禮儀來愚弄百姓。他的道理不能昭示給世人，教育不能用來訓導百姓。現在打算封賞他以改變齊國的風俗，這絕不是教導眾人、保有民心的方法。」景公說：「好。」於是贈給孔子豐富的禮物而留下封地，對他表示恭敬而不請教他的學問，孔子很快就辭別而去。

【出處】

仲尼之齊，見景公，景公說之，欲封之以爾稽。以告晏子，晏子對曰：「不可。彼浩裾自順，不可以教下；好樂緩於民，不可使親治；立命而建事，不可守職；厚葬破民貧國，久喪道哀費日，不可使子民。行之難者在內，而傳者無其外，故異於服，勉於容，不可以道眾而馴百姓。自大賢之滅，周室之卑也，威儀加多，而民行滋薄；聲樂繁充，而世德滋衰。今孔丘盛聲樂以侈世，飾絃歌鼓舞以聚徒；繁登降之禮，趨翔之節以觀眾；博學不可以儀世，勞思不可以補民，兼壽不能殫其教，當年不能究其禮，積財不能贍其樂。繁飾邪術以營世君，盛為聲樂以淫愚其民。其道也，不可以示世；其教也，不可以導民。今欲封之，以移齊國之俗，非所以導眾存民也？」公曰：「善。」於是厚其禮而留其封，敬見不問其道，仲尼迺行。（《晏子春秋》〈外篇第八〉）

聖人之林

景公出去打獵，天氣寒冷，於是停下來取暖，回頭問晏子說：「在眾人之中，能一眼看出孔子嗎？」晏子說：「應該可以，如果是舜，就很難識別了。」景公說：「孔子趕不上舜，為什麼反而認不出舜呢？」晏子回答說：「這正是孔子不如舜的地方。孔子行為偏執，眾人之中，一下子就能看出他的不同尋常，何況在君子之中呢！像舜那樣的人，身處百姓之中，就與百姓一樣；身處君子之中，就與君子等同；向上與聖人同處，他本來就是聖人啊。這就是孔子比不上舜的原因。」

【出處】

景公出田，寒，故以為渾，猶顧而問晏子曰：「若人之眾，則有孔子焉乎？」晏子對曰：「有孔子焉則無有，若舜焉則嬰不識。」公曰：「孔子之不逮舜為間矣，曷為『有孔子焉則無有，若舜焉則嬰不識』？」晏子對曰：「是乃孔子之所以不逮舜。孔子行一節者也，處民之中，其過之識，況乎處君之中乎！舜者處民之中，則自齊乎士；處君子之中，則齊乎君子；上與聖人，則固聖人之林也。此乃孔子之所以不逮舜也。」（《晏子春秋》〈外篇第八〉）

驕榮其意

孔子在魯國執政，路不拾遺，齊景公很憂慮。黎且對齊景公說：「除掉孔子，像吹毛一樣容易。您只要以厚祿高官招引孔子，再送給魯哀公美女歌伎以助長他的驕傲和虛榮，大事就成了。哀公得到美女歌伎，一定懈怠政事，孔子一定會進諫勸阻，哀公也一定會與他疏遠。」景公說：「很好。」於是讓黎且帶著十六名歌伎前往魯國送給哀公，哀公非常高興，果真怠於政事。孔子勸諫，哀公不聽，孔子不得已離開魯國，開始了周遊列國的旅程。

【出處】

仲尼為政於魯，道不拾遺，齊景公患之。黎且謂景公曰：「去仲尼猶吹毛耳。君何不迎之以重祿高位，遺哀公女樂以驕榮其意。哀公新樂之，必怠於政。仲尼必諫，諫必輕絕於魯。」景公曰：「善。」乃令黎且以女樂二八遺哀公，哀公樂之，果怠於政。仲尼諫，不聽，去而之楚。（《韓非子》〈內儲說下・六微〉）

景公有愛女

齊景公有個心愛的女兒，請求嫁給晏子。一天，齊景公到晏子家中做客，喝到盡興的時候，景公正巧看到晏子的妻子，便向晏子問道：「剛才那位是先生的妻子嗎？」晏子答道：「是的。」景公笑著說：「嘻，又老又醜啊！寡人有個女兒，年輕貌美，不如嫁給先生吧。」晏子聽後，恭謹地站起來，離開座席，向景公行禮說：「回君上，臣下的妻子雖然又老又醜，但臣下與她共同生活在一起已經很久了，自然也見過她年輕貌美的時候。況且人本來在年輕時寄寓著衰老、美貌時寄寓著醜陋。妻子在年輕貌美時把終身託付給我，君王的女兒雖然如花似玉，晏嬰豈能背棄妻子年輕時的託付呢？」晏子委婉辭謝了景公，景公見晏嬰如此看重夫妻之義，便也不再提及此事。

【出處】

景公有愛女，請嫁於晏子，公乃往燕晏子之家，飲酒，酣，公見其妻曰：「此子之內子耶？」晏子對曰：「然，是也。」公曰：「嘻！亦老且惡矣。寡人有女少且姣，請以滿夫子之宮。」晏子違席而對曰：「乃此則老且惡，嬰與之居故矣，故及其少且姣也。且人固以壯托乎老，姣托乎惡，彼嘗托，而嬰受之矣。君雖有賜，可以使嬰倍其托乎？」再拜而辭。（《晏子春秋》〈內篇雜下第六〉）

靜處遠慮

田桓子看見晏子獨自站在牆外的背陰處，對他說：「相國，您一個人站在那裡不寂寞嗎？何不找幾個談得來的人一起坐坐，喝上兩杯？」晏子說：「大家站在一起都是君子，說起話來就不是那麼回事了。我到哪兒找有真才實學的人來同坐？君子是很難尋求的。就像那美麗的高山，山嵐疊翠，相看不厭，奮力登攀也不覺厭煩。小人則相反，就像那小土丘，遠望不見，登而無路，只有滿坡的荊棘，勉強俯就還會傷害你。所謂靜處思遠。我獨立牆角，研究學問而不厭，不知老之將至，何用縱酒解憂？」田桓子說：「什麼叫縱酒？」晏子說：「沒有客人自己也喝得暈暈乎乎，就叫縱酒。現在像您這樣子，白天黑夜守著酒杯，就是縱酒。」

【出處】

田桓子見晏子獨立於牆陰，曰：「子何為獨立而不憂？何不求四鄉之學士可者而與坐？」晏子曰：「共立似君子，出言而非也。嬰惡得學士之可者而與之坐？且君子之難得也，若美山然，名山既多矣，松柏既茂矣，望之相相然，盡目力不知厭，而世有所美焉，固欲登彼相相之上，仡仡然不知厭。小人者與此異，若部婁之未登，善，登之無蹊，維有楚棘而已；遠望無見也，俯就則傷嬰，惡能無獨立焉？且人何憂，靜處遠慮，見歲若月，學問不厭，不知老之將至，安用從酒！」田桓子曰：「何謂從酒？」晏子曰：「無客而飲，謂之從酒。今若子者，晝夜守尊，謂之從酒也。」（《晏子春秋》〈內篇雜下第六〉）

嬰之罪大

齊景公時，有一次大雨連下了十七天，景公卻夜以繼日地飲酒。晏子多次請求發放糧食賑濟災民，景公不但不允，還命令柏遽到國內巡查，蒐羅善於歌舞之人。晏子聽到此事，十分不高興，就把自己家的糧食分發給災民，並把裝運糧食的器具放在路旁，步行去見景公說：「大雨下了十七天，每鄉有數十家房屋被毀，每里有多家飢民挨餓。年老體弱的人天寒地凍連短褂都穿不上，忍饑挨餓連糟糠也吃不上。他們步履艱難，無處可去，四顧茫茫無處求告。而君王卻日夜飲酒，命令在國內網羅歌女。您的馬匹吃的是府庫的糧食，狗吃的是牛羊肉，後宮嬪妃都有充足的糧米肉食。您對犬馬嬪妃的待遇如此優厚，對平民百姓卻如此苛刻。鄉里百姓忍饑挨餓、陷於困境而無處求告，便不會擁戴這樣的君王。我是朝廷之臣，身在百官之上，百姓飢餓貧苦而無處求告，君王沉湎於酒色丟棄百姓而不加憐憫，我的罪過太大了。」拜了兩拜叩頭至地，請求辭任，便快步跑出。景公在大路上追到了晏子，當時就授權晏子賑濟災民，晏子這才返回朝廷。

【出處】

景公之時，霖雨十有七日。公飲酒，日夜相繼。晏子請發粟於民，三請，不見許。公命柏遽巡國，致能歌者。晏子聞之，不說，遂分家粟於氓，致任器於陌，徒行見公曰：「十有七日矣！懷寶鄉有數十，飢氓里有數家，百姓老弱，凍寒不得短褐，飢餓不得糟糠，敝撤無走，四顧無告。而君不恤，日夜飲酒，令國致樂不已，馬食府粟，狗饜芻豢，三保之妾，俱足粱肉。狗馬保妾，不已厚乎？民氓百姓，不亦薄乎？故里窮而無告，無樂有上矣；飢餓而無告，無樂有君矣。嬰奉數之筴，以隨百官之吏，民飢餓窮約而無告，使上淫湎失本而不恤，嬰之罪大矣。」再拜稽首，請身而去，遂走而出。公從之，兼於涂而不能逮，令趣駕追晏子，其家，不及。粟米盡於氓，任器存於陌，公驅及之康內。（《晏子春秋》〈內篇諫上第一〉）

一豆之食

晏子正在吃飯，國君的使者到了。晏子讓使者一起進餐，晏子因此沒有吃飽。使者回宮後告訴景公，景公說：「哦，晏子家裡如此貧困，我卻不知道，這是我的過錯啊！」於是命令將一個千戶縣的賦稅全部賜予晏子，晏子拜謝推辭說：「我的家境並不貧困，靠君王的賞賜，恩惠遍及父、母、妻三族及我的朋友，並以此賑濟百姓，君王的賞賜已經很豐厚了。我聽說從君王那裡得到財物再大量施捨別人，是取代君王的行為，忠臣是不會這麼做的；從君王那裡得到財物而儲藏起來，這是用筐篋收藏財物，仁德的人是不會這樣做的；從君王那裡得到財物而不肯施捨給他人，死了之後財產就轉移給了別人，聰明的人是不會這樣做的。我還聽說，做臣子的，對待上司不以討好為忠，對待下屬不以刻薄為廉。一身布衣，一盤飯菜，就很滿足了。」使者奉命往返三次，晏子始終推辭不肯接受。

【出處】

晏子方食，君之使者至，分食而食之，晏子不飽。使者返，言之景公，景公曰：「嘻，夫子之家若是其貧也，寡人不知也，是寡人之過也。」令吏致千家之縣一於晏子，晏子再拜而辭，曰：「嬰之家不貧，以君之賜，澤覆三族，延及交遊，以振百姓，君之賜也厚矣，嬰之家不貧也！嬰聞之，厚取之君而厚施之人，代君為君也，忠臣不為也；厚取之君而藏之，是筐篋存也，仁人不為也；厚取之君而無所施之，身死而財遷，智者不為也。嬰也聞為人臣，進不事上以為忠，退

不克下以為廉，八升之布，一豆之食，足矣。」使者三返，遂辭不受也。（《說苑》〈臣術〉）

化其心莫若教

齊國人喜歡讓車子輪軸互相撞擊來取樂，禁止不了。晏子擔憂這件事，就準備了新車好馬，外出與人相撞，然後說：「車子輪軸相撞好不吉利啊。大概是我祭祀先人時沒遵守規矩，起居行為不太恭謹吧！」於是他下車丟棄車馬就離開了。自此之後，齊國人不再以撞擊車輪為樂。君子評價說：「用法令禁止的行為，自己如果不帶頭遵守，百姓就不會拿它當事。要感化人心，必須言傳身教。」

【出處】

齊人甚好轂擊相犯以為樂，禁之不止，晏子患之，乃為新車良馬出與人相犯也，曰：「轂擊者不祥，臣其祭祀不順，居處不敬乎？」下車棄而去之，然後國人乃不為。故曰：「禁之以制，而身不先行也，民不肯止，故化其心莫若教也。」（《說苑》〈政理〉）

晏子一願

景公在牛山遊玩，拿晏子逗樂說：「請晏子許個願。」晏子說：「不，我有什麼心願？」景公說：「晏子許個願。」回答說：「我願有君王而被人敬畏，有妻子而心歸於我，有兒子能傳宗接代。」景公說：「好啊，晏子的心願。再許個願。」晏子回答說：「我願有君王而明智，有妻子而有才能，家不貧窮，有個好鄰居。有君且明智，每日順遂我的行為；有妻而有才能，則使我不妄行；家不窮，就不會使相知的朋友惱怒；有良鄰，每天都能見到君子。這就是我的願望。」景公說：「好啊，晏子的心願。」晏子回答說：「我願有君王可以輔佐，有妻子可以黜去，有兒子可以指責。」景公說：「好啊，晏子的心願。」

【出處】

景公游於牛山，少樂，公曰：「請晏子一願。」晏子對曰：「不，嬰何願？」公曰：「晏子一願。」對曰：「臣願有君而見畏，有妻而見歸，有子而可遺。」公曰：「善乎！晏子之願；載一願。」晏子對曰：「臣願有君而明，有妻而材，家不貧，有良鄰。有君而明，日順嬰之行；有妻而材，則使嬰不忘；家不貧，則不慍朋友所識；有良鄰，則日見君子。嬰之願也。」公曰：「善乎！晏子之願也。」晏子對曰：「臣願有君而可輔，有妻而可去，有子而可怒。」公曰：「善乎！晏子之願也。」（《晏子春秋》〈外篇第八〉）

懷善而死

燕國有個游士名叫泯子午，到齊國謁見晏子，言辭頗有文采，思路非常清晰。大的方面有益於國家，小的方面對晏子有所啟發的文章有三百篇。見到晏子，因為緊張拘束而不能暢所欲言。晏子以彬彬有禮的態度對待他，使他逐漸放鬆，大膽地說出自己想說的話。客人退下後，晏子端坐在席上沉默了好久。一旁的人說：「為什麼燕國客人在座時，夫子的神色充滿憂慮呢？」晏子說：「燕國是有萬輛兵車的強國，齊國是疆土縱橫千里的大國。泯子午認為萬輛兵車的國家不足以遊說，因而不遠千里來到齊國。以他在千萬人之上的才能，尚且拘謹得不能暢所欲言，更何況齊國懷才不遇至死不得任用的賢人呢！與我失之交臂的才子豈不是太多了嗎？」

【出處】

燕之游士，有泯子午者，南見晏子於齊，言有文章，術有條理，巨可以補國，細可以益晏子者，三百篇。睹晏子，恐慎而不能言。晏子假之以悲色，開之以禮顏，然後能盡其復也。客退，晏子直席而坐，廢朝移時。在側者曰：「向者燕客侍，夫子胡為憂也？」晏子曰：「燕，萬乘之國也；齊，千里之涂也。泯子午以萬乘之國為不足說，以千里之涂為不足遠，則是千萬人之上也。且猶不能殫其言於我，況乎齊人之懷善而死者乎！吾所以不得睹者，豈不多矣！然吾失此，何之有也。」（《晏子春秋》〈內篇雜上第五〉）

北郭騷以死白晏子

北郭騷靠結獸網、編蒲葦、織麻鞋來奉養母親，仍不足以維持生計，於是求見晏子說：「希望能得到一些糧食奉養母親。」晏子的僕從告訴晏子說：「這人是齊國的賢人。他志節高尚，重義輕利。現在尋求您的資助奉養母親，這是悅服您的道義，一定要給他。」晏子派人把倉中的糧食、府庫中的金錢拿出來分給他，他謝絕金錢，只收下了糧食。不久，晏嬰受到齊景公的懷疑出逃。北郭騷得知消息，叫來朋友說：「我敬慕晏嬰的仁義，曾經向他請求幫助。我聽說：『對贍養過自己父母的人，應該以生命來回報他。』現在晏嬰被懷疑，我準備用生命來幫他洗刷冤屈。」於是前往朝廷，請求傳話的人轉告景公說：「晏子是聞名天下的賢相，現在離開齊國，齊國必定會遭受攻擊。與其被敵人凌辱，還不如先死。請讓我以生命來洗刷晏子的罪名。」說完揮劍自刎。齊景公聽說這件事，十分驚駭，乘上驛馬親自追趕晏子，一直追到國都郊外，誠懇地請求晏子返回。晏子聽說北郭騷以死來為他洗刷冤屈，嘆息著說：「是我不賢，君主處罰我是應該的。讓賢士用生命來為我洗刷。真痛心啊！」

【出處】

齊有北郭騷者，結罘網，捆蒲葦，織葩屨，以養其母猶不足，踵門見晏子曰：「願乞所以養母。」晏子之僕謂晏子曰：「此齊國之賢者也。其義不臣乎天子，不友乎諸侯，於利不苟取，於害不苟免。今乞所以養母，是說夫子之義也，必與之。」晏子使人分倉粟、分府金而遺之，辭金而受粟。有間，晏子見疑於齊君，出奔，過北郭騷之門而辭。北郭騷沐浴而出，見晏子曰：「夫子將焉適？」晏子曰：「見疑於齊君，將出奔。」北郭子曰：「夫子勉之矣。」晏子上車，太息而嘆曰：「嬰之亡豈不宜哉？亦不知士甚矣。」晏子行。北郭子召其友而告之曰：「說晏子之義，而嘗乞所以養母焉。吾聞之曰：『養及親者，身伉其難。今晏子見疑，吾將以身死白之。」著衣冠，令其友操劍奉笥而從，造於君庭，求復者曰：「晏子，天下之賢者也，去則齊國必侵矣。必見國之侵也，不若先死。請以頭托白晏子也。」因謂其友曰：「盛吾頭於笥中，奉以托。」退而自刎也。其友因奉以托。其友謂觀者曰：「北郭子為國故死，吾將為北郭子死也。」又退而自刎。齊君聞之，大駭，乘馹而自追晏子，及之國郊，請而反之。晏子不得已而反，聞北郭騷之以死白己也，曰：「嬰之亡豈不宜哉？亦愈不知士甚矣。」（《呂氏春秋》〈季冬紀・士節〉）

見色而忘義

一次，田無宇到晏子家中，見晏子一人站在居室裡，有位婦人從內屋走出來，頭髮花白，穿著黑色的粗布衣服，十分儉樸。田無宇假裝不知道，故意用譏諷的語氣問晏子說：「剛才那個從內室裡出來的人是誰啊？」晏子禮貌地回答說：「是我妻子。」田無宇看著晏子說：「您貴為中卿，田賦收入七十萬，為什麼還要以老太婆為妻呢？」晏子回答說：「晏嬰聽說，拋棄老妻的稱為亂；納娶年少的美妾稱為淫；看見美女就忘記大義，身處富貴就丟掉人倫，這叫背離道德。晏嬰怎麼可以有淫亂的行為，不顧倫理，違背聖賢之道呢？」

【出處】

田無宇見晏子獨立於閨內，有婦人出於室者，髮班白，衣緇布之衣而無裡裘。田無宇譏之曰：「出於室為何者也？」晏子曰：「嬰之家也。」無宇曰：「位為中卿，田七十萬，何以老為妻？」對曰：「嬰聞之，去老者，謂之亂；納少者，謂之淫。且夫見色而忘義，處富貴而失倫，謂之逆道。嬰可以有淫亂之行，不顧於倫，逆古之道乎？」（《晏子春秋》〈外篇第八〉）

死則同穴

景公建成了路寢臺的臺基。正好逢於何家裡遭遇喪事，在路上遇到晏子，在馬前拜了兩拜。晏子下車向他作揖，問他說：「您有什麼吩咐嗎？」回答說：「我母親死了，占卜說要葬在路寢臺基的牆下，想請求國君讓父母合葬。」晏子說：「這太難了。即便如此，我也會為您向上稟明，假如君主不同意，那您怎麼辦呢？」回答說：「有地位的人會有所行動，像我這樣的小人物，只能左手握著喪車的轅木，右手拍打著胸口，站在那裡餓死，告訴往來的人說：『我不能讓母親安葬。』」晏子說：「好。」於是入宮拜見景公，說：「有個叫逢於何的人，母親死了，墓地在路寢邊上，他請求君主讓他將父母合葬，怎麼辦？」景公變了臉色，不高興地說：「從古至今，您聽說過有人要求在君王宮室邊下葬的嗎？」晏子回答說：「古代君王的宮室很儉省，不侵占活人的居處；臺榭也很儉省，不破壞死人的墓穴。所以沒聽說過要求葬在君王宮室的事情。現在君王大肆修建宮殿，奪占活人的居處，廣建樓臺亭榭，毀壞死人的墓地；所以活著的人愁怨憂傷，不能安居，死人屍骨離散，不能合葬。肆意享受遊樂，不顧活著的和死去的百姓，這不是賢君的行為；為滿足自己的貪欲，不顧念百姓，不是保存國家之道。況且我聽說活著的人不能安居，叫作積累憂傷；

死了的人不能安葬，叫作積累哀傷。積累憂傷會產生怨恨，積累哀傷會產生危險，君王不如答應他吧。」景公說：「好。」晏子出去後，梁丘據說：「自古至今，從未聽說要求在君王宮中安葬的，憑什麼答應他呢？」景公說：「擠占活人的居地，毀壞死人墓穴，凌犯人家的喪事，不許人家下葬，這是對活人寡恩，對死者無禮。《詩經》云：『活著不能同室，死了也要同穴。』我敢不答應嗎？」逢於何於是將他母親葬在路寢牆下，除去喪服，穿著布衣鞋，戴著玄冠草帶，跳躍而不痛哭，捶胸而不叩拜。葬禮完畢之後，才哭著離開。

【出處】

景公成路寢之臺，逢於何遭喪，遇晏子於途，再拜乎馬前。晏子下車挹之，曰：「子何以命嬰也？」對曰：「於何之母死，兆在路寢之臺牖下，願請命合骨。」晏子曰：「嘻！難哉！雖然，嬰將為子復之，適為不得，子將若何？」對曰：「夫君子則有以，如我者儕小人，吾將左手擁格，右手捆心，立餓枯槁而死，以告四方之士曰：『於何不能葬其母者也。』」晏子曰：「諾。」遂入見公，曰：「有逢於何者，母死，兆在路寢，當如之何？願請合骨。」公作色不說，曰：「古之及今，子亦嘗聞請葬人主之宮者乎？」晏子對曰：「古之人君，其宮室節，不侵生民之居，臺榭儉，不殘死人之墓，故未嘗聞諸請葬人主之宮者也。今君侈為宮室，奪人之居，廣為臺榭，殘人之墓，是生者愁憂，不得安處，死者離易，不得合骨。豐樂侈游，兼傲生死，非人君之行也。遂欲滿求，不顧細民，非存之道。且嬰聞之，生者不得安，命之曰蓄憂；死者不得葬，命之曰蓄哀。蓄憂者怨，蓄哀者危，君不如許之。」公曰：「諾。」晏子出，梁丘據曰：「自昔及今，未嘗聞求葬公宮者也，若何許之？」公曰：「削人之居，殘人之墓，凌人之喪，而禁其葬，是於生者無施，於死者無禮。詩云：『谷則異室，死則同穴。』[44]吾敢不許乎？」逢於何遂葬其母路寢之牖下，解衰去絰，布衣縢履，元冠茈武，踊而不哭，躄而不拜，已乃涕洟而去。（《晏子春秋》〈內篇諫下第二〉）

先國後家

景公賜給晏子平陰和棠邑，其中販賣貨物的集市有十一社。晏子辭謝說：「您喜歡修築宮室，百姓的精力十分疲憊；又喜歡遊樂，愛好珍玩，用來打扮宮中的嬪妃，使國家的財力接近枯竭；還喜好發動戰爭，使百姓掙扎在死亡線上。使民力疲憊，財用枯竭，百姓瀕臨死亡，社會底層的人已經非常痛恨君主，這就是我不敢接受的原因。」景公說：「雖然如此，君子難道就不追求富貴嗎？」晏子說：「我聽說身為人臣，要先想到國君而後才能考慮自身；先安定國再考慮家，只有國君受到尊重自己才能安身，怎能說唯獨不想富貴呢！」景公說：「那我用什麼封賞你呢？」晏子回答說：「君王放寬對漁鹽的徵稅，對關市只盤查而不徵稅；對耕地的人收取十分之一的租稅；減輕刑罰，犯死罪的人改判有期，該判刑的罰款，該罰款的赦免。這就是對我最大的賞賜。」景公說：「那就依從先生吧。」景公按照這三條做了，派人去問大國，大國國君說：「齊國安定了。」派人去問小國，小國國君說：「齊國不會侵凌我們了。」

44.「谷則異室，死則同穴」，出自《詩經》〈王風・大車〉。

【出處】

景公祿晏子以平陰與棠邑，反市者十一社。晏子辭曰：「吾君好治宮室，民之力弊矣；又好盤游玩好，以飭女子，民之財竭矣；又好興師，民之死近矣。弊其力，竭其財，近其死，下之疾其上甚矣！此嬰之所為不敢受也。」公曰：「是則可矣。雖然，君子獨不欲富與貴乎？」晏子曰：「嬰聞為人臣者，先君後身；安國而度家，宗君而處身，曷為獨不欲富與貴也！」公曰：「然則曷以祿夫子？」晏子對曰：「君商漁鹽，關市譏而不徵；耕者十取一焉；弛刑罰——若死者刑，若刑者罰，若罰者免。若此三言者，嬰之祿，君之利也。」公曰：「此三言者，寡人無事焉，請以從夫子。」公既行若三言，使人問大國，大國之君曰：「齊安矣。」使人問小國，小國之君曰：「齊不加我矣。」（《晏子春秋》〈內篇雜下第六〉）

行其所善

景公在位的時候，大雪下了三天仍不放晴。景公披著白色的狐皮裘衣，坐在正堂前的臺階上。晏子進宮謁見，站了一會兒，景公說：「奇怪啊！大雪下了三天天氣竟然不冷。」晏子回答說：「天氣果真不冷嗎？」景公笑了笑。晏子說：「我聽說古代賢德的國君自己吃飽卻知道別人的飢餓，自己穿暖卻知道別人的寒冷，自己安逸卻知道別人的勞苦。現在君王不知道民間的疾苦啊。」景公說：「說得好！我聽從您的教誨。」於是下令發放衣物、糧食給飢餓寒冷的人，命令巡視全國，救助所有困難的民眾。孔子聽到這件事後說：「晏子能表達他的願望，景公能實行德政。」

【出處】

景公之時，雨雪三日而不霽。公被狐白之裘，坐堂側陛。晏子入見，立有間，公曰：「怪哉！雨雪三日而天不寒。」晏子對曰：「天不寒乎？」公笑。晏子曰：「嬰聞古之賢君，飽而知人之飢，溫而知人之寒，逸而知人之勞。今君不知也。」公曰：「善！寡人聞命矣。」乃令出裘發粟，與飢寒。令所睹於涂者，無問其鄉；所睹於里者，無問其家；循國計數，無言其名。士既事者兼月，疾者兼歲。孔子聞之曰：「晏子能明其所欲，景公能行其所善也。」（《晏子春秋》〈內篇諫上第一〉）

狐之白裘

景公賜給晏子一件狐皮大衣，以黑豹皮為衣襟，價值千兩黃金，派梁丘據送去。晏子連續三次推辭不受。景公說：「我有兩件這樣的衣服，很想穿它，現在先生不接受，我也不敢穿呀。與其放壞，還不如穿壞。」晏子說：「君王派我執掌百官之政，君王在上穿這件狐皮大衣，而我在下也穿一件狐皮大衣，這怎麼能教化百官呢。」堅決推辭而不接受。

【出處】

景公賜晏子狐之白裘，元豹之茈，其貲千金，使梁丘據致之。晏子辭而不受，三反。公曰：「寡人有此二，將欲服之，今夫子不受，寡人不敢服。與其閉藏之，豈如弊之身乎？」晏子曰：「君就賜，使嬰修百官之政，君服之上，而使嬰服之於下，不可以為教。」固辭而不受。（《晏子春秋》〈外篇第七〉）

景公伐魯

景公攻打魯國，抓獲了東門無澤。景公問他：「魯國的年成怎麼樣？」回答說：「不見陽光的地方全都凍著，見陽光的地方冰厚五寸。」景公不明白他的話，就轉告晏子。晏子回答說：「他是君子啊。問他年成而以冰凍回答，是知禮啊。不見陽光的地方全凍著，見陽光的地方冰厚五寸，說明寒暑變化有規律，有規律刑法政令就平穩，上下就和睦，莊稼就應該豐收。戰備充足上下和睦而去攻打它，我擔心難打勝仗，不能實現君主的願望。請您禮待魯國，平息對我們的怨氣，放還抓獲的俘虜，以顯示我們的德行。」景公說：「好。」於是放棄攻打魯國。

【出處】

景公伐魯，傅許，得東門無澤，公問焉：「魯之年穀何如？」對曰：「陰水厥，陽冰厚五寸。」不知，以告晏子。晏子對曰：「君子也。問年穀而對以冰，禮也。陰水厥，陽冰厚五寸者，寒溫節，節則刑政平，平則上下和，和則年穀熟。年充眾和而伐之，臣恐罷民弊兵，不成君之意。請禮魯以息吾怨，遣其執，以明吾德。」公曰：

「善。」乃不伐魯。(《晏子春秋》〈內篇雜上第五〉)

魯免其疾

陽虎在魯國製造禍難，逃跑到齊國，請求齊國派兵攻打魯國，齊侯同意出兵。鮑文子說：「不能這樣做。陽虎想要我們齊軍打敗仗。齊軍戰敗，將士傷亡多，這樣他就能大展拳腳，施展詐術。陽虎曾經受到季氏的寵信，後來卻貪圖季氏的財富而攻打季平子。他想以傷害魯國來討您喜歡。現在您比季氏還富，齊國也比魯國強大，這就是陽虎想要傾覆齊國的動機。魯國剛解除了心頭之患，您卻要收留他，只怕會害了自己吧！」齊君於是捉住陽虎，後來又放了他，陽虎逃往晉國。

【出處】

陽虎為難於魯，走之齊，請師於魯，齊侯許之。鮑文子曰：「不可也。陽虎欲齊師破。齊師破。大臣必多死，於是欲奮其詐謀。夫虎有寵於季氏，而將殺季孫，以不利魯國，而容其求焉。今君富於季氏，而大於魯國，茲陽虎所欲傾覆也。魯免其疾，而君又收之，毋乃害乎？」齊君乃執之，免而奔晉。(《說苑》〈權謀〉)

常行而不休

梁丘據對晏子說：「我到死也趕不上先生您了。」晏子說：「我聽說，想幹事的人總能成功，堅持行走的人總能到達目的地。我跟別人沒什麼不同，只是堅持作為而不放棄，前行而不停止，所以難以趕上。」

【出處】

梁丘據謂晏子曰：「吾至死不及夫子矣。」晏子曰：「嬰聞之，為者常成，行者常至；嬰非有異於人也，常為而不置，常行而不休者，故難及也。」（《說苑》〈建本〉）

以一心事百君

梁丘據問晏子說：「您服侍過三位君主，三位君主的想法都不相同，而您侍奉他們都很順利，是仁智的人忠心多嗎？」晏子回答說：「我聽說順君愛民就能夠役使百姓。暴虐不忠就不能役使他人。一顆忠心能夠侍奉百位君主，三心二意不能侍奉一個君主。」孔子聽說這件事後說：「你們記住這些話！晏子是用一種忠心來侍奉百個君主。」

【出處】

梁丘據問晏子曰：「子事三君，君不同心，而子俱順焉，仁人固多心乎？」晏子對曰：「晏聞之，順愛不懈，可以使百姓，強暴不忠，不可以使一人。一心可以事百君，三心不可以事一君。」仲尼聞之曰：「小子識之！晏子以一心事百君者也。」（《晏子春秋》〈內篇問下第四〉）

臣專其君

梁丘據死了，景公召見晏子說：「梁丘據忠心愛戴我，我想豐厚地安葬他，把他的墳修得高大一些。」晏子說：「能把梁丘據的忠心愛戴講給我聽聽嗎？」景公說：「我喜歡的玩好之物，主管官吏不能為我準備，梁丘據就獻出自己的玩好供我使用，因此知道他的忠心；無論颳風下雨、天色多晚，召他必到，由此知道他的愛戴。」晏子說：「我的觀念與您不同。我聽說，臣子專擅侍奉君王叫作不忠；兒子專擅孝順父親叫作不孝；妻子專擅服侍丈夫叫作妒忌。侍奉君主之道，在於勸導君主親愛父兄，對群臣有禮，對百姓施恩，對諸侯有信，這叫作忠；為子之道，在於引導父親鍾愛每個兄弟，把愛心施予叔伯，對朋友忠誠有信，這叫作孝；為妻之道在於讓眾妾都能得到丈夫的歡心喜悅，這叫作不妒忌。如今四境之民都是君主的臣子，唯有梁丘據盡力愛戴君主，為什麼愛戴國君的人如此少呢？四境的財物都歸君主所有，唯有梁丘據能以私人財物向君主盡忠，盡忠的人怎麼這樣少呢？梁丘據阻絕群臣，矇蔽君主，豈不是太嚴重了嗎？」景公說：「是啊！不是先生提醒，我真不知道梁丘據竟然到了這種地步。」於是停止為他修建高墳，終止厚葬的命令。

【出處】

梁丘據死，景公召晏子而告之，曰：「據忠且愛我，我欲豐厚其葬，高大其壟。」晏子曰：「敢問據之忠與愛於君者，可得聞乎？」公曰：「吾有喜於玩好，有司未能我具也，則據以其所有共我，是以知其忠也；每有風雨，暮夜求必存，吾是以知其愛也。」晏子曰：

「嬰對則為罪，不對則無以事君，敢不對乎！嬰聞之，臣專其君，謂之不忠；子專其父，謂之不孝；妻專其夫，謂之嫉。事君之道，導親於父兄，有禮於群臣，有惠於百姓，有信於諸侯，謂之忠；為子之道，以鍾愛其兄弟，施行於諸父，慈惠於眾子，誠信於朋友，謂之孝；為妻之道，使其眾妾皆得歡忻於其夫，謂之不嫉。今四封之民，皆君之臣也，而維據盡力以愛君，何愛者之少邪？四封之貨，皆君之有也，而維據也以其私財忠於君，何忠者之寡邪？據之防塞群臣，擁蔽君，無乃甚乎？」公曰：「善哉！微子，寡人不知據之至於是也。」遂罷為壟之役，廢厚葬之令。（《晏子春秋》〈內篇諫下第二〉）

離樹別黨

齊景公有五個兒子，為他們請的導師都是擁有百乘兵車的大夫，晏子是其中之一。景公分別召見這些導師說：「努力吧，我會立你所教的兒子為太子的。」輪到晏子時，晏子辭謝說：「君王命令臣子盡心盡力，臣子哪敢不從命？現在這些老師都是國中掌握實權的重臣，如果人人都想自己所教的學生成為太子，勢必會在五人之間離間樹黨，這是傾覆國家的做法，我不敢從命，希望君主認真思考這件事。」

【出處】

景公有男子五人，所使傅之者，皆有車百乘者也，晏子為一焉。公召其傅曰：「勉之！將以而所傅為子。」及晏子，晏子辭曰：「君命其臣，據其肩以盡其力，臣敢不勉乎！今有之家，此一國之權臣也，人人以君命命之曰：『將以而所傅為子。』此離樹別黨，傾國之道也，嬰不敢受命，願君圖之！」（《晏子春秋》〈內篇諫上第一〉）

亂國之位

晏子出使吳國，吳王想私下向他請教。晏子猶豫說：「恐怕我的回答不能令您滿意。」吳王說：「請問國家在什麼情況下可以居處，什麼情況下可以離開？」晏子回答說：「我聽說，親疏各處其位，大臣盡忠，百姓無怨，國家沒有暴虐的刑罰，就可以居處。反之則應該離開。因此君子不嚮往殘暴之君的爵祿，不在政治混亂的國家任職。」

【出處】

晏子聘於吳，吳王曰：「子大夫以君命辱在敝邑之地，施貺寡人，寡人受貺矣，願有私問焉。」晏子巡遁而對曰：「嬰，北方之賤臣也，得奉君命，以趨於末朝，恐辭令不審，譏於下吏，懼不知所以對者。」吳王曰：「寡人聞夫子久矣，今乃得見，願終其問。」晏子避席對曰：「敬受命矣。」吳王曰：「國如何則可處，如何則可去也？」晏子對曰：「嬰聞之，親疏得處其倫，大臣得盡其忠，民無怨治，國無虐刑，則可處矣。是以君子懷不逆之君，居治國之位。親疏不得居其倫，大臣不得盡其忠，民多怨治，國有虐刑，則可去矣。是以君子不懷暴君之祿，不處亂國之位。」（《晏子春秋》〈內篇問下第四〉）

裸而訾高撅

晏子出使吳國，吳王說：「我生活在這偏僻簡陋的蠻夷之鄉，希望先生指教君子的品行，請私下談談不要怪罪。」晏子不安地離座站起來。吳王說：「我聽說齊國的國君大多是暴虐驕慢，粗野殘忍，先生卻能容忍於他們，什麼原因呢？」晏子遲疑不決地回答說：「我聽說，精細的事不懂、粗笨的事不會做的人，一定勞苦；大事不能做、小事不願幹的人，一定貧窮；地位顯要不能招來客人、地位低下又不願投靠別人的人，一定困難。這就是我出來做官的原因。像我這樣的人，哪裡是用德行去向人討食呢！」晏子出來後，吳王笑著說：「唉！今天我譏笑晏子，就像裸體的人責備脫衣服的人一樣不恭敬。」

【出處】

晏子使吳，吳王曰：「寡人得寄僻陋蠻夷之鄉，希見教君子之行，請私而無為罪。」晏子蹴然辟位。吳王曰：「吾聞齊君蓋賊以慢，野以暴，吾子容焉，何甚也？」晏子遵而對曰：「臣聞之，微事不通，粗事不能者，必勞；大事不得，小事不為者，必貧；大者不能致人，小者不能至人之門者，必困。此臣之所以仕也。如臣者，豈能以道食人者哉！」晏子出，王笑曰：「嗟乎！今日吾譏晏子，猶裸而訾高撅者也。」(《晏子春秋》〈外篇第七〉)

不能令則莫若從

齊景公將自己的女兒嫁給闔廬，送她到郊外，哭泣著說：「我到死也見不到您了！」高夢子說：「齊國背靠大海連接高山，縱然不能完全得到天下，誰敢冒犯我們國君？您既然心疼女兒，就不要讓她嫁到吳國去。」齊景公說：「我雖然有強大的齊國，但不能憑它號令諸侯，又不肯聽命於人的話，就會產生混亂。我聽說：不能號令別人，就須聽從別人。再說那吳國就像黃蜂毒蠍一樣，不用毒針扎人就不會舒服，我恐怕它用毒針扎我啊。」最終還是將女兒送往吳國。

【出處】

齊景公以其子妻闔廬，送諸郊，泣曰：「余死不汝見矣。」高夢子曰：「齊負海而縣山，縱不能全收天下，誰幹我君？愛則勿行！」公曰：「余有齊國之固，不能以令諸侯，又不能聽，是生亂也。寡人聞之，不能令則莫若從。且夫吳，若蜂蠆然，不棄毒於人則不靜，余恐棄毒於我也。」遂遣之。（《說苑》〈權謀〉）

革心易行

景公問晏子說：「我神志衰落，身體病得厲害。現在我打算備齊珪璋、牲畜等祭品，命令祝宗祭祀天地，這樣是否可以求福呢？」晏子回答說：「我聽說古時先王求福，政事要合於民心，行事要順於神意；宮室節儉，不敢大肆砍伐，以免威脅山林；飲食節儉，不敢過多田獵捕魚，以免威脅川澤；祝宗履行職事，只向神告知罪過，而不敢有什麼求取。所以神與百姓順心，山川致福。現在君主的政事違反民心，行事違背神意；擴大宮室，過度砍伐威脅山林；飲食浪費，過度田獵捕魚威脅川澤。所以神與百姓都怨恨您，山神收回祝福，司過之官指出罪過，祝宗卻祈求降福，這不是違背神靈之意嗎？」景公說：「若不是先生，我無從聽到這些，請讓我改變想法和行為。」於是，終止了公阜之遊，停止進獻海產，砍伐規定一定的時間，捕魚打獵規定一定的數量，住處和飲食節儉不浪費。祝宗履行職事，只告知罪過而不敢有所求取。從此鄰國忌憚齊國，百姓親愛齊國。晏子死後，這種做法就不再堅持。

【出處】

公問於晏子曰：「寡人意氣衰，身病甚。今吾欲具珪璋犧牲，令祝宗薦之乎上帝宗廟，意者禮可以干福乎？」晏子對曰：「嬰聞之，古者先君之干福也，政必合乎民，行必順乎神；節宮室，不敢大斬伐，以無逼山林；節飲食，無多畋漁，以無逼川澤；祝宗用事，辭罪而不敢有所求也。是以神民俱順，而山川納祿。今君政反乎民，而行悖乎神；大宮室，多斬伐，以逼山林；羨飲食，多畋漁，以逼川澤。是以民神俱怨，而山川收祿，司過薦罪，而祝宗祈福，意者逆乎！」公曰：「寡人非夫子無所聞此，請革心易行。」於是廢公阜之游，止海食之獻，斬伐者以時，畋漁者有數，居處飲食，節之勿羨，祝宗用事，辭罪而不敢有所求也。故鄰國忌之，百姓親之，晏子沒而後衰。（《晏子春秋》〈內篇問上第三〉）

齊相御妻

齊相御妻，是齊相晏子車伕的妻子，她被封為命婦。有一天，晏子出門，命婦暗中觀察丈夫駕車的情景，只見他駕馭大車，驅使四馬，一副志得意滿的樣子。車伕回家後，妻子對他說：「你的確是個卑鄙下賤的人！」丈夫問她說：「你為什麼這樣說我？」妻子回答說：「晏子身高不滿六尺，卻是齊國國相，名聲威震列國。今天我從門縫裡觀察他的神情，只見他目光謙遜，深思遠慮。而你，身高八尺，卻給人駕車，還洋洋得意，自滿得了不起，我要離你而去。」車伕連忙向妻子賠罪說：「是我錯了，請看我改過吧。」妻子說：「以你堂堂八尺的身軀，如果能有晏子的智謀，施行仁義，侍奉明主，一定會收穫好名聲的。而且我聽說：即便身分低賤，也應以好行仁義為榮，以虛妄浮誇為恥。」從此之後，車伕行事處處收斂，為人謙卑。晏子覺得奇怪，就問他怎麼回事。車伕據實相告。晏子覺得他能聽從善言，真心改過，就向景公推薦他做大夫，並賜給他妻子「命婦」的稱號。君子稱讚命婦知人善言。賢人的成功不僅僅靠老師的指點和朋友的幫助，妻子的作用也是很大的。《詩經》裡說「巍峨高山要仰視，平坦大道能縱馳」，表達的就是這個意思啊！

【出處】

齊相晏子僕御之妻也。號曰命婦。晏子將出，命婦窺其夫為相御，擁大蓋，策駟馬，意氣洋洋，甚自得也。既歸，其妻曰：「宜矣！子之卑且賤也。」夫曰：「何也？」妻曰：「晏子長不滿三尺，身相齊國，名顯諸侯。今者吾從門間觀其志氣，恂恂自下，思念深矣。今子身長八尺，乃為之僕御耳，然子之意洋洋若自足者。妾是以去也。」其夫謝曰：「請自改，何如？」妻曰：「是懷晏子之智而加以八尺之長也。夫躬仁義，事明主，其名必揚矣。且吾聞寧榮於義而賤，不虛驕以貴。」於是其夫乃深自責，學道謙遜，常若不足。晏子怪而問其故，具以實對。於是晏子賢其能納善自改，升諸景公，以為大夫，顯其妻以為命婦。君子謂命婦知善。故賢人之所以成者，其道博矣，非特師傅朋友相與切磋也，妃匹亦居多焉。詩曰：「高山仰止，景行行止。」[45]言當常向為其善也。頌曰：齊相御妻，匡夫以道。明言驕恭，恂恂自效。夫改易行，學問靡已。晏子升之，列於君子。（《列女傳》〈賢明傳〉）

男女有別

有個從事手工技藝的女人跑到晏子家裡要託付終身，對晏子說：「賤妾是城東的粗野之人，希望能在您的姬妾中湊個數。」晏子說：「若如你願，我從今以後就沒有好名聲了。古代行政之法，士、農、工、商分居而住，男女有別而不通好。所以，士無邪僻之行，女無淫邪之事。現在我受託於國，主理政事，而您想私奔於我，人們一定以為我好女色，行事缺乏廉恥。」最終沒有接納她。

45.「高山仰止，景行行止」，出自《詩經》〈小雅・車舝〉。

【出處】

有工女托於晏子之家焉者，曰：「婢妾，東廓之野人也。願得入身，比數於下陳焉。」晏子曰：「乃今日而後自知吾不肖也！古之為政者，士農工商異居，男女有別而不通，故士無邪行，女無淫事。今僕托國主民，而女欲奔僕，僕必色見而行無廉也。」遂不見。（《晏子春秋》〈外篇第八〉）

哲婦傾城

翟王的兒子羨做景公的臣子，用超過禮制規定的馬匹駕車，景公見了很不高興。他的愛妾嬰子想看羨的車駕，景公說：「等晏子生病的時候再說吧。」於是在園林的高臺上觀看，嬰子替羨請求說：「多給他點賞祿。」景公答應了。晏子病好後拜見景公。景公說：「翟王的兒子羨的車駕我很喜歡，讓他給你演示一下吧？」晏子說：「我對駕車的事不感興趣。」景公說：「我很喜歡這種車駕，想賜給他萬鍾俸祿，你看行嗎？」晏子回答說：「從前君主喜歡衛士東野的車駕，因為嬰子不喜歡，您就說不喜歡；現在君主並不喜歡羨的車駕，因為嬰子喜歡，您就跟著喜歡。嬰子為羨請賞，君主如果答應，就是婦人說了算啊。況且不樂於治理百姓而樂於車駕，不嘉獎賢人卻嘉獎車伕也非常不妥。從前先君桓公的土地比現在還狹小，卻能修明法治，拓廣政教，由此稱霸諸侯。現在沒有任何諸侯親附齊國，遭遇饑荒，路途上死屍隨處可見，君主不感到憂慮和羞恥，反而只貪圖聲色之樂，不追求先王的功業卻熱衷於車駕的技藝，這已經很過分了，您好好想想吧！」景公說：「好。」於是罷免了羨，疏遠了愛妾嬰子。

【出處】

翟王子羨臣於景公，以重駕，公觀之而不說也。嬖人嬰子欲觀之，公曰：「及晏子寢病也。」居圃中臺上以觀之，嬰子說之，因為之請曰：「厚祿之！」公許諾。晏子起病而見公，公曰：「翟王子羨之駕，寡人甚說之，請使之示乎？」晏子曰：「駕馭之事，臣無職焉。」公曰：「寡人一樂之，是欲祿之以萬鍾，其足乎？」對曰：「昔衛士東野之駕也，公說之，嬰子不說，公曰不說，遂不觀。今翟王子羨之駕也，公不說，嬰子說，公因說之；為請，公許之，則是婦人為制也。且不樂治人，而樂治馬，不厚祿賢人，而厚祿御夫。昔者先君桓公之地狹於今，修法治，廣政教，以霸諸侯。今君，一諸侯無能親也，歲凶年飢，道途死者相望也。君不此憂恥，而惟圖耳目之樂，不修先君之功烈，而惟飾駕馭之伎，則公不顧民而忘國甚矣。且詩曰：『載驂載駟，君子所屆。』[46]夫駕八，固非制也，今又重此，其為非制也，不滋甚乎！且君苟美樂之，國必眾為之，田獵則不便，道行致遠則不可，然而用馬數倍，此非御下之道也。淫於耳目，不當民務，此聖王之所禁也。君苟美樂之，諸侯必或效我，君無厚德善政以被諸侯，而易之以僻，此非所以子民、彰名、致遠、親鄰國之道也。且賢良廢滅，孤寡不振，而聽嬖妾以祿御夫以蓄怨，與民為仇之道也。詩曰：『哲夫成城，哲婦傾城。』[47]今君不免成城之求，而惟傾城之務，

46.「載驂載駟，君子所屆」，出自《詩經》〈小雅・采菽〉。

47.「哲夫成城，哲婦傾城」，出自《詩經》〈大雅・瞻卬〉。

國之亡日至矣。君其圖之！」公曰：「善。」遂不復觀，乃罷歸翟王子羨，而疏嬖人嬰子。（《晏子春秋》〈內篇諫上第一〉）

厚嬖妾之哀

齊景公的愛妾嬰子死了，景公守著她的屍體三天沒有吃飯，屍體放在蓆子上不讓送出。左右的人苦苦相勸也不聽從。晏子入宮對景公說：「有個術士和巫醫，聽說嬰子生病死了，希望能讓他倆來起死回生。」景公大喜，趕快起來說：「是真的嗎？」晏子說：「術士、巫醫醫術高超，不妨一試，請君王迴避，清潔身體，吃些乾淨的食物，與病人的房子隔離，讓他倆做驅鬼招魂的法事。」景公說：「行。」於是迴避出去沐浴。晏子令人將屍體入殮，裝殮完畢後告訴景公說：「巫醫也束手無策，已經裝殮完了，不敢不把這件事告訴您。」景公變了臉色，不高興地說：「先生以做法事之名讓我離開，將要裝殮而不讓我知道，我身為君王，只是虛名罷了。」晏子說：「君王難道不知道人死不能復生嗎？從前我們的先君任用管仲而稱霸，寵愛豎刁而衰亡；現在君王卻輕賢人之禮，重寵妾之哀。古代聖王畜養媵妾而不損傷德行，裝殮死人而不過於愛戀，發送死者而不過分哀傷。而且我聽說，屍體朽爛了卻不裝殮，是侮辱屍體；腐臭了卻不埋葬，是展示腐肉。違反明王的本性，做百姓非議的事情，將愛妾置於陳屍受辱的境地，顯然是錯誤的。」景公說：「我不明智，請按夫子說的去辦吧。」

【出處】

景公之嬖妾嬰子死，公守之，三日不食，膚著於席不去。左右以復，而君無聽焉。晏子入，復曰：「有術客與醫俱言曰：『聞嬰子病死，願請治之。』」公喜，遽起，曰：「病猶可為乎？」晏子曰：「客之道也，以為良醫也，請嘗試之。君請屏，潔沐浴飲食，間病者之宮，彼亦將有鬼神之事焉。」公曰：「諾。」屏而沐浴。晏子令棺人入斂，已斂，而復曰：「醫不能治病，已斂矣，不敢不以聞。」公作色不說，曰：「夫子以醫命寡人，而不使視，將斂而不以聞，吾之為君，名而已矣。」晏子曰：「君獨不知死者之不可以生邪？嬰聞之，君正臣從謂之順，君僻臣從謂之逆。今君不道順而行僻，從邪者邇，導害者遠，讒諛萌通，而賢良廢滅，是以諂諛繁於間，邪行交於國也。昔吾先君桓公用管仲而霸，嬖乎豎刁而滅，今君薄於賢人之禮，而厚嬖妾之哀。且古聖王畜私不傷行，斂死不失愛，送死不失哀。行傷則溺己，愛失則傷生，哀失則害性。是故聖王節之也。即畢斂，不留生事，棺槨衣衾，不以害生養，哭泣處哀，不以害生道。今朽屍以留生，廣愛以傷行，修哀以害性，君之失矣。故諸侯之賓客慚入吾國，本朝之臣慚守其職。崇君之行，不可以導民；從君之慾，不可以持國。且嬰聞之，朽而不斂，謂之僇屍，臭而不收，謂之陳胔。反明王之性，行百姓之誹，而內嬖妾於僇胔，此之為不可。」公曰：「寡人不識，請因夫子而為之。」（《晏子春秋》〈內篇諫下第二〉）

好會夾谷

齊景公四十八年，景公與魯定公在夾谷盟會修好。犁鉏說：「孔丘深通禮儀但怯懦不剛，可以讓萊人表演歌舞，藉機捉住魯君，讓魯國滿足我們的要求。」景公擔心孔子為魯相，助魯國成就霸業，所以聽從犁鉏的計謀。盟會時，齊國獻上萊人樂舞，孔子登階上臺，命有關人員捉住萊人斬首，用禮儀責備景公。景公心虧，就歸還了侵占的魯國領土以示謝罪，然後離去。

【出處】

四十八年，與魯定公好會夾谷。犁鉏曰：「孔丘知禮而怯，請令萊人為樂，因執魯君，可得志。」景公害孔丘相魯，懼其霸，故從犁鉏之計。方會，進萊樂，孔子歷階上，使有司執萊人斬之，以禮讓景公。景公慚，乃歸魯侵地以謝，而罷去。（《史記》〈齊太公世家〉）

老薄無能

晏子為相輔佐景公，年老的時候請求辭去封邑。景公說：「自從我的先君丁公到現在，任用的人多了，還沒聽說年老而辭去封邑的。只有先生提出辭去封邑，這是破壞齊國的舊制，捨棄我啊，不行。」晏子回答說：「我聽說古代侍奉君主的人，根據自己的貢獻求取俸祿。德行高的就接受俸祿，德行低的就辭去俸祿。德行高而接受俸祿，能夠彰明君主；德行低而辭去俸祿，能夠整頓臣下。如今我年老德薄，沒有能力，接受太多的俸祿是掩蔽君王的英明，污損臣下的品行，不可以啊。」景公仍不答應說：「從前我們的先君桓公，有管仲為齊國操勞，年歲大了以後，賞給他三處家宅，恩澤延及子孫。現在先生也為國相，想給先生三處家宅，恩澤及於子孫，難道不可以嗎？」晏子回答說：「從前管仲侍奉桓公，桓公義高於諸侯，德義惠及百姓。現在我侍奉君王，國家僅與諸侯平齊，怨憤積於百姓，我的罪過太大了。而君主還想賞賜我，這不是傷害國家和百姓的大義嗎？況且德薄而俸祿多，人老糊塗而家室富足，這是彰顯污濁而違背教化啊，不能這麼做。」

【出處】

晏子相景公，老，辭邑。公曰：「自吾先君定公至今，用世多矣，齊大夫未有老辭邑者矣。今夫子獨辭之，是毀國之故，棄寡人也。不可！」晏子對曰：「嬰聞古之事君者，稱身而食，德厚而受祿，德薄則辭祿。德厚受祿，所以明上也；德薄辭祿，可以潔下也。嬰老薄無能，而厚受祿，是掩上之明，污下之行，不可。」公不許，曰：「昔吾先君桓公，有管仲恤勞齊國，身老，賞之以三歸，澤及子孫。今夫子亦相寡人，欲為夫子三歸，澤至子孫，豈不可哉？」對曰：「昔者管子事桓公，桓公義高諸侯，德備百姓。今嬰事君也，國僅齊於諸侯，怨積乎百姓，嬰之罪多矣，而君欲賞之，豈以其不肖父為不肖子厚受賞以傷國民義哉？且夫德薄而祿厚，智惛而家富，是彰污而逆教也，不可。」（《晏子春秋》〈內篇雜下第六〉）

晏嬰疾甚

齊景公到渤海遊玩，驛使從國都傳遞消息來說：「晏嬰病得很重，快要死了，恐怕您趕不上見他了。」景公即刻起身，又有驛使到達。景公說：「趕快駕上煩且拉的車，讓韓樞駕車。」才跑了幾百步，景公認為馬車跑得不快，於是奪過轡繩，自己親自駕車。又跑了幾百步，景公認為馬沒有使力，乾脆丟下車子，自己向前奔跑。以煩且這樣的千里馬和韓樞這樣技術高超的駕馭本領，景公竟然認為不如自己兩條腿跑得快，可見他心急如焚到何種程度。回到都城，他邊走邊哭前往奔喪，一到就伏在晏嬰的屍體上放聲大哭說：「先生您日夜督促我，連我細小的過失也不放過，而我還是肆意放縱不知收斂，百姓對我積累了太多的怨恨和責備。現在上天降災禍給齊國，卻不加在我身上，反而加在先生身上，看來齊國的國運危險了！先生死了，百姓將求告於誰呢！」

【出處】

齊景公游少海，傳騎從中來謁曰：「嬰疾甚，且死，恐公後之。」景公遽起，傳騎又至。景公曰：「趨駕煩且之乘，使騶子韓樞御之。」行數百步，以騶為不疾，奪轡代之御；可數百步，以馬為不進，盡釋車而走。以且煩之良，而騶子韓樞之巧，而以為不如下走也。（《韓非子》〈外儲說左上〉）

比至於國者，四下而趨，行哭而往矣。至，伏屍而號曰：「子大夫日夜責寡人，不遺尺寸，寡人猶且淫泆而不收，怨罪重積於百姓。

今天降禍於齊國，不加寡人而加夫子，齊國之社稷危矣，百姓將誰告矣？」（《說苑》〈君道〉）

士不可窮

晏子病重將死，鑿開廳柱將遺書放在裡邊。對妻子說：「楹柱裡的遺言，等兒子長大之後再給他看。」兒子長大後取出遺書，書上的遺言說：「布帛不能沒有，否則就沒有衣穿；牛馬不能沒有，否則就沒有耕田拉車的；士不可失志，否則難當大任；國家不可貧窮，否則無法保有。」

【出處】

晏子病，將死，斷楹內書焉。謂其妻曰：「楹也語，子壯而視之！」及壯發書，書之言曰：「布帛不窮，窮不可飾；牛馬不窮，窮不可服；士不可窮，窮不可任。窮乎？窮乎？窮也！」（《說苑》〈反質〉）

一日三責

景公出宮到公阜去遊玩，向北遠望，看見齊國的都城，嘆息說：「唉！假如自古以來就沒有死亡該多麼快樂啊。」晏子說：「從前上帝認為人死是好事。好人得到安息，壞人停止作惡。如果自古就沒有死亡，丁公、太公會做齊國的國君，桓公、襄公、文公、武公都會輔佐國家，而君王您會頭戴斗笠，衣穿短衣，拿著鋤頭，在田野勞作，又哪裡有閒暇憂慮死亡呢？」景公聽了很不高興。沒過多久，梁丘據駕著六馬高車而來。景公問：「這是誰？」晏子說：「是梁丘據。」景公問：「你怎麼知道？」晏子說：「大熱天卻揚鞭催馬，馬不累死，也會累傷，不是梁丘據，誰敢這麼做？」景公說：「梁丘據和我這叫君臣相和吧？」晏子說：「這是苟同。所謂相和，是君說甜而臣子說酸；君說淡而臣子說咸。現在梁丘據說甜君也說甜，這只是苟同，怎麼能說是相和呢？」景公氣得變了臉色，很不高興。過了一會兒，天色晚了，景公向西遙望，看見彗星，於是召見伯常騫，讓他祈禱消災禳除彗星。晏子說：「不可以。這是上天在警示齊國。日月的雲氣、風雨失調不依季節，包括彗星出現，都是上天因為民間的亂相而顯現的，用凶吉之兆來警誡對天神不敬的人。現在君王若能推行禮治，廣納諫言，任用賢人，即使不去祈禱，彗星也會消失。現在君王酷好飲酒享樂，不修治國政，寬容邪惡之人，親近讒佞之人，喜好優伶之類，厭惡禮樂制度而疏遠賢人，豈止彗星出現，連茀星也會出現的。」景公氣得臉又變了，很不高興。等到晏子死後，景公上朝出來，背身哭泣說：「唉！從前和先生一起遊公阜，先生一天裡三次批評我，現在誰來批評我呢？」

【出處】

景公出遊於公阜，北面望睹齊國曰：「嗚呼！使古而無死，何如？」晏子曰：「昔者上帝以人之歿為善，仁者息焉，不仁者伏焉。若使古而無死，丁公、太公將有齊國，桓、襄、文、武將皆相之，君將戴笠衣褐，執銚耨以蹲行畎畝之中，孰暇患死！」公忿然作色，不說。無幾何而梁丘據御六馬而來，公曰：「是誰也？」晏子曰：「據也。」公曰：「何如？」曰：「大暑而疾馳，甚者馬死，薄者馬傷，非據孰敢為之！」公曰：「據與我和者夫！」晏子曰：「此所謂同也。所謂和者，君甘則臣酸，君淡則臣鹹。今據也甘君亦甘，所謂同也，安得為和！」公忿然作色，不說。無幾何，日暮，公西面望睹彗星，召伯常騫，使禳去之。晏子曰：「不可！此天教也。日月之氣，風雨不時，彗星之出，天為民之亂見之，故詔之妖祥，以戒不敬。今君若設文而受諫，謁聖賢人，雖不去彗，星將自亡。今君嗜酒而並於樂，政不飾而寬於小人，近讒好優，惡文而疏聖賢人，何暇在彗！茀又將見矣。」公忿然作色，不說。及晏子卒，公出，背而泣曰：「嗚呼！昔者從夫子而游公阜，夫子一日而三責我，今誰責寡人哉！」（《晏子春秋》〈內篇諫上第一〉）

辭魚不受

晏嬰死了十七年了，一次景公請各位大夫飲酒，並以射箭助興。[48]景公射箭脫靶，滿堂的人都齊聲叫好，像出自一人之口。景公臉色大變，嘆息一聲扔開弓箭，就退席了。這時大夫弦章進來，景公對他說：「弦章，自我失去晏嬰，至今已有十七年了，從來沒聽到有人指出我的過失。今天射箭明明脫靶，大家仍然叫好，喝采聲像出自一人之口。」弦章對景公說：「這是群臣的不對，他們的智慧不能夠

---

48. 據《史記》〈齊世家〉載，晏嬰卒於景公四十八年（西元前500年），齊景公卒於景公五十八年（西元前490年），晚晏嬰十年。

明察君主的不足，勇氣不足以冒犯君威。但往往君王喜好的東西，臣子就會投其所好。那尺蠖，吃了黃色的東西，身體就變成黃色；吃了黑色的東西，身體就變成黑色。君王您是否仍然愛聽恭維的話呢？」齊景公說：「好。憑今天你這番話，你是國君，我是臣下。」當時海邊漁民進獻鮮魚，齊景公就用五十車魚賞賜弦章。弦章回去時，魚車塞滿了道路。他撫著趕車人的手說：「方才那些叫好的人都想要這些魚。從前晏嬰以拒絕賞賜來補正君王，所以君王有什麼過失從不遮掩；現在這些臣子以諂媚阿諛來求取利益，所以箭脫了靶仍然齊聲叫好。現在我輔佐君主，還沒有見到成效，卻接受這些魚，這就違背了晏嬰的行為準則，等於在追求阿諛奉承之人所追求的利益。」於是他退回海魚，堅持不接受賞賜。君子評論此事說：「弦章的廉潔，就是晏嬰流傳下來的好品行啊！」

【出處】

晏子沒十有七年，景公飲諸大夫酒，公射出質，堂上唱善，若出一口。公作色太息，播弓矢。弦章入，公曰：「章，自吾失晏子，於今十有七年，未嘗聞吾過不善，今射出質，而唱善者若出一口。」弦章對曰：「此諸臣之不肖也，知不足以知君之不善，勇不足以犯君之顏色。然而有一焉，臣聞之：『君好之，則臣服之；君嗜之，則臣食之。』夫尺蠖食黃則其身黃，食蒼則其身蒼，君其猶有食諂人言乎？」公曰：「善！今日之言，章為君，我為臣。」是時海人入魚，公以五十乘賜弦章。章歸，魚乘塞涂，撫其御之手，曰：「曩之唱善者，皆欲若魚者也。昔者晏子辭賞以正君，故過失不掩，今諸臣諂諛以干利，故出質而唱善如出一口。今所輔於君，未見於眾，而受若

魚，是反晏子之義，而順諂諛之慾也。」固辭魚不受。君子曰：「弦章之廉，乃晏子之遺訓也。」（《說苑》〈君道〉）

何患無君

齊景公五十八年夏季，景公夫人燕姬的嫡子死去。景公的寵妾芮姬生子荼，荼母出生微賤，荼年幼且行為不端，諸位大夫擔心荼被立為太子，都說願意在諸公子中選擇年長賢德者為太子。景公因年老，討厭提立太子的事，又寵愛荼的生母，心裡想立荼為太子，又不願主動提出來，就對大夫們說：「及時行樂吧，還怕國家沒有君主嗎？」後來景公病重，才命令國惠子、高昭子立幼子荼為太子，驅逐其他公子，結果釀成內亂，反而導致荼和芮姬被殺。

【出處】

五十八年夏，景公夫人燕姬適子死。景公寵妾芮姬生子荼，荼少，其母賤，無行，諸大夫恐其為嗣，乃言願擇諸子長賢者為太子。景公老，惡言嗣事，又愛荼母，欲立之，憚發之口，乃謂諸大夫曰：「為樂耳，國何患無君乎？」秋，景公病，命國惠子、高昭子立少子荼為太子，逐群公子，遷之萊。景公卒，太子荼立，是為晏孺子。（《史記》〈齊太公世家〉）

忠臣之言

田常和宰予為齊簡公左右相。諸御鞅勸諫齊簡公說：「田常與宰予相互結怨，矛盾很深，我擔心他倆會互相攻殺。互相攻殺雖然不比相互勾結更有威脅，但一樣危害國家。希望君王斥去其中一人。」齊簡公說：「這不是你應該議論的事情。」過了沒多久，田常果然在宮廷裡攻殺宰予，在朝廷殺害齊簡公。齊簡公嘆息說：「我沒聽諸御鞅的話，以至落得今天的下場。」忠臣的話，不能不認真考慮。

【出處】

齊簡公有臣曰諸御鞅，諫簡公曰：「田常與宰予，此二人者甚相憎也，臣恐其相攻；相攻雖叛而危之，不可。願君去一人。」簡公曰：「非細人之所敢議也。」居無幾何，田常果攻宰予於庭，賊簡公於朝，簡公喟焉太息，曰：「余不用鞅之言，以至此患也。」故忠臣之言，不可不察也。（《說苑》〈正諫〉）

退而自殺

陳恆（田常）殺死齊簡公之後，與朝中大臣盟誓，凡參加盟誓的人即可保全家族，不參加盟誓則全家處死。石他人說：「從前侍奉君主的人，都可以按自己的意願選擇君主，現在對我說：『拋棄你的君主來侍奉我吧！』這種事我做不到。如果不參加盟誓，父母就活不成；如果參加盟誓，又丟棄了君臣的禮儀。生在亂世，沒有光明大道可走；為暴君威逼，又無法堅持道義。因此選擇先參加盟誓，免得父母送死，再回家自殺，以表示我不忘君臣的名分。」於是參加盟誓後就回家自殺了。

【出處】

陳恆弒簡公而盟，盟者皆完其家，不盟者殺之。石他人曰：「昔之事其君者，皆得其君而事之，今謂他人曰：『舍而君而事我。』他人不能。雖然，不盟則殺父母也，從而盟，是無君臣之禮也。生於亂世，不得正行；劫於暴上，不得道義。故雖盟，不以父母之死，不如退而自殺，以禮其君。」乃自殺。（《新序》〈義勇第八〉）

陳恆弒君

陳恆殺死齊簡公的時候，派了六個勇士去劫持子淵棲，子淵棲說：「您之所以要結交我，是認為我聰明嗎？臣子殺君主，不是聰明的做法。是認為我仁德嗎？見到好處就背叛君主，這不是仁德。是認為我有勇氣嗎？用暴力來劫持我，我因為怕死就屈從您，也不是勇敢。如果我不具備這三種品德，您結交我有用嗎？如果我擁有這三種品德，至死也不會服從您的。」陳恆只好放了他。

【出處】

陳恆弒君，使勇士六人劫子淵棲，子淵棲曰：「子之欲與我，以我為知乎？臣弒君，非知也！以我為仁乎？見利而背君，非仁也！以我為勇乎？劫我以兵，懼而與子，非勇也。使吾無此三者，與何補於子？若吾有此三者，終不從子矣！」乃舍之。（《新序》〈義勇第八〉）

傾圃池而示渴民

齊簡公擔任君主的時候，實施嚴刑峻法，橫徵暴斂，魚肉百姓。田成子則對百姓表示慈愛，顯示寬厚。簡公把齊國百姓視為乾渴的馭馬，不對他們施恩，田成子則以仁厚為草圃水池，來爭取民眾。另一種說法是：造父作為齊王副車的車伕，用控制飲水的方法馴馬，一百天後馴成，請求駕車給齊王看，齊王說：「到草圃上演示給我看。」造父把馬車趕入草圃，馭馬看見圃中的水池就跑了過去，造父根本無法阻止。造父用控制飲水的方法馴馬已有很長時間了，現在馭馬一看見水池，就奮力奔跑過去，連造父也控制不住。齊簡公用嚴刑峻法禁錮百姓很久了，田成子卻賜給百姓好處，就好比以圃池的水給乾渴的馭馬喝。

【出處】

簡公在上位，罰重而誅嚴，厚賦斂而殺戮民。田成恆設慈愛，明寬厚。簡公以齊民為渴馬，不以恩加民，而田成恆以仁厚為圃池也。一曰：造父為齊王駙駕，以渴服馬，百日而服成。服成，請效駕齊王，王曰：「效駕於圃中。」造父驅車入圃，馬見圃池而走，造父不能禁。造父以渴服馬久矣，今馬見池，駻而走，雖造父不能治。今簡公之以法禁其眾久矣，而田成恆利之，是田成恆傾圃池而示渴民也。

傾圃池而示渴民

（《韓非子》〈外儲說右下〉）

人之所惡

田常對齊平公說：「恩德人人都想得到，由您來施行；懲罰人人厭惡，就由臣去執行。」過了五年，齊國的政權都歸田常把持了。田常把鮑氏、晏氏、監止和勢力較強的公族全部剷除，並將安平以東至琅邪的土地作為自己的封地，超過了齊平公享有的領地。田常挑選身高七尺以上的齊國美女入自己的後宮為姬妾，多達數百，又讓賓客侍從隨便出入後宮，不加禁止。到田常去世時，姬妾生有七十多個兒子。

【出處】

田常言於齊平公曰：「德施人之所欲，君其行之；刑罰人之所惡，臣請行之。」行之五年，齊國之政皆歸田常。田常於是盡誅鮑、晏、監止及公族之強者，而割齊自安平以東至琅邪，自為封邑。封邑大於平公之所食。田常乃選齊國中女子長七尺以上為後宮，後宮以百數，而使賓客舍人出入後宮者不禁。及田常卒，有七十餘男。（《史記》〈田敬仲完世家〉）

乞猶不辱

齊國有個窮人，經常在城中討飯。城中的人討厭他經常來討，沒有人再給他了。於是他到了田氏的馬廄，跟著馬醫幹活而得到一些食物。城外的人戲弄他說：「跟著馬醫吃飯，不覺得恥辱嗎？」要飯的人說：「天下的恥辱沒有比討飯更大的了。我討飯還不覺得恥辱，難道跟著馬醫吃飯會覺得恥辱嗎？」

【出處】

齊有貧者，常乞於城市。城市患其亟也，眾莫之與。遂適田氏之廄，從馬醫作役，而假食。郭中人戲之曰：「從馬醫而食，不以辱乎？」乞兒曰：「天下之辱莫過於乞。乞猶不辱，豈辱馬醫哉？」（《列子》〈說符〉）

堅瓠之類

齊國有個隱士叫田仲，宋人屈谷見到他說：「我聽說您很有骨氣，不願靠別人的幫助謀生。現在我有個大葫蘆，堅硬得像塊石頭，厚實得沒有空隙，把它獻給您了。」田仲說：「葫蘆的可貴之處在於能用它裝東西。現在它厚實得沒有空隙，就不能剖開裝東西了；重得像塊硬石頭，就不能剖開來斟酒了。我要這個葫蘆有什麼用處呢？」屈谷說：「先生說得對，我馬上把它扔掉。不過先生是否想過，您雖然不仰仗別人而活，但是您隱居在這裡，空有滿腦子的學問和渾身本領，卻對國家沒有任何用處，您同剛才說的那個葫蘆有什麼區別呢？」

【出處】

齊有居士田仲者，宋人屈谷見之，曰：「谷聞先生之義，不恃仰人而食。今谷有樹瓠之道，堅如石，厚而無竅，獻之。」仲曰：「夫瓠所貴者，謂其可以盛也。今厚而無竅，則不可剖以盛物，而任重如堅石，則不可以剖而以斟。吾無以瓠為也。」曰：「然，谷將棄之。」今田仲不恃仰人而食，亦無益人之國，亦堅瓠之類也。（《韓非子》〈外儲說左上〉）

割肉自啖

齊國有兩個人好誇耀自己勇敢，一個住在城東，一個住在城西。一天，兩人在路上偶然相遇，彼此說：「在一起喝兩杯吧。」兩人坐下喝酒，一連喝了好幾杯，一個說：「還是弄點肉吧？」另一個說：「你身上有肉，我身上也有肉，何必另外弄肉呢？來點豉醬就夠了！」於是兩人拔出刀子，割下自己身上的肉對吃起來，一直到死。這種愚蠢的行為能叫勇敢嗎？

【出處】

齊之好勇者，其一人居東郭，其一人居西郭。卒然相遇於涂，曰：「姑相飲乎？」觴數行，曰：「姑求肉乎？」一人曰：「子，肉也。我，肉也。尚胡革求肉而為？於是具染而已。」因抽刀而相啖，至死而止。勇若此不若無勇。（《呂氏春秋》〈仲冬紀・當務〉）

鬼魅最易

有個畫家為齊王作畫。齊王問他說：「畫什麼最難？」客人說：「畫狗馬難。」「畫什麼容易呢？」客人說：「畫鬼怪最容易。」什麼道理呢？狗馬人人知道，天天看見，所以畫得像就難；鬼怪無形，誰也沒有見過，所以畫起來容易。

【出處】

客有為齊王畫者，齊王問曰：「畫孰最難者？」曰：「犬馬最難。」「孰最易者？」曰：「鬼魅最易。」夫犬馬，人所知也，旦暮罄於前，不可類之，故難。鬼神，無形者，不罄於前，故易之也。（《韓非子》〈外儲說左上〉）

嗟來之食

齊國遭遇重大饑荒。貴族黔敖在路邊擺上飯菜，供路過的人充飢。有個飢餓的人用袖子蒙著臉，無力地拖著腳步，搖搖晃晃地走來。黔敖左手端飯，右手舉湯，召喚他說：「喂！來吃吧！」飢民抬眼望著他，而後說：「我就是因為不願意吃這種帶侮辱性的嗟來之食，才餓到這種地步！」黔敖上前向他道歉，那人搖頭謝絕，終於飢餓而死。曾子聽說這件事後議論說：「事情沒那麼嚴重，喊你的聲音不夠禮貌，離開就是了；既然向你道歉，就接受他的食物吧。」

【出處】

齊大飢，黔敖為食於路，以待餓者而食之，有餓者蒙袂接履，貿貿然來，黔敖左奉食，右執飲曰：「嗟！來食！」餓者揚其目而視之，曰：「予唯不食嗟來之食，以致於此也。」從而謝焉，終不食而死。曾子聞之曰：「微與，其嗟也可去，其謝也可食。」（《新序》〈節士第七〉）

徒見金耳

齊國有個人一心想得到金子，清晨穿上衣服，戴好帽子，來到金店，看見人拿出金子，奪過金子就跑。官吏逮住他把他捆起來，問他說：「這麼多人在場，你竟然奪過人家的金子就跑，你是瘋了嗎？」他回答說：「我眼裡只見到金子，根本沒看見有人。」

【出處】

齊人有欲得金者，清旦，被衣冠，往鬻金者之所，見人操金，攫而奪之。吏搏而束縛之，問曰：「人皆在焉，子攫人之金，何故？」對吏曰：「殊不見人，徒見金耳。」此真大有所宥也。（《呂氏春秋》〈先識覽・去宥〉）

欲得良狗

齊國有個人愛好打獵，打獵經常空手而歸,自覺愧對家人和鄰里朋友。他認真琢磨其中的原因，才發現是獵狗不行。想弄到好獵狗，卻因家境貧窮無錢購買。於是發憤努力耕種，等到家境富足了，終於花錢買到好獵狗。有了好獵狗，打獵終於能滿載而歸。其實不只是打獵，做其他的事也是這樣。認真思考，努力奮鬥，就一定能獲得成功。

【出處】

齊人有好獵者，曠日持久而不得獸，入則愧其家室，出則愧其知友州里。惟其所以不得之故，則狗惡也。欲得良狗，則家貧無以。於是還疾耕。疾耕則家富，家富則有以求良狗，狗良則數得獸矣，田獵之獲常過人矣。非獨獵也，百事也盡然。(《呂氏春秋》〈不苟論・貴當〉)

驥驁之氣

齊國有個擅長相狗的人，鄰居委託他買一條捕鼠的狗。他花了整整一年時間才弄到，叮囑鄰居說:「這可是一條出色的狗啊！」鄰居精心餵養好幾年，狗卻不捕老鼠。鄰居找到相狗的人詢問，相狗的人說:「這條狗非常出色。它志在獵取獐麋豬鹿，不在老鼠。真的要它捕鼠，得把它拴在家裡才行。」鄰居於是絆住狗的後腿，狗這才為主人抓捕老鼠。驥驁之氣，鴻鵠之志，不只人類具備，動物也是一樣。

【出處】

齊有善相狗者，其鄰假以買取鼠之狗。期年乃得之，曰：「是良狗也。」其鄰畜之數年，而不取鼠，以告相者。相者曰：「此良狗也。其志在獐麋豕鹿，不在鼠。欲其取鼠也則桎之。」其鄰桎其後足，狗乃取鼠。夫驥驁之氣，鴻鵠之志，有諭乎人心者，誠也。人亦然，誠有之，則神應乎人矣，言豈足以諭之哉？此謂不言之言也。（《呂氏春秋》〈士容論・士容〉）

下卷・田齊

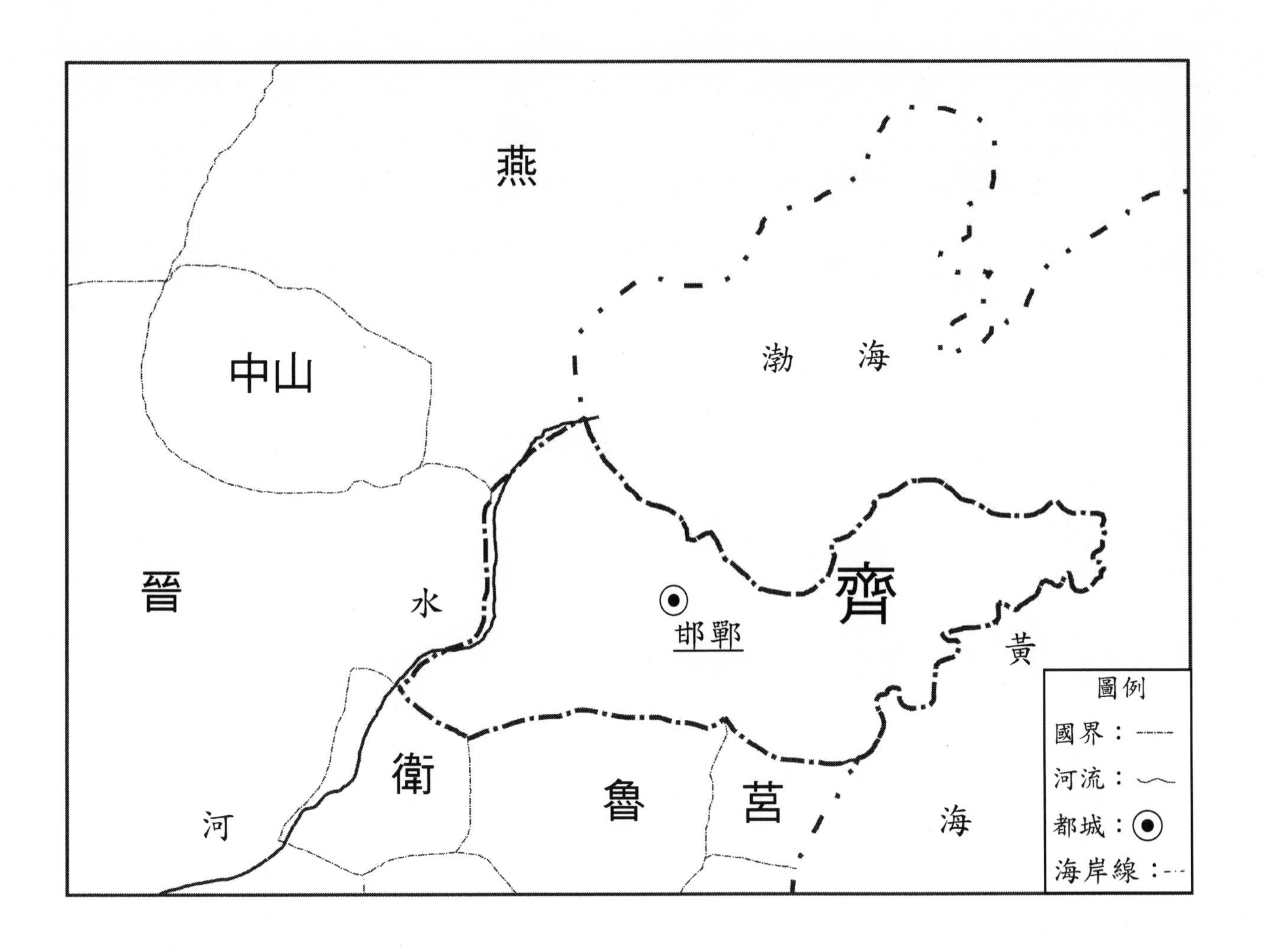
燕
渤
海
中山
晉
水
齊
邯鄲
黃
衛
魯
莒
海
河
圖例
國界：
河流：
都城：
海岸線：

八世之後，莫之與京

陳完[1]是陳厲公陳他的兒子。陳完剛出生的時候，周太史正好路過陳國，陳厲公請他給陳完卜卦，卜得的卦是觀卦變為否卦。太史說：「卦辭的意思是：觀看國家的風俗民情，利於做君王的上賓。這是說他將取得陳國君位擁有國家吧？也許是不在陳國而在他國，或者不是應驗在他身上，而應驗在他子孫身上。如果是在他國，就一定是姜姓國家。姜姓是帝堯時四岳的後代。凡事不可能二者同時強大，陳國衰落之後，他這一支將要昌盛崛起。」陳宣公二十一年，宣公殺太子禦寇。禦寇和陳完要好，陳完怕牽連自己，於是逃奔齊國。齊桓公想任他為卿，他推辭說：「我這個寄居在外的小臣能享有安寧的生活，已經是您給予我的恩惠了，哪敢奢望擔任高官。」齊桓公於是讓他擔任管理百工的工正，並封他於田地，其後子孫就以采地為氏，稱為田姓。齊懿仲想把女兒嫁給陳完為妻，請人占卜，占卜的結果說：「鳳凰飛翔，和諧的鳴聲鏘鏘。有媯氏的後代，將在姜氏那裡成長。五代之後就要昌盛，和正卿的地位一樣。八代之後，地位之高無人比量。」於是高興地把女兒嫁給陳完。陳完逃到齊國的時候，齊桓公已在位十四年。

【出處】

陳完者，陳厲公他之子也。完生，周太史過陳，陳厲公使卜完，

---

1. 陳完：本名媯完，又稱田完，陳厲公媯躍的兒子。西元前十一世紀，周武王滅商建立周朝，追封前代聖王帝舜的後裔媯滿為陳侯，史稱胡公滿。齊桓公封陳完於田地，子孫遂以田為姓。田氏尊田完為始祖。

卦得觀之否：「是為觀國之光，利用賓於王。此其代陳有國乎？不在此而在異國乎？非此其身也，在其子孫。若在異國，必姜姓。姜姓，四岳之後。物莫能兩大，陳衰，此其昌乎？」……宣公二十一年，殺其太子禦寇。禦寇與完相愛，恐禍及己，完故奔齊。齊桓公欲使為卿，辭曰：「羈旅之臣幸得免負檐，君之惠也，不敢當高位。」桓公使為工正。齊懿仲欲妻完，卜之，占曰：「是謂鳳凰于蜚，和鳴鏘鏘。有嬀之後，將育於姜。五世其昌，並於正卿。八世之後，莫之與京。」卒妻完。完之奔齊，齊桓公立十四年矣。（《史記》〈田敬仲完世家〉）

治軍若此

晉國的智伯率兵攻打鄭國，齊國派田恆救援鄭國。只要登城作戰，田恆一定身先士卒。戰車和步兵難以前進時，一定率兵援助。防禦工事建成才敢休息，水井挖成、炊灶砌好後才敢吃飯。智伯說：「我聽說田恆剛執掌國政，很愛護齊國的百姓，在國內與大家分享財物，對外作戰時與士兵並肩戰鬥。像這樣治軍，一定深得民心，沒必要同他對抗。」於是果斷撤軍。

【出處】

晉智伯伐鄭，齊田恆救之。有登蓋，必身立焉；車徒有不進者，必令助之。壘合而後敢處，井灶成而後敢食。智伯曰：「吾聞田恆新得國而愛其民，內同其財，外同其勤勞，治軍若此，其得眾也，不可

待也。」乃去之耳。（《說苑》〈指武〉）

宰我夜伏

田成子與宰我爭權，宰我在夜裡埋伏士卒準備攻殺田成子，而後傳令說：「不見到我的旌節不要行動。」鴟夷子皮知道消息後告知田成子，田成子便通過旌節來調動宰我的士卒攻打宰我，終於消滅了宰我。

【出處】

田成子常與宰我爭，宰我夜伏卒，將以攻田成子，令於卒中曰：「不見旌節毋起。」鴟夷子皮聞之，告田成子。田成子因為旌節以起宰我之卒以攻之，遂殘之也。（《說苑》〈指武〉）

賢良盡死

田成子有個哥哥叫完子，既仁又勇。越國起兵討伐田成子，指斥他說：「為什麼要殺死國君強占他的國家？」田成子很是憂慮。完子請求率士大夫迎擊越軍，並且要求准許自己同越軍交戰，交戰必須戰敗，戰敗還須身死。田成子說：「同越國交戰可以，一定要戰敗，戰敗還要身死，這我就不明白了。」完子說：「你擁有齊國，百姓怨恨你，賢良正直的敢死之臣認為蒙受了恥辱。國政已經夠你操心了。如今越國來犯，我統帥士大夫去同他們交戰，如果失敗，隨我而去的賢士就會戰死，不死的也不敢回來。你和他們的遺孤居守齊國，國家就安定了。」完子出發，田成子哭著為他送別。死亡和失敗是人所討厭的，完子藉助於它反而使齊國安定。成功的路豈止一條！所以說，聽取意見的君主和學習道術的士人，必須博聞強識。

【出處】

田成子之所以得有國至今者，有兄曰完子，仁且有勇。越人興師誅田成子，曰：「奚故殺君而取國？」田成子患之。完子請率士大夫以逆越師，請必戰，戰請必敗，敗請必死。田成子曰：「夫必與越戰可也，戰必敗，敗必死，寡人疑焉。」完子曰：「君之有國也，百姓怨上，賢良又有死之臣蒙恥。以完觀之也，國已懼矣。今越人起師，臣與之戰，戰而敗，賢良盡死，不死者不敢入於國。君與諸孤處於國，以臣觀之，國必安矣。」完子行，田成子泣而遣之。夫死敗，人之所惡也，而反以為安，豈一道哉？故人主之聽者與士之學者，不可不博。（《呂氏春秋》〈似順論・似順〉）

涸澤之蛇

鴟夷子皮侍奉田成子，田成子離開齊國，逃往燕國，鴟夷子皮背著出關的符牒跟在後邊。到了望邑，子皮說：「您沒聽說過乾枯湖沼的蛇嗎？湖沼乾枯，蛇準備遷移。有條小蛇對大蛇說：『您走在前面，我跟在後面，人們會認為這只不過是過路的蛇，肯定有人會殺死您。不如相互依賴，您背著我走，人們就會把我看作神君。』於是相互銜嘴，背著穿過大路。人們都躲開它們，說它們是神君。現在您美我醜，把您作為我的上客，人們就會視我為千乘小國的君主；把您作為我的使者，人們就會視我為萬乘大國的卿相。您不如做我的近侍，人們就會視我為萬乘大國的君主。」田成子因此接過符牒跟在鴟夷子皮後面。到了客店，店主人非常恭敬地招待他們，獻上酒肉。

【出處】

鴟夷子皮事田成子，田成子去齊，走而之燕，鴟夷子皮負傳而從。至望邑，子皮曰：「子獨不聞涸澤之蛇乎？澤涸，蛇將徙。有小蛇謂大蛇曰：『子行而我隨之，人以為蛇之行者耳，必有殺子者。不如相銜負我以行，人以我為神君也。』乃相銜負以越公道。人皆避之，曰：『神君也。』今子美而我惡，以子為我上客，千乘之君也；以子為我使者，萬乘之卿也。子不如為我舍人。」田成子因負傳而隨之。至逆旅，逆旅之君待之甚敬，因獻酒肉。（《韓非子》〈說林上〉）

淵中之魚

隰斯彌拜見田成子，田成子和他一起登臺觀望四方。三面都沒有遮蔽，南面望去，隰斯彌家的樹擋住了視線。田成子並沒有說話。隰斯彌回家，叫人把樹砍倒。斧頭剛砍了幾個口子，隰斯彌便制止了。他的管家問道：「為什麼變得這麼快？」隰斯彌說：「古代諺語說：『知道深淵有魚的人不吉利。』田成子將要幹大事，而我卻顯出知道他的祕密，那就危險了。不砍樹，沒有罪過；知道他的心思，這罪過就大了。」終於沒有砍樹。

【出處】

隰斯彌見田成子，田成子與登臺四望。三面皆暢，南望，隰子家之樹蔽之。田成子亦不言。隰子歸，使人伐之。斧離數創，隰子止之。其相室曰：「何變之數也？」隰子曰：「古者有諺曰：『知淵中之魚者不祥。』夫田子將有大事，而我示之知微，我必危矣。不伐樹，未有罪也；知人之所不言，其罪大矣。」乃不伐也。（《韓非子》〈說林上〉）

腠理之地

扁鵲拜見齊桓侯[2]，站了好一陣子，扁鵲說：「君王有點毛病，在皮膚的紋路裡，不治的話，怕要進入體內。」桓侯說：「寡人沒什麼不舒服。」扁鵲出去後，桓侯對身邊的人說：「當醫生的唯利是圖，要給沒病的人治病以顯示本領。」過了十天，扁鵲又來拜見，說：「君王的病到肌肉裡了，不治一治，還會向體內深入。」桓侯沒理睬他。扁鵲出去後，桓侯很不高興。過了十天，扁鵲又來拜見，而後說：「君王的病到腸胃裡了，不治一治，還會向體內發展。」桓侯仍不理睬。過了十天，扁鵲又來拜見，遠遠地看了桓侯一眼，轉身就

2. 齊桓侯：田氏代齊以後的第三位齊國國君，謚號為「齊桓公」，因與「春秋五霸」之一的姜姓齊桓公小白相同，故史稱「田齊桓公」或「齊桓公午」。中學課文《扁鵲見蔡桓公》中的「蔡桓公」，實指該「田齊桓公」，因當時蔡國已亡，而齊國都上蔡。

跑。桓侯派人追出去問他。扁鵲說：「毛病在表皮，用藥湯洗和熱敷就能對付；在肌肉，用針刺、石頭扎就能對付；在腸胃，大劑量的湯藥也能對付；到進入骨髓，連主宰生死的神靈也束手無策了。現在病已深入骨髓，所以我不再進言了。」過了五天，桓侯感到渾身疼痛，派人去找扁鵲，扁鵲已逃往秦國。桓侯就這樣死了。醫道高深的醫生給人治病，會在疾病萌發時下藥；治理國政的道理也是一樣。聖人總是防微杜漸。

【出處】

扁鵲見齊桓侯，立有間，扁鵲曰：「君有疾在腠理，不治，將恐深。」桓侯曰：「寡人無疾。」扁鵲出，桓侯曰：「醫之好利也，欲治不疾以為功。」居十日，扁鵲復見曰：「君之疾在肌膚，不治將深。」桓侯不應。扁鵲出，桓侯不悅。居十日，扁鵲復見曰：「君之疾在腸胃，不治將深。」桓侯不應。扁鵲出，桓侯又不悅。居十日，扁鵲復見，望桓侯而還走。桓侯使人問之，扁鵲曰：「疾在腠理，湯熨之所及也；在肌膚，針石之所及也；在胃腸，火劑之所及也；在骨髓，司命之所無奈何也。今在骨髓，臣是以無請也。」居五日，桓侯體痛，使人索扁鵲，扁鵲已逃之秦矣。桓侯遂死，故良醫之治疾也，攻之於腠理。此事皆治之於小者也。夫事之禍福，亦有腠理之地。故聖人蚤從事矣。（《新序》〈雜事第二〉）

吠非其主

齊人貂勃常常非議田單說：「安平君是個小人。」安平君聽說後，特別備了酒宴招待貂勃，而後問他說：「我是否得罪先生了，為什麼先生總跟我過不去呢？」貂勃說：「盜跖的狗對堯狂叫，並不是狗尊重盜跖，鄙視堯帝，因為盜跖是主人，堯是陌生人。如果我說公孫子賢能，徐子無能，讓他們互相爭鬥起來，徐子的狗還是會撲公孫子，咬他小腿的。如果讓那隻狗離開無能的徐子，投靠賢能的主人，又豈止是咬敵人的小腿呢？」安平君點頭說：「敬聽您的指教。」第二天，他便向齊王推薦了貂勃。齊王有九個寵信的大臣，他們想詆毀安平君，就在齊王面前說：「燕國進攻齊國時，楚王曾派將軍帶領一萬大軍援助齊國，現在國家已經安定，為什麼不派使臣前去酬謝楚王呢？」齊王說：「派誰去合適呢？」九個寵臣說：「貂勃可以。」貂勃出使楚國，受到楚王的熱情款待，沒有及時回國。九個寵臣於是在齊王面前進讒說：「貂勃只是個普通使者，之所以被萬乘之君楚王挽留，難道不是因為田單的面子嗎？況且安平君對待大王，不遵君臣之禮，沒有上下之別，他內心是想圖謀不軌啊。他籠絡百姓，收買人心，救濟窮人，補助困難戶，施以小恩小惠；對外懷柔外族及各國賢士，暗地裡交結各方英雄豪傑。他的志向可不小啊！希望大王仔細審查。」第二天，齊王下令召田單來見。田單脫去官帽，打著赤腳、半裸著身子入宮進見，退出時又請求死罪。五天之後，齊王說：「你沒有罪，你還是行你的臣子之禮，我還是行我的國君之禮，就這樣吧！」貂勃從楚國回來，齊王設宴款待他，酒興正濃時，齊王說：

「去把丞相田單叫來。」貂勃離開座席，參行大禮說：「大王怎能說出這等亡國之言呢？大王跟周文王相比怎麼樣？」齊王說：「自愧不如。」貂勃說：「跟齊桓公比呢？」齊王說：「也不如他。」貂勃說：「周文王得到呂尚，尊他為太公；桓公得到管夷吾，尊他為仲父。現在大王得到安平君，為何直呼其名？自開天闢地、有人類以來，做臣子的功勞，有誰能勝過安平君呢？可大王竟直呼其名。當初大王不能保守自己的國家，燕人出兵侵犯齊國，您逃到城陽山中，安平君憑著區區即墨的三里之城，五里之郭，帶領七千疲憊的士卒，俘獲了燕將司馬，收復了千里失地，這都是安平君的功勞啊！在當時，如果他占據城陽自立為王，天下誰也阻止不了他。可是，安平君從道義出發，認為不能這樣做，所以修築棧道，從城陽山中迎接大王和王后，這樣您才能返回國都，治理國家。現如今國家安定了，您卻直呼安平君為『單』，即便是小孩子也不會這麼做的。大王還不趕快殺掉『九人幫』，向安平君道歉。不然的話，國家前途就危險了！」齊王為貂勃的話震驚，於是殺死九名寵臣，驅逐他們全家，並把夜邑的萬戶之地封給安平君。

【出處】

貂勃常惡田單，曰：「安平君，小人也！」安平君聞之，故為酒而召貂勃，曰：「單何以得罪於先生，故常見譽於朝？」貂勃曰：「跖之狗吠堯，非貴跖而賤堯也，狗固吠非其主也。且今使公孫子賢而徐子不肖，然而使公孫子與徐子鬥，徐子之狗猶時攫公孫之腓而噬之也！若乃得去不肖者而為賢者狗，豈特攫其腓而噬之耳哉！」安下君曰：「敬聞命！」明日，任之於王。王有所幸臣九人之屬，欲傷安平君，相與語於王曰：「燕之伐齊之時，楚王使將軍將萬人而佐齊。今國已定，而社稷已安矣，何不使使者謝於楚王？」王曰：「左右孰可？」九人之屬曰：「貂勃可。」貂勃使楚，楚王受而觴之，數日不反。九人之屬相與語於王曰：「夫一人身而牽留萬乘者，豈不以據勢也哉？且安平君之於王也，君無臣禮而上下無別。且其志欲為不善，內牧百姓，循撫其心，振窮補不足，布德於民；外懷戎翟、天下之賢士，陰結諸侯之雄俊豪英，其志欲有為也。願王之察之！」異日，而王曰：「召相單來！」田單免冠徒跣肉袒而進，退而請死罪。五日而王曰：「子無罪於寡人，子為子之臣禮，吾為吾之王禮而已矣。」貂勃從楚來，王觴諸前，酒酣，王曰：「召相田單而來！」貂勃避席稽首曰：「王惡得此亡國之言乎？王上者孰與周文王？」王曰：「吾不若也。」貂勃曰：「然！臣固知王不若也！下者孰與齊桓公？」王曰：「吾不若也。」貂勃曰：「然！臣固知王不若也！然則周文王得呂尚以為『太公』，齊桓公得管夷吾以為『仲父』，今王得安平君而獨曰『單』。且自天地之辟，民人之治，為人臣之功者，誰有厚於安平君者哉？而王曰『單』，惡得此亡國之言乎？且王不能守先王之社稷，燕人興師而襲齊墟，王走而之城陽之山中，安平君以惴惴之即墨，三里之城，五里之郭，敝卒七千，禽其司馬，而反千里之齊。安平君之功也！當是時也，闔城陽而王，天下莫之能止。然而計之於道，歸之於義，以為不可，故為棧道木閣，而迎王與後於城陽山中，王乃得反，子臨百姓。今國已定，民已安矣，王乃曰『單』，且嬰兒之計不為此！王不亟殺此九子者以謝安平君？不然，國危矣！」王乃殺九子而逐其家，益封安平君以夜邑萬戶。（《戰國策》〈齊策六〉）

即墨大夫

齊威王初繼位時，不理國事，把政事交給卿大夫辦理。各國諸侯覺得有機可乘，紛紛興兵伐齊。於是威王召見即墨大夫，對他說：「自從您治理即墨，誹謗您的言論每天都有。然而我派人到即墨視察發現：土地得到開發，百姓人丁興旺，官府沒有積壓的公事，齊國的東部因此得以安寧。這是因為您沒討好我的左右以求得讚揚啊！」於是封給他一萬戶食邑。接著又召見阿城大夫，對他說：「自從你治理阿城，讚揚你的話每天都有。可是我派人到阿城視察，但見田野荒蕪，百姓貧困。從前趙軍進攻甄城，你未能援救；衛國奪取薛陵，你也佯裝不知。你是用財物賄賂我的左右來求得讚揚吧！」當場宣布烹殺阿城大夫，並把曾經吹捧他的身邊近侍一起烹殺。於是發兵往西進攻趙、衛，在濁澤打敗魏軍，進而圍困魏惠王。魏惠王請求獻出觀城講和。趙國人隨即也歸還了齊國的長城。齊國舉國震驚，人人再不敢文過飾非，努力表現自己的忠誠。齊國大治，諸侯聽到後，二十多年不敢對齊國用兵。

【出處】

威王初即位以來，不治，委政卿大夫，九年之間，諸侯並伐，國人不治。於是威王召即墨大夫而語之曰：「自子之居即墨也，毀言日至。然吾使人視即墨，田野辟，民人給，官無留事，東方以寧。是子不事吾左右以求譽也。」封之萬家。召阿大夫語曰：「自子之守阿，譽言日聞。然使使視阿，田野不辟，民貧苦。昔日趙攻甄，子弗能救。衛取薛陵，子弗知。是子以幣厚吾左右以求譽也。」是日，烹阿大夫，及左右嘗譽者皆並烹之。遂起兵西擊趙、衛，敗魏於濁澤而圍惠王。惠王請獻觀以和解，趙人歸我長城。於是齊國震懼，人人不敢飾非，務盡其誠。齊國大治。諸侯聞之，莫敢致兵於齊二十餘年。（《史記》〈田敬仲完世家〉）

王亦有寶乎

齊王與魏王在郊外打獵。魏王問齊王說：「大王有寶物嗎？」齊威王說：「沒有。」魏王說：「寡人國家很小，也還有能照亮十二輛車子的夜明珠十顆，齊國是萬乘之國，怎麼會沒有寶物呢？」威王說：「寡人理解的寶物與大王不同。我有個大臣叫檀子，派他鎮守南城，楚國人不敢向東方侵犯掠奪，泗水之濱的十二諸侯都來朝拜；我有個大臣叫肦子，派他鎮守高唐，趙國人不敢到東邊的黃河捕魚；我有個官吏叫黔夫，派他鎮守徐州，燕國人就到北門祭祀，趙國人就到西門祭祀，求神靈保佑免遭齊人的攻伐，舉家遷徙追隨他的有七千多家；我有個大臣叫種首，派他治理盜賊就道不拾遺。能幹的賢臣光照千里，豈止十二輛車呢？」魏惠王心生慚愧，悻悻離去。

【出處】

二十四年，與魏王會田於郊。魏王問曰：「王亦有寶乎？」威王曰：「無有。」梁王曰：「若寡人國小也，尚有徑寸之珠照車前後各十二乘者十枚，奈何以萬乘之國而無寶乎？」威王曰：「寡人之所以為寶與王異。吾臣有檀子者，使守南城，則楚人不敢為寇東取，泗上十二諸侯皆來朝。吾臣有肦子者，使守高唐，則趙人不敢東漁於河。吾吏有黔夫者，使守徐州，則燕人祭北門，趙人祭西門，徙而從者七千餘家。吾臣有種首者，使備盜賊，則道不拾遺。將以照千里，豈特十二乘哉！」梁惠王慚，不懌而去。（《史記》〈田敬仲完世家〉）

善哉鼓琴

騶忌子以擅長彈琴得到齊威王的召見。威王很喜歡他，讓他住在宮中的右室。一天，威王正在彈琴，騶忌子推門而入說：「琴彈得好極了！」威王突然不高興了，離開琴按住寶劍說：「先生只看到我的樣子，還沒有認真觀察，怎麼就知道我彈得好呢？」騶忌子說：「大弦緩慢而溫和，這是象徵國君；小弦明快而清亮，象徵宰相；手指勾弦用力，放開舒緩，象徵政令；發出的琴聲和諧，大小配合得當，蜿蜒迴旋而不相干擾，象徵四時：我由此知道您彈得好。」威王說：「你很善於談論音樂啊。」騶忌子說：「何止是談論音樂，治理國家和安撫百姓的道理都在其中啊！」威王又不高興起來，說：「如果談論五音的調理，我相信沒人比得上您。但要說治理國家和安撫人民，又怎能說在琴絃之中呢？」騶忌子說：「大弦緩慢而溫和，象徵國君；小弦明快而清亮，象徵宰相；勾弦用力但放開舒緩，象徵政令；彈出的琴聲和諧，大小配合得當，蜿蜒迴旋不相干擾，象徵四時。循環往復而不亂，是因為政治昌明；聯貫而輕快，是因為保存了將亡之國。所以說，琴音和諧就能保天下太平。治理國家和安撫人民，沒有比五音的道理更相像的了。」威王說：「對極了。」

【出處】

騶忌子以鼓琴見威王，威王說而舍之右室。須臾，王鼓琴，騶忌子推戶入曰：「善哉鼓琴！」王勃然不說，去琴按劍曰：「夫子見容未察，何以知其善也？」騶忌子曰：「夫大弦濁以春溫者，君也；小弦廉折以清者，相也；攫之深，醳之愉者，政令也；鈞諧以鳴，大小相益，回邪而不相害者，四時也：吾是以知其善也。」王曰：「善語音。」騶忌子曰：「何獨語音，夫治國家而弭人民皆在其中。」王又勃然不說曰：「若夫語五音之紀，信未有如夫子者也。若夫治國家而弭人民，又何為乎絲桐之間？」騶忌子曰：「夫大弦濁以春溫者，君也；小弦廉折以清者，相也；攫之深而舍之愉者，政令也；鈞諧以鳴，大小相益，回邪而不相害者，四時也。夫復而不亂者，所以治昌也；連而徑者，所以存亡也：故曰琴音調而天下治。夫治國家而弭人民者，無若乎五音者。」王曰：「善。」（《史記》〈田敬仲完世家〉）

語之微言

騶忌子拜見威王三個月就被任命為相國。淳于髡見了他說：「您真討君王喜歡啊。我有點粗淺的想法，想跟您說說。」騶忌子說：「謹聽教誨。」淳于髡說：「侍奉國君周到無誤，就能功成名就；稍有不慎，則可能身敗名裂。」騶忌子說：「我會把您的話謹記在心。」淳于髡說：「用豬油塗抹棘木車軸，是為了使它潤滑，然而，如果方形的軸孔卻無法轉動。」騶忌子說：「謹受指教，我會謹慎對待國君身邊的人。」淳于髡說：「拿膠黏用久了的弓干，是為了黏合在一起，然而膠不可能把縫隙完全黏合。」騶忌子說：「謹受指教，我會使自己依附於萬民。」淳于髡說：「狐皮襖即使破了，也不能用黃狗皮去補。」騶忌子說：「謹受指教，我要小心地挑選君子，不讓小人混雜其中。」淳于髡說：「大車如果不校正，就不能正常載重；琴瑟不把弦調好，就不能使五音和諧。」騶忌子說：「謹受指教，我要認真制訂法律並監督奸猾的官吏。」淳于髡說完後轉身離去，對他的僕人說：「這個人，我對他說了五條隱語，他回答我就如響聲的回應，這人不久就會受封的。」過了一年，威王把下邳賜給騶忌子，封他為成侯。

【出處】

騶忌子見三月而受相印。淳于髡見之曰：「善說哉！髡有愚志，原陳諸前。」騶忌子曰：「謹受教。」淳于髡曰：「得全全昌，失全全亡。」騶忌子曰：「謹受令，請謹毋離前。」淳于髡曰：「豨膏棘軸，所以為滑也，然而不能運方穿。」騶忌子曰：「謹受令，請謹事左右。」淳于髡曰：「弓膠昔干，所以為合也，然而不能傅合疏罅。」騶忌子曰：「謹受令，請謹自附於萬民。」淳于髡曰：「狐裘雖敝，不可補以黃狗之皮。」騶忌子曰：「謹受令，請謹擇君子，毋雜小人其間。」淳于髡曰：「大車不較，不能載其常任；琴瑟不較，不能成其五音。」騶忌子曰：「謹受令，請謹修法律而督奸吏。」淳于髡說畢，趨出，至門，而面其僕曰：「是人者，吾語之微言五，其應我若響之應聲，是人必封不久矣。」居期年，封以下邳，號曰成侯。（《史記》〈田敬仲完世家〉）

戰勝於朝廷

鄒忌身高八尺有餘，體態魁梧，容貌俊美。一天早晨，他穿戴打扮，看著鏡子問妻子說：「你覺得我跟城北的徐公比，哪個更帥一些？」妻子回答說：「您比他帥多了，徐公哪裡比得上您呢？」城北徐公是齊國著名的美男子，鄒忌不大相信，又去問小妾說：「我和徐公哪個更帥一些？」小妾說：「徐公哪比得上您呢？」第二天，有位客人到家中拜訪，兩人坐著閒談，鄒忌又問說：「我和徐公哪個更帥氣？」客人說：「徐公比不上您。」第三天，徐公到鄒忌家來，鄒忌仔細打量他，自以為不如徐公美，拿起鏡子仔細端詳，更覺得相差甚遠。晚上，他躺在床上細細思量，領悟到：「妻子說我帥氣，是因為偏愛我；侍妾說我帥氣，是因為畏懼我；客人說我帥氣，是因為有求於我啊！」於是鄒忌入朝參見威王說：「臣確實比不上徐公帥氣，可是臣的妻子偏袒臣，侍妾害怕臣，客人有求於臣，異口同聲說臣比徐公帥氣。如今齊地縱橫千里，有一百二十個城邑，宮中妃嬪、左右近臣，沒有不偏愛大王的；朝中大臣沒有不畏懼大王的；齊國上下沒有不求於大王的。可見，大王實在被矇蔽得厲害！」齊威王稱讚說：「您說得對。」於是發出詔令：「凡官吏百姓，能當面指責寡人過失的，受上賞；能上書勸諫寡人的，受中賞；能在大庭廣眾之下批評朝政，只要為寡人知道，受下賞。」詔令剛剛頒布，大臣們都來進諫，朝堂門庭若市。過了幾個月，時不時還有諫言上奏。一年之後，人們即使想進言，也覺得沒什麼可說的了。燕、趙、韓、魏四國聽到這件事，都來齊國朝見。這就是通常所說的「戰勝於朝廷」啊。

【出處】

鄒忌修八尺有餘，身體昳麗。朝服衣冠，窺鏡，謂其妻曰：「我孰與城北徐公美？」其妻曰：「君美甚，徐公何能及公也！」城北徐公，齊國之美麗者也。忌不自信，而復問其妾曰：「吾孰與徐公美？」妾曰：「徐公何能及君也！」旦日，客從外來，與坐談，問之客曰：「吾與徐公孰美？」客曰：「徐公不若君之美也！」明日，徐公來。孰視之，自以為不如；窺鏡而自視，又弗如遠甚。暮，寢而思之曰：「吾妻之美我者，私我也；妾之美我者，畏我也；客之美我者，欲有求於我也。」於是入朝見威王曰：「臣誠知不如徐公美，臣之妻私臣，臣之妾畏臣，臣之客欲有求於臣，皆以美於徐公。今齊地方千里，百二十城，宮婦左右，莫不私王；朝廷之臣，莫不畏王；四境之內，莫不有求於王。由此觀之，王之蔽甚矣！」王曰：「善。」乃下令：「群臣吏民能面刺寡人之過者，受上賞；上書諫寡人者，受中賞；能謗議於市朝，聞寡人之耳者，受下賞。」令初下，群臣進諫，門庭若市。數月之後，時時而間進。期年之後，雖欲言，無可進者。燕、趙、韓、魏聞之，皆朝於齊。此所謂戰勝於朝廷。（《戰國策》〈齊策一〉）

王枕而臥

齊威王在瑤臺遊樂，成侯卿鄒忌前來稟奏國事，隨行的車馬眾多。齊威王在臺上望見，問左右的人說：「來人是誰？」回答說：「是成侯卿鄒忌。」齊威王說：「國家這樣貧窮，為什麼他出行還如此講排場？」左右的人說：「大王不妨問問他，看他怎麼解釋。」鄒忌來到瑤臺，上前參拜說：「臣是鄒忌。」齊威王不理睬他。鄒忌又說：「臣是鄒忌呀！」威王仍不回答。鄒忌又說：「臣鄒忌拜見大王。」齊威王這才說：「國家這樣貧窮，為什麼出行如此興師動眾？」鄒忌說：「請大王先赦免臣的死罪，讓我說明理由。」齊威王說：「你說吧！」鄒忌說：「我舉薦田居子治理西河地區，削弱了秦、魏兩國的勢力；我舉薦田解子治理南城，楚國人抱著羅綺來朝拜；我舉薦黔涿子治理冥州，燕國人獻上祭祀用的牲畜，趙國人奉獻祭祀的黍稷；我舉薦田種首子治理即墨，齊國因此盜賊不起，社會安寧；我推舉北郭刁勃子出任大理，齊國宗族親善，百姓日益富足。臣舉薦了這麼多棟梁之才，大王完全可以高枕無憂了，還擔心什麼國家貧窮呢？」

【出處】

齊威王游於瑤臺，成侯卿來奏事，從車羅綺甚眾，王望之，謂左右曰：「來者何為者也？」左右曰：「成侯卿也。」王曰：「國至貧也，何出之盛也？」左右曰：「與人者有以責之也，受人者有以易之也，王試問其說。」成侯卿至，上謁曰：「忌也。」王不應。又曰：「忌也。」王不應。又曰：「忌也。」王曰：「國至貧也，何出之盛也？」成侯卿曰：「赦其死罪，使臣得言其說。」王曰：「諾。」對曰：「忌舉田居子為西河，而秦梁弱；忌舉田解子為南城，而楚人抱羅綺而朝；忌舉黔涿子為冥州，而燕人給牲，趙人給盛；忌舉田種首子為即墨，而於齊足究；忌舉北郭刁勃子為大士，而九族益親，民益富；舉此數良人者，王枕而臥耳，何患國之貧哉？」（《說苑》〈臣術〉）

齊使以為奇

孫武死後一百多年，齊國出了位孫臏。孫臏出生在阿城和鄄城一帶，是孫武的後代子孫。他曾經和龐涓一道學習兵法。龐涓奉事魏國以後，當上了魏惠王的將軍，他知道自己才能不及孫臏，又忌又恨，就祕密地把孫臏找來，假借罪名砍斷他的雙腳，並且在他臉上刺字，想把他藏起來不讓他拋頭露面。齊國的使臣來到大梁，孫臏以犯人的身分祕密地會見齊使，進行遊說。齊國的使臣認為他是個難得的奇人，就偷偷地用車把他載回齊國。

【出處】

孫武既死，後百餘歲有孫臏。臏生阿鄄之間，臏亦孫武之後世子孫也。孫臏嘗與龐涓俱學兵法。龐涓既事魏，得為惠王將軍，而自以為能不及孫臏，乃陰使召孫臏。臏至，龐涓恐其賢於己，疾之，則以法刑斷其兩足而黥之，欲隱勿見。齊使者如梁，孫臏以刑徒陰見，說齊使。齊使以為奇，竊載與之齊。（《史記》〈孫子吳起列傳〉）

田忌賽馬

齊國將軍田忌非常賞識孫臏，待如上賓。田忌經常與齊國的公子們賽馬，設重金賭注。孫臏發現他們的馬腳力相差不多，可分為上、中、下三等，於是對田忌說：「您只管下大賭注，我能讓您取勝。」田忌相信並答應了他，與齊王和諸公子以千金為賭注。比賽即將開始，孫臏說：「現在用您的下等馬對應他們的上等馬，拿您的上等馬對應他們的中等馬，拿您的中等馬對應他們的下等馬。」比賽分為三場，田忌一敗二勝，最終贏得齊王的千金賭注。於是田忌把孫臏推薦給齊威王。齊威王向他請教兵法後，就聘請他出任軍師。

【出處】

齊將田忌善而客待之。忌數與齊諸公子馳逐重射。孫子見其馬足不甚相遠，馬有上、中、下輩。於是孫子謂田忌曰：「君弟重射，臣能令君勝。」田忌信然之，與王及諸公子逐射千金。及臨質，孫子曰：「今以君之下駟與彼上駟，取君上駟與彼中駟，取君中駟與彼下駟。」既馳三輩畢，而田忌一不勝而再勝，卒得王千金。於是忌進孫子於威王。威王問兵法，遂以為師。（《史記》〈孫子吳起列傳〉）

圍魏救趙

齊威王三年，魏軍圍攻趙國都城邯鄲，趙國向齊國求救。齊國君臣經過商討辯論，決定出兵相救。於是以田忌為大將，孫臏為軍師，率兵八萬救趙。起初，田忌準備直趨邯鄲。軍師孫臏說：「要解開紛亂的絲線，不能用手強拉硬扯；給人勸架，也不能直接參與打架。派兵解圍，要避實就虛，擊中要害。現在魏國精銳部隊都集中在趙國，內部空虛，如能率兵直奔魏都大梁，占據它的交通要道，襲擊它空虛的地方，魏軍必然放棄攻打邯鄲回師自救。齊軍乘其疲憊，預先設伏，定能大敗魏軍。」田忌讚賞說：「先生真是英明高見，令人佩服。」於是下令按孫臏的策略行事，直奔魏都。一邊大造聲勢攻打大梁，一邊卻在魏軍回師途中設伏。果然，魏軍得知國都被圍，慌忙撤出攻打趙國的主力部隊。匆忙跋涉途中，人馬行至桂陵一帶，遭遇齊軍伏擊，幾至全軍覆沒。

【出處】

齊威王……以田忌為將，而孫子為師，居輜車中，坐為計謀。田忌欲引兵之趙，孫子曰：「夫解雜亂紛糾者不控卷，救鬥者不搏撠，批亢擣虛，形格勢禁，則自為解耳。今梁趙相攻，輕兵銳卒必竭於外，老弱罷於內。君不若引兵疾走大梁，據其街路，沖其方虛，彼必釋趙而自救。是我一舉解趙之圍而收弊於魏也。」田忌從之，魏果去邯鄲，與齊戰於桂陵，大破梁軍。（《史記・孫子吳起列傳》）

減灶退敵

魏、趙兩國聯合攻打韓國，韓國向齊國告急，齊王派田忌率軍救援，徑直進軍大梁。魏將龐涓得知消息，率師撤離韓國而歸。這時齊軍已經越過邊界向西挺進。孫臏對田忌說：「魏軍向來凶悍勇猛，看不起齊兵，認為齊兵膽小怯懦。我們不妨順勢而為。兵法上說：急行軍百里與人爭利，有可能折損主帥；急行軍五十里與人爭利，可能有一半士兵掉隊。命令軍隊進入魏境先砌十萬人做飯的灶，第二天減為五萬人，第三天減為三萬。」龐涓行軍三日，非常高興說：「我本來就知道齊軍膽小怯懦，進入我國境內才三天，開小差的就超過了半數啊！」於是放棄步兵，率領精銳部隊日夜兼程追趕齊軍。孫臏估計他的行程，當晚可以趕到馬陵。馬陵的道路狹窄，兩邊多是峻隘險阻，適合埋伏軍隊。孫臏就叫人砍去樹皮，露出白木，寫上「龐涓死於此樹之下」，命令一萬名善於射箭的齊兵，隱伏在馬陵道兩旁，約定說：「晚上看見樹下火光亮起，就萬箭齊發。」龐涓當晚果然趕到砍去樹皮的大樹下，看見白木上有字，就點火照看。齊軍伏兵看見火光，萬箭齊發。魏軍大亂，互不接應。龐涓自知無計可施，敗局已定，就拔劍自刎，臨死說：「倒成就了孫臏這小子的名聲！」齊軍乘勝追擊，將魏軍徹底擊潰，俘虜了魏太子申回國。孫臏因此名揚天下，所著《兵法》流傳於世。

【出處】

後十三歲，魏與趙攻韓，韓告急於齊。齊使田忌將而往，直走大梁。魏將龐涓聞之，去韓而歸，齊軍既已過而西矣。孫子謂田忌曰：「彼三晉之兵素悍勇而輕齊，齊號為怯，善戰者因其勢而利導之。兵法，百里而趣利者蹶上將，五十里而趣利者軍半至。使齊軍入魏地為十萬灶，明日為五萬灶，又明日為三萬灶。」龐涓行三日，大喜，曰：「我固知齊軍怯，入吾地三日，士卒亡者過半矣。」乃棄其步軍，與其輕銳倍日並行逐之。孫子度其行，暮當至馬陵。馬陵道陜，而旁多阻隘，可伏兵，乃斫大樹白而書之曰「龐涓死於此樹之下」。於是令齊軍善射者萬弩，夾道而伏，期曰「暮見火舉而俱發」。龐涓果夜至斫木下，見白書，乃鑽火燭之。讀其書未畢，齊軍萬弩俱發，魏軍大亂相失。龐涓自知智窮兵敗，乃自剄，曰：「遂成豎子之名！」齊因乘勝盡破其軍，虜魏太子申以歸。孫臏以此名顯天下，世傳其兵

法。(《史記》〈孫子吳起列傳〉)

將軍不得入於齊

田忌擔任齊軍將領出征魏國，活捉魏太子申，擒殺魏國大將龐涓。軍師孫臏對田忌說：「將軍可以幹一番大事業嗎？」田忌說：「怎麼幹？」孫子說：「將軍帶兵返回齊國，讓那些疲憊老弱的士兵駐守任地要道。任地道路狹窄險要，守住隘口定能以一當十，以十當百，以百當千。然後背靠泰山，左濟水，右大唐，把軍中輜重停放於高宛，再統帥精兵，輕車簡從從雍門直入臨淄。如果這樣，那麼齊國的國君就可以被制服，成侯鄒忌就得逃走。不然的話，將軍就不能返回齊國了。」田忌沒有採納孫臏的建議，果然無法返回齊國。

【出處】

田忌為齊將，繫梁太子申，禽龐涓。孫子謂田忌曰：「將軍可以為大事乎？」田忌曰：「奈何？」孫子曰：「將軍無解兵而入齊，使彼罷弊於先弱守於主。主者，循軼之途也，鎋擊摩車而相過。使彼罷弊先弱守於主，必一而當十，十而當百，百而當千。然後背太山，左濟，右天唐，軍重踵高宛，使輕車銳騎沖雍門。若是，則齊君可正，而成侯可走。不然，則將軍不得入於齊矣。」田忌不聽，果不入齊。(《戰國策》〈齊策一〉)

聲威天下

成侯鄒忌與大將田忌不和，相互猜忌。公孫閈對鄒忌說：「閣下何不策動大王，令田忌率兵伐魏？打了勝仗，那是您的謀略，大可居功；一旦戰敗，田忌即便不戰死沙場，回國後也必定受軍法處置。」鄒忌認為他說得有理，於是勸說齊威王派田忌討伐魏國。田忌三戰皆勝，鄒忌趕緊找公孫閈商量對策。公孫閈於是使人帶著十鎰黃金招搖過市，找人占卜，自我介紹道：「我是田忌將軍的臣屬，如今將軍三戰三勝，威震天下，現在欲圖大事，麻煩你占卜一下，看看吉凶如何？」卜卦的人剛走，公孫閈就派人逮捕幫人占卜的人，在齊王面前驗證這番話。田忌聞言大恐，趕忙出走避禍。

【出處】

成侯鄒忌為齊相，田忌為將，不相說。公孫閈謂鄒忌曰：「公何不為王謀伐魏？勝，則是君之謀也，君可以有功。戰不勝，田忌不進，戰而不死，曲撓而誅。」鄒忌以為然，乃說王而使田忌伐魏。田忌三戰三勝，鄒忌以告公孫閈，公孫閈乃使人操十金而往卜於市，曰：「我田忌之人也，吾三戰三勝，聲威天下，欲為大事，亦吉否？」卜者出，因令人捕為人卜者，亦驗其辭於王前。田忌遂走。（《戰國策》〈齊策一〉）

請為留楚

田忌從齊國逃往楚國，鄒忌取代田忌為國相。鄒忌擔心田忌會藉助楚國的勢力重返齊國。杜赫對鄒忌說：「臣能夠設法讓田忌留在楚國。」杜赫於是來到楚國，對楚王說：「齊相鄒忌之所以不願與楚國交好，是擔心亡臣田忌借重楚國重返齊國。大王何不封田忌於江南，向鄒忌表明田忌不會重返齊國。鄒忌感激大王，一定會讓齊國親善楚國。再說，田忌逃亡在外，得到封地已是意外之喜，定然對大王感激涕零。他日如果能回到齊國，同樣也會力促兩國交好。這是充分利用鄒忌、田忌的兩全之策啊。」楚王果然把田忌封在江南。

【出處】

田忌亡齊而之楚，鄒忌代之相齊，恐田忌欲以楚權復於齊。杜赫曰：「臣請為留楚。」謂楚王曰：「鄒忌所以不善楚者，恐田忌之以楚權復於齊也。王不如封田忌於江南，以示田忌之不返齊也。鄒忌以齊厚事楚。田忌亡人也，而得封，必德王。若復於齊，必以齊事楚。此用二忌之道也。」楚果封之於江南。（《戰國策》〈齊策一〉）

僅得存耳

田忌離開齊國投奔楚國，楚王親自到郊外迎接。問他說：「楚、齊兩國都是萬乘的大國，經常會發生爭鬥，楚國該怎樣應對呢？」田忌回答說：「這事好辦。如果齊國派申孺領兵，楚國就發兵五萬人，派上將軍領兵，一定會提著敵將的首級凱旋；如果齊國派田居領兵，楚國要發兵二十萬人，派上將軍領兵，兩軍將不分勝負，各自撤軍；如果齊國派田眄子為統帥，楚國就必須出動全部兵力，由大王親自統領，以相國、上將軍為左右司馬，我也跟隨前往，這樣大王能勉強保全自己。」不久，齊國果然派申孺領兵攻打楚國，於是楚國發兵五萬人，派上將軍率軍應戰，提取齊軍主將首級回師。齊王大怒，改派田眄子率軍攻楚，楚王於是集中全國兵員，親自率軍出征，讓田忌跟隨前往，並以相國、上將軍為左右司馬，又加派九輛侍衛車拱衛自己。儘管如此，也僅僅倖免於被擒而已。回到館舍，楚王恭敬地請教田忌說：「為什麼先生早就知道這種結局呢？」田忌說：「申孺輕慢賢士又看不起無能的人，賢人與不肖之徒都不願為他效力，因此出戰必敗；田居尊重賢士但輕視無能的人，賢士受到重用，不肖的人被斥退，因此出戰會不分勝負；田眄子既尊重賢士也能寬容不肖之徒，大家都願意為他效命，因此大王僅能保全自己。」

【出處】

田忌去齊奔楚，楚王郊迎至舍，問曰：「楚萬乘之國也，齊亦萬乘之國也，常欲相併，為之奈何？」對曰：「易知耳，齊使申孺將，則楚發五萬人，使上將軍將之，至禽將軍首而反耳。齊使田居將，則楚發二十萬人，使上將軍將之，分別而相去也。齊使眄子將，楚發四封之內，王自出將而忌從，相國、上將軍為左右司馬，如是則王僅得存耳。」於是齊使申孺將，楚發五萬人，使上將軍至，擒將軍首反。於是齊王忿然，乃更使眄子將，楚悉發四封之內，王自出將，田忌從，相國、上將軍為左右司馬，益王車屬九乘，僅得免耳。至舍，王北面正領齊祛，問曰：「先生何知之早也？」田忌曰：「申孺為人，侮賢者而輕不肖者，賢不肖者俱不為用，是以亡也；田居為人，尊賢者而賤不肖者，賢者負任，不肖者退，是以分別而相去也；眄子之為人也，尊賢者而愛不肖者，賢不肖俱負任，是以王僅得存耳。」（《說苑》〈尊賢〉）

明主之備

徐渠問田鳩說：「我聽說能人智士沒擔任過低級職務也能被君主擢用，而聖人不用顯示業績就能被君主接納。陽城義渠明顯是個將才，卻被安排做個小官；公孫亶有名相的丰采，卻安排他去充任地方官，為什麼呢？」田鳩說：「沒有別的原因，就因為君主掌握了法術。您沒聽說楚國用宋觚為將而敗壞政事，魏國以馮離為相而斷送國家的教訓嗎？兩國的君主為花言巧語驅使，被詭辯異說迷惑，沒通過低級職務的考驗，不考察基層工作的經歷，才導致有失政亡國的禍患。由此看來，缺乏基層工作經驗和未充任低級官員的歷練，絕對是明君選才用才的大忌啊！」

【出處】

徐渠問田鳩曰：「臣聞智士不襲下而遇君，聖人不見功而接上。令陽城義渠，明將也，而措於毛伯；公孫亶回，聖相也，而關於州部。何哉？」田鳩曰：「此無他故異物，主有度、上有術之故也。且足下獨不聞楚將宋觚而失其政，魏相馮離而亡其國？二君者驅於聲詞，眩乎辯說，不試於毛伯，不關乎州部，故有失政亡國之患。由是觀之，夫無毛伯之試，州部之關，豈明主之備哉！」（《韓非子》〈問田第四十二〉）

不醜不能，不惡不知

善於學習的人，就像齊王吃雞那樣，一定要吃上千隻雞的雞跖才滿足。如果感到不滿足，那就繼續取食。事物本來互有短長，人也是這樣。善於學習的人必須取他人之長以補自己之短，這樣才能縱行天下。千萬不要把不能看作羞恥，把不知視為恥辱，否則就會陷入困境。不以不能為恥，不以不知為羞，是學習的最高境界。即使桀、紂那樣的暴君，尚且有令人敬畏的可取之處，何況賢人呢！

【出處】

善學者，若齊王之食雞也，必食其跖數千而後足；雖不足，猶若有跖。物固莫不有長，莫不有短。人亦然。故善學者，假人之長以補其短。故假人者遂有天下。無醜不能，無惡不知。醜不能，惡不知，病矣。不醜不能，不惡不知，尚矣。雖桀、紂猶有可畏可取者，而況於賢者乎？（《呂氏春秋》〈孟夏紀・用眾〉）

國中有大鳥

淳于髡是齊國贅婿，他身高不足七尺，為人滑稽，能言善辯，屢次出使諸侯列國，都能很好地完成使命。齊威王在位時，喜好隱語，又好徹夜宴飲，逸樂無度，把政事委託給卿大夫。文武百官荒淫放縱，各國都來侵犯，國家危在旦夕。齊王身邊的近臣都不敢進諫。淳于髡於是以隱語諷諫齊威王說：「都城裡有隻大鳥，落在大王的庭院裡，三年不飛不叫，大王知道這隻鳥是怎麼回事嗎？」齊威王說：「這隻鳥不飛則已，一飛就直衝霄天；不叫則已，一叫就一鳴驚人。」於是詔令全國七十二縣的長官全部入朝奏事，獎賞一人，誅殺一人；接著發兵禦敵，列國諸侯驚恐，都把侵占的土地歸還齊國。齊王的威行持續三十六年。這些事蹟，都記載在《田完世家》裡。

【出處】

淳于髡者，齊之贅婿也。長不滿七尺，滑稽多辯，數使諸侯，未嘗屈辱。齊威王之時喜隱，好為淫樂長夜之飲，沈湎不治，委政卿大夫。百官荒亂，諸侯並侵，國且危亡，在於旦暮，左右莫敢諫。淳于髡說之以隱曰：「國中有大鳥，止王之庭，三年不蜚又不鳴，不知此鳥何也？」王曰：「此鳥不飛則已，一飛沖天；不鳴則已，一鳴驚人。」於是乃朝諸縣令長七十二人，賞一人，誅一人，奮兵而出。諸侯振驚，皆還齊侵地。威行三十六年。語在《田完世家》中。（《史記》〈滑稽列傳〉）

博聞強記

淳于髡是齊國人，見識廣博，強於記憶，學業廣採眾家之言。從他勸說君王的言論看，似乎他非常仰慕晏嬰的為人，也很善於察言觀色、揣摩人主的心意。一次，有個賓客向梁惠王推薦淳于髡。惠王叱退身邊的侍從，單獨接見淳于髡，但他始終一言不發。惠王感到奇怪，就責備賓客說：「你稱讚淳于先生，說是管仲、晏嬰都趕不上他，可我見到他，竟然一點收穫也沒得到。是我不配跟他談話，還是什麼原因？」賓客把惠王的話轉告淳于髡。淳于髡說：「我第一次拜見大王時，大王的心思都在相馬上；第二次再見大王，大王的心思都在聲色上，我只能沉默不語啊。」賓客把淳于髡的話告訴惠王，惠王十分驚訝，說：「哎呀，淳于先生真是個聖人啊！第一次淳于先生來，正好有個人獻上一匹好馬，我還沒來得及相一相，恰巧淳于先生進來；第二次來的時候，又有個人來獻歌伎，我還沒來得及試試，又遇上淳于先生來了。我雖然喝退了身邊的侍從，心裡卻想著寶馬歌伎，是這麼回事。」賓客安排淳于髡與惠王再次見面，兩人一連交談了三天三夜而無倦意。惠王打算任命淳于髡為國相，淳于髡婉言推辭了。當時，惠王贈給他一輛四匹馬駕的精緻車子、五匹帛和璧玉以及百鎰黃金。淳于髡終身沒有做官。

【出處】

淳于髡，齊人也。博聞強記，學無所主。其諫說，慕晏嬰之為人也，然而承意觀色為務。客有見髡於梁惠王，惠王屏左右，獨坐而再見之，終無言也。惠王怪之，以讓客曰：「子之稱淳于先生，管、晏不及，及見寡人，寡人未有得也。豈寡人不足為言邪？何故哉？」客以謂髡。髡曰：「固也。吾前見王，王志在驅逐；後復見王，王志在音聲。吾是以默然。」客具以報王，王大駭，曰：「嗟乎，淳于先生誠聖人也！前淳于先生之來，人有獻善馬者，寡人未及視，會先生至。後先生之來，人有獻謳者，未及試，亦會先生來。寡人雖屏人，然私心在彼，有之。」後淳于髡見，壹語連三日三夜無倦。惠王欲以卿相位待之，髡因謝去。於是送以安車駕駟，束帛加璧，黃金百鎰。終身不仕。（《史記》〈孟子荀卿列傳〉）

大巧之不可為

齊國人淳于髡用合縱之術勸說魏王。魏王認為他說得有理，就備好十輛馬車，派他到楚國遊說。行將告辭的時候，淳于髡又改用連橫之術勸說魏王，魏王於是中止了他的行程。既讓合縱的主張落空，又沒讓連橫的策略坐實，那麼他才能出眾反不如缺乏才能，有辯才倒不如沒辯才。文王在周鼎上刻鑄倕[3]的圖像，卻讓他咬斷自己的手指，先王以此表明大巧不可取。

3. 倕，古巧匠名。相傳堯時被召，主理百工，故稱工倕。《莊子》〈達生〉：「工倕旋而蓋規矩，指與物化，而不可以心稽。」《淮南子》〈本經訓〉：「故周鼎著倕，使銜其指，以明大巧之不可為也。」

【出處】

齊人有淳于髡者，以從說魏王。魏王辯之，約車十乘，將使之荊。辭而行，有以橫說魏王，魏王乃止其行。失從之意，又失橫之事。夫其多能不若寡能，其有辯不若無辯。周鼎著倕而齕其指，先王有以見大巧之不可為也。《呂氏春秋》〈審應覽・離謂〉

璧馬之寶

齊國準備攻打魏國，魏國派人遊說齊國大臣淳于髡：「齊國想攻打魏國，能解救魏國禍患的，只有先生您了。敝國有寶璧二雙，毛色漂亮的馬八匹，要奉獻給先生。」淳于髡說：「好吧。」於是進宮勸諫齊王說：「楚國是齊國的仇敵，魏國是齊國的友邦。攻打友邦，卻讓仇敵乘我疲憊來攻，不但落得惡名，事實上也很危險，大王不應該這樣做。」齊王說：「好吧，聽你的。」於是放棄討伐魏國。這時有人對齊王說：「淳于髡接受了魏國的璧玉寶馬，才勸您放棄不要攻打魏國呢。」齊王責問淳于髡說：「先生有接受魏國的璧玉和寶馬嗎？」淳于髡說：「有的。」齊王面有慍色，說：「先生就是因為這個勸我的嗎？」淳于髡回答說：「如果攻打魏國對齊國不利，魏國即使刺死我，對大王有好處嗎？如果知道攻打魏國對齊國沒好處，魏國即使賞賜我，對大王有損失嗎？不攻打魏國，大王沒有攻打友邦的罪名，魏國沒有亡國的危險，百姓更不會遭受戰爭劫難，我得了玉璧和寶馬，對大王有損傷嗎？」

【出處】

齊欲伐魏，魏使人謂淳于髡曰：「齊欲伐魏，能解魏患，唯先生也。敝邑有寶璧二雙，文馬二駟，請致之先生。」淳于髡曰：「諾。」入說齊王曰：「楚，齊之仇敵也；魏，齊之與國也。夫伐與國，使仇敵制其餘敝，名丑而實危，為王弗取也。」齊王曰：「善。」乃不伐魏。客謂齊王曰：「淳于髡言不伐魏者，受魏之璧、馬也。」王以謂淳于髡曰：「聞先生受魏之璧、馬，有諸？」曰：「有之。」「然則先生之為寡人計之何如？」淳于髡曰：「伐魏之事不便，魏雖刺髡，於王何益？若誠不便，魏雖封髡，於王何損？且夫王無伐與國之誹，魏無見亡之危，百姓無被兵之患，髡有璧、馬之寶，於王何傷乎？」（《戰國策》〈魏策三〉）

田父之功

齊王想攻打魏國。淳于髡對齊王說：「韓子盧是天下跑得最快的狗，東郭逡是世上數得著的狡兔。韓子盧追逐東郭逡，環山追趕三圈，翻山追趕五趟，奔跑的兔子疲憊不堪，追趕的狗也精疲力竭，最後都跑不動了，各自倒地累死。有個農夫見了，不費吹灰之力撿走了它們。如今齊、魏兩國相持不下，雙方將士都疲憊不堪，臣擔憂秦、楚兩個強敵會抄我們的後路，以博取農夫之利。」齊王聽後很是害怕，隨即放棄了出兵的打算。

【出處】

齊欲伐魏，淳于髡謂齊王曰：「韓子盧者，天下之疾犬也；東郭逡者，海內之狡兔也。韓子盧逐東郭逡，環山者三，騰山者五，兔極於前，犬廢於後，犬兔俱罷，各死其處。田父見之，無勞倦之苦，而擅其功。今齊、魏久相持，以頓其兵，弊其眾，臣恐強秦、大楚承其後，有田父之功。」齊王俱，謝將休士也。（《戰國策》〈齊策三〉）

酒極則亂，樂極則悲

齊威王在後宮擺酒招待淳于髡，問他酒量如何。淳于髡回答說：「有時我喝一斗酒就會醉，有時喝一石酒也不醉。」威王說：「喝一斗就醉，怎麼能喝一石呢？是怎麼回事？」淳于髡說：「大王當面賞我酒喝，執法官站在旁邊，御史站在背後，我心驚膽顫，低頭喝酒，喝不到一斗就醉。假如家裡有尊貴的客人來，我奉酒待客，屢次舉杯敬酒，客人也舉杯反敬，還請我代酒，喝不到兩斗也醉了。如果朋友間偶然相聚，高興地追述往事，互吐衷腸，大約喝五六斗也就醉了。至於鄉里之間的聚會，男女雜坐，彼此敬酒，吆五喝六，呼朋喚友，相邀成對，握手言歡不受處罰，眉目傳情不遭禁止，把酒狂歡沒有時間限制，這種場合我最開心，即使喝上八斗酒，也不過兩三分醉意。等到天黑，把殘餘的酒並到一起，大家促膝而坐，男女同席，鞋子木屐混雜一起，杯盤雜亂不堪，等到堂屋裡蠟燭熄滅，女主人單獨留住我，而把別的客人送走，她解開綾羅短襖的衣襟，透出溫馨的體香，這時我心裡最為高興，能喝下一石酒。所以說，酒喝得過多心志就會迷亂，歡樂到極點往往催生悲傷。」淳于髡是拿喝酒說事，婉轉勸諫齊威王。威王說：「很好。」於是停止徹夜歡飲，並任用淳于髡為接待諸侯賓客的賓禮官。齊王宗室設宴，淳于髡常來作陪。

【出處】

威王大說，置酒後宮，召髡賜之酒。問曰：「先生能飲幾何而醉？」對曰：「臣飲一斗亦醉，一石亦醉。」威王曰：「先生飲一斗而醉，惡能飲一石哉！其說可得聞乎？」髡曰：「賜酒大王之前，執法在傍，御史在後，髡恐懼俯伏而飲，不過一斗徑醉矣。若親有嚴客，髡帣韝鞠跽，待酒於前，時賜余瀝，奉觴上壽，數起，飲不過二斗徑醉矣。若朋友交游，久不相見，卒然相睹，歡然道故，私情相語，飲可五六斗徑醉矣。若乃州閭之會，男女雜坐，行酒稽留，六博投壺，相引為曹，握手無罰，目眙不禁，前有墮珥，後有遺簪，髡竊樂此，飲可八斗而醉二參。日暮酒闌，合尊促坐，男女同席，履舄交錯，杯盤狼藉，堂上燭滅，主人留髡而送客，羅襦襟解，微聞薌澤，當此之時，髡心最歡，能飲一石。故曰酒極則亂，樂極則悲；萬事盡然，言不可極，極之而衰。」以諷諫焉。齊王曰：「善。」乃罷長夜之飲，以髡為諸侯主客。宗室置酒，髡嘗在側。（《史記》〈滑稽列傳〉）

所欲者奢

齊威王八年，楚國派遣大軍侵犯齊境。齊王派淳于髡出使趙國請求支援，讓他攜帶百金，車馬十駟。淳于髡仰天大笑，將繫帽子的帶子都笑斷了。威王說：「先生是嫌禮物太少嗎？」淳于髡說：「怎麼敢嫌少！」威王說：「那你為什麼發笑呢？」淳于髡說：「今天早上我從東邊來時，看到路旁有個祈禱田神的人，拿著一個豬蹄、一杯酒祈禱說：『高地上收穫的穀物盛滿簍籠，低田裡收穫的莊稼裝滿車輛；五穀繁茂豐熟，米糧堆積滿倉。』我看見他以這麼點祭品，祈求如此之多，所以發笑。」齊威王於是把禮物換成黃金千鎰、白璧十對、駟馬車百輛。淳于髡趕到趙國，趙王撥給他十萬精兵、一千輛戰車。楚國聽到消息，連夜退兵而去。

【出處】

威王八年，楚大發兵加齊。齊王使淳于髡之趙請救兵，齎金百斤，車馬十駟。淳于髡仰天大笑，冠纓索絕。王曰：「先生少之乎？」髡曰：「何敢！」王曰：「笑豈有說乎？」髡曰：「今者臣從東方來，見道傍有禳田者，操一豚蹄，酒一盂，祝曰：『甌窶滿篝，污邪滿車，五穀蕃熟，穰穰滿家。』臣見其所持者狹而所欲者奢，故笑之。」於是齊威王乃益齎黃金千溢，白璧十雙，車馬百駟。髡辭而行，至趙。趙王與之精兵十萬，革車千乘。楚聞之，夜引兵而去。（《史記》〈滑稽列傳〉）

獻鵠於楚

齊王派淳于髡獻鵠給楚王以示友好，路途中不小心讓鵠飛走了。

淳于髡思索再三，還是手提空籠去見楚王。淳于髡對楚王說：「齊王派我獻鵠給大王，渡江的時候，不忍心鵠鳥飢渴，就放它出來喝水，不小心飛走了。本想自殺，又怕別人說楚王因鳥傷了使臣；想另買一隻來頂替，又覺得不妥；想逃亡別國，又怕兩國因我而傷了和氣。所以前來道明實情，甘願領罪。」楚王說：「齊國竟然有這等講信用的使臣啊！」不僅沒有怪罪，反而重賞了淳于髡。

【出處】

昔者，齊王使淳于髡獻鵠於楚。出邑門，道飛其鵠，徒揭空籠，造詐成辭，往見楚王曰：「齊王使臣來獻鵠，過於水上，不忍鵠之渴，出而飲之，去我飛亡。吾欲刺腹絞頸而死，恐人之議吾王以鳥獸之故令士自傷殺也。鵠，毛物，多相類者，吾欲買而代之，是不信而欺吾王也。欲赴佗國奔亡，痛吾兩主使不通。故來服過，叩頭受罪大王。」楚王曰：「善，齊王有信士若此哉！」厚賜之，財倍鵠在也。（《史記》〈滑稽列傳〉）

生而有之

齊王想請淳于髡擔任太子的老師，淳于髡推辭說：「我才德低下，不足以擔當這樣的重任，您還是挑選德高望重的人擔當此任吧。」齊王說：「您不要推辭了。我並沒要求太子一定向我看齊。我的賢德是天生具備的，你能讓太子達到像堯或舜的水平就可以了。」《呂氏春秋》就此評論說：凡是臣下的建言得以採納，都是君主把自

獻鵠於楚

己擺在較低的位置，虛心聽取他人見解的緣故；現在齊王自以為賢明超過堯舜，這還怎麼讓人建言獻策呢？聽不進臣下的任何勸諫，這樣的君主怎能享有國家呢？

【出處】

齊王欲以淳于髡傅太子，髡辭曰：「臣不肖，不足以當此大任也。王不若擇國之長者而使之。」齊王曰：「子無辭也。寡人豈責子之令太子必如寡人也哉？寡人固生而有之也。子為寡人令太子如堯乎，其如舜也。」凡說之行也，道不智聽智，從自非受是也。今自以賢過於堯舜，彼且胡可以開說哉？說必不入，不聞存君。（《呂氏春秋》〈貴直論・壅塞〉）

淺深易知

齊王命令章子率兵同韓、魏兩國攻楚，楚國派唐蔑率兵迎敵。兩軍對峙六個月，齊王派周最抵達前線催章子迅速開戰，言辭非常嚴厲。章子回答周最說：「殺死我，罷免我，處死我整個家族，齊王都可以做到；不可交戰硬要交戰，可以交戰不讓出戰，只要我統兵一天，齊王不可以做到。」齊軍與楚軍隔沘水對壘。章子派人察看河水可以橫渡之處，楚軍放箭，齊軍的偵察兵無法靠近河邊。有個人在河邊割草，告訴齊軍偵察兵說；「河水的深淺很容易知道。凡是楚軍嚴密防守的，都是水淺的地方；防守粗疏的，都是水深的地方。」齊軍偵察兵帶回割草人來見章子。章子非常高興，於是乘著黑夜用精兵突襲楚軍嚴密防守的地方，果然大勝，殺死了唐蔑。章子算得上稱職的將領了。

【出處】

齊令章子將而與韓、魏攻荊，荊令唐蔑將而應之。軍相當，六月而不戰。齊令周最趣章子急戰，其辭甚刻。章子對周最曰：「殺之免之，殘其家，王能得此於臣。不可以戰而戰，可以戰而不戰，王不能得此於臣。」與荊人夾泚水而軍。章子令人視水可絕者，荊人射之，水不可得近。有芻水旁者，告齊候者曰：「水淺深易知。荊人所盛守，盡其淺者也；所簡守，皆其深者也。」候者載芻者與見章子。章子甚喜，因練卒以夜奄荊人之所盛守，果殺唐蔑。章子可謂知將分矣。（《呂氏春秋》〈似順論・處方〉）

不欺死父

秦軍要通過韓、魏去攻打齊國，齊威王派章子為將應戰。章子與秦軍對陣，軍使來往頻繁，章子把軍旗換成秦軍的樣子，然後派部分將士混入秦軍。齊王派出的探兵回來說章子率齊降秦，齊威王聽了未予理睬；不一會兒，又有探兵來報，也說章子率軍降秦，齊威王仍然不予理睬；再過一會兒，又有探兵來報，說章子率軍降秦，威王仍然不予理睬。有位朝臣急了，提醒威王說：「都說章子率兵降敵，報告的人不同，內容卻都一樣。君王為什麼不派兵攻打呢？」齊威王回答說：「章子絕不會背叛寡人，為什麼要派兵攻打他呢？」就在這個時候，傳來齊軍大勝、秦軍大敗潰退的消息。秦惠王自稱西藩之臣，派特使向齊國謝罪請和。威王左右的侍臣好奇地問道：「大王怎麼知道章子不會降秦呢？」威王回答說：「章子的母親啟，由於得罪他的父親，被他父親殺死埋在馬棚下。寡人任命章子為將軍時，曾經勉勵他說：『先生的能力很強，過幾天率領全軍凱旋時，一定要改葬將軍的母親。』當時章子說：『臣並非不能改葬先母，只因臣的先母得罪先父，臣父不允許臣改葬。假如臣得不到父親的允許而改葬母親，豈不是背棄了亡父的在天之靈？所以臣不敢改葬亡母。』作為人子不敢欺負死去的父親，作為人臣又怎麼會欺辱活著的君王呢！」

【出處】

秦假道韓、魏以攻齊，齊威王使章子將而應之。與秦交合而舍，使者數相往來，章子為變其徽章，以雜秦軍。候者言章子以齊入秦，威王不應。頃之間，候者復言章子以齊兵降秦，威王不應。而此者三。有司請曰：「言章子之敗者，異人而同辭。王何不發將而擊之？」王曰：「此不叛寡人明矣，曷為擊之？」傾間，言齊兵大勝，秦軍大敗，於是秦王拜西藩之臣而謝於齊。左右曰：「何以知之？」曰：「章子之母啟得罪其父，其父殺之而埋馬棧之下。吾使者章子將也，勉之曰：『夫子之強，全兵而還，必更葬將軍之母。』對曰：『臣非不能更葬先妾也。臣之母啟得罪臣之父。臣之父未教而死。夫不得父之教而更葬母，是欺死父也。故不敢。』夫為人子而不欺死父，豈為人臣欺生君哉？」（《戰國策》〈齊策一〉）

火燭一隅

有個拜會田駢的客人，穿著打扮很講規矩，言談舉止嫻靜文雅，用辭謙遜，反應敏捷。田駢與他交談之後卻沒有留下他。田駢目視他離去的時候，弟子們問田駢說：「來客是位士嗎？」田駢搖頭說：「恐怕不是。方才他刻意收斂的地方，正是士需要申說展示的地方，而士刻意收斂的地方，卻正好是來客表現的地方，我因此認為他不是士。」把燭火放在拐角處，就有半間房子沒有光亮；骨骼過早長成，質地就疏鬆不剛，身體也不會堅強。常人拘謹於外部儀表，就會巧詐奸猾；心志如果不正，就不能保國衛家；喜好聚斂而不願施捨，國家再大，也不能一統天下。

【出處】

客有見田駢者，被服中法，進退中度，趨翔閒雅，辭令遜敏。田駢聽之畢而辭之。客出，田駢送之以目。弟子謂田駢曰：「客士歟？」田駢曰：「殆乎非士也。今者客所弇斂，士所術施也；士所弇斂，客所術施也。客殆乎非士也。」故火燭一隅，則室偏無光。骨節蚤成，空竅哭歷，身必不長。眾無謀方，乞謹視見，多故不良。志必不公，不能立功。好得惡予，國雖大，不為王，禍災日至。（《呂氏春秋》〈士容論・士容〉）

因性任物

田駢以道術勸說齊王，齊王回應說：「寡人擁有齊國，只想聽聽如何治理齊國的事情。」田駢回答說：「我講的道術，雖沒有直接談論時政，卻可以由此推知政事。這就好像樹木一樣，本身雖不是木材，但進入樹林，就可以得到木材。希望您從我講的道術中選取治國安邦的道理。」田駢還只是就淺顯的方面而言，推而廣之，萬物的變化應和都是有規律的，根據其本性來使用萬物，就沒有什麼不恰當的。彭祖因此而長壽，三代因此而昌盛，五帝因此而卓著，神農因此而淵博。

【出處】

田駢以道術說齊，齊王應之曰：「寡人所有者，齊國也，願聞齊國之政。」田駢對曰：「臣之言，無政而可以得政。譬之若林木，無材而可以得材。願王之自取齊國之政也。」駢猶淺言之也，博言之，豈獨齊國之政哉？變化應來而皆有章，因性任物而莫不宜當，彭祖以壽，三代以昌，五帝以昭，神農以鴻。（《呂氏春秋》〈審分覽・執一〉）

鄰人之女

有個齊人去見田駢，對他說：「聽說先生道德高尚，發誓不去做官，寧願做平民百姓？」田駢問：「你聽誰說的？」那人回答說：「從我鄰居家女兒那裡聽到的。」田駢問：「你說這話什麼意思？」那人說：「我鄰居家的女兒發誓一輩子不嫁人，年齡沒到三十歲已生了七個孩子。說是不嫁，勝似出嫁。如今先生發誓不做官，卻有俸祿千鍾、僕役百人，說是不做官，可比當官還富啊！」田駢聽了，赧然而退。

【出處】

齊人見田駢，曰：「聞先生高議，設為不宦，而願為役。」田駢曰：「子何聞之？」對曰：「臣聞之鄰人之女。」田駢曰：「何謂也？」對曰：「臣鄰人之女，設為不嫁，行年三十而有七子，不嫁則不嫁，然嫁過畢矣。今先生設為不宦，訾養千鍾，徒百人，不宦則然矣，而富過畢也。」田子辭。（《戰國策》〈齊策四〉）

貴董慶以善魏

齊國、魏國相約討伐楚國，魏國把董慶送到齊國做人質。楚國攻齊，大敗齊國，魏國援兵未至。田嬰大怒，要處死董慶。旰夷對田嬰說：「楚國大敗齊國而不敢深入的原因，是擔心魏國從身後攻擊它。現在殺死董慶，是向楚國表示齊國跟魏國已經翻臉。魏國如果生氣而跟楚國和好，齊國就更加危險了。不如善待董慶和魏國以迷惑楚國。」

【出處】

齊、魏約而伐楚，魏以董慶為質於齊。楚攻齊，大敗之，而魏弗救。田嬰怒，將殺董慶。旰夷為董慶謂田嬰曰：「楚攻齊，大敗之，而不敢深入者，以魏為將內之於齊而擊其後。今殺董慶，是示楚無魏也。魏怒合於楚，齊必危矣。不如貴董慶以善魏，而疑之於楚也。」（《戰國策》〈魏策一〉）

欲逐嬰子

楚威王在徐州取得勝利，想逼迫齊國驅逐田嬰。田嬰很害怕，張醜對楚王說：「大王在徐州得勝，是田盼沒受重用。田盼在齊國威望很高，將士們都聽命於他。但田嬰不喜歡田盼而重用申縛。申縛在齊國不得人心，所以大王才能戰勝他。如果田嬰被逐，田盼一定會受重用。如果他整頓軍隊來跟大王對抗，大王就麻煩了。」楚王因此放棄驅逐田嬰。

【出處】

楚威王戰勝於徐州，欲逐嬰子於齊。嬰子恐，張醜謂楚王曰：「王戰勝於徐州也，盼子不用也。盼子有功於國，百姓為之用。嬰子不善，而用申縛。申縛者，大臣與百姓弗為用，故王勝之也。今嬰子逐，盼子必用，復整其士卒以與王遇，必不便於王也。」楚王因弗逐。（《戰國策》〈齊策一〉）

海大魚

靖郭君田嬰想在封地薛邑築城，門客紛紛諫阻。田嬰吩咐傳達人員不要為勸諫的門客通報。有個門客請求謁見田嬰，他保證說：「我只說三個字就走，要是多一個字，甘願下油鍋。」田嬰於是接見他。客人匆匆走到他跟前說：「海大魚。」然後轉身就走。田嬰趕忙問：「先生還有話要說嗎？」客人說：「我可不敢拿性命當兒戲！」田嬰說：「不礙事，先生請講！」客人這才回答道：「你沒聽說過海裡的大魚嗎？魚網、釣鉤對它無能為力，但一旦因為得意忘形離開水域擱上淺灘，那麼螻蟻也能隨意擺布它。如今的齊國就如同您的『海水』，如果您擁有齊國的庇蔭，要薛地有什麼用；如果您失去齊國的庇蔭，即使將薛邑的城牆築得跟天一般高，又有什麼用呢？」田嬰稱讚說：「你說的對。」於是下令停止築城。

【出處】

靖郭君將城薛，客多以諫。靖郭君謂謁者無為客通。齊人有請者曰：「臣請三言而已矣！益一言，臣請烹。」靖郭君因見之。客趨而進曰：「海大魚。」因反走。君曰：「客有於此。」客曰：「鄙臣不敢以死為戲。」君曰：「亡，更言之。」對曰：「君不聞大魚乎？網不能止，鉤不能牽，蕩而失水，則螻蟻得意焉。今夫齊，亦君之水也，君長有齊陰，奚以薛為？夫齊，雖隆薛之城到於天，猶之無益也。」君曰：「善。」乃輟城薛。（《戰國策》〈齊策一〉）

久語懷刷

靖郭君田嬰擔任齊相，和老相識談話的時間長些，老相識就富了；賞賜近侍小物品，近侍的地位就高了。談話時間長點、賞賜小物品，都是微小的資助，尚且可以借此致富，何況把權勢讓給官吏呢？

【出處】

靖郭君相齊，與故人久語，則故人富，懷左右刷，則左右重。久語懷刷，小資也，猶以成富，況於吏勢乎？（《韓非子》〈內儲說下・六微〉）

說五而厭

靖郭君對齊威王說：「五官的簿書，應該每天檢查並多次察看。」齊王說：「這種事，堅持五天就厭煩了。」於是就把這些事交給靖郭君去處理。

【出處】

靖郭君謂齊王曰：「五官之計，不可不日聽也而數覽。」王曰：「說五而厭之。」今與靖郭君。（《戰國策》〈齊策一〉）

計不勝聽

田嬰擔任齊相，有人對齊王說：「一年的財政結算，大王如果不用幾天時間逐一親自聽取報告，就無法知道官吏的營私舞弊和政事得失。」齊王說：「講得好。」田嬰聽到後，立即向齊王要求去聽自己的財政結算。田嬰讓官吏準備好全年的財政大小收入的賬目和憑證。齊王親自聽取財政結算，但聽不勝聽，吃完飯，又坐下來，累得不想吃晚飯。田嬰又對齊王說：「群臣一年到頭日日夜夜不敢馬虎和懈怠的事情，大王用一個晚上聽取報告，群臣就由此得到鼓勵了。」齊王說：「好吧。」一會兒齊王已睡著了。君主親自聽取結算，就是國家混亂的開始。

【出處】

田嬰相齊，人有說王者曰：「終歲之計，王不一以數日之間自聽之，則無以知吏之奸邪得失也。」王曰：「善。」田嬰聞之，即遽請於王而聽其計。王將聽之矣，田嬰令官具押券斗石參升之計。王自聽計，計不勝聽，罷食後，復坐，不復暮食矣。田嬰復謂曰：「群臣所終歲日夜不敢偷怠之事也，王以一夕聽之，則群臣有為勸勉矣。」王曰：「諾。」俄而王已睡矣，吏盡揄刀削其押券升石之計。王自聽之，亂乃始生。（《韓非子》〈外儲說右下〉）

美珥之所在

靖郭君田嬰做齊相時，齊王的正妃死了，田嬰不知道立誰為正妃，就進獻珠玉耳飾來了解真情。另一種說法是：薛公田嬰擔任齊相，威王的夫人死了，宮中有十個姬妾為王所寵。薛公想了解齊王打算立誰為夫人，就製作了十個珠玉耳飾，將其中一個製作得格外精美，一併獻給齊王。齊王把十個耳飾分授予十個姬妾。第二天侍坐時，田嬰觀察到那隻精美的耳飾被誰佩戴，於是勸齊王立她為夫人。

【出處】

靖郭君之相齊也，王后死，未知所置，乃獻玉珥以知之。一曰：薛公相齊，齊威王夫人死，中有十孺子皆貴於王，薛公欲知王所欲立，而請置一人以為夫人。王聽之，則是說行於王而重於置夫人也；王不聽，是說不行而輕於置夫人也。欲先知王之所欲置以勸王置之，於是為十玉耳而美其一而獻之。王以賦十孺子。明日坐，視美珥之所在而勸王以為夫人。（《韓非子》〈外儲說右上〉）

早救晚救

魏軍進攻韓國南梁，韓國向齊國求救。齊王召集大臣謀劃說：「早救與晚救，哪種對我們有利？」張丐回答說：「早救有利。如果晚救，韓國就會轉投魏國。」田臣思說：「早救不妥。韓、魏兩國的軍隊還沒顯出疲態，此時去救韓國，就會替代韓國承受魏軍的攻擊，反過來聽命於韓。再說魏國有滅韓之心，韓國眼看將要亡國，必定再次求助於我。那時再與韓國結盟，迎戰魏國的疲弊之師，齊國就可以得到重視，利益到手，名聲尊顯。」齊威王說：「好，那就晚救吧。」於是答應韓國使者馬上出兵。韓國自以為有齊國援助，與魏軍五戰五敗，於是再赴齊國求救，齊國派兵攻打魏國，在馬陵大敗魏軍。魏軍被打敗，韓國被削弱，韓、魏兩國的國君只好通過田嬰北向朝拜齊威王。

【出處】

南梁之難，韓氏請救於齊。田侯召大臣而謀曰：「早救之，孰與晚救之便？」張丐對曰：「晚救之，韓且折而入於魏，不如早救之。」田臣思曰：「不可。夫韓、魏之兵未弊，而我救之，我代韓而受魏之兵，顧反聽命於韓也。且夫魏有破韓之志，韓見且亡，必東愬於齊。我因陰結韓之親，而晚承魏之弊，則國可重，利可得，名可尊矣。」田侯曰：「善。」乃陰告韓使者而遣之。韓自以專有齊國，五戰五不勝，東愬於齊，齊因起兵擊魏，大破之馬陵。魏破，韓弱。韓、魏之君因田嬰北面而朝田侯。（《戰國策》〈齊策一〉）

令魯中立

楚國要征伐齊國，魯國和楚國親善，準備聯合出兵，齊威王很是憂慮。張丐說：「臣下能使魯國保持中立。」於是出使魯國，拜見魯君。魯康公說：「齊王害怕了嗎？」張丐說：「這個臣不知道，臣下是來哀悼大王的。」魯康公說：「為什麼要哀悼我？」張丐說：「君王的謀劃錯了。君王不幫助勝利者而去幫助失敗者，這是什麼緣故？」魯康公說：「您認為齊、楚兩國哪一方會取勝呢？」張丐回答說：「鬼才知道呢。」魯康公說：「那您憑什麼要哀悼寡人呢？」張丐說：「齊、楚兩國勢均力敵，不在乎有沒有魯國的幫助。您何不保持中立，保存兵力，待兩國交戰之後再做決定呢？無論齊、楚，戰勝的一方也會損兵折將，這時君王再率兵支持戰勝的一方，戰勝國對您的依賴和感激可就大多了。」魯康公認為張丐說得有理，於是按兵不動。

【出處】

楚將伐齊，魯親之，齊王患之。張丐曰：「臣請令魯中立。」乃為齊見魯君。魯君曰：「齊王懼乎？」曰：「非臣所知也，臣來弔足下。」魯君曰：「何弔？」曰：「君之謀過矣。君不與勝者而與不勝者，何故也？」魯君曰：「子以齊、楚為孰勝哉？」對曰：「鬼且不知也。」「然則子何以弔寡人？」曰：「齊、楚之權敵也，不用有魯與無魯。足下豈如令眾而合二國之後哉！楚大勝齊，其良士選卒必殪，其餘兵足以待天下；齊為勝，其良士選卒亦殪。而君以魯眾合戰勝後，此其為德也亦大矣，其見恩德亦其大也。」魯君以為然，身退師。（《戰國策》〈齊策一〉）

齊威虞姬

虞姬，名娟之，是齊威王的姬妾。威王即位後，九年不理朝政，把政事都交給大臣，諸侯列國都來侵擾齊國，佞臣周破胡專權擅政，嫉賢妒能。像即墨大夫那樣的賢臣，他天天誹謗；阿大夫昏庸無能，他反而天天讚美。虞姬對威王說：「周破胡是個奸佞小臣，不可接近；有位北郭先生，賢明知禮，應該讓他隨侍左右。」破胡得知消息，就誣陷虞姬說：「她小時候在民間，曾與北郭先生私通。」威王心中生疑，就把虞姬禁閉在九層臺上，命有司審問。破胡又賄賂負責審訊的官員，逼虞姬認罪，將竄改的供詞上報威王。威王看了供詞，不合心意，於是親自審問。虞姬回答說：「妾娟有幸侍奉大王，已經十多年了。本以為沉冤難雪，沒想到大王還能再次召見，親自審問我。我聽說玉石墜入泥中不會玷污，經過瓜田時不應該俯身繫鞋子，經過李園時不可以舉手扶帽子。我不知避嫌，這是第一樁罪過。我聽說：『寡婦哭城，城為之崩；亡士嘆市，市為之罷。』誠信發自內心，就會感動世間。我的冤屈顯而易見，但即使在九層臺內痛哭哀號，世人也不會知道，這是我的第二樁罪。既有污名，又加上這兩樁罪，是不可以再活的。我之所以忍辱偷生，就是為了洗白我的污名。況且這種事情古已有之，像伯奇被放逐，申生被廢黜，明明是孝子，反而被殘害。我既然該死，就不再陳述了。但願大王記住：現在朝廷上奸佞之臣很多，破胡最是厲害，君王再不執掌國政，國家就危險了。」於是威王大悟，把虞姬放出來，彰顯於朝廷，封即墨大夫為萬戶侯，將阿大夫與周破胡下油鍋。隨後整頓軍隊，出兵收復曾經被侵占的國土。齊國上下震驚，再不敢混淆黑白，文過飾非。人人恪盡職守，齊國由此大治。君子稱讚虞姬溫良善辯。《詩經》中說：「見到想念的人，心中鬱悶全消。」說的正是她啊！

【出處】

虞姬者，名娟之，齊威王之姬也。威王即位，九年不治，委政大臣，諸侯並侵之。其佞臣周破胡專權擅勢，嫉賢妒能，即墨大夫賢而日毀之，阿大夫不肖反日譽之。虞姬謂王曰：「破胡，讒諛之臣也，不可不退。齊有北郭先生者，賢明有道，可置左右。」破胡聞之，乃惡虞姬曰：「其幼弱在於閭巷之時，嘗與北郭先生通。」王疑之，乃閉虞姬於九層之臺，而使有司即窮驗問。破胡賂執事者，使竟其罪，執事者誣其辭而上之。王視其辭，不合於意，乃召虞姬而自問焉。虞姬對曰：「妾娟之幸得蒙先人之遺體，生於天壤之間，去蓬廬之下，侍明王之 ，泥附王著，薦床蔽席，供執掃除，掌奉湯沐，至今十餘年矣。惓惓之心，冀幸補一言，而為邪臣所擠，湮於百重之下。不意大王乃復見而與之語。妾聞玉石墜泥不為污，柳下覆寒，女不為亂。積之於素雅，故不見疑也。經瓜田不躡履，過李園不正冠，妾不避，此罪一也。既陷難中，有司受賂，聽用邪人，卒見覆冒，不能自明。妾聞寡婦哭城，城為之崩。亡士嘆市，市為之罷。誠信發內，感動城市。妾之冤明於白日，雖獨號於九層之內，而眾人莫為毫釐，此妾之罪二也。既有污名，而加此二罪，義固不可以生。所以生者，為莫白妾之污名也。且自古有之，伯奇放野，申生被患。孝順至明，反以為殘。妾既當死，不復重陳，然願戒大王，群臣為邪，破胡最甚。王不執政，國殆危矣。」於是王大寤，出虞姬，顯之於朝市，封即墨大夫以萬戶，烹阿大夫與周破胡。遂起兵收故侵地，齊國震懼，人知烹阿大夫，不敢飾非，務盡其職，齊國大治。君子謂虞姬好善。詩云：「既見君子，我心則降。」[4]此之謂也。（《列女傳》〈辯通傳〉）

君子遠庖廚

孟子對齊宣王說：「我曾經聽胡齕說，有人牽著牛從殿下走過，您看到後便問說：『把牛牽到哪裡去？』牽牛的人回答說：『準備殺了取血祭鐘。』您便說：『放了它吧！我不忍心看到它害怕得發抖的樣子，就像毫無罪過卻被判處死刑一樣。』牽牛的人問：『那就不祭鐘了嗎？』您說：『怎麼可以不祭鐘呢？用羊來代替牛吧！』不知道有沒有這件事？」宣王點頭說：「有這件事。」孟子說：「老百姓聽到這件事都認為您吝嗇，我卻知道您是出於不忍心。」宣王說：「確實有老百姓這樣認為。齊國雖然不大，但我怎麼會吝嗇到捨不得一頭牛呢？我不忍心看到它害怕得發抖的樣子，所以提出用羊代替它。」孟子說：「大王不必責怪老百姓。他們只看到您用小的羊去代替大的牛，哪裡知道其中的深意呢？何況大王如果可憐它毫無罪過卻被宰殺，那羊不是也一樣嗎？」宣王笑著說：「是啊，老百姓這樣認為的確有他們的道理。」孟子說：「大王的不忍心正是仁慈的體現，因為您當時親眼見到了牛而沒有見到羊。君子對於飛禽走獸，見到它們活著，便不忍心見到它們死去；聽到它們哀叫，便不忍心吃它們的肉。所以，君子總是遠離廚房。」

4. 「既見君子，我心則降」，出自《詩經》〈小雅・出車〉。

【出處】

曰：「臣聞之胡齕曰，王坐於堂上，有牽牛而過堂下者，王見之，曰：『牛何之？』對曰：『將以釁鐘。』王曰：『舍之！吾不忍其觳觫，若無罪而就死地。』對曰：『然則廢釁鐘與？』曰：『何可廢也？以羊易之！』不識有諸？」曰：「有之。」曰：「是心足以王矣。百姓皆以王為愛也，臣固知王之不忍也。」王曰：「然。誠有百姓者。齊國雖褊小，吾何愛一牛？即不忍其觳觫，若無罪而就死地，故以羊易之也。」曰：「王無異於百姓之以王為愛也。以小易大，彼惡知之？王若隱其無罪而就死地，則牛羊何擇焉？」王笑曰：「是誠何心哉？我非愛其財。而易之以羊也，宜乎百姓之謂我愛也。」曰：「無傷也，是乃仁術也，見牛未見羊也。君子之於禽獸也，見其生，不忍見其死；聞其聲，不忍食其肉。是以君子遠庖廚也。」（《孟子》〈梁惠王上〉）

是不為也，非不能也

孟子說：「假如有人來向大王報告說：『我的力量能夠舉得起三千斤，卻拿不起一根羽毛；視力能看清秋天鳥獸身上新長的細毛，卻看不見擺在眼前的一車柴草。』大王您會相信他的話嗎？」宣王說：「當然不會相信。」孟子便接著說：「如今大王您的恩惠能夠施及動物，卻偏偏不能夠施及老百姓，是為什麼呢？一根羽毛拿不起，是不願意用力氣拿；一車柴草看不見，是不願意用眼睛看；老百姓不能安居樂業，是君王不願意施恩。所以大王沒能用道德統一天下，是不願意做，而不是做不到。」宣王說：「不願意做和做不到有什麼區別呢？」孟子說：「要人把泰山夾在胳膊下跳過北海，人說『我做不到』，是真的做不到；要人為老者折一根樹枝，人說『我做不到』，是不願做而不是做不到。大王不能用道德來統一天下，不是把泰山夾在胳膊下跳過北海，而是像為老年人折樹枝一樣簡單。尊敬自己的老人，由此推廣到尊敬別人的老人；愛護自己的孩子，由此推廣到愛護別人的孩子。做到了這一點，整個天下便會像在自己的手掌心運轉一樣容易治理。《詩經》裡說：『先給妻子做榜樣，再推廣到兄弟，再推廣到家族和國家。』說的就是要把自己的心推廣到別人身上去。所以，推廣恩德足以安定天下，不推廣恩德連自己的妻子兒女都保護不了。古代的聖賢之所以能遠勝於一般人，沒有別的，不過是善於推廣自己的好行為罷了。如今大王恩惠能夠施及動物，卻不能施及老百姓，這到底是為什麼呢？」

【出處】

曰：「有復於王者曰：『吾力足以舉百鈞』，而不足以舉一羽；『明足以察秋毫之末』，而不見輿薪，則王許之乎？」曰：「否。」「今恩足以及禽獸，而功不至於百姓者，獨何與？然則一羽之不舉，為不用力焉；輿薪之不見，為不用明焉，百姓之不見保，為不用恩焉。故王之不王，不為也，非不能也。」曰：「不為者與不能者之形何以異？」曰：「挾泰山以超北海，語人曰『我不能』，是誠不能也。為長者折枝，語人曰『我不能』，是不為也，非不能也。故王之不王，非挾泰山以超北海之類也；王之不王，是折枝之類也。老吾老，以及人之老；幼吾幼，以及人之幼。天下可運於掌。詩云：『刑於寡妻，至於兄弟，以御於家邦。』[5]言舉斯心加諸彼而已。故推恩足以保四海，不推恩無以保妻子。古之人所以大過人者，無他焉，善推其所為而已矣。今恩足以及禽獸，而功不至於百姓者，獨何與？」（《孟子》〈梁惠王上〉）

緣木求魚

孟子問道：「大王的最大願望是什麼呢？可以講給我聽聽嗎？」齊宣王笑了笑，卻不說話。孟子說：「是為了肥美的食物不夠吃，還是為了輕暖的衣服不夠穿呢？是為了豔麗的色彩不夠看，還是為了美妙的音樂不夠聽，或者身邊伺候的人不夠使喚？這些需求，您手下的大臣都能夠盡量提供，難道您真是為了這些嗎？」宣王說：「不，不是為了這些。」孟子說：「那麼您的最大願望便不難推測了。您一定是想擴張國土，使秦、楚這些大國都來朝貢您，自己君臨中國，安撫四方落後的民族。不過，以您現在的做法來達成您的願望，就好像爬到樹上去捉魚一樣。」宣王說：「竟然有這樣嚴重嗎？」孟子說：「恐怕比這還要嚴重哩。爬上樹捉魚，雖然捉不到魚，卻也沒有什麼後患；以您現在的做法去幻想實現願望，費盡心力，卻會有災禍臨頭。」宣王說：「把道理說給我聽聽。」孟子說：「假定鄒國和楚國打仗，大王認為哪一國會贏呢？」宣王說：「當然是楚國。」孟子說：「顯然，小國不可以與大國為敵，人口很少的國家不可與人口眾多的國家為敵，弱國不可以與強國為敵。中國的土地，方圓千里的共有九

5. 「刑於寡妻，至於兄弟，以御於家邦」，出自《詩經》〈大雅・思齊〉。

塊，齊國不過占有其中的一塊而已。想用這一塊去征服其他八塊，這跟鄒國和楚國打仗有什麼區別呢？大王為什麼不回過頭來好好想想，從根本上著手呢？如果大王能施行仁政，使天下做官的人都想到您的朝廷上來做官，天下的農民都想到您的國家來種地，天下做生意的人都想到您的國家來做生意，天下旅行的人都想到您的國家來旅行，天下痛恨本國國君的人都到您這兒來投訴。如果做到了這些，還有誰能與您為敵呢？」

【出處】

曰：「王之所大欲可得聞與？」王笑而不言。曰：「為肥甘不足於口與？輕暖不足於體與？抑為采色不足視於目與？聲音不足聽於耳與？便嬖不足使令於前與？王之諸臣皆足以供之，而王豈為是哉？」曰：「否。吾不為是也。」曰：「然則王之所大欲可知已。欲闢土地，朝秦楚，蒞中國而撫四夷也。以若所為求若所欲，猶緣木而求魚也。」曰：「若是其甚與？」曰：「殆有甚焉。緣木求魚，雖不得魚，無後災。以若所為，求若所欲，盡心力而為之，後必有災。」曰：「可得聞與？」曰：「鄒人與楚人戰，則王以為孰勝？」曰：「楚人勝。」曰：「然則小固不可以敵大，寡固不可以敵眾，弱固不可以敵強。海內之地方千里者九，齊集有其一。以一服八，何以異於鄒敵楚哉？蓋亦反其本矣。今王發政施仁，使天下仕者皆欲立於王之朝，耕者皆欲耕於王之野，商賈皆欲藏於王之市，行旅皆欲出於王之涂，天下之慾疾其君者皆欲赴愬於王。其若是，孰能御之？」（《孟子》〈梁惠王上〉）

與民同樂

孟子問齊宣王說：「大王曾經和莊子談論過愛好音樂，有這回事嗎？」宣王臉色一變，不好意思地說：「我並不喜好先王清靜典雅的音樂，只不過喜好當下世俗流行的音樂罷了。」孟子說：「大王如果非常愛好音樂，那齊國的治理一定不差。現在的俗樂與古代的雅樂差不多。」宣王說：「你給講講吧。」孟子說：「請問獨自一人娛樂和與他人一起娛樂，哪個更快樂些？」宣王說：「與他人一起娛樂更快樂些。」孟子說：「和少數人一起娛樂，和多數人一起娛樂，哪個更快樂些？」宣王說：「不如與多數人一起娛樂更快樂些。」孟子說：「那就讓我來為大王講講娛樂吧！假如大王在奏樂，百姓們聽到大王鳴鐘擊鼓、吹簫奏笛的聲音，都愁眉苦臉地相互訴苦說：『我們大王喜好音樂，為什麼要使我們這般窮困呢？父親和兒子不能相見，兄弟和妻兒分離流散。』假如大王在圍獵，百姓們聽到大王車馬的喧囂，見到旗幟的華麗，都愁眉苦臉地相互訴苦說：『我們大王喜好圍獵，為什麼要使我們這般窮困呢？父親和兒子不能相見，兄弟和妻兒分離流散。』這沒有別的原因，是由於不和民眾一起娛樂的緣故。假如大王在奏樂，百姓們聽到大王鳴鐘擊鼓、吹簫奏笛的聲音，都眉開眼笑地相互告訴說：『我們大王很健康啊，要不怎麼能奏樂呢？』假如大王在圍獵，百姓們聽到大王車馬的喧囂，見到旗幟的華麗，都眉開眼笑地相互告訴說：『我們大王很健康啊，要不怎麼能圍獵呢？』這沒有別的原因，是由於和民眾一起娛樂的緣故。如果大王能和百姓同樂，那就可以以王道統一天下。」

【出處】

他日見於王曰：「王嘗語莊子以好樂，有諸？」王變乎色，曰：「寡人非能好先王之樂也，直好世俗之樂耳。」曰：「王之好樂甚，則齊其庶幾乎！今之樂猶古之樂也。」曰：「可得聞與？」曰：「獨樂樂，與人樂樂，孰樂？」曰：「不若與人。」曰：「與少樂樂，與眾樂樂，孰樂？」曰：「不若與眾。」「臣請為王言樂：今王鼓樂於此，百姓聞王鐘鼓之聲，管籥之音，舉疾首蹙頞而相告曰：『吾王之好鼓樂，夫何使我至於此極也？父子不相見，兄弟妻子離散。』今王田獵於此，百姓聞王車馬之音，見羽旄之美，舉疾首蹙頞而相告曰：『吾王之好田獵，夫何使我至於此極也？父子不相見，兄弟妻子離散。』此無他，不與民同樂也。今王鼓樂於此，百姓聞王鐘鼓之聲，管籥之音，舉欣欣然有喜色而相告曰：『吾王庶幾無疾病與？何以能鼓樂也？』今王田獵於此，百姓聞王車馬之音，見羽旄之美，舉欣欣然有喜色而相告曰：『吾王庶幾無疾病與？何以能田獵也？』此無他，與民同樂也。今王與百姓同樂，則王矣。」（《孟子》〈梁惠王下〉）

為阱於國中

齊宣王問道：「文王的園林有七十里見方，有這回事嗎？」孟子回答說：「文獻上有這樣的記載。」宣王問：「竟然有這麼大嗎？」孟子說：「百姓還覺得小呢。」宣王說：「我的園林四十里見方，百姓還覺得大，這是為什麼呢？」孟子說：「文王的園林七十里見方，割草砍柴的可以去，捕鳥獵獸的可以去，是與百姓共同享用的；百姓認為太小，不也是很自然嗎？我初到齊國邊境時，問明了齊國重要的禁令，這才敢入境。我聽說國都郊區之內有個園林四十里見方，殺了其中的麋鹿，就如同犯了殺人罪；這就像是在國內設下一個四十里見方的陷阱，百姓認為太大，不也正常嗎？」

【出處】

齊宣王問曰：「文王之囿方七十里，有諸？」孟子對曰：「於傳有之。」曰：「若是其大乎？」曰：「民猶以為小也。」曰：「寡人之囿方四十里，民猶以為大，何也？」曰：「文王之囿方七十里，芻蕘者往焉，雉兔者往焉，與民同之。民以為小，不亦宜乎？臣始至於境，問國之大禁，然後敢入。臣聞郊關之內有囿方四十里，殺其麋鹿者如殺人之罪。則是方四十里，為阱於國中。民以為大，不亦宜乎？」（《孟子》〈梁惠王下〉）

匹夫之勇

齊宣王問孟子說：「和鄰國交往有什麼講究嗎？」孟子回答說：「有啊。只有有仁德的人才能夠以大國的身分侍奉小國，所以商湯侍奉大國，周文王侍奉昆夷。只有有智慧的人才能夠以小國的身分侍奉大國，所以周太王侍奉獯鬻[6]，越王勾踐侍奉吳王夫差。以大國身分侍奉小國的，是以天命為樂的人；以小國身分侍奉大國的，是敬畏天

6. 獯鬻：夏桀的兒子。

命的人。以天命為樂的人安定天下，敬畏天命的人安定自己的國家。《詩經》中說：『畏懼上天的威靈，因此才能夠安定。』」宣王說：「先生的話可真高深呀！不過，我有個毛病，就是逞強好勇。」孟子說：「那就請大王不要好小勇。有的人動輒按劍瞪眼說：『他怎麼敢抵擋我呢？』這其實只是匹夫之勇，只能與一個人較量。大王請不要喜好這樣的匹夫之勇！《詩經》中說：『文王義憤激昂，發令調兵遣將，把侵略莒國的敵軍阻擋，增添了周國的吉祥，不辜負天下百姓的期望。』這是周文王的勇。周文王一怒便使天下百姓都得到安定。《尚書》中說：『上天降生了老百姓，又替他們降生了君王，降生了師表，這些君王和師表的唯一責任，就是幫助上天來愛護老百姓。所以，天下四方的有罪者和無罪者，都由我來負責。普天之下，何人敢超越上天的意志呢？』所以，只要有一人在天下橫行霸道，周武王便感到羞恥，這是周武王的勇，周武王也是一怒便使天下百姓都得到安定。大王如果也能做到一怒便使天下百姓得到安定，那麼，老百姓就會唯恐大王不好勇了。」

【出處】

齊宣王問曰：「交鄰國有道乎？」孟子對曰：「有。惟仁者為能以大事小，是故湯事葛，文王事昆夷；惟智者為能以小事大，故大王事獯鬻，句踐事吳。以大事小者，樂天者也；以小事大者，畏天者也。樂天者保天下，畏天者保其國。詩云：『畏天之威，於時保之。』」[7]王曰：「大哉言矣！寡人有疾，寡人好勇。」對曰：「王請

7. 「畏天之威，於時保之」，出自《詩經》〈周頌・我將〉。

無好小勇。夫撫劍疾視曰，『彼惡敢當我哉』！此匹夫之勇，敵一人者也。王請大之！詩云：『王赫斯怒，爰整其旅，以按徂旅。以篤周祜，以對於天下。』[8]此文王之勇也。文王一怒而安天下之民。書曰：『天降下民，作之君，作之師。惟曰其助上帝寵之。四方有罪無罪，惟我在，天下曷敢有越厥志？』一人衡行於天下，武王恥之。此武王之勇也。而武王亦一怒而安天下之民。今王亦一怒而安天下之民，民惟恐王之不好勇也。」（《孟子》〈梁惠王下〉）

欲行王政

齊宣王問道：「別人都建議我拆毀明堂，究竟是拆毀好呢？還是不拆毀好呢？」孟子回答說：「明堂是施行王政的殿堂。大王如果想施行王政，就請不要拆毀它吧。」宣王說：「可以把王政說給我聽聽嗎？」孟子回答說：「從前周文王治理岐山的時候，對農民的稅率是九份抽一；對於做官的人給予世代承襲的俸祿；在關卡和市場上只稽查不徵稅；任何人到湖泊捕魚都不禁止；對罪犯的處罰不牽連妻子兒女；失去妻子的老年人叫作鰥夫，失去丈夫的老年人叫作寡婦，沒有兒女的老年人叫作獨老，失去父親的兒童叫作孤兒，這四種人是天下窮苦無靠的人，文王實行仁政，一定最先考慮到他們。《詩經》中說：『有錢人是可以過得去了，可憐那些無依無靠的孤人吧。』」宣王說：「說得好呀！」孟子說：「大王如果認為說得好，為什麼不這樣

---

8. 「王赫斯怒，爰整其旅，以按徂旅。以篤周祜，以對於天下」，出自《詩經》〈大雅・皇矣〉。

做呢？」宣王說：「我有個毛病，我喜好錢財。」孟子說：「從前公劉也喜好錢財。《詩經》中說：『收割糧食裝滿倉，備好充足的乾糧，裝進小袋和大囊。緊密團結爭榮光，張弓帶箭齊武裝。盾戈斧鉚拿手上，開始動身向前方。』因此留在家裡的人有穀，行軍的人有乾糧，這才能夠率領軍隊前進。大王如果喜愛錢財，能想到老百姓也喜愛錢財，這對施行王政有什麼影響呢？」宣王又說：「我還有個毛病，就是好女色。」孟子回答說：「從前周太王也喜愛女色，非常愛他的妃子。《詩經》中說：『周太王古公亶父，一大早驅馳快馬。沿著西邊的河岸，一直走到岐山下。帶著妻子姜氏女，勘察地址建新居。』那時，沒有大齡而找不到丈夫的女子，也沒有找不到妻子的男子。大王如果愛好女色，能想到老百姓也愛好女色，這對施行王政有什麼影響呢？」

【出處】

齊宣王問曰：「人皆謂我毀明堂。毀諸？已乎？」孟子對曰：「夫明堂者，王者之堂也。王欲行王政，則勿毀之矣。」王曰：「王政可得聞與？」對曰：「昔者文王之治岐也，耕者九一，仕者世祿，關市譏而不征，澤梁無禁，罪人不孥。老而無妻曰鰥。老而無夫曰寡。老而無子曰獨。幼而無父曰孤。此四者，天下之窮民而無告者。文王發政施仁，必先斯四者。詩云：『哿矣富人，哀此惸獨。』[9]」王曰：「善哉言乎！」曰：「王如善之，則何為不行？」王曰：「寡人有疾，寡人好貨。」對曰：「昔者公劉好貨；詩云：『乃積乃倉，乃裹餱糧，

9. 「哿矣富人，哀此惸獨」，出自《詩經》〈小雅・正月〉。

於橐於囊。思輯用光。弓矢斯張，干戈戚揚，爰方啟行。』[10]故居者有積倉，行者有裹糧也，然後可以爰方啟行。王如好貨，與百姓同之，於王何有？」王曰：「寡人有疾，寡人好色。」對曰：「昔者大王好色，愛厥妃。詩云：『古公亶父，來朝走馬，率西水滸，至於岐下。爰及姜女，聿來胥宇。』[11]當是時也，內無怨女，外無曠夫。王如好色，與百姓同之，於王何有？」（《孟子》〈梁惠王下〉）

王顧左右而言他

孟子對齊宣王說：「如果大王您有一個臣子把妻子兒女託付給他的朋友照顧，自己出遊楚國去了。等他回來的時候，他的妻子兒女卻在挨餓受凍。對待這樣的朋友，應該怎麼辦呢？」齊宣王說：「和他絕交！」孟子說：「如果您的司法官不能管理他的下屬，那應該怎麼辦呢？」齊宣王說：「撤他的職！」孟子又說：「如果一個國君把國家治理得很糟糕，那又該怎麼辦呢？」齊宣王左右張望，把話題扯到一邊去了。

【出處】

孟子謂齊宣王曰：「王之臣有托其妻子於其友，而之楚游者。比其反也，則凍餒其妻子，則如之何？」王曰：「棄之。」曰：「士師

10.「乃積乃倉，乃裹餱糧，於橐於囊。思輯用光。弓矢斯張，干戈戚揚，爰方啟行」，出自《詩經》〈大雅・公劉〉。

11.「古公亶父，來朝走馬，率西水滸，至於岐下。爰及姜女，聿來胥宇」，出自《詩經》〈大雅・緜〉。

不能治士，則如之何？」王曰：「已之。」曰：「四境之內不治，則如之何？」王顧左右而言他。（《孟子》〈梁惠王下〉）

為民父母

孟子拜見齊宣王，說：「我們平時所說歷史悠久的國家，並不是指那個國家有高大的樹木，而是指有世代建立功勛的大臣。可大王您現在卻沒有親信的大臣了，過去所任用的一些人，現在也不知到哪裡去了。」齊宣王說：「我怎樣去識別那些缺乏才能的人而不用他呢？」孟子回答說：「國君選擇賢才，在不得已的時候，甚至會把原本地位低的提拔到地位高的人之上，把原本關係疏遠的提拔到關係親近的人之上，這能夠不謹慎嗎？因此，左右親信都說某人好，不可輕信；眾位大夫都說某人好，還是不可輕信；全國的人都說某人好，然後去考察他，發現他是真正的賢才，再任用他。左右親信都說某人不好，不可輕信；眾位大夫都說某人不好，還是不可輕信；全國的人都說某人不好，然後去考查他，發現他真不好，再罷免他。左右親信都說某人該殺，不可輕信；眾位大夫都說某人該殺，還是不可輕信；全國的人都說某人該殺，然後去考查他，發現他真該殺，再殺掉他。所以說，是全國人殺的他。這樣做，才可以做老百姓的父母官。」

【出處】

孟子見齊宣王曰：「所謂故國者，非謂有喬木之謂也，有世臣之謂也。王無親臣矣，昔者所進，今日不知其亡也。」王曰：「吾何以識其不才而舍之？」曰：「國君進賢，如不得已，將使卑踰尊，疏踰戚，可不慎與？左右皆曰賢，未可也；諸大夫皆曰賢，未可也；國人皆曰賢，然後察之；見賢焉，然後用之。左右皆曰不可，勿聽；諸大夫皆曰不可，勿聽；國人皆曰不可，然後察之；見不可焉，然後去之。左右皆曰可殺，勿聽；諸大夫皆曰可殺，勿聽；國人皆曰可殺，然後察之；見可殺焉，然後殺之。故曰，國人殺之也。如此，然後可以為民父母。」（《孟子》〈梁惠王下〉）

未聞弒君

齊宣王問道：「商湯流放夏桀，武王討伐商紂，有這些事嗎？」孟子回答道：「文獻上有這樣的記載。」宣王問：「臣子殺他的君主，可以嗎？」孟子說：「敗壞仁的人叫賊，敗壞義的人叫殘；殘、賊這樣的人叫獨夫。我只聽說過殺死獨夫紂，沒聽說過臣殺君啊。」

【出處】

齊宣王問曰：「湯放桀，武王伐紂，有諸？」孟子對曰：「於傳有之。」曰：「臣弒其君，可乎？」曰：「賊仁者謂之賊，賊義者謂之殘，殘賊之人謂之一夫。聞誅一夫紂矣，未聞弒君也。」（《孟子》〈梁惠王下〉）

舍女所學而從我

孟子謁見齊宣王，說：「建造大房子，就一定要叫工匠去尋找大木料。工匠找到了大木料，大王就高興，認為工匠是稱職的。木匠砍削木料，把木料砍小了，大王就發怒，認為木匠是不稱職的。一個人從小學到了一種本領，長大了想運用它，大王卻說『暫且放棄你所學的本領來聽我的』，那樣行嗎？設想現在有塊璞玉在這裡，雖然價值萬金，也必定要叫玉人來雕琢加工。至於治理國家，卻說『暫且放棄你所學的本領來聽我的』，那麼，這和非要玉匠按您的辦法去雕琢玉石有什麼不同呢？」

【出處】

孟子見齊宣王曰：「為巨室，則必使工師求大木。工師得大木，則王喜，以為能勝其任也。匠人斫而小之，則王怒，以為不勝其任矣。夫人幼而學之，壯而欲行之。王曰『姑舍女所學而從我』，則何如？今有璞玉於此，雖萬鎰，必使玉人雕琢之。至於治國家，則曰『姑舍女所學而從我』，則何以異於教玉人雕琢玉哉？」（《孟子》〈梁惠王下〉）

簞食壺漿，以迎王師

齊國人攻占燕國之後，一些諸侯國謀劃要救助燕國。齊宣王說：「不少諸侯在謀劃著要來攻打我，該怎麼辦呢？」孟子回答說：「商湯憑藉方圓七十里的國土就能統一天下，沒聽說擁有方圓千里的國土而害怕別國的。《尚書》中說：『商湯征伐，從葛國開始。』天下人都相信了。所以，當他向東方進軍時，西邊國家的老百姓便抱怨他；當他向南方進軍時，北邊國家的老百姓便抱怨他。都說：『為什麼把我們放到後面呢？』老百姓盼望他，就像久旱期盼雲霓一樣，這是因為湯的征伐一點也不驚擾百姓啊。做生意的照常做生意，種地的照常種地，只是誅殺那些暴虐的國君以撫慰受害的百姓。就彷彿天上降下及時雨，老百姓非常高興。《尚書》中說：『等待我們的王，他來了，我們也就復活了！』如今燕國的國君虐待百姓，大王統率軍隊去征伐他，燕國的老百姓以為您要把他們從水深火熱中拯救出來，所以用飯筐裝著飯，用酒壺盛著酒漿來歡迎您的軍隊。可是您卻殺死他們的父兄，抓走他們的子弟，毀壞他們的宗廟，搶走他們的寶器，這怎麼能使他們容忍呢？天下各國本來就害怕齊國強大，現在齊國的土地又擴大了一倍，而且還不施行仁政，這必然會激起天下各國興兵。大王不如趕快發布命令，放回燕國老老小小的俘虜，停止搬運燕國的寶器，和燕國的各界人士商議，為他們選立一位國君，然後從燕國撤軍。這樣做，還可以來得及制止各國興兵。」

【出處】

齊人伐燕，取之。諸侯將謀救燕。宣王曰：「諸侯多謀伐寡人者，何以待之？」孟子對曰：「臣聞七十里為政於天下者，湯是也。未聞以千里畏人者也。《書》曰：『湯一征，自葛始。』天下信之。東面而征，西夷怨；南面而征，北狄怨。曰：『奚為後我？』民望之，若大旱之望雲霓也。歸市者不止，耕者不變。誅其君而弔其民，若時雨降，民大悅。《書》曰：『徯我後，後來其蘇。』今燕虐其民，王往而征之。民以為將拯己於水火之中也，簞食壺漿，以迎王師。若殺其父兄，係累其子弟，毀其宗廟，遷其重器，如之何其可也？天下固畏齊之強也。今又倍地而不行仁政，是動天下之兵也。王速出令，反其旄倪，止其重器，謀於燕眾，置君而後去之，則猶可及止也。」（《孟子》〈梁惠王下〉）

出爾反爾

鄒國與魯國交戰。鄒穆公對孟子說：「我的官吏死了三十三個，百姓卻沒有一個為他們而犧牲的。殺他們吧，殺不了那麼多；不殺他們吧，又實在恨他們眼睜睜地看著長官被殺而不去營救。到底怎麼辦才好呢？」孟子回答說：「災荒年歲，您的老百姓，年老體弱的棄屍於山溝，年輕力壯的四處逃荒，差不多有上千人吧；而您的糧倉裡堆滿糧食，貨庫裡裝滿財寶，官吏們卻從來不向您報告老百姓的情況，這是他們不關心老百姓並且殘害老百姓的表現。曾子說：『小心啊，小心啊！你怎樣對待別人，別人也會怎樣對待你。』現在就是老百姓報復他們的時候了。您不要歸罪於老百姓吧！只要您施行仁政，老百姓自然就會親近他們的上級，肯為他們的長官而犧牲了。」

【出處】

鄒與魯鬨。穆公問曰：「吾有司死者三十三人，而民莫之死也。誅之，則不可勝誅；不誅，則疾視其長上之死而不救，如之何則可也？」孟子對曰：「凶年飢歲，君之民老弱轉乎溝壑，壯者散而之四方者，幾千人矣；而君之倉廩實，府庫充，有司莫以告，是上慢而殘下也。曾子曰：『戒之戒之！出乎爾者，反乎爾者也。』夫民今而後得反之也。君無尤焉。君行仁政，斯民親其上，死其長矣。」（《孟子》〈梁惠王下〉）

則有一焉

滕文公問道：「滕國是一個小國，處在齊國和楚國兩個大國之間，是歸服齊國好呢，還是歸服楚國好呢？」孟子回答說：「到底歸服哪個國家好我也說不清。如果您一定要我談談看法，倒是有另一個辦法：把護城河挖深，把城牆築堅固，與老百姓一起堅守它，寧可獻出生命，老百姓也不退去。做到了這樣，那就可以有所作為了。」

【出處】

滕文公問曰：「滕，小國也，間於齊、楚。事齊乎？事楚乎？」孟子對曰：「是謀非吾所能及也。無已，則有一焉：鑿斯池也，築斯城也，與民守之，效死而民弗去，則是可為也。」（《孟子》〈梁惠王下〉）

強為善而已

滕文公問道：「齊國要修築薛城，我很害怕，怎麼辦才好呢？」

孟子回答說：「從前，太王居住在邠地，狄人侵犯那裡，他便離開，遷到岐山下居住。不是願意選擇那裡居住，而是迫不得已。一個君主如果能施行善政，後代子孫中必定會有稱王於天下的。君子創立基業，傳給後世，是為了可以繼承。至於能否成功，那就由天決定了。您怎樣對付齊國呢？只有努力推行善政罷了。」

【出處】

滕文公問曰：「齊人將築薛，吾甚恐。如之何則可？」孟子對曰：「昔者大王居邠，狄人侵之，去之岐山之下居焉。非擇而取之，不得已也。苟為善，後世子孫必有王者矣。君子創業垂統，為可繼也。若夫成功，則天也。君如彼何哉？強為善而已矣。」（《孟子》〈梁惠王下〉）

半古之人，功必倍之

孟子說：「以齊國的實力用王道來統一天下，易如反掌。」公孫丑說：「您這樣一說，弟子我就更加疑惑不解了。以周文王那樣的仁德，活了將近一百歲才死，還沒有能夠統一天下。直到周武王、周公繼承他的事業才統一天下。現在您說用王道統一天下易如反掌，那麼，連周文王都不值得學習了嗎？」孟子說：「我們怎麼可以比得上周文王呢？由商湯到武丁，賢明的君主有六七個，天下人歸服殷朝已經很久了，久就難以變動。武丁使諸侯們來朝，統治天下就像在自己的手掌心運轉一樣容易。紂王離武丁並不久遠，武丁的勳臣世家、良好習俗、傳統風尚、慈善政治都還有遺存，又有微子、微仲、王子比干、箕子、膠鬲等一批賢臣共同輔佐，所以能統治很久以後才失去政權。當時沒有一尺土地不屬於紂王所有，沒有一個百姓不屬於紂王統治。在那種情況下，文王還能從方圓百里的小地方興起，所以是非常困難的。齊國人有句話說：『雖然有智慧，不如趁機會；雖然有鋤頭，不如待農時。』現在的時勢就很利於用王道統一天下：夏、商、周三代興盛的時候，沒有哪一國的國土有超過方圓千里的，而現在的齊國卻超過了；雞鳴狗叫的聲音處處可聞，一直到四方邊境，這說明齊國人口眾多。國土不需要新開闢，老百姓不需要新團聚，如果施行仁政來統一天下，沒有誰能夠阻擋。何況，統一天下的賢君從來沒有隔過這麼久還不出現的；老百姓受暴政的壓榨，從來沒有這麼厲害過。飢餓的人不擇食物，口渴的人不擇飲料。孔子說：『道德的流行，比驛站傳遞政令還要迅速。』現在這個時候，擁有一萬輛兵車的大國施行仁政，老百姓的高興，就像被吊著的人得到解救一樣。所以，付出古人一半努力，就可以成就古人雙倍的功績。只有這個時候才做得到吧。」

【出處】

曰：「以齊王，由反手也。」曰：「若是，則弟子之惑滋甚。且以文王之德，百年而後崩，猶未洽於天下；武王、周公繼之，然後大行。今言王若易然，則文王不足法與？」曰：「文王何可當也？由湯至於武丁，賢聖之君六七作。天下歸殷久矣，久則難變也。武丁朝諸侯，有天下，猶運之掌也。紂之去武丁未久也，其故家遺俗，流風善政，猶有存者；又有微子、微仲、王子比干、箕子、膠鬲——皆賢人也——相與輔相之，故久而後失之也。尺地莫非其有也，一民莫非其臣也，然而文王猶方百里起，是以難也。齊人有言曰：『雖有智慧，不如乘勢；雖有鎡基，不如待時。』今時則易然也。夏后、殷、周之盛，地未有過千里者也，而齊有其地矣；雞鳴狗吠相聞，而達乎四境，而齊有其民矣。地不改辟矣，民不改聚矣，行仁政而王，莫之能御也。且王者之不作，未有疏於此時者也；民之憔悴於虐政，未有甚於此時者也。飢者易為食，渴者易為飲。孔子曰：『德之流行，速於置郵而傳命。』當今之時，萬乘之國行仁政，民之悅之，猶解倒懸也。故事半古之人，功必倍之，惟此時為然。」（《孟子》〈公孫丑上〉）

以德行仁者王

孟子說：「倚仗武力再假借仁義之名可以行霸道，行霸道就可以建立大的國家。依靠道德來推行仁政是王道，行王道不一定要大國；商湯憑藉七十里國土，周文王憑藉百里國土就使人心歸服。倚仗武力使人民服從，並不能使人內心服從，因為武力不足以威服民眾。依靠道德使人民服從，人民心中喜悅而誠心誠意歸服。比如孔子，就有七十多個弟子誠心誠意歸服於他。《詩經》上說：『在西方又在東方，在南面又在北面，沒人不服我周邦。』說的就是這個道理。」

【出處】

孟子曰：「以力假仁者霸，霸必有大國，以德行仁者王，王不待大。湯以七十里，文王以百里。以力服人者，非心服也，力不贍也；以德服人者，中心悅而誠服也，如七十子之服孔子也。詩云：『自西自東，自南自北，無思不服。』[12]此之謂也。」（《孟子》〈公孫丑上〉）

仁者如射

孟子說：「造箭的人難道不如造鎧甲的人仁慈嗎？造箭的人唯恐自己造的箭不能夠傷害人，造鎧甲的人卻唯恐箭傷害人。醫生和棺材匠之間也是這樣。所以，一個人選擇謀生的職業不可以不謹慎。孔子說：『居住在有仁厚風氣的地方才好。選擇住處而不選擇有仁厚風氣的地方，怎麼能說是明智呢？』仁是上天尊貴的爵位，人間最安逸的住宅。沒人阻擋卻不選擇仁，這是不明智。不仁不智、無禮無義的人，只配被別人驅使。被別人驅使而引以為恥，就像造弓的人以造弓為恥，造箭的人以造箭為恥一樣。如果真正引以為恥，那就不如好好行仁。有仁德的人就像射手，射手先端正自己的姿勢然後才放箭；如果沒有射中，不怪比自己射得好的人，而是反過來找自己的原因。」

【出處】

孟子曰：「矢人豈不仁於函人哉？矢人唯恐不傷人，函人唯恐傷人。巫匠亦然。故術不可不慎也。孔子曰：『里仁為美。擇不處仁，焉得智？』夫仁，天之尊爵也，人之安宅也。莫之御而不仁，是不智也。不仁、不智，無禮、無義，人役也。人役而恥為役，由弓人而恥

12.「自西自東，自南自北，無思不服」，出自《詩經》〈大雅・文王有聲〉。

為弓，矢人而恥為矢也。如恥之，莫如為仁。仁者如射，射者正己而後發。發而不中，不怨勝己者，反求諸己而已矣。」（《孟子》〈公孫丑上〉）

得道多助，失道寡助

孟子說：「有利的時機和氣候不如有利的地勢，有利的地勢不如人的齊心協力。一個三里內城牆、七里外城牆的小城，四面圍攻都不能夠攻破。既然四面圍攻，總有遇到好時機或好天氣的時候，但還是攻不破，這說明有利的時機和氣候不如有利的地勢。另一種情況是，城牆不是不高，護城河不是不深，兵器和甲冑並非不銳利堅固，糧草也不是不充足，但還是棄城而逃了，這就說明有利的地勢不如人的齊心協力。所以說：老百姓不是靠封鎖邊境線就可以限制住的，國家不是靠山川險阻就可以保住的，揚威天下也不是靠銳利的兵器就可以做到的。擁有道義的人得到的幫助就多，失去道義的人得到的幫助就少。幫助的人少到極點時，連親戚也會叛離；幫助的人多到極點時，全天下的人都會順從。以全天下人都順從的力量去攻打連親戚都會叛離的人，必然是不戰則已、戰無不勝的。」

【出處】

孟子曰：「天時不如地利，地利不如人和。三里之城，七里之郭，環而攻之而不勝。夫環而攻之，必有得天時者矣；然而不勝者，是天時不如地利也。城非不高也，池非不深也，兵革非不堅利也，米粟非不多也；委而去之，是地利不如人和也。故曰：域民不以封疆之界，固國不以山溪之險，威天下不以兵革之利。得道者多助，失道者寡助。寡助之至，親戚畔之；多助之至，天下順之。以天下之所順，攻親戚之所畔；故君子有不戰，戰必勝矣。」（《孟子》〈公孫丑下〉）

不召之臣

景丑對孟子說：「不，我所說的不是指這個。禮經上說，父親召喚，不等到應諾就起身；君王召喚，不等到車馬備好就起身。可您呢，本來就準備朝見齊王，聽到齊王的召見卻反而不去了，這似乎和禮經上所說的不大相合吧。」孟子說：「原來你說的是這個呀！曾子說過：『晉國和楚國的財富，沒有人趕得上。不過，他有他的財富，我有我的仁；他有他的爵位，我有我的義。我有什麼不如他的呢？』曾子說這些話難道沒有道理嗎？天下有三樣最尊貴的東西：一樣是爵位，一樣是年齡，一樣是德行。在朝廷上最尊貴的是爵位；在鄉里最尊貴的是年齡；至於輔助君王治理百姓，最尊貴的是德行。他怎麼能夠憑爵位就來怠慢我的年齡和德行呢？所以，大有作為的君主一定有他不能召喚的大臣，如果他有什麼事情需要出謀劃策，就親自去拜訪他們。這就叫尊重德行、喜愛仁道，不這樣，就不能夠做到大有作為。因此，商湯對於伊尹，先向伊尹學習，然後才以他為臣，於是不費力氣就統一了天下；桓公對於管仲，也是先向他學習，然後才以他為臣，於是不費力氣就稱霸於諸侯。現在，天下各國的土地都差不多，君主的德行也都不相上下，相互之間誰也不能高出一籌，沒有別的原因，就是因為君王們只喜歡用聽話的人為臣，而不喜歡用能夠教導他們的人為臣。商湯對於伊尹，桓公對於管仲就不敢召喚。管仲尚且不可以被召喚，更何況連管仲也不屑做的人呢？」

【出處】

景子曰：「否，非此之謂也。禮曰：『父召，無諾；君命召，不俟駕。』固將朝也，聞王命而遂不果，宜與夫禮若不相似然。」曰：「豈謂是與？曾子曰：『晉楚之富，不可及也；彼以其富，我以吾仁；彼以其爵，我以吾義，吾何慊乎哉？』夫豈不義而曾子言之？是或一道也。天下有達尊三：爵一，齒一，德一。朝廷莫如爵，鄉黨莫如齒，輔世長民莫如德。惡得有其一以慢其二哉？故將大有為之君，必有所不召之臣；欲有謀焉，則就之。其尊德樂道，不如是，不足與有為也。故湯之於伊尹，學焉而後臣之，故不勞而王；桓公之於管仲，學焉而後臣之，故不勞而霸。今天下地丑德齊，莫能相尚，無他，好臣其所教，而不好臣其所受教。湯之於伊尹，桓公之於管仲，則不敢召。管仲且猶不可召，而況不為管仲者乎？」（《孟子》〈公孫丑下〉）

無處而饋

陳臻問道：「以前在齊國的時候，齊王送給您好金一百鎰，您不接受；到宋國的時候，宋王送給您七十鎰，您卻接受了；在薛地，薛君送給您五十鎰，您也接受了。如果以前的不接受是正確的，那後來的接受便是錯誤的；如果後來的接受是正確的，那以前的不接受便是錯誤的。老師您總有一次做錯了吧。」孟子說：「都是正確的。當在宋國的時候，我準備遠行，對遠行的人理應送些盤纏。所以宋王說：『送上一些盤纏。』我怎麼不接受呢？當在薛地的時候，我聽說路上有危險，需要戒備。薛君說：『聽說您需要戒備，所以送上一點買兵器的錢。』我怎麼能不接受呢？至於在齊國，則沒有任何理由。沒有理由卻要送給我一些錢，這等於是用錢來收買我。哪裡有君子可以拿錢收買的呢？」

【出處】

陳臻問曰：「前日於齊，王饋兼金一百而不受；於宋，饋七十鎰而受；於薛，饋五十鎰而受。前日之不受是，則今日之受非也；今日之受是，則前日之不受非也。夫子必居一於此矣。」孟子曰：「皆是也。當在宋也，予將有遠行。行者必以贐，辭曰：『饋贐。』予何為不受？當在薛也，予有戒心。辭曰：『聞戒。』故為兵饋之，予何為不受？若於齊，則未有處也。無處而饋之，是貨之也。焉有君子而可以貨取乎？」（《孟子》〈公孫丑下〉）

距心之罪

孟子到了齊國的平陸縣，對這個縣的長官說：「如果你的守衛戰士在一天內三次失職，您會開除他嗎？」長官說：「不用等三次。」孟子說：「然而您失職的地方也多，災荒歉收的年分，你的百姓老弱病殘者輾轉於溝壑而死亡，年輕力壯者逃難四方，有好幾千人啊。」

長官說：「這不是我孔距心的能力所能處理好的呀。」孟子說：「假如有個人接受了替別人放牧牛羊的事，那一定要設法找到牧場和餵養牲畜的草料，要是找不到牧場和草料，那麼是把牛羊還給主人呢，還是站在一旁眼看著牛羊餓死？」長官說：「這是我孔距心的罪過了。」後來孟子見到齊王，對齊王說：「大王管理都邑的地方長官，我見過其中的五個，能夠知道自己有失職罪過的，只有孔距心。」於是把過去的問答覆述了一遍。齊王聽了孟子的講述後說：「這也是我的失職罪過啊。」

【出處】

孟子之平陸。謂其大夫曰：「子之持戟之士，一日而三失伍，則去之否乎？」曰：「不待三。」「然則子之失伍也亦多矣。凶年飢歲，子之民，老羸轉於溝壑，壯者散而之四方者，幾千人矣。」曰：「此非距心之所得為也。」曰：「今有受人之牛羊而為之牧之者，則必為之求牧與芻矣。求牧與芻而不得，則反諸其人乎？抑亦立而視其死與？」曰：「此則距心之罪也。」他日，見於王曰：「王之為都者，臣知五人焉。知其罪者，惟孔距心。」為王誦之。王曰：「此則寡人之罪也。」（《孟子》〈公孫丑下〉）

綽綽有餘

孟子對蚳蛙說：「您辭去靈丘縣長而請求做治獄官，這似乎有道理，因為可以向齊王進言。可是現在你已經做了好幾個月的治獄官了，還不能向齊王進言嗎？」蚳蛙向齊王進諫，齊王不聽。蚳蛙因此辭職而去。齊國人說：「孟子為蚳蛙的考慮倒是有道理，但是他怎樣替自己考慮呢？我們就不知道了。」公都子把齊國人的議論告訴了孟子。孟子說：「我聽說過：有官位的人，如果無法盡其職責就應該辭官不幹；有進言責任的人，如果言不聽，計不從，就應該辭職不幹。至於我，既無官位，又無進言的責任，那我的進退去留，豈不是非常寬鬆而有自由的迴旋餘地嗎？」

【出處】

孟子謂蚳蛙曰：「子之辭靈丘而請士師，似也，為其可以言也。今既數月矣，未可以言與？」蚳蛙諫於王而不用，致為臣而去。齊人曰：「所以為蚳蛙，則善矣；所以自為，則吾不知也。」公都子以告。曰：「吾聞之也：有官守者，不得其職則去；有言責者，不得其言則去。我無官守，我無言責也，則吾進退，豈不綽綽然有餘裕哉？」（《孟子》〈公孫丑下〉）

出弔於滕

孟子在齊國擔任國卿，受命到滕國弔喪，齊王派蓋地的長官王歡為孟子的副使。王歡早晚同孟子相見，一起往返於齊國至滕國的路上，孟子卻從來沒有與他商量過怎樣辦理公事。公孫丑說：「王歡作為齊國國卿的職位不算小了，從齊國到滕國的路程也不算近，但往返途中未曾與他談過公事，這是為什麼呢？」孟子說：「他既然已經獨斷專行，我還有什麼話可說呢？」

【出處】

孟子為卿於齊，出弔於滕，王使蓋大夫王驩為輔行。王驩朝暮見，反齊滕之路，未嘗與之言行事也。公孫丑曰：「齊卿之位，不為小矣；齊滕之路，不為近矣。反之而未嘗與言行事，何也？」曰：「夫既或治之，予何言哉？」（《孟子》〈公孫丑下〉）

以燕伐燕

沈同以私人的身分問孟子：「燕國可以攻伐嗎？」孟子說：「可以！燕王子噲不應該把燕國輕率地交給別人，相國子之也不應該從子噲手中接受燕國。比方說，有這樣一個人，你很喜歡他，便不向國君奏准而自作主張地把你的俸祿官位轉讓給他；而他呢，也沒有得到國君的任命就從你手上接受了俸祿官位，這樣行嗎？子噲、子之私下互相授受的事和這個例子有什麼不同嗎？」齊國去討伐燕國。有人問：「勸說齊國去攻伐燕國，有這回事嗎？」孟子說：「沒有！沈同私下問我：『燕國可以攻伐嗎？』我回答說：『可以！』他們就這樣去攻伐它了。如果他問：『誰可以攻伐燕國？』我就會回答說：『只有代表上天管理人民的官員，才可以攻伐燕國。』比如現在有個殺人犯，有人問道：『犯人可以殺嗎？』我將回答說：『可以！』如果他問：『誰可以殺他呢？』我將回答說：『只有治獄官才有權殺他。』如今以與燕國同樣殘暴的齊國去攻伐燕國，我怎麼會勸說他們呢？」

出弔於滕

【出處】

沈同以其私問曰：「燕可伐與？」孟子曰：「可。子噲不得與人燕，子之不得受燕於子噲。有仕於此，而子悅之，不告於王而私與之吾子之祿爵；夫士也，亦無王命而私受之於子，則可乎？何以異於是？」齊人伐燕。或問曰：「勸齊伐燕，有諸？」曰：「未也。沈同問『燕可伐與』，吾應之曰『可』，彼然而伐之也。彼如曰『孰可以伐之』，則將應之曰：『為天吏，則可以伐之。』今有殺人者，或問之曰『人可殺與』，則將應之曰『可』。彼如曰『孰可以殺之』，則將應之曰：『為士師，則可以殺之。』今以燕伐燕，何為勸之哉？」（《孟子》〈公孫丑下〉）

過則改之

齊國占領燕國後，燕國人反叛。齊王說：「我很是愧對孟子。」陳賈說：「大王不要憂患。大王自以為和周公相比，誰更愛民，誰更有智慧？」齊王說：「唉呀，你這是什麼話？」陳賈說：「周公派他的哥哥管叔監管殷商的遺國，管叔卻帶領殷族人叛亂；如果周公知道但還這樣做，就是不愛民；如果不知道而這樣做，就是沒有智慧。愛民和智慧，周公都沒有盡量做到，何況大王您呢？我請求見孟子並向他解釋。」於是陳賈去拜見孟子，見面後陳賈問：「周公是個什麼樣的人？」孟子說：「是古代的聖賢。」陳賈說：「他派管叔監管殷族人，但管叔卻帶領殷族人叛亂，有這回事嗎？」孟子說：「有的。」陳賈說：「周公知道管叔將要叛亂還要派他去嗎？」孟子說：「他不知道。」陳賈說：「那麼聖賢之人也會犯錯誤？」孟子說：「周公，是弟弟；管叔，是哥哥。周公的過錯，不是很近情理嗎？況且古時候的君子，有了過錯就會改正；如今的君子，有了過錯則任其發展。古時候的君子，他的過錯，就像日食月食一樣，人民都看得見，等到他改正過錯時，人民就會很敬仰。如今的君子，何止是讓過錯順其自然發展，而且還會編一套言辭來為自己辯解。」

【出處】

燕人畔。王曰：「吾甚慚於孟子。」陳賈曰：「王無患焉。王自以為與周公孰仁且智？」王曰：「惡！是何言也？」曰：「周公使管叔監殷，管叔以殷畔。知而使之，是不仁也；不知而使之，是不智也。仁智，周公未之盡也，而況於王乎？賈請見而解之。」見孟子，問曰：「周公何人也？」曰：「古聖人也。」曰：「使管叔監殷，管叔以殷畔也，有諸？」曰：「然。」曰：「周公知其將畔而使之與？」曰：「不知也。」「然則聖人且有過與？」曰：「周公，弟也；管叔，兄也。周公之過，不亦宜乎？且古之君子，過則改之；今之君子，過則順之。古之君子，其過也，如日月之食，民皆見之；及其更也，民皆仰之。今之君子，豈徒順之，又從為之辭。」（《孟子》〈公孫丑下〉）

為臣而歸

孟子辭去齊國的官職回鄉。齊王登門看望孟子說：「從前希望見到您而不能如願；後來終於在一起共事，我很高興；現在您又棄我而去，不知以後還能不能再見到您？」孟子回答說：「我不敢提出這樣的要求，但我心裡也希望如此。」過了些日子，齊王對臣下時子說：「我想在都城臨淄給孟子置辦一處宅子，用萬鍾粟米供養他的弟子們，使國中的官吏和人民有所尊崇。您替我去向孟子談談吧。」時子托陳臻把齊王的意思轉告孟子。孟子說：「知道了。時子難道不知道這件事辦不成嗎？如果我是個貪圖財富的人，又何必辭去十萬鍾的俸祿去接受一萬鍾的賞賜呢？」

【出處】

孟子致為臣而歸。王就見孟子，曰：「前日願見而不可得，得侍同朝，甚喜。今又棄寡人而歸，不識可以繼此而得見乎？」對曰：「不敢請耳，固所願也。」他日，王謂時子曰：「我欲中國而授孟子室，養弟子以萬鍾，使諸大夫國人皆有所矜式。子盍為我言之？」時子因陳子而以告孟子，陳子以時子之言告孟子。孟子曰：「然。夫時子惡知其不可也？如使予欲富，辭十萬而受萬，是為欲富乎？」（《孟子》〈公孫丑下〉）

誰與為善

孟子對戴不勝說：「你想要你們君王向善嗎？我明確地告訴你。有位楚國的大夫，希望他的兒子能說齊國的方言，是讓齊國人來教他呢？還是讓楚國人來教他？」戴不勝說：「應該讓齊國人教他。」孟子說：「一個齊國人教他，眾多楚國人在旁邊喧嘩，即使天天鞭撻並強逼他說齊國話，也是做不到的。要是把他送到齊國的街上去住幾年，即使天天鞭撻並強逼他說楚國話，也做不到啊。你說薛居州是個善人，要讓他居住在王宮中。如果在國君身邊的人無論年紀大小、地位高低都是薛居州那樣的人，大王和誰去做不善的事呢？如果在國君身邊的人無論年紀大小、地位高低都不是薛居州那樣的人，大王和誰去做善事呢？一個薛居州，又怎能改變宋王呢？」

【出處】

孟子謂戴不勝曰：「子欲子之王之善與？我明告子。有楚大夫於此，欲其子之齊語也，則使齊人傅諸？使楚人傅諸？」曰：「使齊人傅之。」曰：「一齊人傅之，眾楚人咻之，雖日撻而求其齊也，不可得矣；引而置之莊岳之間數年，雖日撻而求其楚，亦不可得矣。子謂薛居州，善士也。使之居於王所。在於王所者，長幼卑尊皆薛居州也，王誰與為不善？在王所者，長幼卑尊皆非薛居州也，王誰與為善？一薛居州，獨如宋王何？」（《孟子》〈滕文公下〉）

何待來年

戴盈之說：「田租十分取一，取消關卡市場的稅收，現今還不能辦到。請先減輕，等到明年再完全辦到，怎麼樣？」孟子說：「現在有一個人每天都偷他鄰居的雞，有人告誡說：『這不是君子之道。』他卻說：『請讓我少偷一些，每月偷一隻，等到明年再完全改正。』

如果知道這樣做不對，就應該趕快改正，為什麼要等到明年呢？」

【出處】

戴盈之曰：「什一，去關市之徵，今茲未能。請輕之，以待來年，然後已，何如？」孟子曰：「今有人日攘其鄰之雞者，或告之曰：『是非君子之道。』曰：『請損之，月攘一雞，以待來年，然後已。』如知其非義，斯速已矣，何待來年。」（《孟子》〈滕文公下〉）

自作孽，不可活

孟子說：「對那些不講仁義的人有什麼可談的？他們把危險的局面當成安全，把災難的發生當成撈取利益的機會，把導致國破家亡的事當成樂趣；這些不講仁義的人要是可以用言語來勸阻，哪裡還會有亡國敗家的事情發生呢？曾經有個兒童歌唱說：『清澈的滄浪水啊，可以用來洗我的帽纓；渾濁的滄浪水啊，可以用來洗我的雙腳。』孔子在一旁聽了說：『弟子們聽著，清澈的水可以用來洗帽纓，渾濁的水可以用來洗雙腳，這是自己決定的事。』所以一個人一定是先侮辱自己，然後別人才侮辱他。一個家庭必然是自己先毀壞，別人才來毀壞它。一個國家必然是自己內部先互相征伐，別人才來討伐它。《太甲》上說：『天降災禍，還可以躲避；自己做壞事，就逃脫不了滅亡。』說的就是這個意思。」

【出處】

孟子曰：「不仁者可與言哉？安其危而利其菑，樂其所以亡者。不仁而可與言，則何亡國敗家之有？有孺子歌曰：『滄浪之水清兮，可以濯我纓；滄浪之水濁兮，可以濯我足。』孔子曰：『小子聽之！清斯濯纓，濁斯濯足矣，自取之也。』夫人必自侮，然後人侮之；家必自毀，而後人毀之；國必自伐，而後人伐之。《太甲》曰：『天作孽，猶可違；自作孽，不可活。』此之謂也。」（《孟子》〈離婁上〉）

誠身有道

孟子說：「職位低下而得不到上司的信任，是不能治理百姓的。要獲得上司的信任有一定的方法，如果不能得到朋友的信任，也就不能獲得上司的信任。取信於朋友也有一定的方法，如果侍奉父母而不能博得父母的歡心，也就不能得到朋友的信任。博得父母的歡心也有一定的方法，如果反躬自問而不誠心誠意，也就不能博得父母的歡心。要想誠心誠意也有一定的方法，如果不明白什麼是善，也就不能做到真心誠意。因此，所謂的真心誠意，是道運行的規律；追求真心誠意，是做人的基本準則。有了至誠的心意而沒有感動別人，是從來沒有的事情。不真心誠意，要感動別人也不可能。」

【出處】

孟子曰：「居下位而不獲於上，民不可得而治也。獲於上有道，不信於友，弗獲於上矣。信於友有道，事親弗悅，弗信於友矣。悅親有道，反身不誠，不悅於親矣。誠身有道，不明乎善，不誠其身矣。是故誠者，天之道也；思誠者，人之道也。至誠而不動者，未之有也；不誠，未有能動者也。」（《孟子》〈離婁上〉）

伯夷辟紂

孟子說：「伯夷躲避商紂王，住到北海邊上，聽說周文王的所作所為，很興奮地說：『為何不去歸服他呢？我聽說文王善於供養老人。』姜太公躲避商紂王，住到了東海邊上，聽說周文王的所作所為，興奮地說：『為何不去歸服他呢？我聽說文王善於供養老人。』這兩個老人，是天下聲望很高的老人，他們歸服周文王，就等於是天下的父老都歸向周文王了。天下的父老都歸向周文王，他們的子女還能往哪裡去呢？諸侯中如果有推進周文王愛民政策的，七年之內，就一定能使他的政令通行於天下了。」

【出處】

孟子曰：「伯夷辟紂，居北海之濱，聞文王作，興曰：『盍歸乎來！吾聞西伯善養老者。』太公辟紂，居東海之濱，聞文王作，興曰：『盍歸乎來！吾聞西伯善養老者。』二老者，天下之大老也，而歸之，是天下之父歸之也。天下之父歸之，其子焉往？諸侯有行文王之政者，七年之內，必為政於天下矣。」（《孟子》〈離婁上〉）

良於眸子

孟子說：「考察一個人，最好的方法是看他的眼睛。一個人的眼睛是不能掩蓋他實際上的缺點的。心中正派，眼睛就會明亮；心中不正，眼睛就會昏暗失神。聽他的言談，觀察他的眼神，還有什麼不能洞察的呢？」

【出處】

孟子曰：「存乎人者，莫良於眸子。眸子不能掩其惡。胸中正，則眸子了焉；胸中不正，則眸子眊焉。聽其言也，觀其眸子，人焉廋哉？」（《孟子》〈離婁上〉）

名實未加

淳于髡與孟子爭論說：「重視名聲和功業，是為他人；輕視名聲和功業，是獨善其身。先生處在三卿的高位，聲譽和功業還沒有充分體現就離開齊國，仁人本來就是這樣的嗎？」孟子說：「處在下位不以賢人的身分去侍奉不賢的人，是伯夷；五次投奔商湯又五次投奔夏桀的，是伊尹；不厭惡昏君、不嫌棄小官的，是柳下惠。這三個人走的路不同，但他們的旨趣是同樣的，即仁愛。君子只要做到仁愛就行了，行為何必相同呢？」淳于髡說：「魯穆公的時候，公儀休執政，子思、子庚為輔臣，但魯國的土地受侵奪卻日益嚴重。這樣來看，賢人對國家並沒有什麼用處。」孟子說：「虞國不用百里奚而亡國，秦穆公重用他而稱霸。因此不用賢人就會滅亡，豈止是土地被侵奪。」淳于髡說：「從前王豹住在淇地，河西的人就善於歌唱；綿駒住在高唐，齊國西部的人也善於歌舞；華舟、杞梁的妻子善於表達哀傷，竟然改變國家的習俗。內心裡有什麼一定會表達出來。做了事情卻沒有功效，我還沒見過。這說明今天沒有賢人，有的話我一定會看到。」孟子說：「孔子為魯國司寇卻不受信用，陪從國君郊祭，竟不能享用祭肉，於是等不及辭官便離開了魯國。無知的人以為他在意祭肉，明白真諦的人知道他在意的是禮儀。至於孔子，他是想背一點小罪名出走，而不願隨隨便便離開。君子的作為，一般人哪能了解？」

【出處】

淳于髡謂孟子曰：「先名實者，為人者也；後名實者，自為者也。夫子在三卿之中，名實未加上下而去之，仁者固如此乎？」孟子曰：「居下位，不以賢事不肖者，伯夷也；五就湯五就桀者，伊尹也；不惡污君，不辭小官者，柳下惠也。三子者不同道，其趣一也。一者何也？曰仁也。君子亦仁而已，何必同？」曰：「魯穆公之時，公儀子為政，子思、子庚為臣，魯之削也滋甚。若是乎賢者之無益於國也。」曰：「虞不用百里奚而亡，秦穆公用之而霸。故不用賢則亡，削何可得也。」曰：「昔王豹處於淇，而河西善謳；綿駒處於高唐，而齊右善歌。華舟、杞梁之妻善哭其夫，而變國俗。有諸內必形於外。為其事，無其功，髡未睹也。是故無賢者也，有則髡必識之矣。」曰：「孔子為魯司寇而不用，從祭，膰肉不至，不脫冕而行。其不善者以為為肉也，其善者以為為禮也。乃孔子欲以微罪行，不欲為苟去，故君子之所為，眾人固不得識也。」（《說苑》〈雜言〉）

嫂溺不援

淳于髡對孟子說：「男女之間不親手傳遞接受東西，這是一種社會行為規範嗎？」孟子說：「是的。」淳于髡說：「如果嫂嫂掉到水裡，要伸手去救她嗎？」孟子說：「嫂嫂掉到水裡，不伸手去救簡直就是豺狼。所謂男女授受不親，是一種社會行為規範；嫂嫂落水，伸手去救是一種權宜變通之計。」淳于髡說：「如今天下百姓都淹到水裡了，先生卻不伸手去救援，這是為什麼呢？」孟子說：「天下百姓都溺入水中，要想救援，需要有一定的方法。嫂嫂溺水，伸手就可以救援。你是說我只要伸手就可以救援天下百姓嗎？」

【出處】

淳于髡曰：「男女授受不親，禮與？」孟子曰：「禮也。」曰：「嫂溺，則援之以手乎？」曰：「嫂溺不援，是豺狼也。男女授受不親，禮也；嫂溺援之以手者，權也。」曰：「今天下溺矣，夫子之不援，何也？」曰：「天下溺，援之以道；嫂溺，援之以手。子欲手援天下乎？」（《孟子》〈離婁上〉）

視若寇仇

孟子告訴齊宣王說：「君主看待臣子如同看待自己的手足，臣子就會把君主看待如同心腹；君主看待臣子如同犬馬，臣子就會把君主看待如同常人；君主看待臣子如同塵土草芥，臣子就會把君主看待如同強盜仇敵。」齊宣王說：「按禮制，臣子要為自己過去的君主服喪，應該怎樣做才能讓臣子為之服喪呢？」孟子說：「君主對臣子的勸告能夠接受，建議能夠聽取，因而恩惠能夠下達到百姓；臣子因故要離去，君主能派人引導其出國境，並派人事先前往要去的地方進行妥善安排；其離去三年後不回來，才收回他的土地房產；這樣做叫作三有禮。做到這些，臣子就會為他服喪。現在做臣子，勸諫不被接受，建議不被聽取，因此恩惠到不了百姓；臣子因故要離開國家，君主就派人拘捕他的親族，並故意到他要去的地方為難他，離開的當天就沒收了他的土地房產，這就叫作強盜仇敵。對於強盜仇敵，為什麼還要服喪呢？」

【出處】

孟子告齊宣王曰：「君之視臣如手足，則臣視君如腹心；君之視臣如犬馬，則臣視君如國人；君之視臣如土芥，則臣視君如寇仇。」王曰：「禮，為舊君有服，何如斯可為服矣？」曰：「諫行言聽，膏澤下於民；有故而去，則君使人導之出疆，又先於其所往；去三年不反，然後收其田裡。此之謂三有禮焉。如此，則為之服矣。今也為臣，諫則不行，言則不聽；膏澤不下於民；有故而去，則君搏執之，又極之於其所往；去之日，遂收其田裡。此之謂寇仇。寇仇，何服之有？」（《孟子》〈離婁下〉）

仲尼亟稱於水

徐辟說:「孔子多次對水加以讚美說:『水啊,水啊!』請問他對於水取的是哪一點呢?」孟子說:「有源的泉水滾滾奔湧,不分晝夜,注滿了低窪的坑、坎又繼續前進,一直流向大海。事情的本源都是這樣,這就是孔子對水大加讚賞的原因。如果沒有本源,七八月間雨水滂沱,大溝小渠都滿了,但它們乾涸也會很快。所以名聲超過實情,君子認為是恥辱的事。」

【出處】

徐子曰:「仲尼亟稱於水,曰:『水哉,水哉!』何取於水也?」孟子曰:「源泉混混,不捨晝夜。盈科而後進,放乎四海。有本者如是,是之取爾。苟為無本,七八月之間雨集,溝澮皆盈;其涸也,可立而待也。故聲聞過情,君子恥之。」(《孟子》〈離婁下〉)

亦羿有罪

逄蒙向羿學習箭法,把羿的射箭術都學到了,尋思天下只有羿的箭術超過自己,就殺害了羿。孟子說:「這件事羿自己也有責任。」公明儀說:「好像羿沒有什麼過錯啊。」孟子說:「過錯不大就是了,怎麼沒有過錯呢?鄭國曾經派子濯孺子去侵犯衛國,衛國派庾公之斯去追擊他。子濯孺子說:『我今天疾病發作,不能開弓放箭,我要死在此地了。』問他的駕車人:『追趕我們的是誰?』他的駕車人說:

『是庾公之斯。』子濯孺子說：『我又能活了。』駕車人說：『庾公之斯，是衛國著名的神箭手，先生說又能活了，是為什麼呢？』子濯孺子說：『庾公之斯是向尹公之他學習箭術，尹公之他是向我學習箭術。尹公之他為人正直，他所選擇交往的朋友應該也是正直的人。』正說著話，庾公之斯到了，對子濯孺子說：『先生為什麼不執弓？』子濯孺子說：『我今天疾病發作，不能開弓放箭。』庾公之斯說：『尹公之他是我師傅，您又是尹公之他的師傅，我不忍心用先生的箭法反過來傷害先生您。然而今天的事情，是奉君主之命，我不敢毫無表示。』於是取出箭敲擊車輪，去掉箭頭，射出四箭，然後才掉頭回去。」

【出處】

逄蒙學射於羿，盡羿之道，思天下惟羿為愈己，於是殺羿。孟子曰：「是亦羿有罪焉。」公明儀曰：「宜若無罪焉。」曰：「薄乎云爾，惡得無罪？鄭人使子濯孺子侵衛，衛使庾公之斯追之。子濯孺子曰：『今日我疾作，不可以執弓，吾死矣夫！』問其僕曰：『追我者誰也？』其僕曰：『庾公之斯也。』曰：『吾生矣。』其僕曰：『庾公之斯，衛之善射者也，夫子曰吾生，何謂也？』曰：『庾公之斯學射於尹公之他，尹公之他學射於我。夫尹公之他，端人也，其取友必端矣。』庾公之斯至，曰：『夫子何為不執弓？』曰：『今日我疾作，不可以執弓。』曰：『小人學射於尹公之他，尹公之他學射於夫子。我不忍以夫子之道反害夫子。雖然，今日之事，君事也，我不敢廢。』抽矢扣輪，去其金，發乘矢而後反。」（《孟子》〈離婁下〉）

禹之行水

孟子說：「天下人討論本性，其實就是能夠把握事物產生和發展的原因和規律。把握事物產生的原因和發展規律，最根本的就是要順應它們。人們之所以厭惡所謂的聰明人，就是因為他們往往穿鑿附會。如果聰明人也能像大禹治水那樣，人們就不會厭惡他們了。大禹治水，是順其水性因勢利導，而不會強行對水流加以改變。如果聰明人也順應人性而因勢利導，那就是大智慧。天那麼高，星辰那麼遙遠，如果能把握其運行的規律，即便千年以後的夏至和冬至，都可輕鬆地推算出來。」

【出處】

孟子曰：「天下之言性也，則故而已矣。故者以利為本。所惡於智者，為其鑿也。如智者若禹之行水也，則無惡於智矣。禹之行水也，行其所無事也。如智者亦行其所無事，則智亦大矣。天之高也，星辰之遠也，苟求其故，千歲之日至，可坐而致也。」（《孟子》〈離婁下〉）

父子責善

公都子對孟子說：「匡章這個人，全齊國都說他是不孝之人，先生卻跟他交遊，對他以禮相待，請問是為什麼呢？」孟子說：「世人所說的不孝有五種：四肢懶惰，不贍養父母，是第一種不孝；喜歡賭博酗酒，不贍養父母，是第二種不孝；貪財、偏袒妻子，不贍養父母，是第三種不孝；喜好聲色之娛，給父母帶來羞恥，是第四種不孝；逞能顯勇而鬥狠，以致連累父母，這是第五種不孝。請問匡章符合哪一種情況呢？這個匡章，是因為父子之間以善相責導致關係惡化。以善相責，本是交友之道；父子之間以善相責，最傷害感情。匡章難道不想有夫妻父子之間的感情嗎？只因得罪了父親，被疏遠而不能親近，才拋棄妻子兒女，終身得不到奉養。他在心裡這樣設想，如果不這樣做，那不孝之罪就會更大，這就是匡章的真實情況。」

【出處】

公都子曰：「匡章，通國皆稱不孝焉。夫子與之游，又從而禮貌之，敢問何也？」孟子曰：「世俗所謂不孝者五：惰其四支，不顧父母之養，一不孝也；博弈好飲酒，不顧父母之養，二不孝也；好貨財，私妻子，不顧父母之養，三不孝也；從耳目之慾，以為父母戮，四不孝也；好勇鬥很，以危父母，五不孝也。章子有一於是乎？夫章子，子父責善而不相遇也。責善，朋友之道也；父子責善，賊恩之大者。夫章子，豈不欲有夫妻子母之屬哉？為得罪於父，不得近。出妻，屏子，終身不養焉。其設心以為不若是，是則罪之大者，是則章子已矣。」（《孟子》〈離婁下〉）

饜足之道

齊國有個男子，家有一妻一妾。他常常獨自一人外出，然後酒足飯飽地回來。妻子問他跟哪些人聚餐，男子總是回答說：「都是些有頭有臉的富貴人家。」妻子將信將疑，對侍妾說：「男人每次出門回來，總是酒足飯飽。問他跟哪些人吃喝，說都是富貴人家。可家裡從來也沒有貴客臨門啊！我要看看究竟是怎麼回事。」第二天，妻子趕早起床，悄悄跟隨在丈夫身後。走遍全城，也沒見到丈夫跟誰搭訕。一前一後地在城裡轉悠了半天，丈夫突然轉頭直奔東門外而去。東門外是一塊墳地，只見丈夫向那些掃墓的人乞討殘羹剩飯，不夠，又四下裡看看，轉到別的掃墓人那裡乞討。這就是他天天酒足飯飽的由來。妻子回家把真相告訴侍妾，傷心地說：「丈夫是我們的終身依靠，沒想到這麼不爭氣！」兩人抱頭痛哭。丈夫並不知道在墳地行乞的事情敗露，回家後仍然像往常一樣洋洋自得，誇耀與貴人聚會的熱鬧場面。世上居然有如此恬不知恥的男人！由此看來，那些擁有萬貫家產、高官厚祿的人，沒幹過讓妻妾蒙羞、相擁痛哭的事，恐怕不多。

【出處】

齊人有一妻一妾而處室者，其良人出，則必饜酒肉而後反。其妻問所與飲食者，則盡富貴也。其妻告其妾曰：「良人出，則必饜酒肉而後反；問其與飲食者，盡富貴也，而未嘗有顯者來，吾將瞯良人之所之也。」蚤起，施從良人之所之，遍國中無與立談者。卒之東郭墦間，之祭者，乞其餘；不足，又顧而之他，此其為饜足之道也。其妻歸，告其妾曰：「良人者，所仰望而終身也。今若此。」與其妾訕其良人，而相泣於中庭。而良人未之知也，施施從外來，驕其妻妾。由君子觀之，則人之所以求富貴利達者，其妻妾不羞也，而不相泣者，

幾希矣。(《孟子》〈離婁下〉)

大孝終身

萬章問:「舜到田野裡,望著天空哭訴,是什麼事讓他呼告哭泣呢?」孟子說:「這是因為他又怨恨又思念。」萬章說:「常聽說『得父母寵愛,高興而難忘;被父母厭惡,憂愁而不怨恨』。那麼,舜怨恨父母嗎?」孟子說:「長息曾經問公明高:『舜到田野裡,我已經聽你講解過了;望著天哭訴,是為了父母,那我就不懂了。』公明高說:『這就不是你能理解的了。』這是公明高以孝子的心態,認為不應該若無其事,淡然處之;我盡力地耕田,恭敬地完成做兒子的職責而已,至於父母不寵愛我,我有什麼辦法呢?帝堯派他的九個兒子兩個女兒,還有百官帶著牛羊、糧食,到農田裡去侍奉舜,天下的許多讀書人都去歸附他,帝堯考察天下而把天下禪讓給舜。因為不被父母喜歡,舜就如同窮人找不到歸宿一樣。被天下的讀書人喜歡是每個人的欲望,但並不能排解舜的憂愁;喜歡美貌的女子是每個人的欲望,娶了帝堯的兩個女兒,還是不能排解舜的憂愁;富裕是每個人的欲望,擁有了整個天下,也還是不能排解舜的憂愁;尊貴是每個人的欲望,身為尊貴的天子,也還不能排解舜的憂愁。被人喜愛、喜好美色、富裕且尊貴,沒有一樣能解舜的憂愁,唯有讓父母順心才能解憂。人在少年時仰慕父母,長大後思慕年輕漂亮的女子,有了妻子就會思念家室,入仕做官就會思念君主,得不到君主賞識就會內心焦躁。只有最孝順的人終身思念父母。到了五十歲還思念父母的人,我在舜身上見到了。」

【出處】

萬章問曰：「舜往於田，號泣於旻天，何為其號泣也？」孟子曰：「怨慕也。」萬章曰：「『父母愛之，喜而不忘；父母惡之，勞而不怨。』然則舜怨乎？」曰：「長息問於公明高曰：『舜往於田，則吾既得聞命矣；號泣於旻天，於父母，則吾不知也。』公明高曰：『是非爾所知也。』夫公明高以孝子之心，為不若是恝，我竭力耕田，共為子職而已矣，父母之不我愛，於我何哉？帝使其子九男二女，百官牛羊倉廩備，以事舜於畎畝之中。天下之士多就之者，帝將胥天下而遷之焉。為不順於父母，如窮人無所歸。天下之士悅之，人之所欲也，而不足以解憂；好色，人之所欲，妻帝之二女，而不足以解憂；富，人之所欲，富有天下，而不足以解憂；貴，人之所欲，貴為天子，而不足以解憂。人悅之、好色、富貴，無足以解憂者，惟順於父母可以解憂。人少，則慕父母；知好色，則慕少艾；有妻子，則慕妻子；仕則慕君，不得於君則熱中。大孝終身慕父母。五十而慕者，予於大舜見之矣。」（《孟子》〈萬章上〉）

人之大倫

萬章問：「《詩經》上說：『娶妻應如何？要告知父母。』如果這話是真的，舜應該最遵守這句話。可是舜沒報告父母就娶妻了，這是為什麼呢？」孟子說：「稟告了父母就娶不到妻子了。男女結合成家，是人生的重大倫常。如果稟告了，就要廢棄這個倫常，從而就會怨恨父母，所以舜沒有報告父母。」萬章說：「舜不稟告父母而娶妻，我已經聽懂其中的緣故了；帝堯嫁女兒給舜而不稟告舜的父母，這又是為什麼呢？」孟子說：「帝堯也知道如果告訴了舜的父母就不能把女兒嫁給舜了。」萬章說：「父母叫舜去整修穀倉頂，然後撤掉了梯子，父親瞽瞍放火焚燒穀倉。要舜去淘井，瞽瞍一出井就堵塞蓋住了井口。舜的弟弟象說：『謀害舜都是我的功績，牛羊分給父母，糧倉分給父母，盾和戈歸我，琴歸我，雕漆的弓歸我，兩個嫂嫂讓她們侍候我睡覺。』象走進舜的屋子，舜卻安坐在床上彈琴。象說：『我想你想得好苦啊。』但神色慚愧。舜說：『我心裡想的唯有臣子和百姓，你就協助我管理他們吧。』我不明白，舜難道不知道象要謀殺他嗎？」孟子說：「怎麼會不知道呢？象憂愁他也憂愁，象高興他也高興。」萬章說：「那麼，舜是假裝高興嗎？」孟子說：「不。從前有人送條活魚給鄭國的子產，子產叫管理池沼的人把魚養在池塘裡，管理池沼的人把魚煮熟吃了，卻向子產匯報說：『剛放它時，好像犯人一樣死氣沉沉，過了一會兒就歡樂起來，很快就悠然游往水深處找不見了。』子產說：『它到了該去的地方，它到了該去的地方。』小吏退出後，對人說：『誰說子產很有智慧？我已經把魚煮熟吃了，他還說，它到了該去的地方。』所以對君子可以用合乎道理的辦法欺騙，卻難以矇蔽他離開正道。象用敬愛兄長的辦法來欺騙舜，所以舜真誠地相信而感到高興，怎麼能說是假裝的呢？」

【出處】

萬章問曰：「詩云：『娶妻如之何？必告父母。』信斯言也，宜莫如舜。舜之不告而娶，何也？」孟子曰：「告則不得娶。男女居室，人之大倫也。如告，則廢人之大倫，以懟父母，是以不告也。」萬章曰：「舜之不告而娶，則吾既得聞命矣；帝之妻舜而不告，何也？」曰：「帝亦知告焉則不得妻也。」萬章曰：「父母使舜完廩，捐階，瞽瞍焚廩。使浚井，出，從而揜之。象曰：『謨蓋都君咸我績。牛羊父母，倉廩父母，干戈朕，琴朕，弤朕，二嫂使治朕棲。』像往入舜宮，舜在床琴。象曰：『鬱陶思君爾。』忸怩。舜曰：『惟茲臣庶，汝其於予治。』不識舜不知象之將殺己與？」曰：「奚而不知也？象憂亦憂，象喜亦喜。」曰：「然則舜偽喜者與？」曰：「否。昔者有饋生魚於鄭子產，子產使校人畜之池。校人烹之，反命曰：『始舍之圉圉焉，少則洋洋焉，攸然而逝。』子產曰：『得其所哉！得其所哉！』校人出，曰：『孰謂子產智？予既烹而食之，曰：得其所哉？得其所哉。』故君子可欺以其方，難罔以非其道。彼以愛兄之道來，故誠信而喜之，奚偽焉？」（《孟子》〈萬章上〉）

何以為孔子

萬章問孟子說：「孔子在衛國時住在衛靈公所寵信的宦官雍雎家裡，在齊國時住在寺人脊環家裡，是這樣嗎？」孟子說：「不是這樣。那是無是生非的人編造出來的。孔子在衛國時住在顏仇由家裡。彌子的妻子與子路的妻子是姊妹倆。彌子對子路說：『孔子住在我家，可以得到卿的位置。』子路傳話給孔子。孔子說：『聽天由命吧！』孔子進之以禮，退之以義，能不能當官都由上天來決定。如果住在雍雎和寺人脊環家裡，就算不上聽天由命了。孔子在魯、衛兩國不受歡迎，便前往宋國，遇見桓司馬中途劫殺他，便喬裝打扮經過宋國。那時孔子身陷困境，以司城貞子為主人，還做過陳侯周的臣下。我聽說：觀察在朝的臣子，要看他接待的是哪些客人；觀察遠來的臣子，要看他所寄居的主人。如果以雍雎和寺人脊環為主人，孔子就不成其為孔子了。」

【出處】

萬章問曰：「孔子於衛主雍睢，於齊主寺人脊環，有諸？」孟子曰：「否！不然。好事者為之也。於衛主顏仇由，彌子之妻與子路之妻，兄弟也。彌子謂子路曰：『孔子主我，衛卿可得也。』子路以告。孔子曰：『有命。』孔子進之以禮，退之以義，得之不得曰有命，而主雍睢與寺人脊環，是無命也。孔子不說於魯衛，將適宋，遭桓司馬，將要而殺之，微服過宋，是孔子嘗阨，主司城貞子，為陳侯周臣。吾聞之，觀近臣以其所為之主，觀遠臣以其所主。如孔子主雍睢與寺人脊環，何以為孔子乎？」（《說苑》〈至公〉）

何卿之問

齊宣王向孟子請教關於卿的問題。孟子說：「大王你問的是哪一種卿呢？」齊宣王說：「卿還有不同嗎？」孟子說：「有不同。有國君同姓的卿，有國君異姓的卿。」齊宣王說：「請問同姓的卿。」孟子說：「國君有大的過錯他們就加以勸諫，反覆勸諫不聽，就廢掉他另立國君。」齊宣王臉色一下子變得很難看。孟子說：「大王不要見怪。大王問臣，臣不敢不正面回答。」齊宣王臉色平靜下來，然後問異姓的卿。孟子說：「國君有過錯他們就勸諫，反覆勸諫不聽，他們就會離開這個國家。」

【出處】

齊宣王問卿。孟子曰：「王何卿之問也？」王曰：「卿不同乎？」曰：「不同。有貴戚之卿，有異姓之卿。」王曰：「請問貴戚之卿。」曰：「君有大過則諫，反覆之而不聽，則易位。」王勃然變乎色。曰：「王勿異也。王問臣，臣不敢不以正對。」王色定，然後請問異姓之卿。曰：「君有過則諫，反覆之而不聽，則去。」（《孟子》〈萬章下〉）

性猶湍水

告子說：「人性好比湍急縈迴的流水，在東邊沖開缺口就向東流，在西邊衝開缺口就向西流。人性沒有善惡之分，就好像水流無分東西一樣。」孟子說：「水流誠然無分東西，難道沒有向上或向下流之分嗎？人的本性是善良的，就好比水的本性是向低處流淌一樣。水被拍擊可以濺過額頭，通過阻擋水流可以改變流向，把水引上山崗，這難道是水的本性嗎？是外來的力量使它發生改變。人之所以不再具有善性，也是因為外力改變的結果。」

【出處】

告子曰：「性猶湍水也，決諸東方則東流，決諸西方則西流。人性之無分於善不善也，猶水之無分於東西也。」孟子曰：「水信無分於東西，無分於上下乎？人性之善也，猶水之就下也。人無有不善，水無有不下。今夫水，搏而躍之，可使過顙；激而行之，可使在山。是豈水之性哉？其勢則然也。人之可使為不善，其性亦猶是也。」（《孟子》〈告子上〉）

魚與熊掌不可得兼

孟子說：「魚是我想要的，熊掌也是我想要的；但這兩樣東西不可能同時得到，那就捨棄魚而要熊掌吧。生命是我想要的，道義也是我想要的；但這兩樣東西不可能同時得到，那就捨棄生命而選擇道義吧。生命是我想要的，但我還想追求超越生命的東西，所以我不會以不合道義的方式去獲得。死亡是我所厭惡的，但還有比死亡更令我厭惡的東西，所以有些禍害我不想去躲避。一小筐飯，一小碗湯，得到它就可以生存，得不到就會死去，呵斥著送給他，即便是路人也不會接受；腳踢著送給他，連乞丐也不屑一顧。」

【出處】

孟子曰：「魚，我所欲也；熊掌，亦我所欲也。二者不可得兼，舍魚而取熊掌者也。生，亦我所欲也；義，亦我所欲也。二者不可得兼，捨生而取義者也。生亦我所欲，所欲有甚於生者，故不為苟得也；死亦我所惡，所惡有甚於死者，故患有所不辟也。如使人之所欲莫甚於生，則凡可以得生者，何不用也？使人之所惡莫甚於死者，則凡可以辟患者，何不為也？由是則生而有不用也，由是則可以辟患而有不為也。是故所欲有甚於生者，所惡有甚於死者。非獨賢者有是心也，人皆有之，賢者能勿喪耳。一簞食，一豆羹，得之則生，弗得則死。呼爾而與之，行道之人弗受；蹴爾而與之，乞人不屑也。」（《孟子》〈告子上〉）

心不若人

孟子說：「如果有個人的無名指彎曲而不能伸直，雖然並不疼痛，也不妨礙做事，但如果有人能替他伸直，哪怕是到秦國、楚國去治療，他也不會覺得路途遙遠，這是因為他的指頭比不上別人。指頭比不上別人，就知道厭惡；良心比不上別人，卻不知道厭惡，這就叫不知輕重緩急。」

【出處】

孟子曰：「今有無名之指屈而不信，非疾痛害事也，如有能信之者，則不遠秦楚之路，為指之不若人也。指不若人，則知惡之；心不若人，則不知惡，此之謂不知類也。」（《孟子》〈告子上〉）

何必曰利

宋牼準備到楚國去，孟子在石丘遇見他，問他說：「先生要到哪裡去？」宋牼說：「我聽說秦、楚兩國即將交兵，我準備去見楚王勸他罷兵休戰；如果楚王不高興，我就去見秦王勸他罷兵休戰。兩個君王中我總會遇見意見相合的。」孟子說：「我不想問你怎樣詳細勸說，只想問你的大義，你準備怎樣去勸說呢？」宋牼說：「我準備向他們講述交戰會帶來哪些不利。」孟子說：「先生的志向遠大，但以利益關係來勸阻戰爭卻未必可取。先生以利益關係勸說秦楚兩王，秦楚兩王出於利益關係停止軍事行動，這就使得三軍將士樂意罷兵而看重利益。當臣子的以利益之心侍奉國君，做兒女的以利益之心侍奉父母，做弟弟的以利益之心侍奉兄長，最終將使得君臣、父子、兄弟之間拋棄仁義，以利益之心交往，這種交往的結局必然走向毀滅。先生不如以仁義來勸說秦楚二王，秦楚二王因為喜歡仁義而中止交戰，就會使三軍官兵們樂於停戰而愛好仁義。臣子心懷仁義侍奉國君，兒女心懷仁義侍奉父母，弟弟心懷仁義侍奉兄長，從而君臣、父子、兄弟之間都會拋棄私利，懷仁義之心相交往，這樣做天下必然統一於仁德，何必一定要講利益關係呢？」

【出處】

宋牼將之楚，孟子遇於石丘，曰：「先生將何之？」曰：「吾聞秦楚構兵，我將見楚王說而罷之。楚王不悅，我將見秦王說而罷之。二王我將有所遇焉。」曰：「軻也請無問其詳，願聞其指。說之將何如？」曰：「我將言其不利也。」曰：「先生之志則大矣，先生之號則不可。先生以利說秦楚之王，秦楚之王悅於利，以罷三軍之師，是三軍之士樂罷而悅於利也。為人臣者懷利以事其君，為人子者懷利以事其父，為人弟者懷利以事其兄，是君臣、父子、兄弟終去仁義，懷利以相接，然而不亡者，未之有也。先生以仁義說秦楚之王，秦楚之王悅於仁義，而罷三軍之師，是三軍之士樂罷而悅於仁義也。為人臣者懷仁義以事其君，為人子者懷仁義以事其父，為人弟者懷仁義以事其兄，是君臣、父子、兄弟去利，懷仁義以相接也。然而不王者，未之有也。何必曰利？」（《孟子》〈告子下〉）

喜而不寐

魯國的主君想讓樂正子執政。孟子說：「我聽說這個消息，高興得一夜都沒睡覺。」公孫丑問道：「樂正子能力很強嗎？」孟子說：「不強。」公孫丑又問：「他有深謀遠慮嗎？」孟子說：「沒有。」公孫丑再問：「那他見多識廣嗎？」孟子回答說：「不是。」公孫丑說：「那你為什麼高興得一夜沒睡呢？」孟子說：「他為人的優點是好聽取善言。」公孫丑說：「喜歡聽取善言就可以主政嗎？」孟子說：「喜歡聽取善言，治理天下都綽綽有餘，又豈止魯國！喜好聽取善言，四海之內的人就會不遠千里來進獻善言。不喜好聽取善言，他就會說：『呵呵，我自己早已知道了。』洋洋自得的聲音和表情拒士人於千里之外，讒媚奉迎的人卻會紛至沓來。與讒媚奉迎的小人們在一起，想把國家治理好有可能嗎？」

【出處】

魯欲使樂正子為政。孟子曰：「吾聞之，喜而不寐。」公孫丑曰：「樂正子強乎？」曰：「否。」「有知慮乎？」曰：「否。」「多聞識乎？」曰：「否。」「然則奚為喜而不寐？」曰：「其為人也好善。」「好善足乎？」曰：「好善優於天下，而況魯國乎？夫苟好善，則四海之內皆將輕千里而來告之以善。夫苟不好善，則人將曰：『訑訑，予既已知之矣。訑訑之聲音顏色距人於千里之外。士止於千里之外，則讒諂面諛之人至矣。與讒諂面諛之人居，國欲治，可得乎？」（《孟子》〈告子下〉）

天降大任

孟子說：「舜被舉薦前在歷山耕種，傅說本是做苦力的泥瓦匠，膠鬲曾是販賣魚鹽的商販，管夷吾被起用時身為囚犯，孫叔敖被保薦時在海邊隱居，百里奚由五張羊皮的交易獲得。上天要讓某個人承擔重任，必定先要讓他的心志遭受磨煉，筋骨經受勞累，身體忍受飢餓，備受窮困之苦，做事總不稱心如意，這樣來使他的心靈受到震動，性格變得堅韌，才能日益增長。一個人經常犯錯，才能夠改善提高。心意困頓，思慮堵塞，而後才能奮發而起。從表情上顯現，從言語中闡發，然後才能被人理解。在內沒有恪守法度的大臣和堪稱輔弼的賢士，在外沒有與之匹敵的鄰國和時刻警惕的憂患，這個國家不被滅亡是不可想像的事情。生於憂患，死於安樂，人世間的道理就是這樣。」

【出處】

孟子曰：「舜發於畎畝之中，傅說舉於版築之間，膠鬲舉於魚鹽之中，管夷吾舉於士，孫叔敖舉於海，百里奚舉於市。故天將降大任於是人也，必先苦其心志，勞其筋骨，餓其體膚，空乏其身，行拂亂其所為，所以動心忍性，曾益其所不能。人恆過，然後能改；困於心，衡於慮，而後作；征於色，發於聲，而後喻。入則無法家拂士，出則無敵國外患者，國恆亡。然後知生於憂患而死於安樂也。」（《孟子》〈告子下〉）

君子有三樂

孟子說：「君子有三種快樂，但稱王天下不在這當中。父母親都健在，兄弟姐妹都平安，這是一種快樂；上不慚愧於天，下不慚愧於人，這是第二種快樂；得到天下的優秀人才並教育他們，這是第三種快樂。君子有三種快樂，但稱王天下不在其中。」

【出處】

孟子曰：「君子有三樂，而王天下不與存焉。父母俱存，兄弟無故，一樂也。仰不愧於天，俯不怍於人，二樂也。得天下英才而教育之，三樂也。君子有三樂，而王天下不與存焉。」（《孟子》〈盡心上〉）

登泰山而小天下

孟子說：「孔子登上東山就覺得魯國小了，登上泰山就覺得天下小了，所以觀看過大海的人難以讚歎一般的水，在聖人門下學過的人難以被一般言論所吸引。觀看水有方法，一定要看它壯闊的波瀾。日月有無比的光輝，小縫隙也能照射進去。流水的本性，不充滿水坑就不會流走。君子有志於人生的正道，沒有一定的成就也就不會通達。」

【出處】

孟子曰：「孔子登東山而小魯，登泰山而小天下。故觀於海者難為水，游於聖人之門者難為言。觀水有術，必觀其瀾。日月有明，容光必照焉。流水之為物也，不盈科不行；君子之志於道也，不成章不達。」（《孟子》〈盡心上〉）

再作馮婦

齊國鬧饑荒，陳臻說：「國內的人都以為你會再次打開棠邑倉庫救濟災民，你大概不會再這樣做了吧。」孟子說：「那就成馮婦了。晉國有個人叫馮婦，青年時善於跟虎搏鬥，老年時成為很善良的讀書人。一次他到郊外，看見很多人在追逐一隻老虎。老虎憑藉著山勢彎曲險阻的地方，沒有人敢去觸犯。眾人看見馮婦來了，都上前迎接。馮婦挽起袖子下車搏虎，大家都很高興，只有讀書人譏笑他。」

【出處】

齊飢。陳臻曰：「國人皆以夫子將復為發棠，殆不可復。」孟子曰：「是為馮婦也。晉人有馮婦者，善搏虎，卒為善士。則之野，有眾逐虎。虎負嵎，莫之敢攖。望見馮婦，趨而迎之。馮婦攘臂下車。眾皆悅之，其為士者笑之。」（《孟子》〈盡心下〉）

來者不拒

孟子到滕國，住在上等的旅館裡，有一雙尚未織完的鞋子放在窗檯上不見了，旅館裡的人找不到它。有人問孟子說：「是不是你的隨從收藏起來了？」孟子說：「你以為他們是為偷竊鞋子而來的嗎？」那人說：「恐怕不是。」孟子說：「我設科辦學，教人以道德。對離去的不追問，對願來的不拒絕。只要是抱著求學之心來的，我都接受，如此而已。」

【出處】

孟子之滕，館於上宮。有業屨於牖上，館人求之弗得。或問之曰：「若是乎從者之廋也？」曰：「子以是為竊屨來與？」曰：「殆非也。」「夫予之設科也，往者不追，來者不拒。苟以是心至，斯受之而已矣。」（《孟子》〈盡心下〉）

養心寡慾

孟子說：「修養自己的心，最好的辦法莫過於減少欲望。如果為人處世欲望不多，那麼他心中本有的善性，即便有所損失，也是很少的；如果為人處世欲望很多，他心中本有的善性即便有所保留，也是不多的。」

【出處】

孟子曰：「養心莫善於寡慾。其為人也寡慾，雖有不存焉者，寡矣；其為人也多欲，雖有存焉者，寡矣。」（《孟子》〈盡心下〉）

膾炙所同

曾晳愛吃羊棗，他兒子曾子卻不忍心吃羊棗。公孫丑問道：「烤肉和羊棗哪一種好吃？」孟子說：「當然是烤肉。」公孫丑說：「曾子為什麼吃烤肉而不吃羊棗呢？」孟子說：「烤肉人人愛吃，羊棗只是他父親愛吃。就像避諱尊長只諱名不諱姓一樣，姓是很多人共有的，而名是個人獨有的。」

【出處】

曾晳嗜羊棗，而曾子不忍食羊棗。公孫丑問曰：「膾炙與羊棗孰美？」孟子曰：「膾炙哉！」公孫丑曰：「然則曾子何為食膾炙而不食羊棗？」曰：「膾炙所同也，羊棗所獨也。諱名不諱姓，姓所同

也，名所獨也。」（《孟子》〈盡心下〉）

博學多聞

孟子說：「人們只知道施肥養田，卻不知道養心。養田不過想多收糧食，養心能改善人的品行，實現美好的願望。怎樣養心呢？廣泛學習多長見識。怎樣改善品行呢？保持善良的本性，防止邪惡侵入。」

【出處】

孟子曰：「人知糞其田，莫知糞其心。糞田莫過利曲得粟，糞心易行，而得其所欲。何謂糞心？博學多聞。何謂易行？一性止淫也。」（《說苑》〈建本〉）

稷下學士

齊宣王喜愛博學和能言善辯的士子，像騶衍、淳于髡、田駢、接予、慎到、環淵之類的學者有七十六人，都賜給府第，封為上大夫，讓他們不理政事而專門探討學問。因此齊國的稷下學者雲集，多達數百、上千人。

【出處】

宣王喜文學遊說之士，自如騶衍、淳于髡、田駢、接予、慎到、

環淵之徒七十六人，皆賜列第，為上大夫，不治而議論。是以齊稷下學士復盛，且數百千人。（《史記》〈田敬仲完世家〉）

王者不貴

齊宣王召見顏斶說：「顏斶上前。」顏斶回應說：「大王上前。」齊宣王滿臉不悅。左右都責備顏斶說：「大王是一國之君，你只是一介臣民，大王召你上前，你竟然召喚大王上前，成何體統？」顏斶說：「我上前是貪慕權勢，大王過來則是謙恭待士。與其讓我蒙受趨炎附勢的惡名，倒不如讓大王收穫禮賢下士的美譽。」齊宣王怒形於色，訓斥說：「究竟是君王尊貴，還是士人尊貴？」顏斶不卑不亢回答說：「當然是士人尊貴。」齊王問：「此話怎講？」回答說：「以前秦國征伐齊國，秦王下令說，有敢在柳下惠墳墓周圍五十步內打柴的，一概處死，決不寬赦！又下令說，能取齊王首級的，封萬戶侯，賞賜千金。由此看來，活國君的頭顱，還不如死賢士的墳墓呢。」宣王啞口無言，內心極為不爽。

【出處】

齊宣王見顏斶，曰：「斶前！」斶亦曰：「王前！」宣王不悅。左右曰：「王，人君也。斶，人臣也。王曰『斶前』，亦曰『王前』，可乎？」斶對曰：「夫斶前為慕勢，王前為趨士。與使斶為趨勢，不如使王為趨士。」王忿然作色曰：「王者貴乎？士貴乎？」對曰：「士貴耳，王者不貴。」王曰：「有說乎？」斶曰：「有。昔者秦攻齊，令曰：『有敢去柳下季壟五十步而樵採者，死不赦。』令曰：『有能得齊王頭者，封萬戶侯，賜金千鎰。』由是觀之，生王之頭，曾不若死士之壟也。」宣王默默不悅。（《戰國策》〈齊四〉）

寡人不肖

齊宣王興建一座大房子，大到能覆蓋一百畝土地，大堂上開了三百個門。以齊國強大的人力財力，蓋了三年房子還沒竣工，群臣無人勸阻。香居問宣王說：「楚王拋棄先王留下的雅樂演奏靡靡之音，請問楚國能算有明主嗎？」宣王說：「相當於沒有明主。」「請問楚國能算有諍臣嗎？」宣王說：「沒有諍臣。」香居說：「現在大王建造大房子，三年還沒蓋成，群臣沒有誰來勸阻的，我冒昧問您，您能算有諍臣嗎？」宣王說：「沒有。」香居說：「在下請求離開齊國。」說完匆匆往外走。宣王說：「香先生請留下來，為什麼這麼晚才來規勸寡人呢？」當即叫來史官吩咐說：「寫下來：寡人昏庸，喜歡蓋大房子，是香先生勸我停工的。」

【出處】

齊宣王為大室，大蓋百畝，堂上三百戶，以齊國之大，具之三年而未能成，群臣莫敢諫者。香居問宣王曰：「荊王釋先王之禮樂而為淫樂，敢問荊邦為有主乎？」王曰：「為無主。」「敢問荊邦為有臣乎？」王曰：「為無臣。」居曰：「今主為大室，三年不能成，而群臣莫敢諫者，敢問王為有臣乎？」王曰：「為無臣。」香居曰：「臣請避矣。」趨而出。王曰：「香子留，何諫寡人之晚也？」遽召尚書曰：「書之，寡人不肖，為大室，香子止寡人也。」（《新序》〈刺奢第六〉）

無為而能容下

齊宣王問尹文說：「要成為明君，關鍵要做好哪幾樁事？」尹文回答說：「作為君主，最重要的是寬政愛民。越少擾民，百姓越容易順服；法令簡約明了，百姓就容易遵守，不會因觸犯政令而獲罪。寬闊的大道可以容納很多歧路，博大的美德能包容天下的臣民；聖明的帝王從不以苛政擾民，天下因此大治。《尚書》上說：『寬容通達能成為聖人。』《詩經》上說：『周朝有簡明寬容的政治，子孫萬代要保持下去啊。』」齊宣王說：「很好！」

【出處】

齊宣王謂尹文曰：「人君之事何如？」尹文對曰：「人君之事，無為而能容下。夫事寡易從，法省易因，故民不以政獲罪也。大道容眾，大德容下，聖人寡為而天下理矣。書曰：『睿作聖。』詩人曰：『岐有夷之行，子孫其保之！』[13]」宣王曰：「善！」（《說苑》〈君道〉）

13.「岐有夷之行，子孫其保之」，出自《詩經》〈周頌・天作〉。

閭丘不拜

齊宣王到社山打獵，社山父老十三個人都來慰勞宣王。宣王說：「父老們辛苦了！」吩咐左右說：「賞賜父老，他們的田地免交租稅。」父老們都拜謝宣王，只有閭丘先生不拜。宣王說：「父老認為賞賜太少嗎？」又對左右說：「再賜他們不服徭役。」父老們再次拜謝，閭丘先生仍然不拜。齊宣王說：「拜謝的人可以離開，不拜謝的人請上前來。」齊宣王說：「寡人覺得父老們很辛苦，因此賞賜父老們不交租稅，不服徭役。父老們都表示感謝，只有先生不拜。是我有什麼過錯嗎？」閭丘先生回答說：「因為聽說大王來巡遊，所以才來慰勞大王。希望從大王這裡得到長壽、富裕和顯貴。」齊宣王說：「人的生命有限，不是我能給予的，沒辦法使先生長壽；國家的糧倉雖然充實，是用來防備災荒的，也沒法使先生富有；大官沒有缺額，小官職位低賤，無法使先生顯貴。」閭丘先生回答說：「這些不是我所想乞求的。只希望大王挑選清廉賢明、有品德修養的良家子弟做官，使法令制度公平，這樣我們就可以稍微多活幾年了；一年四季，按時序賑濟百姓，不要侵擾百姓，這樣我們就能稍微富有一點了；希望大王倡導尊老愛幼，這樣我們就可以稍微感到顯貴一點了。現在大王賞賜我們不交租稅，這樣倉庫就空虛了；賜我們不服徭役，官府就沒人可供使喚。這些本不符合我的心願，所以不謝。」齊王說：「講得好，我願請先生出任國相！」

【出處】

齊宣王出獵於社山，社山父老十三人相與勞王。王曰：「父老苦矣！」謂左右：「賜父老田不租。」父老皆拜，閭丘先生不拜。王曰：「父老以為少耶？」謂左右：「復賜父老無徭役。」父老皆拜，閭丘先生又不拜。王曰：「拜者去，不拜者前。」曰：「寡人今日來觀，父老幸而勞之，故賜父老田不租。父老皆拜，先生獨不拜，寡人自以為少，故賜父老無徭役。父老皆拜，先生又獨不拜，寡人得無有過乎？」閭丘先生對曰：「惟聞大王來游，所以為勞大王，望得壽於大王，望得富於大王，望得貴於大王。」王曰：「天殺生有時，非寡人所得與也，無以壽先生；倉廩雖實，以備災害，無以富先生；大官無缺，小官卑賤，無以貴先生。」閭丘先生對曰：「此非人臣所敢望也。願大王選良富家子，有修行者以為吏，平其法度，如此，臣少可以得壽焉；春秋冬夏，振之以時，無煩擾百姓，如是，臣可少得以富焉；願大王出令，令少者敬長，長者敬老，如是，臣可少得以貴焉。今大王幸賜臣田不租，然則倉廩將虛也；賜臣無徭役，然則官府無使焉。此固非人臣之所敢望也。」齊王曰：「善。願請先生為相。」(《說苑》〈善說〉)

後生可畏

齊國有個年輕人叫閭丘卬，十八歲，他在路上攔住齊宣王說：「我家境貧寒，父母年老，希望能給我一份小差事。」宣王說：「你年齡還小，不適合做官。」閭丘卬回答說：「不是這麼回事。從前顓項十二歲就治理天下，秦國的項櫜七歲就被孔聖人尊為老師。由此看來，我只是不賢罷了，年輕不是理由。」宣王說：「沒見過剛長出頭角的牛犢和小馬駒能負重走遠路的，士子只有白頭禿頂才能任職辦事。」閭丘卬說：「不對。尺有所短，寸有所長。驊騮騄驥是天下的駿馬，讓它們和野貓、黃鼠狼在鍋灶中間比試，它們未必比野貓、黃鼠狼跑得更快；天鵝仙鶴一飛千里，讓它們跟燕子、蝙蝠在大堂和兩廂的房簷下和居室中比試，它們未必比燕子、蝙蝠動作靈活。辟閭、巨闕是天下最銳利的寶劍，雖然削鐵如泥，但要拿它們撥開眼睛，挑出灰屑，也未必比小草棒好使。由此看來，那些白頭禿頂的先生，與我閭丘卬有什麼差別呢？」宣王點贊說：「說得好。你有如此高明的見解，怎麼這麼晚才來拜見寡人呢？」閭丘卬回答說：「雞和豬的喧嘩吵鬧，把鐘鼓的聲音淹沒了；雲霞布滿天空，就遮住了日月的光輝。有小人在大王身邊，所以我遲遲見不到大王。《詩經》裡說：『順耳的話愛聽可說，批評的話遭斥難講。』說順耳的話您就提拔，聽到不同聲音您就貶黜。我哪能得到任用呢？」宣王拍著車軾說：「寡人有錯。」於是把閭丘卬帶回朝廷，予以任用。孔子說：「後生可畏，怎能斷定他們將來趕不上現在的人呢？」說的就是這類事啊！

【出處】

齊有閭丘卬年十八，道遮宣王曰：「家貧親老，願得小仕。」宣王曰：「子年尚稚，未可也。」閭丘卬曰：「不然，昔有顓項行年十二而治天下，秦項櫜七歲為聖人師，由此觀之，卬不肖耳，年不稚矣。」宣王曰：「未有咫角驂駒而能服重致遠者也，由此觀之，夫士亦華發墮顛而後可用耳。」閭丘卬曰：「不然。夫尺有所短，寸有所長，驊騮騄驥，天下之俊馬也，使之與狸鼬試於釜灶之間，其疾未必能過狸鼬也；黃鵠白鶴，一舉千里，使之與燕服翼，試之堂廡之下，廬室之間，其便未必能過燕服翼也。辟閭巨闕，天下之利器也，擊石不缺，刺石不銼，使之與管槁決目出眯，其便未必能過管槁也。由此觀之，華發墮顛與卬，何以異哉？」宣王曰：「善。子有善言，何見寡人之晚也？」卬對曰：「夫雞豚讙嗷，則奪鐘鼓之音；雲霞充咽，則奪日月之明，讒人在側，是見晚也。詩曰：『聽言則答，譖言則退。』[14]庸得進乎？」宣王拊軾曰：「寡人有過。」遂載與之俱歸而用焉。故孔子曰：「後生可畏，安知來者之不如今？」此之謂也。（《新序》〈雜事第五〉）

君重不如父

齊宣王問田過說：「我聽說儒者守父喪三年，守國君喪也是三年，國君與父親哪個重要呢？」田過回答說：「應該是父親重要。」齊宣王生氣地說：「既然這樣，為什麼要離開父親去侍奉國君呢？」田過回答說：「沒有國君的土地，不能使我父親安居；沒有國君的俸祿，不能奉養我父親；沒有國君的爵位，不能使父親尊榮顯貴。從國君這裡接受爵祿，都是為了孝敬父親。大凡侍奉國君的人，都是為了養家餬口的。」齊宣王鬱鬱不樂，無言以對。

14.「聽言則答，譖言則退」，出自《詩經》〈小雅・雨無正〉。

【出處】

齊宣王謂田過曰:「吾聞儒者喪親三年,喪君三年,君與父孰重?」田過對曰:「殆不如父重。」王忿然怒曰:「然則何為去親而事君?」田過對曰:「非君之土地無以處吾親,非君之祿無以養吾親,非君之爵位無以尊顯吾親;受之君,致之親,凡事君所以為親也。」宣王邑邑而無以應。(《說苑》〈修文〉)

亂國之主

齊宣王愛好射箭,喜歡別人奉承自己能用硬弓。他平時使用的弓力不過三石,拿給左右侍從看,侍從們用力去拉,拉到一半就停下來說:「這張弓的弓力不低於九石,除了您,誰還拉得動這張硬弓呢!」可悲的是,宣王一直認為自己所用的弓真有九石。世上正直的人少,拍馬屁的居多,這是情勢注定的;亂國之主的問題在於:他的弓明明只有三石,卻自以為有九石。

【出處】

齊宣王好射,說人之謂己能用強弓也。其嘗所用不過三石,以示左右,左右皆試引之,中關而止,皆曰:「此不下九石,非王其孰能用是?」宣王之情,所用不過三石,而終身自以為用九石,豈不悲哉!非直士其孰能不阿主?世之直士,其寡不勝眾,數也。故亂國之主,患存乎用三石為九石也。(《呂氏春秋》〈貴直論・壅塞〉)

寧使民諂上

齊宣王問匡倩說：「儒家學派的人士下棋嗎？」匡情說：「不下棋。」宣王問道：「為什麼呢？」匡倩回答說：「下棋的人最看重梟這顆子，要取勝，就一定要殺掉對方的梟。殺梟，就是殺掉尊貴的東西。儒家人士認為這有害於禮義，所以不下棋。」宣王又問道：「儒家學者射鳥嗎？」匡倩說：「不射。射鳥是從下向上射，就像臣下傷害君主。儒家人士認為這有害於禮義，所以不射鳥。」宣王又問：「那儒家學者彈瑟嗎？」匡情說：「不彈。瑟是彈小弦發大聲，彈大弦發小聲，顛倒了大小次序，相當於改變了貴賤的位置。儒家人士認為這有害於禮義，所以不彈。」宣王說：「說得好。」孔子說：「與其使人討好下級，勿寧使人奉承上級。」

【出處】

齊宣王問匡倩曰：「儒者博乎？」曰：「不也。」王曰：「何也？」匡倩對曰：「博者貴梟，勝者必殺梟。殺梟者，是殺所貴也。儒者以為害義，故不博也。」又問曰：「儒者弋乎？」曰：「不也。弋者，從下害於上者也，是從下傷君也。儒者以為害義，故不弋。」又問：「儒者鼓瑟乎？」曰：「不也。夫瑟以小弦為大聲，以大弦為小聲，是大小易序，貴賤易位。儒者以為害義，故不鼓也。」宣王曰：「善。」仲尼曰：「與其使民諂下也，寧使民諂上。」（《韓非子》〈外儲說左下〉）

寧使民諂上

虛靜無為

齊宣王向唐易子請教射擊飛鳥的方法說：「射擊飛鳥哪個環節最重要？」唐易子說：「謹慎地把自己隱蔽好，就安全了。」宣王說：「為什麼呢？」唐易子說：「鳥用幾十隻眼睛看人，人以兩隻眼睛看鳥，能不謹慎地隱蔽好自己嗎？」宣王說：「這對治理國家有幫助嗎？現在君主用兩隻眼睛盯著全國，而一國的人以上萬隻眼睛盯著君主，君主能以什麼辦法保護好自己呢？」唐易子回答說：「鄭長者說過這樣的話：能做到虛靜無為，就不會外露。大概用這種方法，就可以保護自己的安全了。」

【出處】

齊宣王問弋於唐易子曰：「弋者奚貴？」唐易子曰：「在於謹廩。」王曰：「何謂謹廩？」對曰：「鳥以數十目視人，人以二目視鳥，奈何不謹廩也？故曰『在於謹廩』也。」王曰：「然則為天下何以為此廩？今人主以二目視一國，一國以萬目視人主，將何以自為廩乎？」對曰：「鄭長者[15]有言曰：『夫虛靜無為而無見也。』其可以為此廩乎！」（《韓非子》〈外儲說右上〉）

---

15. 鄭長者：鄭人，不知其名。《漢書》〈藝文志〉有《鄭長者》一篇。

王不好士

齊宣王對淳于髡說：「先生評價一下寡人的愛好吧。」淳于髡說：「古時候的君主有四大愛好，君王只有三種。」齊宣王問：「有什麼區別嗎？」淳于髡說：「古時候的君主好馬，君王也好馬；古時候的君主好奇珍異味，君王也好奇珍異味；古時候的君主好女色，君王也好女色；古時候的君主好賢士，君王唯獨不好賢士。」齊宣王說：「是國內沒有賢士，若有賢士，我也會喜歡他們的。」淳于髡說：「古時候有驊騮騏驥那樣的駿馬，現在沒有，君王從眾多馬匹中挑選，這證明君王好馬；古時候有豹子大象胚胎做成的美味，現在沒有，君王廣泛徵求，這證明君王喜歡美味；古代有毛嬙、西施，現在沒有，君王從眾多美女中挑選，這證明君王好色。君王一定要等待堯、舜、禹、湯時代的賢士出現才喜歡他們，那堪比堯、舜、禹、湯時代的賢士，也就不能接近君王了。」齊宣王默不做聲，無言以對。

【出處】

齊宣王坐，淳于髡侍，宣王曰：「先生論寡人何好？」淳于髡曰：「古者所好四，而王所好三焉。」宣王曰：「古者所好，何與寡人所好？」淳于髡曰：「古者好馬，王亦好馬；古者好味，王亦好味；古者好色，王亦好色；古者好士，王獨不好士。」宣王曰：「國無士耳，有則寡人亦說之矣。」淳于髡曰：「古者驊騮騏驥，今無有，王選於眾，王好馬矣；古者有豹象之胎，今無有，王選於眾，王好味矣；古者有毛廧西施，今無有，王選於眾，王好色矣。王必將待

堯舜禹湯之士而後好之，則堯舜禹湯之士亦不好王矣。」宣王默然無以應。（《說苑》〈尊賢〉）

比肩而立

淳于髡一天之內向齊宣王引薦七個人。齊宣王說：「您過來，我聽說千里之內有一位賢士，這賢士就是並肩而立了；百代之中如果出一個聖人，那就像接踵而至了。如今您一個早晨就引薦七位賢士，那賢士不也太多了嗎？」淳于髡說：「不對。那翅膀相同的鳥類聚居在一起生活，足爪相同的獸類一起行走。如今若是到低濕的地方去採集柴胡、桔梗，那世世代代採下去也不能得到一兩，到皋黍山、梁父山的北坡去採集，那就可以敞開車裝載。世上萬物各有其類，如今我淳于髡是賢士一類的人。君王向我尋求賢士，就譬如到黃河裡去取水，在燧中取火。我將要再向君王引薦賢士，哪裡只是七個人。」

【出處】

淳于髡一日而見七人於宣王。王曰：「子來，寡人聞之，千里而一士，是比肩而立；百世而一聖，若隨踵而至也。今子一朝而見七士，則士不亦眾乎？」淳于髡曰：「不然。夫鳥同翼者而聚居，獸同足者而俱行。今求柴葫、桔梗於沮澤，則累世不得一焉。及之睾黍、梁父之陰，則隙車而載耳。夫物各有疇，今髡賢者之疇也。王求士於髡，譬若挹水於河，而取火於燧也。髡將復見之，豈特七士也？」（《戰國策》〈齊策三〉）

王愛尺縠

王斗先生請求拜見齊宣王，宣王吩咐侍者引見。王斗說：「我去拜見大王是趨炎附勢，大王主動迎接我是禮賢下士，大王看如何是好？」侍者回報。宣王趕緊說：「先生稍等，寡人親自來迎！」於是快步出門迎接王斗入宮。宣王說：「寡人侍奉先王宗廟，管理國家。聽說先生直言進諫，無所諱言，是嗎？」王斗回答說：「大王聽錯了。我生於亂世，侍奉昏君，哪敢直言進諫？」宣王面有怒色，心中極為不快。過了一會兒，王斗說：「先主桓公有五大愛好，得以九合諸侯，一匡天下，天子授位，成為霸主。如今大王有四大愛好與先主相同。」宣王面有喜色說：「寡人才識疏淺，治國安邦還力有不及，又哪裡能夠有先主的四大愛好？」王斗說：「當然有。先主好馬，王也好馬；先主好狗，王也好狗；先主好酒，王也好酒；先君好色，王也好色；先主好士，大王唯獨不好士。」宣王說：「當今世上沒有賢士，叫寡人如何好士？」王斗說：「當世沒有騏驥、騄耳那樣的駿馬，盧氏那樣的良犬，大王的馬匹、獵狗已經夠多了；當世沒有毛嬙、西施一類的美女，大王的後宮美女如雲。大王只是不喜歡賢士而已，怎能說是世上沒有賢士？」宣王說：「寡人憂國憂民，心底裡就盼著聘得賢士共治齊國。」王斗說：「臣以為大王憂國憂民遠不如喜歡一尺細紗。」宣王問道：「此話怎講？」回答說：「大王做帽子，不用身邊的人而請能工巧匠，原因何在？是因為他們手藝高超，會做帽子。現在大王治理齊國，不問才德，非親不用，所以我認為大王愛國愛民，不如愛一尺細紗。」宣王謝罪說：「寡人有罪於國。」於是選拔五位賢士任職，齊國因而大治。

【出處】

先生王斗造門而欲見齊宣主，宣王使謁者延入。王斗曰：「斗趨見王為好勢，王趨見斗為好士，於王何如？」使者復還報。王曰：「先生徐之，寡人請從。」宣王因趨而迎之於門，與入，曰：「寡人奉先君之宗廟，守社稷，聞先生直言正諫不諱。」王斗對曰：「王聞之過。斗生於亂世，事亂君，焉敢直言正諫。」宣王忿然作色，不說。有間，王斗曰：「昔先君桓公所好者，九合諸侯，一匡天下，天子受籍，立為大伯。今王有四焉。」宣王說，曰：「寡人愚陋，守齊國，唯恐失抎之，焉能有四焉？」王斗曰：「否。先君好馬，王亦好馬。先君好狗，王亦好狗。先君好酒，王亦好酒。先君好色，王亦好色。先君好士，是王不好士。」宣王曰：「當今之世無士，寡人何好？」王斗曰：「世無騏驎騄耳，王駟已備矣。世無東郭俊、盧氏之狗，王之走狗已具矣。世無毛嬙、西施，王宮已充矣。王亦不好士也，何患無士？」王曰：「寡人憂國愛民，固願得士以治之。」王斗曰：「王之憂國愛民，不若王愛尺縠也。」王曰：「何謂也？」王斗曰：「王使人為冠，不使左右便辟而使工者何也？為能之也。今王治齊，非左右便辟無使也，臣故曰不如愛尺縠也。」宣王謝曰：「寡人有罪國家。」於是舉士五人任官，齊國大治。（《戰國策》〈齊策四〉）

好直之士

能意拜見齊宣王，宣王說：「我聽說你正直敢言，是這樣嗎？」能意回答說：「我哪稱得上正直？我聽說正直的士子，不待在政治混亂的國家，不拜見德行污濁的君主。如今我來見您，家又住在齊國，哪稱上正直呢！」宣王非常生氣，要拿能意治罪。能意說：「我年輕時喜歡直言爭辯，成年後一直這麼做，您為什麼不能聽取鄙野之士的言論，來彰顯他們的愛好呢？」宣王最終赦免了他。能意當宣王的面稱齊國為「亂國」，指宣王為「污君」，旨在以自己的行動讓宣王知道，直言敢諫有時會使人很難堪。如果丟不下面子，採納直言就不過是一句空話。

【出處】

能意見齊宣王。宣王曰：「寡人聞子好直，有之乎？」對曰：「意惡能直？意聞好直之士，家不處亂國，身不見污君。身今得見王，而家宅乎齊，意惡能直？」宣王怒曰：「野士也！」將罪之。能意曰：「臣少而好事，長而行之，王胡不能與野士乎？將以彰其所好耶？」王乃舍之。能意者，使謹乎論於主之側，亦必不阿主。不阿，主之所得豈少哉？此賢主之所求，而不肖主之所惡也。（《呂氏春秋》〈貴直論・貴直〉）

晏首壅塞

鄒忌侍奉齊宣王，推薦許多人入朝為官，宣王很不高興。晏首地位尊貴，但推薦入朝做官的人很少，宣王很喜歡他。鄒忌對宣王說：「我聽說人們認為有一個孝順的兒子，不如有五個孝順的兒子。如今晏首推薦入朝做官的有幾人？」宣王這才覺得晏首堵塞了仕進的道路。

【出處】

鄒忌事宣王，仕人眾，宣王不悅。晏首貴而仕人寡，王悅之。鄒忌謂宣王曰：「忌聞以為有一子之孝，不如有五子之孝。今首之所進仕者，以幾何人？」宣王因以晏首壅塞之。(《戰國策》〈齊策一〉)

不管三七二十一

蘇秦為趙國合縱之事，前往齊國遊說齊宣王說：「齊國南有泰山，東有琅邪山，西有清河，北有渤海，正是有四面要塞的金城湯池之國，齊國地方二千里，將士有幾十萬，軍糧堆積如山。齊國戰車精良，又有五國軍隊的支援，作戰集結會像飛箭一般快速，戰鬥像閃電一樣，解散時像風雨停止一樣，即使發生對外戰爭，敵軍也從沒有越過泰山，渡過清河，跨過渤海。都城臨淄有七萬戶人家，我私自計算了一下，每戶按三個男丁計算，就是三七二十一萬兵力。抗秦的兵源，用不著再向別處徵集了，僅臨淄一城，就已足夠。」蘇秦的這種算法明顯不切實際。全城縱然有七萬戶人家，也不可能每戶都出三名男子當兵。因為即使每戶有三名男丁，還包含老、幼、病、殘在內呢。

【出處】

蘇秦為趙合從，說齊宣王曰：「齊南有太山，東有琅邪，西有清河，北有渤海，此所謂四塞之國也。齊地方二千里，帶甲數十萬，粟如丘山。齊車之良，五家之兵，疾如錐矢，戰如雷電，解如風雨，即有軍役，未嘗倍太山、絕清河、涉渤海也。臨淄之中七萬戶，臣竊度之，下戶三男子，三七二十一萬，不待發於遠縣，而臨淄之卒，固以二十一萬矣。」(《戰國策》〈齊策一〉)

天下以燕賜我

韓國、齊國結盟，張儀統率秦、魏兩國的軍隊攻打韓國。齊宣王說：「韓國是我們的盟國。秦國攻打韓國，我們應該出兵相救啊。」田臣思說：「君王的謀劃錯了，不如聽之任之。燕王把國君之位禪讓給相國子之，百姓不擁戴子之，諸侯不和他交往。秦國進攻韓國，楚國、趙國一定會出兵援救，這是上天把燕國賞賜給我們啊。」齊宣王說：「好。」於是假裝答應韓國使者出兵相救。韓國以為有齊國支援，於是主動應戰。楚國、趙國得知齊國出兵增援，也發兵援韓。齊國趁機攻打燕國，三十天就攻占了燕國。

【出處】

韓、齊為與國。張儀以秦、魏伐韓。齊王曰：「韓，吾與國也。秦伐之，吾將救之。」田臣思曰：「王之謀過矣，不如聽之。子噲與子之國，百姓不戴，諸侯弗與。秦伐韓，楚、趙必救之，是天下以燕賜我也。」王曰：「善。」乃許韓使者而遣之。韓自以得交於齊，遂與秦戰。楚、趙果遽起兵而救韓，齊因起兵攻燕，三十日而舉燕國。（《戰國策》〈齊策二〉）

醜女之力

鍾離春是齊國無鹽邑的女子，齊宣王的王后。她長得奇醜無比：頭頂像石臼，兩目深凹，身材高大強壯，骨節粗大，翻鼻孔，喉嚨處有個大結，胖脖頸，頭髮稀少，雞胸駝背，皮膚粗黑。年已四十歲仍無人提親，無處容身，四處流浪。一天，她整理一下粗布短衣，要求進宮拜見齊宣王，對守門的侍衛說：「我是齊國沒人要的女子，聽說君王賢德，願意入宮充當侍妾。我在司馬門外叩頭，希望國君恩准。」侍衛入內稟報，宣王正在漸臺擺酒，左右的人聽說，個個掩嘴大笑：「這是天下臉皮最厚的女人啊！想入宮充當侍妾，太異想天開了！」宣王於是召見她說：「從前先王為我娶配妃子，都已各就各位。如今你不為鄉里百姓所容，卻想來打萬乘之君的主意，是有什麼特別的技能嗎？」鍾離春搖頭說：「沒有！只不過私下羨慕大王的美名而已！」宣王說：「雖然如此，到底你有什麼特長呢？」過了好久，鍾離春回答說：「我善於隱身。」宣王說：「隱身也是寡人的願望，你試著表演一下。」話沒說完，鍾離春忽然不見。宣王大驚，立刻找來隱書誦讀隱語，退席後又仔細研究，卻一無所得。於是再召鍾離春詢問，她並未解答隱術，只是張開眼睛、咬著牙齒、舉手拍打膝蓋說：「危險了！危險了！」反覆四次。宣王說：「希望解釋一下什麼意思。」鍾離春說：「現今大王統治的國家，內憂外患，矛盾重重。君王年已四十，未立太子，不關心百姓卻用心於嬪妃，一味追求吃喝玩樂，忘記了國家賴以安穩的根本。一旦您不幸去世，國家就會出現動亂，這是一樁危險。您大興土木，修築漸臺，以黃金珠寶裝飾宮廷，百姓因此疲憊不堪，這是第二樁危險。賢能的人才退隱山林，溜鬚拍馬的人伴隨身邊，奸佞虛偽的人在朝中主事，想要進諫的人被阻隔在外，這是第三樁危險。您終日沉醉於美酒，貪戀女樂俳優，對外不重視與列國諸侯交往，對內不關心治國之道，這是第四樁危險。所以我說：『危險了！危險了！』」宣王喟然嘆息說：「痛心啊！無鹽君的話，我今天才聽到！」於是下令拆除漸臺，斥退女樂，罷免佞臣，取締豪華的裝飾，整頓軍隊，充實府庫；打開宮廷的大門，廣納諍言。又占卜吉日冊立太子，請示慈母，拜無鹽君為王后，齊國自此逐漸安定。這都是醜女鍾無鹽的功勞啊。君子評論說：鍾離春正直而善於言辭。《詩經》裡說：「已經見了那君子，我的心裡樂悠悠。」說的就是她啊！

【出處】

鍾離春者，齊無鹽邑之女，宣王之正後也。其為人極醜無雙，臼頭深目，長指大節，卬鼻結喉，肥項少發，折腰出胸，皮膚若漆。行年四十，無所容入，炫嫁不仇，流棄莫執。於是乃拂拭短褐，自詣宣王，謂謁者曰：「妾，齊之不仇女也。聞君王之聖德，願備後宮之掃除。頓首司馬門外，唯王幸許之。」謁者以聞，宣王方置酒於漸臺，左右聞之，莫不掩口大笑曰：「此天下強顏女子也，豈不異哉！」於是宣王乃召見之，謂曰：「昔者先王為寡人娶妃匹，皆已備有列位矣。今夫人不容於鄉里布衣，而欲干萬乘之主，亦有何奇能哉？」鍾離春對曰：「無有。特竊慕大王之美義耳。」王曰：「雖然，何善？」良久，曰：「竊嘗善隱。」宣王曰：「隱固寡人之所願也，試一行之。」言未卒，忽然不見。宣王大驚，立發隱書而讀之，退而推之，又未能得。明日，又更召而問之，不以隱對，但揚目銜齒，舉手拊膝，曰：「殆哉！殆哉！」如此者四。宣王曰：「願遂聞命。」鍾離春對曰：「今大王之君國也，西有衡秦之患，南有強楚之仇，外有二國之難。內聚奸臣，眾人不附。春秋四十，壯男不立，不務眾子而務眾婦。尊所好，忽所恃。一旦山陵崩弛，社稷不定，此一殆也。漸臺五重，黃金白玉，琅玕籠疏，翡翠珠璣，幕絡連飾，萬民罷極，此二殆也。賢者匿於山林，諂諛強於左右，邪偽立於本朝，諫者不得通入，此三殆也。飲酒沈湎，以夜繼晝，女樂俳優，縱橫大笑。外不修諸侯之禮，內不秉國家之治，此四殆也。故曰：『殆哉！殆哉！』」於是宣王喟然而嘆曰：「痛乎！無鹽君之言！乃今一聞。」於是拆漸臺，罷女樂，退諂諛，去雕琢，選兵馬，實府庫，四辟公門，招進直言，延及側陋。卜擇吉日，立太子，進慈母，拜無鹽君為後。而齊國大安者，醜女之力也。君子謂鍾離春正而有辭。詩云：「既見君子，我心則喜。」[16]此之謂也。（《列女傳》〈辯通傳〉）

16.「既見君子，我心則喜」，出自《詩經》〈小雅・菁菁者義〉。

相門必有相

當初，田嬰有四十多個兒子，他的小妾生了個兒子，取名田文。因為是五月五日生的，田嬰就命令不要養活他。田文的母親偷偷把他養大，通過田文的兄弟引見給田嬰。田嬰很惱怒，對田文的母親說：「我讓你把孩子扔了，你竟敢養活他，為什麼？」田文的母親還沒開口，田文立即叩頭大拜，接著反問田嬰說：「您為什麼不讓養育五月生的孩子？」田嬰回答說：「五月出生的孩子，長大了身長跟門戶一樣高，會害父害母的。」田文問道：「人的命運是由上天授予，還是由門戶授予呢？」田嬰不知如何回答。田文接著說：「如果由上天授予，您何必憂慮呢？如果由門戶授予，只要加高門戶就行，誰還能長到那麼高呢！」田嬰無言以對，便斥責說：「你不要說了！」過了些日子，田文趁空問父親說：「兒子的兒子叫什麼？」田嬰答道：「叫孫子。」田文接著問：「孫子的孫子叫什麼？」田嬰答道：「叫玄孫。」田文又問：「玄孫的孫子叫什麼？」田嬰說：「不知道了。」田文說：「您擔任三代君主的國相，齊國的領土沒見增加，私下卻積攢了巨額財富，門下也見不到一位賢士。我聽說，將軍的門庭會出將軍，相國的門庭會出相國。現在您後宮的姬妾披錦著繡，而士人卻衣不遮體；您的男僕女奴每天酒足飯飽，而士子卻食不果腹。您樂此不疲地聚斂積貯，想留給連稱呼都叫不出來的後人，卻忘記國家正一天天衰弱。我私下裡很是奇怪。」從此以後，田嬰改變了對田文的態度，讓他主持家政，接待賓客。賓客來往不斷，田文的名聲傳遍諸侯列國。列國都派人來請求田嬰立田文為太子。田嬰去世後，追謚靖郭君。田文果然在薛邑繼承了田嬰的爵位，這就是孟嘗君。

【出處】

初，田嬰有子四十餘人。其賤妾有子名文，文以五月五日生。嬰告其母曰：「勿舉也。」其母竊舉生之。及長，其母因兄弟而見其子文於田嬰。田嬰怒其母曰：「吾令若去此子，而敢生之，何也？」文頓首，因曰：「君所以不舉五月子者，何故？」嬰曰：「五月子者，長與戶齊，將不利其父母。」文曰：「人生受命於天乎？將受命於戶邪？」嬰默然。文曰：「必受命於天，君何憂焉。必受命於戶，則可高其戶耳，誰能至者！」嬰曰：「子休矣。」久之，文承間問其父嬰曰：「子之子為何？」曰：「為孫。」「孫之孫為何？」曰：「為玄孫。」「玄孫之孫為何？」曰：「不能知也。」文曰：「君用事相齊，至今三王矣，齊不加廣而君私家富累萬金，門下不見一賢者。文聞將門必有將，相門必有相。今君後宮蹈綺縠而士不得褐，僕妾餘粱肉而士不厭糟糠。今君又尚厚積餘藏，欲以遺所不知何人，而忘公家之事日損，文竊怪之。」於是嬰乃禮文，使主家待賓客。賓客日進，名聲聞於諸侯。諸侯皆使人請薛公田嬰以文為太子，嬰許之。嬰卒，謚為靖郭君。而文果代立於薛，是為孟嘗君。（《史記》〈孟嘗君列傳〉）

非之不為沮

靖郭君非常寵愛門客齊貌辨，齊貌辨為人不拘小節，門客都討厭他。有個叫士尉的門客勸靖郭君攆走齊貌辨，靖郭君沒答應，士尉便拂袖而去。孟嘗君田文也暗中勸說靖郭君驅逐齊貌辨，靖郭君大發脾氣說：「即便剷除我的家族，搗毀我的家業，只要對齊貌辨有好處，我也在所不惜！」靖郭君讓齊貌辨住上等客舍，讓自己的大兒子為他駕車，朝夕恭敬侍候。幾年之後，威王駕崩，宣王即位。靖郭君不討宣王喜歡，就離開首都到自己的封地薛邑居住，齊貌辨也隨他到了薛地。沒多久，齊貌辨決定回國都晉見宣王，靖郭君說：「君王很討厭我，你這不是去找死嗎？」齊貌辨說：「臣根本沒想活，但一定要去。」靖郭君無法阻止，只好由他。齊貌辨到達國都臨淄，宣王壓住心頭的怒氣接待他，問他說：「你是靖郭君手下的寵臣，靖郭君事事都聽你的嗎？」齊貌辨說：「是寵臣不錯，聽我卻未必。當君王還是太子時，我曾對靖郭君說：『太子的相貌不仁，長相不仁義，下巴太大，像豬一樣看人，這種人往往反覆無常。不如把太子廢掉，改立衛姬的兒子效師為太子。』靖郭君竟然含淚對我說：『不能啊。我不忍心這樣做。』假如靖郭君聽我的，也不會遭受今天這樣的待遇，這是其一。靖郭君到薛地後，楚相昭陽提出以幾倍的土地來換薛地，我又向靖郭君說：『大好事啊。趕快答應吧。』靖郭君說：『從先王那裡接受薛地，現在即便與後王關係不好，如果把薛地換給楚國，將來死後怎麼向先王交代呢？何況先王的宗廟就在薛地，難道能把先王的宗廟交給楚國嗎！』又不肯聽從我的。這是其二。」宣王大為嘆息，為之動容說：「沒想到靖郭君對寡人的感情如此之深啊！我太年輕了，不了解這些情況。您願意替我把靖郭君請回來嗎？」齊貌辨回答說：「好吧。」靖郭君穿戴上齊威王賜給的衣服帽子回國都，齊宣王親自到郊外迎接，兩眼含淚望著他。宣王請靖郭君出任國相。靖郭君再三辭謝，不得已才接受，七天之後，又以身體有病為由堅決辭官。難得靖郭君有知人之明，更難得的是他能堅持自己的判斷，即便飽受非議也毫不動搖。這也是齊貌辨置生死於度外、肯為他排憂解難的原因所在。

【出處】

靖郭君善齊貌辨。齊貌辨之為人也多疵，門人弗說。士尉以證靖郭君，靖郭君不聽，士尉辭而去。孟嘗君又竊以諫，靖郭君大怒曰：「剗而類，破吾家。苟可慊齊貌辨者，吾無辭為之。」於是舍之上舍，令長子御，旦暮進食。數年，威王薨，宣王立。靖郭君之交大不善於宣王，辭而之薛，與齊貌辨俱。留無幾何，齊貌辨辭而行，請見宣王。靖郭君曰：「王之不說嬰甚，公往，必得死焉。」齊貌辨曰：「固不求生也，請必行。」靖郭君不能止。齊貌辨行至齊，宣王聞之，藏怒以待之。齊貌辨見宣王，王曰：「子，靖郭君之所聽愛夫。」齊貌辨曰：「愛則有之，聽則無有。王之方為太子之時，辨謂靖郭君曰：『太子相不仁，過頤豕視，若是者信反。不若廢太子，更立衛姬嬰兒郊師。』靖郭君泣而曰：『不可，吾不忍也。』若聽辨而為之，必無今日之患也。此為一。至於薛，昭陽請以數倍之地易薛，辨又曰：『必聽之。』靖郭君曰：『受薛於先王，雖惡於後王，吾獨謂先王何乎！且先王之廟在薛，吾豈可以先王之廟與楚乎！』又不肯聽辨。此為二。」宣王太息，動於顏色，曰：「靖郭君之於寡人一至此乎！寡人少，殊不知此。客肯為寡人來靖郭君乎？」齊貌辨對曰：「敬諾。」靖郭君衣威王之衣冠，舞其劍，宣王自迎靖郭君於郊，望之而泣。靖郭君至，因請相之。靖郭君辭，不得已而受。七日，謝病強辭。靖郭君辭不得，三日而聽。當是時，靖郭君可謂能自知人矣！

能自知人，故人非之不為沮。此齊貌辨之所以外生樂患趣難者也。（《戰國策》〈齊策一〉）

靖郭君出亡

齊國有位靖郭君，魚肉百姓，殘害群臣，舉國上下都唾棄他。他的車伕知道前景不妙，就預先準備好乾糧。到災難發生時，靖郭君倉皇出逃，到了野外，腹中飢餓，車伕於是拿出裝在車裡的食品捧給他吃。靖郭君問道：「你怎麼知道要出亂子，事先準備好食物呢？」車伕回答說：「主公凶殘暴虐，一班臣子已密謀很久了。」靖郭君大發脾氣，拒絕進食說：「像我這樣以賢德享譽其世的人，怎麼能說凶殘暴虐呢？」車伕害怕了，連忙改口說：「臣下說錯了，主公的確賢明，那班臣子才是壞東西，結成團夥殘害忠良。」靖郭君這才轉怒為喜，狼吞虎嚥起來。

【出處】

先是靖郭君殘賊其百姓，害傷其群臣，國人將背叛共逐之，其御知之，豫裝齎食，及亂作，靖郭君出亡，至於野而飢，其御出所裝食進之。靖郭君曰：「何以知之而齎食？」對曰：「君之暴虐，其臣下之謀久矣。」靖郭君怒，不食。曰：「以吾賢至聞也，何謂暴虐？」其御懼曰：「臣言過也，君實賢，唯群臣不肖共害賢。」然後靖郭君悅，然後食。（《新序》〈雜事第五〉）

易餘糧於宋

秦、魏、韓聯軍與齊軍在濮水作戰，贅子戰死，章子敗走。田盼對齊宣王說：「不如把我們的餘糧送給宋國，宋王一定很高興，這樣魏國就不敢越過宋國來進攻齊國。齊國處於弱勢，可以用餘糧來拉攏宋國。將來齊國重新崛起了，再向宋國討還不遲；如果宋國不肯償還，我們就可以以此為藉口討伐他們。」

【出處】

濮上之事，贅子死，章子走，盼子謂齊王曰：「不如易餘糧於宋，宋王必說，梁氏不敢過宋伐齊。齊固弱，是以餘糧收宋也。齊國復強，雖復責之宋，可；不償，因以為辭而攻之，亦可。」（《戰國策》〈齊策六〉）

齊田稷母

齊田稷母，是齊國田稷子的母親。田稷子擔任相國的時候，收受部下的百鎰黃金，拿回家獻給母親。母親說：「你做了三年宰相，俸祿也沒有這麼多，這錢是怎麼回事？哪兒來的？」田稷子回答說：「是部下送我的。」母親說：「我聽說讀書人應該潔身自好，不取不義之財，不行欺詐之事，言行一致，情貌相符。如今君王給予你高官厚祿，你應該努力回報才對。為人臣侍奉君主，就像為人子侍奉父母一樣，要盡心盡力，忠誠守信，誓死效忠，廉潔公正，只有這樣才能免遭禍患。現在你的行為恰好相反，遠離了忠臣的要求。為臣不忠，等於為子不孝。這種來路不正的錢我不會要，不孝的兒子也不是我的兒子，你把金子拿走吧！」田稷子滿面羞愧，立即把錢退了，而後向宣王認罪，請求處罰。宣王非常讚賞田稷子母親的美德，因而赦免了稷子的罪過，讓他繼續擔任國相，並賞給他母親一大筆錢。君子評價說稷母廉潔而有教化之功。《詩經》中說：「那些老爺君子啊，不會白吃閒飯啊！」無所作為而享受俸祿已經不該，何況又收受人家的金子呢？

【出處】

齊田稷子之母也。田稷子相齊，受下吏之貨金百鎰，以遺其母。母曰：「子為相三年矣，祿未嘗多若此也，豈修士大夫之費哉！安所得此？」對曰：「誠受之於下。」其母曰：「吾聞士修身潔行，不為苟得。竭情盡實，不行詐偽。非義之事，不計於心。非理之利，不入於家。言行若一，情貌相副。今君設官以待子，厚祿以奉子，言行則可以報君。夫為人臣而事其君，猶為人子而事其父也。盡力竭能，忠信不欺，務在效忠，必死奉命，廉潔公正，故遂而無患。今子反是，遠忠矣。夫為人臣不忠，是為人子不孝也。不義之財，非吾有也。不孝之子，非吾子也。子起。」田稷子慚而出，反其金，自歸罪於宣王，請就誅焉。宣王聞之，大賞其母之義，遂舍稷子之罪，復其相位，而以公金賜母。君子謂稷母廉而有化。詩曰：「彼君子兮，不素飧兮。」[17]無功而食祿，不為也，況於受金乎！（《列女傳》〈母儀傳〉）

17.「彼君子兮，不素飧兮」，出自《詩經》〈魏風・伐檀〉。

齊義繼母

齊義繼母，是齊國兩個兒子的母親。齊宣王的時候，有人鬥毆打架鬧出人命，官府派人查看，發現有人被殺死在路邊，一旁有兄弟二人，檢驗死者，身上只有一處創口。官員問是誰殺的，兄弟倆都指稱自己是兇手。案子拖延一年不能判決。上報相國，相國也無法判斷。於是上報宣王。齊宣王說：「兩個都赦免是縱容犯罪，都殺死又可能冤殺無辜。我想兄弟倆的母親應該最清楚兒子的善惡，可以試著審問他們的母親，看誰該死誰該活吧。」宰相於是召見兄弟倆的母親問道：「您的兒子殺了人，兄弟二人爭著要死，官方不能判定，向君主稟告，君主心懷仁義之心，讓您來決定二人的生死。」母親哭著說：「殺年齡小的吧。」宰相說：「一般人都疼愛少子。為什麼要殺他呢？」母親回答說：「小兒子是我生的，哥哥是前妻的兒子。他父親生病臨死前拜託我好好照顧他。受人之託，怎麼能不守信用呢？如果殺哥哥放弟弟，就是以私愛廢公義、違背諾言背棄信用。欺騙死者，不守諾言，還怎麼活在世上？喪子雖然悲痛，但也不能因此不講道義啊！」說完這幾句話，淚水已打濕了衣襟。宰相稟告宣王，宣王非常讚賞母親的義行，於是赦免兄弟倆不死，並尊兩人的母親為「義母」。君子稱讚義母守信好義，謙和懂禮。《詩經》裡說：「和氣近人的君子，垂範天下萬民隨。」說的正是這個道理啊！

【出處】

齊義繼母者，齊二子之母也。當宣王時，有人鬥死於道者，吏訊之，被一創。二子兄弟立其傍，吏問之。兄曰：「我殺之。」弟曰：「非兄也，乃我殺之。」期年，吏不能決，言之於相。相不能決，言之於王。王曰：「今皆赦之，是縱有罪也。皆殺之，是誅無辜也。寡人度其母能知子善惡。試問其母，聽其所欲殺活。」相召其母，問之曰：「母之子殺人，兄弟欲相代死，吏不能決，言之於王。王有仁惠，故問母何所欲殺活。」其母泣而對曰：「殺其少者。」相受其言，因而問之曰：「夫少子者，人之所愛也。今欲殺之，何也？」其母對曰：「少者，妾之子也。長者，前妻之子也。其父疾，且死之時，屬之於妾曰：『善養視之。』妾曰：『諾。』今既受人之託，許人以諾，豈可以忘人之托而不信其諾邪！且殺兄活弟，是以私愛廢公義也；背言忘信，是欺死者也。夫言不約束，已諾不分，何以居於世哉！子雖痛乎，獨謂行何！」泣下沾襟。相入言於王，王美其義，高其行，皆赦不殺，而尊其母號曰義母。君子謂義母信而好義，潔而有讓。詩曰：「愷悌君子，四方為則。」[18]此之謂也。（《列女傳》〈節義傳〉）

子周鼓琴

雍門子周以擅長彈琴受到孟嘗君的召見，孟嘗君說：「先生彈琴，也能夠讓我悲傷嗎？」雍門子周說：「我哪能令先生悲傷呢？我彈琴，只能讓這些人感到悲傷：從尊貴變得低賤的人，由富有淪為貧窮的人；被暴君橫加指斥的賢人；忍受痛苦、隱姓埋名於陋巷無處傾訴的人；被生生拆散、生離死別的熱戀情人；家庭離散、孤身漂泊無

18.「愷悌君子，四方為則」，出自《詩經》〈大雅・卷阿〉。

家可歸的人。這些人本沒有歡樂可言，當我調弦抱琴，他們已長聲嘆息，跟著就淚濕滿襟。先生是千乘大國的君主，閒居在寬闊幽深的府邸裡，放下絲羅帷幔，就能招來縷縷清風；歌舞雜技藝人在眼前來回獻媚取寵，宴飲時一邊下棋一邊觀看鄭地美女迷人的舞蹈，享受隨風飄揚的高亢曲調，挑選美色來享盡眼福，演奏美聲來飽享耳福；在水上遊樂時就連接大船，插滿用羽毛裝飾的旌旗，在深不見底的水面上演奏樂曲；到野外遊玩時就在平坦的原野和廣闊的園林裡馳騁射獵，搏擊猛獸；回到宮中就撞鐘擊鼓，縱情享受。在這種時候，先生看天地竟不如自己的一根手指，沉浸享樂而忘記生死。即使身邊有善於彈琴的大師，又怎能令先生感到悲傷呢！」孟嘗君說：「不對，你說得不對！不會是這樣的。」雍門子周說：「不過我有一件事為先生感到悲哀：聲望與帝王相當並使秦國受困的人，是先生；聯合五國結盟向南攻打楚國的人，也是先生。天下何曾太平無事？不是合縱就是連橫。合縱成功則楚國稱王，連橫成功則秦國稱帝。不論楚國稱王還是秦國稱帝，都一定會向您的薛邑報仇。以秦、楚的強大而找弱小的薛邑報仇，就好比以利斧砍伐早晨剛剛生長出的蘑菇。天下有見識的人，沒有不為先生傷心流淚的。千年萬載之後，您的宗廟將無人祭祀。高高的樓臺被毀壞，曲回的水池成為乾溝，墳墓被蕩平，庭院雜草叢生，兒童村夫在上面唱歌踐踏。此情此景，誰不為您憂傷：憑著孟嘗君的尊榮顯貴，死後竟如此淒涼嗎？」孟嘗君兩眼盈淚。雍門子周輕撥琴絃，徐徐彈起，孟嘗君止不住淚流滿面，低聲啜泣，走近雍門子周，哽咽著說：「先生這樣彈琴，使我頓時感到就像一個國破家亡的人。」

【出處】

雍門子周以琴見乎孟嘗君。孟嘗君曰：「先生鼓琴，亦能令文悲乎？」雍門子周曰：「臣何獨能令足下悲哉？臣之所能令悲者：有先貴而後賤，先富而後貧者也；不若身材高妙，適遭暴亂無道之主，妄加不道之理焉；不若處勢隱絕，不及四鄰，詘折儐厭，襲於窮巷，無所告愬；不若交歡相愛，無怨而生離，遠赴絕國，無復相見之時；不若少失二親，兄弟別離，家室不足，憂蹙盈匈。當是之時也，固不可以聞飛鳥疾風之聲，窮窮焉固無樂已。凡若是者，臣一為之，徽膠援琴而長太息，則流涕沾衿矣。今若足下，千乘之君也，居則廣廈邃房，下羅帷，來清風，倡優侏儒處前迭進而諂諛，燕則斗象棋而舞鄭女，激楚之切風，練色以淫目，流聲以虞耳；水游則連方舟，載羽旗，鼓吹乎不測之淵；野游則馳騁弋獵乎平原廣囿，格猛獸；入則撞鐘擊鼓乎深宮之中。方此之時，視天地曾不若一指，忘死與生，雖有善鼓琴者，固未能令足下悲也。」孟嘗君曰：「否！否！文固以為不然。」雍門子周曰：「然臣之所為足下悲者一事也。夫聲敵帝而困秦者，君也；連五國之約，南面而伐楚者，又君也。天下未嘗無事，不從則橫。從成則楚王，橫成則秦帝。楚王秦帝，必報仇於薛矣。夫以秦、楚之強而報仇於弱薛，譬之猶摩蕭斧而伐朝菌也，必不留行矣。天下有識之士無不為足下寒心酸鼻者。千秋萬歲之後，廟堂必不血食矣。高臺既已壞，曲池既已漸，墳墓既已下，而青廷矣。嬰兒豎子樵採薪蕘者，蹢躅其足而歌其上，眾人見之，無不愀焉為足下悲之，曰：『夫以孟嘗君尊貴，乃可使若此乎？』」於是孟嘗君泫然泣涕，承睫而未殞。雍門子周引琴而鼓之，徐動宮徵，微揮羽角，切終而成

曲。孟嘗君涕浪汗增，欷而就之曰：「先生之鼓琴，令文立若破國亡邑之人也。」（《說苑》〈善說〉）

吾始壯矣

楚丘先生去拜見孟嘗君，他年已七十，披著破皮衣，腰裡繫著粗繩子，走路顫顫巍巍的樣子。孟嘗君說：「先生老了，年紀大了，有什麼指教嗎？」楚丘先生說：「哦，你認為我老了嗎？如果要派我追車趕馬，投擲石頭，與麋鹿和虎豹搏鬥，恐怕我早已死了，豈止老呢？但要我以言辭說服諸侯列國，裁決疑難而作出決斷，我還正當壯年，哪裡算老呢？」

【出處】

昔者，楚丘先生行年七十，披裘帶索，往見孟嘗君，欲趨不能進。孟嘗君曰：「先生老矣，春秋高矣，何以教之？」楚丘先生曰：「噫！將我而老乎？噫！將使我追車而赴馬乎？投石而超距乎？逐麋鹿而搏虎豹乎？吾已死矣！何暇老哉！噫！將使我出正辭而當諸侯乎？決嫌疑而定猶豫乎？吾始壯矣，何老之有！」孟嘗君逡巡避席，面有愧色。（《新序》〈雜事第五〉）

狡兔三窟

齊國有個名叫馮諼的人，家境貧困，難以養活自己，託人找到孟嘗君，請求成為門下的食客。孟嘗君問他說：「先生有什麼愛好嗎？」馮諼回答說：「沒有。」孟嘗君又問：「先生有什麼特長嗎？」回答說：「也沒有。」孟嘗君笑了笑，仍然接納了他。孟嘗君身邊的人因主人不太在意馮諼，就拿粗茶淡飯給他吃。住了不久，馮諼就背靠柱子，彈劍而歌說：「長劍呀，咱們回去吧，吃飯沒有魚。」左右把這件事告訴孟嘗君，孟嘗君吩咐說：「給他一般門客的待遇，讓他吃魚吧。」住了不久，馮諼又彈劍唱歌說：「長劍呀，我們還是回去吧，出門沒有車坐。」孟嘗君說：「替他配上車，按照車客的待遇。」於是馮諼駕車帶劍，向他們的朋友誇耀說：「孟嘗君尊我為上客。」過了一段日子，馮諼又彈劍唱歌說：「長劍呀，咱們回去吧，無以養家。」左右的人認為他貪得無厭，都厭惡他。孟嘗君問說：「馮先生有父母嗎？」左右答說：「有個老母。」孟嘗君資其家用，馮諼從此不再牢騷唱歌。不久，孟嘗君問門下食客說：「請問哪一位通曉賬務會計，能替我到薛地收債呢？」馮諼說：「我能。」孟嘗君於是請他相見，問他說：「先生願意替我到薛地收債嗎？」馮諼說：「願效微勞。」於是孟嘗君替他備好車馬行裝，讓他載著債券契約出發。辭別時，馮諼問道：「收完債後，買些什麼回來？」孟嘗君答說：「先生看著辦吧，買點我家缺少的東西就行。」馮諼趕著馬車到薛地，派官吏把該還債的百姓都叫來核對債券，全部核對之後，馮諼假托孟嘗君的名義將債款賞給他們，並燒掉了券契文書，百姓感激得歡呼萬歲。馮諼馬不停蹄返回齊國都城臨淄，一大早求見孟嘗君。孟嘗君很奇怪他回來得如此之快，穿好衣服接見他說：「債收完了嗎？怎麼回來得這麼快呢？」馮諼回答說：「都收完了。」「先生替我買了些什麼回來？」馮諼說：「君上曾說『買些家中缺乏的東西』，臣想君上宮中珠寶堆積，狗馬滿廄，美女成行，所缺少的，只有仁義而已，因此臣自作主張為君上買了仁義回來。」孟嘗君說：「仁義怎麼買呢？」馮諼答道：「君上以小小的薛地，不但不好好體恤子民，反而像商人一樣榨取他們的利益。我替君上考慮，私自假傳您的命令，將所有債款都賜給他們，並焚燬債券，百姓莫不歡呼萬歲，這就是我替君上買回的仁義啊！」孟嘗君很不高興，說：「我知道了，先生退下休息吧。」一年之後，齊王對孟嘗君說：「寡人不敢延用先王的舊臣。」孟嘗君回到封地，離薛邑還有將近一百里，當地百姓就扶老攜幼，擁到路邊迎接。孟嘗君對馮諼說：「先生為我買的仁義，我今天才看到。」馮諼對孟嘗君說：「狡兔三窟，方能免死。如今君上只有一個洞穴，尚未能高枕無憂，我來為君上再鑿兩個洞穴吧。」孟嘗君於是讓他攜帶五十輛車、五百斤黃金去遊說魏國。馮諼西入大梁，對魏惠王說：「齊國放逐了大臣孟嘗君，諸侯誰先得到他，誰就能富國強兵。」於是魏王空出相位，讓原來的相國做上將軍，派使節以千斤黃金、馬車百乘去迎聘孟嘗君。馮諼先趕回薛地對孟嘗君說：「千斤黃金是極貴重的聘禮，百乘馬車是極隆重的使節，齊國應該知道這件事了。」魏國使者接連跑了三趟，孟嘗君堅辭不就。齊王得知消息，連忙讓太傅攜帶千斤黃金、兩乘四馬花車及寶劍一把，外附書信一封向孟嘗君道歉說：「都是寡人行為不端，聽信讒言，得罪了先生。寡人無德，雖不足以輔佐，但請先生看在先祖的分上，暫且回國執掌政務。」馮諼告誡孟嘗君說：「希望君上索取先王的祭器，在薛地建立宗廟。」宗廟落成，馮諼回報說：「三窟已就，君上可以安心享樂了。」孟嘗君為相幾十年，沒有纖介之微的憂患，依靠的都是馮諼的謀劃啊！

【出處】

齊人有馮諼者，貧乏不能自存，使人屬孟嘗君，願寄食門下。孟嘗君曰：「客何好？」曰：「客無好也。」曰：「客何能？」曰：「客無能也。」孟嘗君笑而受之曰：「諾。」左右以君賤之也，食以草具。居有頃，倚柱彈其劍，歌曰：「長鋏歸來乎！食無魚。」左右以告。孟嘗君曰：「食之，比門下之客。」居有頃，復彈其鋏，歌曰：「長鋏歸來乎！出無車。」左右皆笑之，以告。孟嘗君曰：「為之駕，比門下之車客。」於是乘其車，揭其劍，過其友曰：「孟嘗君客我。」後有頃，復彈其劍鋏，歌曰：「長鋏歸來乎！無以為家。」左右皆惡之，以為貪而不知足。孟嘗君問：「馮公有親乎？」對曰：「有老母。」孟嘗君使人給其食用，無使乏。於是馮諼不復歌。後孟嘗君出記，問門下諸客：「誰習計會，能為文收責於薛者乎？」馮諼署曰：「能。」孟嘗君怪之，曰：「此誰也？」左右曰：「乃歌夫長鋏歸來者也。」孟嘗君笑曰：「客果有能也，吾負之，未嘗見也。」請而見之，謝曰：「文倦於事，憒於憂，而性懦愚，沉於國家之事，開罪於先生。先生不羞，乃有意欲為收責於薛乎？」馮諼曰：「願之。」於是約車治裝，載券契而行，辭曰：「責畢收，以何市而反？」孟嘗君曰：「視吾家所寡有者。」驅而之薛，使吏召諸民當償者，悉來合券。券遍合，起矯命，以責賜諸民，因燒其券，民稱萬歲。長驅到齊，晨而求見。孟嘗君怪其疾也，衣冠而見之，曰：「責畢收乎？來何疾也！」曰：「收畢矣。」「以何市而反？」馮諼曰：「君云『視吾家所寡有者』。臣竊計，君宮中積珍寶，狗馬實外廄，美人充下陳。君家所寡有者以義耳！竊以為君市義。」孟嘗君曰：「市義奈何？」曰：「今君有區區之薛，不拊愛子其民，因而賈利之。臣竊矯君命，以責賜諸民，因燒其券，民稱萬歲。乃臣所以為君市義也。」孟嘗君不說，曰：「諾，先生休矣！」後期年，齊王謂孟嘗君曰：「寡人不敢以先王之臣為臣。」孟嘗君就國於薛，未至百里，民扶老攜幼，迎君道中。孟嘗君顧謂馮諼：「先生所為文市義者，乃今日見之。」馮諼曰：「狡兔有三窟，僅得免其死耳。今君有一窟，未得高枕而臥也。請為君復鑿二窟。」孟嘗君予車五十乘，金五百斤，西游於梁，謂惠王曰：「齊放其大臣孟嘗君於諸侯，諸侯先迎之者，富而兵強。」於是，梁王虛上位，以故相為上將軍，遣使者，黃金千斤，車百乘，往聘孟嘗君。馮諼先驅誡孟嘗君曰：「千金，重幣也；百乘，顯使也。齊其聞之矣。」梁使三反，孟嘗君固辭不往也。齊王聞之，君臣恐懼，遣太傅齎黃金千斤，文車二駟，服劍一，封書謝孟嘗君曰：「寡人不祥，被於宗廟之祟，沉於諂諛之臣，開罪於君，寡人不足為也。願君顧先王之宗廟，姑反國統萬人乎？」馮諼誡孟嘗君曰：「願請先王之祭器，立宗廟於薛。」廟成，還報孟嘗君曰：「三窟已就，君始高枕為樂矣。」孟嘗君為相數十年，無纖介之禍者，馮諼之計也。（《戰國策》〈齊策四〉）

寄客於齊王

孟嘗君向齊王推薦賓客，過了三年仍不被錄用。門客回來對孟嘗君說：「您把我推薦給齊王，三年還不起用，不知是我的罪過呢，還是您的罪過？」孟嘗君說：「我聽說絲線靠針穿入，並不依賴針繃緊；嫁女通過媒人，媒人並不管小夫妻是否親近。如果先生才能平平，又怎麼能怨我呢？」門客說：「話不是這麼說。我聽說周氏的嚳，韓氏的盧，都是天下最能奔跑的狗，看見兔子就指點給它，兔子絕逃不掉；如果遠遠望見兔子再放開狗，那麼今生今世也抓不到兔子。不是這條狗無能，而是指點的人有錯。」孟嘗君說：「不是這樣的。從前華舟和杞梁出戰而死，杞梁的妻子很悲傷，她對著城牆哭泣，城牆為她崩塌。君子的內心真有修練，萬物就會感應於外。那土壤尚且懂得效忠於人，何況是吃糧食的君子呢？」門客說：「您說的不對。我看見鷦鷯在蘆花上築巢，用功精細，黏連牢固，就是專業的建築工人也做不到。然而大風一起，蘆桿折斷，卵破鳥死，為什麼呢？是它託身的地方使然啊！狐狸人人都想攻殺，老鼠個個都想熏捕。但我從來沒見過穀神廟裡的狐狸被獵殺，土地廟裡的老鼠被熏捕，為什麼？不也是託身的地方使然嗎！」於是孟嘗君再次向齊王引薦，齊王用為國相。

【出處】

孟嘗君寄客於齊王，三年而不見用，故客反謂孟嘗君曰：「君之寄臣也，三年而不見用，不知臣之罪也？君之過也？」孟嘗君曰：「寡人聞之，縷因針而入，不因針而急；嫁女因媒而成，不因媒而親。夫子之材必薄矣，尚何怨乎寡人哉？」客曰：「不然，臣聞周氏之嚳，韓氏之盧，天下疾狗也。見兔而指屬，則無失兔矣；望見而放狗也，則累世不能得兔矣！狗非不能，屬之者罪也。」孟嘗君曰：「不然，昔華舟、杞梁戰而死，其妻悲之，向城而哭，隅為之崩，城為之阤。君子誠能刑於內，則物應於外矣。夫土壤且可為忠，況有食谷之君乎？」客曰：「不然，臣見鷦鷯巢於葦苕，著之發毛，建之，女工不能為也，可謂完堅矣。大風至，則苕折卵破子死者，何也？其所托者使然也。且夫狐者，人之所攻也；鼠者，人之所熏也。臣未嘗見稷狐見攻，社鼠見熏也，何則？所托者然也。」於是孟嘗君復屬之齊王，齊王使為相。（《說苑》〈善說〉）

毀之以為之

孟嘗君以四匹馬、一百人的花費高規格款待夏侯章，夏侯章卻不買賬，總是找一切機會詆毀孟嘗君。有人把這件事告訴孟嘗君，孟嘗君說：「我拿夏侯先生當朋友，你不要再說了。」董之繁菁因此找夏侯章詢問緣由。夏侯章說：「孟嘗君並非有諸侯之尊，卻用很高的禮遇款待我。我沒有丁點功勞卻受到優待，只好以詆毀他來報答他啊。孟嘗君被人讚譽為德高望重，就因為我極力誹謗他，他卻不予計較。一般人哪懂得其中的寓意。」

【出處】

孟嘗君奉夏侯章以四馬百人之食，遇之甚歡。夏侯章每言未嘗不毀孟嘗君也。或以告孟嘗君，孟嘗君曰：「文有以事夏侯公矣，勿言。」董之繁菁以問夏侯公，夏侯公曰：「孟嘗君重非諸侯也，而奉我四馬百人之食。我無分寸之功而得此，然吾毀之以為之也。君所以得為長者，以吾毀之者也。吾以身為孟嘗君，豈得持言也。」（《戰國策》〈齊策三〉）

收天下之士

孟嘗君閒坐，對三位老先生說：「希望聽聽各位長者的高見，以彌補我的缺失。」一個說：「天下諸侯，有誰敢侵犯您，我就以自己的鮮血染紅他的衣襟。」田瞀說：「只要人跡能到的地方，我都要掩飾您的短處，宣揚您的長處。讓千輛之君和萬乘之相爭相聘用您。」勝瞖說：「我願用您府庫裡的錢財去網羅天下謀士，讓他們幫您解決疑難，應對突發事件，就好像魏文侯有田子方、段干木一樣。」

【出處】

孟嘗君讌坐，謂三先生曰：「願聞先生有以補之闕者。」一人曰：「訾天下之主，有侵君者，臣請以臣之血湔其衽。」田瞀曰：「車軼之所能至，請掩足下之短者，誦足下之長。千乘之君與萬乘之相，其欲有君也，如使而弗及也。」勝瞖曰：「臣願以足下之府庫財物，收天下之士，能為君決疑應卒，若魏文侯之有田子方、段干木也。此臣之所為君取奈。」（《戰國策》〈齊策三〉）

舍人弗悅

有個門客對孟嘗君不大尊敬，孟嘗君要趕他走。魯連勸諫孟嘗君說：「猿猴離開樹林生活在水上，它們就不如魚鱉；經歷險阻攀登危岩，千里馬還不如狐狸。曹沫高舉三尺寶劍劫持桓公，千軍萬馬都不能阻擋；讓曹沫放下三尺長劍，手拿鋤頭到田間鋤地，那他就不如農

舍人弗悅

夫。如果舍其所長，用其所短，即便聖明的堯帝也有力所不及的事情。不用其長卻怨其不才而拋棄他，讓人辦做不到的事情而指責他笨拙並斥退他，這些被拋棄、斥退的人就會逃往國外，而後回過頭來尋釁報復，古往今來這方面的教訓還少嗎？」孟嘗君說：「您說得對。」於是恭敬地留下了對他不敬的門客。

【出處】

孟嘗君有舍人而弗悅，欲逐之。魯連謂孟嘗君曰：「猿獮猴錯木據水，則不若魚鱉；歷險乘危，則騏驥不如狐狸。曹沫之奮三尺之劍，一軍不能當；使曹沫釋其三尺之劍而操銚鎒與農夫居壟畝之中，則不若農夫。故物舍其所長，之其所短，堯亦有所不及矣。今使人而不能，則謂之不肖；教人而不能，則謂之拙。拙則罷之，不肖則棄之，使人有棄逐，不相與處，而來害相報者，豈非世之立教首也哉！」孟嘗君曰：「善！」乃弗逐。（《戰國策》〈齊策三〉）

客無所擇

孟嘗君在薛邑，招攬諸侯列國的賓客及因犯罪流亡的人，很多人都來投奔他。孟嘗君捨棄家業供給賓客們豐厚的待遇，天下賢士無不傾心嚮往。他門下的食客多達數千人，待遇不分貴賤一律相同。孟嘗君每當接待賓客，與賓客坐著談話時，總要在屏風後安排侍史，幫他記錄談話內容，記載所問賓客的家庭住址。賓客剛剛離開，孟嘗君已安排使者前往賓客家中慰問，獻上禮物。一次，孟嘗君招待賓客吃晚飯，有個人遮住了燈光，這個賓客很惱火，認為飯食的質量肯定不一樣，放下碗筷就要離去。孟嘗君馬上站起來，親自端著自己的飯食與他相比，賓客慚愧得無地自容，於是刎頸自殺謝罪。孟嘗君對慕名而來的賓客一視同仁，熱情接納，不挑揀，無親疏，所以賓客個個都認為孟嘗君與自己親近。

【出處】

孟嘗君在薛，招致諸侯賓客及亡人有罪者，皆歸孟嘗君。孟嘗君舍業厚遇之，以故傾天下之士。食客數千人，無貴賤一與文等。孟嘗君待客坐語，而屏風後常有侍史，主記君所與客語，問親戚居處。客去，孟嘗君已使使存問，獻遺其親戚。孟嘗君曾待客夜食，有一人蔽火光。客怒，以飯不等，輟食辭去。孟嘗君起，自持其飯比之。客慚，自剄。士以此多歸孟嘗君。孟嘗君客無所擇，皆善遇之。人人各自以為孟嘗君親己。（《史記》〈孟嘗君列傳〉）

不量其力

孟嘗君在薛邑的時候，楚國人攻打薛邑。淳于髡為齊國出使楚國，返回時經過薛邑。孟嘗君熱情款待，並親自到郊外送行，拜託他說：「楚國人攻打薛邑，先生不替我分憂的話，怕是以後沒機會再侍奉您了。」淳于髡說：「謹遵吩咐。」回到齊國，稟報完畢，齊王問他說：「你怎麼看待楚國？」淳于髡回答說：「楚國人太貪心，而薛邑也不自量力。」齊王問道：「什麼意思？」淳于髡說：「薛邑沒有詳估自己的實力，就給先王立了宗廟；楚人貪心攻打薛邑，薛邑的宗廟肯定危險。」齊王臉色大變說：「是啊，先王的宗廟在那兒呢！」於是趕忙派兵支援，薛邑因此得以保全。

【出處】

孟嘗君前在於薛，荊人攻之。淳于髡為齊使於荊，還反，過於薛。孟嘗君令人禮貌而親郊送之，謂淳于髡曰：「荊人攻薛，夫子弗為憂，文無以復侍矣。」淳于髡曰：「敬聞命矣。」至於齊，畢報。王曰：「何見於荊？」對曰：「荊甚固，而薛亦不量其力。」王曰：「何謂也？」對曰：「薛不量其力，而為先王立清廟。荊固而攻薛，薛清廟必危，故曰薛不量其力，而荊亦甚固。」齊王知顏色，曰：「嘻！先君之廟在焉。」疾舉兵救之，由是薛遂全。顛蹶之請，坐拜之謁，雖得則薄矣。故善說者，陳其勢，言其方，見人之急也，若自在危厄之中，豈用強力哉？強力則鄙矣。說之不聽也，任不獨在所說，亦在說者。（《呂氏春秋》〈慎大覽・報更〉）

血洿其衣

孟嘗君想合縱抗秦。公孫弘對孟嘗君說：「您不妨派人到西方觀察一下，如果秦王有帝王之相，您連做臣子都不可能，哪顧得上跟秦國作對呢？如果秦王不是賢主，那時您再合縱抗秦不遲啊。」孟嘗君說：「好吧。那就請您走一趟。」公孫弘帶著十輛車前往秦國。秦昭王接見公孫弘，想以言辭羞辱他，藉以觀察他。昭王問道：「薛邑有多大？」公孫弘回答說；「方圓百里吧。」昭王笑著說：「秦國的土地縱橫數千里，還不敢託大與人作對；孟嘗君以百里見方的地盤，居然想跟我作對嗎？」公孫弘回答說：「孟嘗君好士，大王不好士。」昭王說：「好士能怎麼樣？」公孫弘回答說：「不向天子稱臣，不與諸侯交友，得志時可為民眾之主，不得志也不會臣服於人，像這樣的士，孟嘗君那裡有三個。善於治國，可以出任管仲、商鞅的老師，其主張被聽從施行，就能助君主成就王霸之業，像這樣的士，孟嘗君那裡有五個。充任使者，遭到萬乘之君的侮辱，退下自刎，也一定會將自己的鮮血濺染對方的衣服，有如我這樣的，孟嘗君那裡有七個。」昭王笑著道歉說：「您何必如此？我對孟嘗君印象很好，希望您一定向他表明我的善意。」

【出處】

孟嘗君為從。公孫弘謂孟嘗君曰：「君不以使人先觀秦王？意者秦王帝王之主也，君恐不得為臣，奚暇從以難之？意者秦王不肖之主也，君從以難之，未晚。」孟嘗君曰：「善，願因請公往矣。」公孫弘敬諾，以車十乘之秦。昭王聞之，而欲丑之以辭。公孫弘見，昭王曰：「薛公之地，大小幾何？」公孫弘對曰：「百里。」昭王笑而曰：「寡人地數千里，猶未敢以有難也。今孟嘗君之地方百里，而因欲難寡人，猶可乎？」公孫弘對曰：「孟嘗君好人，大王不好人。」昭王曰：「孟嘗之好人也，奚如？」公孫弘曰：「義不臣乎天子，不友乎諸侯，得志不慚為人主，不得志不肯為人臣，如此者三人；而治可為管、商之師，說義聽行，能致其如此者五人；萬乘之嚴主也，辱其使者，退而自刎，必以其血洿其衣，如臣者十人。」昭王笑而謝之，曰：「客胡為若此，寡人直與客論耳！寡人善孟嘗君，欲客之必諭寡人之志也！」公孫弘曰：「敬諾。」公孫弘可謂不侵矣。昭王，大國也。孟嘗，千乘也。立千乘之義而不可淩，可謂足使矣。（《戰國策》〈齊策四〉）

三國疾攻楚

秦國侵占楚國的漢中，又在藍田大敗楚軍。韓、魏兩國得知楚國陷入困境，乘機南襲楚國，一直打到鄧地。接著齊、韓、魏三國又合謀攻楚，擔心秦兵出兵救楚，有人建議薛公田文說：「可以先派使者告訴楚王說：『現在三國的軍隊準備放棄攻楚，如果楚國答應我們一起攻打秦國，別說藍田，收復更多的失地又有什麼問題？』楚國懷疑秦國未必出兵相救，如今三國退兵攻秦，楚國肯定會積極響應，這就造成楚國與三國共同謀劃攻秦的局面。秦國得知此事，絕不會救援楚國。接下來三國加緊攻楚，楚國一定會向秦國告急。秦國不敢出兵，我們就可以放心進攻楚國了。」薛公田文說：「好。」於是派特使出使楚國相約攻秦，楚國果然積極響應。這時三國突然發兵猛攻楚國，楚國果然向秦國告急，秦國按兵不動，三國因此大勝。

【出處】

秦取楚漢中，再戰於藍田，大敗楚軍。韓、魏聞楚之困，乃南襲至鄧，楚王引歸。後三國謀攻楚，恐秦之救也，或說薛公：「可發使告楚曰：『今三國之兵且去楚，楚能應而共攻秦，雖藍田豈難得哉！

況於楚之故地？』楚疑於秦之未必救己也，而今三國之辭去，則楚之應之也必勸，是楚與三國謀出秦兵矣。秦為知之，必不救也。三國疾攻楚，楚必走秦以急；秦愈不敢出，則是我離秦而攻楚也，兵必有功。」薛公曰：「善。」遂發重使之楚，楚之應果勸。於是三國併力攻楚，楚果告急於秦，秦遂不敢出兵。大臣有功。（《戰國策》〈秦策四〉）

止文之過

孟嘗君出巡五國，到達楚國時，楚王送給他一張象牙床，派登徒氏押送赴齊。登徒氏不願意接這樁苦差事，找到孟嘗君的門客公孫戌說：「我是楚人登徒氏，君主派我負責護送象牙床赴齊，象牙床價值千金，稍有損壞，即使賣掉妻室兒女也賠不起。先生如能設法幫我免掉這個差使，願以先祖留下的寶劍回報。」公孫戌答應說：「好。」於是往見孟嘗君說：「賢公準備接受楚人饋送的象牙床嗎？」孟嘗君點頭說：「是的。」公孫戌說：「我勸您不要這樣做。」孟嘗君說：「為什麼呢？」公孫戌說：「五國聽說您在齊地有憐恤孤貧的美德，在諸侯中有存亡繼絕的美名，這才以國事委公，這實在是仰慕您的仁義廉潔。您在楚國接受象牙床這樣的重禮，巡行到其他國家，又該拿什麼禮物來餽贈您呢？所以臣希望您不要接受。」孟嘗君很爽快地答應了。公孫戌快步退下，走到中門，孟嘗君叫他回來說：「先生叫田文不要接受象牙床，本來不錯，何以先生樂不可支呢？」公孫戌回答說：「臣有三大喜事，外加得一寶劍。」孟嘗君說：「什麼意思？」

公孫戍說：「賢公門客何止百人，只有臣敢於進諫，此是一喜；勸諫能聽，是第二喜；進諫能阻止您的犯錯，這是第三喜。登徒子不願押送象牙床到薛邑，他答應不去齊國就送臣一把寶劍。」孟嘗君問說：「先生接受寶劍了嗎？」公孫戍說：「沒敢接受。」孟嘗君說：「趕快接受吧。」於是在門扇上貼出告示說：「有能宣揚田文名聲，諫阻田文犯錯，即使在外面私獲寶物，也可迅速來諫！」

【出處】

孟嘗君出行國，至楚，獻象床。郢之登徒，直使送之，不欲行。見孟嘗君門人公孫戍曰：「臣，郢之登徒也，直送象床。象床之直千金，傷此若發漂，賣妻子不足償之。足下能使僕無行，先人有寶劍，願得獻之。」公孫戍曰：「諾。」入見孟嘗君曰：「君豈受楚象床哉？」孟嘗君曰：「然。」公孫戍曰：「臣願君勿受。」孟嘗君曰：「何哉？」公孫戍曰：「小國所以皆致相印於君者，聞君於齊能振達貧窮，有存亡繼絕之義。小國英桀之士，皆以國事累君，誠說君之義，慕君之廉也。今君到楚而受象床，所未至之國，將何以待君？臣戍願君勿受。」孟嘗君曰：「諾。」公孫戍趨而去。未出，至中閨，君召而返之，曰：「子教文無受象床，甚善。今何舉足之高，志之揚也？」公孫戍曰：「臣有大喜三，重之寶劍一。」孟嘗君曰：「何謂也？」公孫戍曰：「門下百數，莫敢入諫，臣獨入諫，臣一喜；諫而得聽，臣二喜；諫而止君之過，臣三喜。輸象床，郢之登徒不欲行，許戍以先人之寶劍。」孟嘗君：「善，受之乎？」公孫戍曰：「未敢。」曰：「急受之。」因書門版曰：「有能揚文之名，止文之過，私得寶於外者，疾入諫！」（《戰國策》〈齊策三〉）

君之好士

魯仲連對孟嘗君說：「您不是聲稱喜愛賢士嗎？從前雍門子供養椒亦，陽得子供養人才，飲食穿著都和他們一樣，因此門客個個願意盡力效死。如今您比雍門子、陽得子還要富有，所養的士人卻沒有誰願意為您效死的。」孟嘗君說：「這是我沒遇見椒亦之類賢士的緣故。如果得到椒亦之類的賢士，哪能不為我盡心竭力呢？」魯仲連回答說：「您馬棚裡有幾百匹馬，沒有一匹不身披錦繡，口嚼菽粟，請問哪一匹稱得上騏麟、騄耳？您後宮有十位寵妃，個個衣著綾羅綢緞，餐餐魚肉美酒，難道個個都貌似毛嬙、西施嗎？您的美女、駿馬都來自現世，卻要去期盼古時的賢士。因此我說，您的好士，不過是徒有虛名而已。」

【出處】

魯仲連謂孟嘗：「君好士也？雍門養椒亦，陽得子養□□，飲食、衣裘與之同之，皆得其死。今君之家富於二公，而士未有為君盡游者也。」君曰：「文不得是二人故也。使文得二人者，豈獨不得盡？」對曰：「君之廄馬百乘，無不被繡衣而食菽粟者，豈有騏麟、騄耳哉？後宮十妃，皆衣縞 ，食粱肉，豈有毛嬙、西施哉？色與馬取於今之世，士何必待古哉？故曰君之好士未也。」（《戰國策》〈齊策四〉）

越甲至齊

越國軍隊攻入齊國，雍門子狄請求赴死。齊王說：「戰鼓尚未擂響，兩軍尚未交戰，你為什麼一定要赴死呢？這是盡人臣的禮節嗎？」雍門子狄回答說：「我聽說：從前大王在園囿打獵，車子左軸發出響聲，車右請求賜死，大王問道：『你為什麼要死？』車右說：『因為車子的響聲驚嚇了君主。』大王說：『左軸發出聲響，是工匠的罪過，你有什麼責任？』車右說：『我沒看見工匠造車，只知道車子驚嚇了君主。』於是拔劍自殺而死。記得有這件事嗎？」齊王說：「有這樣的事。」雍門子狄說：「現在越軍已經攻入齊國，這件事對君王的驚駭，難道在左軸發出響聲之下嗎？車右可以因此而死，我就不能因越軍入侵而死嗎？」於是拔劍自刎而死。這一天，越人向後撤退了七十里，議論說：「齊王的臣子都像雍門子狄一樣的話，越國的社稷就得不到祭祀了。」於是率軍回國。齊王以上卿的喪禮安葬了雍門子狄。

【出處】

越甲至齊，雍門子狄請死之，齊王曰：「鼓鐸之聲未聞，矢石未交，長兵未接，子何務死之？為人臣之禮邪？」雍門子狄對曰：「臣聞之，昔者王田於囿，左轂鳴，車右請死之，而王曰：『子何為死？』車右對曰：『為其鳴吾君也。』王曰：『左轂鳴者，工師之罪也，子何事之有焉？』車右曰：『臣不見工師之乘，而見其鳴吾君也。』遂刎頸而死，知有之乎？」齊王曰：「有之。」雍門子狄曰：「今越甲至，其鳴吾君也，豈左轂之下哉？車右可以死左轂，而臣獨不可以死越甲也？」遂刎頸而死。是日，越人引甲而退七十里，曰：「齊王有臣鈞如雍門子狄，擬使越社稷不血食。」遂引甲而歸。齊王葬雍門子狄以上卿之禮。（《說苑》〈立節〉）

濫竽充數

齊宣王喜歡聽竽，每次吹竽，都要有三百人同時演奏。對吹竽一竅不通的南郭處士覺得有機可乘，也請求加入吹竽。宣王很高興，安排的伙食待遇和其他樂師相同。宣王死後，湣王即位。湣王不喜歡大場面的演奏，讓樂師們一個個演奏給他聽。眼看要原形畢露，南郭處士趕忙逃走了。

【出處】

齊宣王使人吹竽，必三百人。南郭處士請為王吹竽，宣王說之。廩食以數百人。宣王死，湣王立，好一一聽之，處士逃。（《韓非子》〈內儲說上・七術〉）

犀首跪行

梁王以張儀為相。張儀想撮合秦、梁、齊三國連橫，犀首想破壞這件事，就去對衛國君主說：「我並非跟張儀有仇，僅僅是治國的方法不同而已。請您一定替我向張儀解釋一下。」張儀去齊國談判經過衛國的時候，衛君向張儀解釋，張儀答應和好，於是當著衛君的面三人坐在一起。犀首跪地前行，祝張儀長壽。第二天張儀出發赴齊，犀首一直將張儀送到齊國邊境。齊閔王聽到這件事，對張儀的行為大為惱怒，說：「犀首是我的仇敵，張儀卻與他相偕同行，他一定是想和犀首一起出賣我們的國家。」於是不再聽信張儀的遊說。

【出處】

梁王因相儀。儀以秦、梁之齊合橫親，犀首欲敗，謂衛君曰：「衍非有怨於儀也，值所以為國者不同耳。君必解衍。」衛君為告儀，儀許諾，因與之參坐於衛君之前。犀首跪行，為儀千秋之祝。明日張子行，犀首送之至於齊疆。齊王聞之，怒於儀，曰：「衍也吾仇，而儀與之俱，是必與衍鬻吾國矣。」遂不聽。（《戰國策》〈齊策二〉）

薦草而就

齊王詢問文子說：「治國的要領是什麼？」文子回答說：「以賞罰為治國之道。賞罰是一把利器，君主要牢牢掌握在自己手裡，不可輕易賜人。至於臣子們，就像野鹿一樣，哪兒有肥美的草地，就會飛跑過去。」

【出處】

齊王問於文子曰：「治國何如？」對曰：「夫賞罰之為道，利器

也。君固握之，不可以示人。若如臣者，猶獸鹿也，唯薦草而就。」（《韓非子》〈內儲說上・七術〉）

呂禮相齊

秦國的逃亡將領呂禮擔任齊國宰相，蘇代受到排擠，就去對孟嘗君說：「周最很忠於齊國，卻被齊王驅逐了。齊王聽信親弗的意見讓呂禮做宰相，意在與秦國結好。齊、秦聯合，親弗、呂禮受到重用，您的地位就無足輕重了。您不如疾速向北進軍，促使趙國與秦、魏講和，招回周最以顯示您的厚道，這樣既可以挽回齊王的信用，又能阻止因齊、秦聯合帶來的格局變化。齊國不去示好秦國，諸侯列國都會靠攏齊國，親弗在齊國就待不下去了。這樣一來，除了您，齊王還能靠誰幫他治理國家呢？」孟嘗君決定採納蘇代的計謀。呂禮得知風聲，想加害孟嘗君。孟嘗君趕忙給秦穰侯魏冉寫了一封信，信中說：「秦國是打算讓呂禮來聯合齊國嗎？齊國是天下的強國，齊、秦聯合成功，呂禮勢必得勢，而您的地位就輕了。如果秦、齊結盟來對付韓、趙、魏三國，那麼呂禮就將執掌秦、齊兩國的相印。您不如勸說秦王攻打齊國。齊國戰敗，我會設法請求秦王以齊國的土地封您。齊國戰敗後，秦王擔心魏國強大，必定重用您去結交魏國。魏國敗於齊國又害怕秦國，肯定會推崇您以結交秦國。這樣您既擁有戰勝齊國的功勞，又能挾持魏國提高地位，還可以得到齊國的封邑，使秦、魏兩國同時敬重您。如果齊國戰勝，呂禮受重用，您的日子就不好過了。」於是穰侯向秦昭王提議攻打齊國。呂禮得知消息，隨即逃離了齊國。

【出處】

其後，秦亡將呂禮相齊，欲困蘇代。代乃謂孟嘗君曰：「周最於齊，至厚也，而齊王逐之，而聽親弗相呂禮者，欲取秦也。齊、秦合，則親弗與呂禮重矣。有用，齊、秦必輕君。君不如急北兵，趨趙以和秦、魏，收周最以厚行，且反齊王之信，又禁天下之變。齊無秦，則天下集齊，親弗必走，則齊王孰與為其國也！」於是孟嘗君從其計，而呂禮嫉害於孟嘗君。孟嘗君懼，乃遺秦相穰侯魏冉書曰：「吾聞秦欲以呂禮收齊，齊，天下之強國也，子必輕矣。齊秦相取以臨三晉，呂禮必並相矣，是子通齊以重呂禮也。若齊免於天下之兵，其仇子必深矣。子不如勸秦王伐齊。齊破，吾請以所得封子。齊破，秦畏晉之強，秦必重子以取晉。晉國敝於齊而畏秦，晉必重子以取秦。是子破齊以為功，挾晉以為重；是子破齊定封，秦、晉交重子。若齊不破，呂禮復用，子必大窮。」於是穰侯言於秦昭王伐齊，而呂禮亡。（《史記》〈孟嘗君列傳〉）

事有必至，理有固然

孟嘗君被齊王驅逐後又得到重用。譚拾子到邊境迎接他，對孟嘗君說：「您對齊國的士大夫有所怨恨吧？」孟嘗君說：「有啊。」譚拾子說：「您想殺掉他們才滿意嗎？」孟嘗君說：「是的。」譚拾子說：「有些事必然會發生，有些道理本來就如此，您知道嗎？」孟嘗君說：「你說說。」譚拾子說：「人人都會死，這是必然會發生的；富貴了就有人靠近，貧賤了就遭人疏遠，道理本來就是這樣。讓我以集市打個比方：早晨集市上熙熙攘攘，人滿為患，晚上則空空蕩蕩，門可羅雀。為什麼會是這樣？因為早晨集市上有要買的東西，晚上沒有。希望您不要責怪和怨恨別人。」孟嘗君聽了，當即把簡牒上所刻的五百個仇人削去，不再提報復的事。

【出處】

孟嘗君逐於齊而復反。譚拾子迎之於境，謂孟嘗君曰：「君得無有所怨齊士大夫？」孟嘗君曰：「有。」「君滿意殺之乎？」孟嘗君曰：「然。」譚拾子曰：「事有必至，理有固然，君知之乎？」孟嘗君曰：「不知。」譚拾子曰：「事之必至者，死也；理之固然者，富貴則就之，貧賤則去之。此事之必至，理之固然者。請以市諭。市，朝則滿，夕則虛，非朝愛市而夕憎之也，求存故往，亡故去。願君勿怨！」孟嘗君乃取所怨五百牒削去之，不敢以為言。（《戰國策》〈齊策四〉）

馮驩西說秦王

齊王受秦、楚兩國誹謗言論的蠱惑，認為孟嘗君的名聲高過自己，獨攬齊國大權，於是將孟嘗君免職。賓客們見孟嘗君被罷免，都離他而去。馮驩說：「借我一輛車子，只要到了秦國，我一定會讓您在齊國重新顯貴，食邑比過去更大。可以嗎？」於是孟嘗君安排馬車和禮物送馮驩上路。馮驩到達秦國後遊說秦王說：「天下說客駕車西入秦國的，無一不是想要秦國強大而削弱齊國；乘車東進齊國的，無一不是想要齊國強大而削弱秦國。秦、齊兩國勢不兩立，勢必一決雌雄，得勝者得天下。」秦王聽得入神，挺直身子問馮驩說：「秦國該怎樣避免成為輸家呢？」馮驩回答說：「大王也知道齊國罷免了孟嘗君的相位吧？」秦王說：「聽說過了。」馮驩說：「使齊國為天下看重的是孟嘗君，如今齊王聽信讒言將他罷免，孟嘗君心中怨恨，必定會背離齊國；他對齊國的國情瞭如指掌，只要他投奔秦國，秦國就將得到整個齊國！您趕快派使者載著禮物去迎接孟嘗君，千萬不能坐失良機啊。如果齊王清醒過來再度起用他，秦齊兩國誰勝誰負就不好說了。」秦王聽了非常高興，當即安排使者，攜帶十輛馬車載著百鎰黃金去接孟嘗君。馮驩告別秦王而搶在使者之前回到齊國，勸諫齊王說：「天下說客駕車東來齊國的，無一不是想讓齊國強大而削弱秦國；乘車西去秦國的，無一不是要使秦國強大而削弱齊國。秦國要與齊國一決雌雄，勝者將雄霸天下。我私下得知秦國已經派遣使者攜帶厚禮來接孟嘗君。一旦孟嘗君就任秦國宰相，天下將歸秦國所有，齊國的臨淄、即墨就危在旦夕了。大王為什麼不搶在秦國使者到達之前，趕緊恢復孟嘗君的相位，並增加封邑表示道歉呢？如果能這麼做，孟嘗君必定會高興接受。秦國雖是強國，哪能任意到別的國家迎接人家的宰相呢！」齊王聽了，頓時醒悟說：「好。」於是派人到邊境等候秦國使者。秦國使者的車子剛剛進入齊國領土，齊王派往邊境的使臣立即回去報告，齊王於是召回孟嘗君恢復相位，除了還給他原有的封邑，又給他增加了千戶的領地。秦國使者得知孟嘗君已恢復相位，就掉轉車頭回去了。

【出處】

齊王惑於秦、楚之毀，以為孟嘗君名高其主而擅齊國之權，遂廢孟嘗君。諸客見孟嘗君廢，皆去。馮驩曰：「借臣車一乘，可以入秦者，必令君重於國而奉邑益廣，可乎？」孟嘗君乃約車幣而遣之。馮驩乃西說秦王曰：「天下之游士馮軾結靷西入秦者，無不欲強秦而弱齊；馮軾結靷東入齊者，無不欲強齊而弱秦。此雄雌之國也，勢不兩立為雄，雄者得天下矣。」秦王跽而問之曰：「何以使秦無為雌而可？」馮驩曰：「王亦知齊之廢孟嘗君乎？」秦王曰：「聞之。」馮驩曰：「使齊重於天下者，孟嘗君也。今齊王以毀廢之，其心怨，必背齊；背齊入秦，則齊國之情，人事之誠，盡委之秦，齊地可得也，豈直為雄也！君急使使載幣陰迎孟嘗君，不可失時也。如有齊覺悟，復用孟嘗君，則雌雄之所在未可知也。」秦王大悅，乃遣車十乘、黃金百鎰以迎孟嘗君。馮驩辭以先行，至齊，說齊王曰：「天下之游士馮軾結靷東入齊者，無不欲強齊而弱秦者；馮軾結靷西入秦者，無不欲強秦而弱齊者。夫秦齊雄雌之國，秦強則齊弱矣，此勢不兩雄。今臣竊聞秦遣使車十乘載黃金百鎰以迎孟嘗君。孟嘗君不西則已，西入相秦則天下歸之，秦為雄而齊為雌，雌則臨淄、即墨危矣。王何不先秦使之未到，復孟嘗君，而益與之邑以謝之？孟嘗君必喜而受之。秦雖強國，豈可以請人相而迎之哉！折秦之謀，而絕其霸強之略。」齊王曰：「善。」乃使人至境候秦使。秦使車適入齊境，使還馳告之，王召孟嘗君而復其相位，而與其故邑之地，又益以千戶。秦之使者聞孟嘗君復相齊，還車而去矣。（《史記》〈孟嘗君列傳〉）

狗盜雞鳴

齊湣王二十五年，孟嘗君受命出使秦國。秦昭王讓孟嘗君出任秦國國相。臣僚中有人勸諫秦王說：「孟嘗君的確賢能，但卻是齊王同宗，現在出任秦國相國，謀劃事情必定先替齊國打算，而後才會考慮秦國，這對秦國很不利啊！」於是昭王罷免了孟嘗君的相位，把他囚禁起來，想伺機除掉他。孟嘗君託人懇請昭王的寵妾相救。寵妾說：「我希望得到孟嘗君的白色狐皮裘。」孟嘗君有一件白色狐皮裘衣，價值千金，天下沒有第二件，到秦國後獻給了昭王。孟嘗君為此發愁，手下有位能披狗皮行竊的門客說：「我能取回那件裘衣。」於是當晚化裝成一條狗鑽入秦宮倉庫，盜出了獻給昭王的那件狐白裘衣。寵妾得到裘衣後，替孟嘗君向昭王說情，昭王便釋放了孟嘗君。孟嘗君獲釋後，立即乘快車逃離，更換出境證件，變更姓名逃出城關，於夜半時分到達函谷關。昭王後悔釋放孟嘗君，派人尋找，得知已經逃走，隨即派追兵追趕。按照關法，雞叫時才能放來往的客人出關，孟嘗君恐怕追兵趕到，心中焦急，有個門客能模仿雞叫，他一學雞叫，附近的雞便跟著叫了起來，於是出示證件逃出了函谷關。出關後約莫一頓飯工夫，秦國追兵也趕到了。得知孟嘗君出關已遠，只好掉頭回去。當初，孟嘗君收留這兩位門客時，其他賓客都感到恥辱，覺得臉上無光，現在依靠二人的狗盜雞鳴順利逃出秦國，才覺得孟嘗君慧眼識人，心中無不佩服。

【出處】

齊湣王二十五年，復卒使孟嘗君入秦，昭王即以孟嘗君為秦相。人或說秦昭王曰：「孟嘗君賢，而又齊族也，今相秦，必先齊而後秦，秦其危矣。」於是秦昭王乃止。囚孟嘗君，謀欲殺之。孟嘗君使人抵昭王幸姬求解。幸姬曰：「妾原得君狐白裘。」此時孟嘗君有一狐白裘，直千金，天下無雙，入秦獻之昭王，更無他裘。孟嘗君患之，遍問客，莫能對。最下坐有能為狗盜者，曰：「臣能得狐白裘。」乃夜為狗，以入秦宮臧中，取所獻狐白裘至，以獻秦王幸姬。幸姬為言昭王，昭王釋孟嘗君。孟嘗君得出，即馳去，更封傳，變名姓以出關。夜半至函谷關。秦昭王後悔出孟嘗君，求之已去，即使人馳傳逐之。孟嘗君至關，關法雞鳴而出客，孟嘗君恐追至，客之居下坐者有能為雞鳴，而雞齊鳴，遂發傳出。出如食頃，秦追果至關，已後孟嘗君出，乃還。始孟嘗君列此二人於賓客，賓客盡羞之，及孟嘗君有秦難，卒此二人拔之。自是之後，客皆服。（《史記》〈孟嘗君列傳〉）

以身為盟

孟嘗君擔任相國時，門客魏子替他到薛邑收租，三次往返，都沒有把租子收回來。孟嘗君找他問責，魏子回答說：「有位賢德的人，我私自以您的名義把租子贈給了他。」孟嘗君聽了火冒三丈，當即辭退了魏子。幾年之後，有人在齊湣王面前造謠說：「孟嘗君要發動叛亂了。」不久田甲劫持湣王，湣王懷疑是孟嘗君策劃的，為免遭殃禍，孟嘗君只得出逃。曾經得到魏子贈租的那位賢士得知消息，就上書湣王申明孟嘗君不會作亂，並以自己的性命擔保。賢士在宮殿門口刎頸自殺，以此證明孟嘗君的清白。湣王非常震驚，下令徹查，查明孟嘗君並沒有參與叛亂，便派人召回孟嘗君。孟嘗君推託有病，要求辭官回薛邑養老，湣王答應了他的請求。

【出處】

孟嘗君相齊，其舍人魏子為孟嘗君收邑入，三反而不致一入。孟嘗君問之，對曰：「有賢者，竊假與之，以故不致入。」孟嘗君怒而退魏子。居數年，人或毀孟嘗君於齊湣王曰：「孟嘗君將為亂。」及田甲劫湣王，湣王意疑孟嘗君，孟嘗君乃奔。魏子所與粟賢者聞之，乃上書言孟嘗君不作亂，請以身為盟，遂自剄宮門以明孟嘗君。湣王乃驚，而蹤跡驗問，孟嘗君果無反謀，乃復召孟嘗君。孟嘗君因謝病，歸老於薛。湣王許之。（《史記》〈孟嘗君列傳〉）

絕嗣無後

齊湣王滅掉宋國後，日益驕橫跋扈，打算除掉孟嘗君。孟嘗君很害怕，就跑到魏國。魏昭王任用他為國相，與秦、趙兩國聯合，協助燕國攻打並戰勝了齊國。齊湣王逃到莒地，後來就死在那裡。齊襄王即位後，孟嘗君回到薛邑，在諸侯國之間保持中立。齊襄王懾於孟嘗君的聲威，便主動與孟嘗君和好，與他保持親近。田文去世後，諡號稱孟嘗君。田文的兒子們為繼承爵位展開爭奪，齊、魏兩國趁機滅掉了薛邑。孟嘗君絕嗣，沒有後代。

【出處】

後齊湣王滅宋，益驕，欲去孟嘗君。孟嘗君恐，乃如魏。魏昭王以為相，西合於秦、趙，與燕共伐破齊。齊湣王亡在莒，遂死焉。齊襄王立，而孟嘗君中立於諸侯，無所屬。齊襄王新立，畏孟嘗君，與連和，復親薛公。文卒，謚為孟嘗君。諸子爭立，而齊魏共滅薛。孟嘗絕嗣無後也。（《史記》〈孟嘗君列傳〉）

好客自喜

太史公說，我曾經經過薛地，感受那裡的風氣，閭巷裡凶暴子弟頗多，與鄒地、魯地的情景大不一樣。向當地人詢問原因，回答說：「孟嘗君在薛地時，曾經廣招天下負氣仗義的俠士，當時因亂法犯禁進入薛地的，大概就有六萬多家。」世間傳言孟嘗君以好客為榮，的確名不虛傳。

【出處】

太史公曰：吾嘗過薛，其俗閭裡率多暴桀子弟，與鄒、魯殊。問其故，曰：「孟嘗君招致天下任俠，奸人入薛中蓋六萬餘家矣。」世之傳孟嘗君好客自喜，名不虛矣。（《史記》〈孟嘗君列傳〉）

以收天下

蘇秦從燕國到齊國，在華章南門拜見齊閔王。齊閔王說：「唉！您可來了。秦國派魏冉送來帝號，您認為該怎麼辦？」蘇秦回答說：「沒想到大王會問這個問題。不過禍患往往是從小處發生的，不能不慎重。如果不接受，會遭秦國怨恨；如果接受，又會遭列國諸侯怨恨。不如先接受它以應付秦國，不對外宣稱帝號以應付列國諸侯。如果秦王稱帝，列國聽之任之，大王也可以稱帝，不過是先後的事情，不傷害帝王的名號；如果秦王稱帝，列國諸侯不服，大王就不要稱帝，以此來籠絡列國諸侯。」

【出處】

蘇秦自燕之齊，見於華章南門。齊王曰：「嘻！子之來也。秦使魏冉致帝，子以為何如？」對曰：「王之問臣也卒，而患之所從生者微。今不聽，是恨秦也；聽之，是恨天下也。不如聽之以卒秦，勿庸稱也以為天下。秦稱之，天下聽之，王亦稱之，先後之事，帝名為無傷也。秦稱之，而天下不聽，王因勿稱，其於以收天下，此大資也。」（《戰國策》〈齊策四〉）

以卑易尊

蘇秦問齊閔王說：「齊國、秦國分別稱為東帝、西帝之後，大王認為天下會尊重哪個國家？」齊王說：「尊重秦國。」蘇秦說：「如果齊國放棄帝號，那麼天下各國會愛戴哪個國家呢？」齊王說：「愛戴齊國而憎恨秦國。」蘇秦說：「齊、秦兩國稱帝，相約討伐趙國或宋國，哪個更有利於齊國？」齊王說：「不如討伐宋國。」蘇秦說：「據此來看，臣願意大王公開放棄帝號，來順應天下諸侯；背棄盟約，放棄秦國，不與秦國爭高下，然後趁機攻占宋國。占據宋國後，衛國的陽城就危險了；占據了淮北，楚國的東部就危險了；占有了濟水以西的土地，趙國的趙河以東之地就危險了；占有了陶、平陸，魏都大梁的城門就不敢開啟。所以，放棄帝號以進攻宋國表明與秦國懷有二心，齊國就會威名遠颺。燕國、楚國迫於形勢而臣服，天下諸侯誰敢不聽從，這是商湯、周武王的作為。放棄帝號名義上是抬舉秦國，實際是令天下各國憎恨秦國，這就是所謂以謙卑換尊貴啊。我希望大王能深思熟慮。」

【出處】

蘇秦謂齊王曰：「齊、秦立為兩帝，王以天下為尊秦乎？且尊齊乎？」王曰：「尊秦。」「釋帝則天下愛齊乎？且愛秦乎？」王曰：「愛齊而憎秦。」「兩帝立，約伐趙，孰與伐宋之利也？」對曰：「夫約然與秦為帝，而天下獨尊秦而輕齊；齊釋帝，則天下愛齊而憎秦；伐趙不如伐宋之利。故臣願王明釋帝，以就天下；倍約儐秦，勿使爭重；而王以其間舉宋。夫有宋則衛之陽城危；有淮北則楚之東國危；有濟西則趙之河東危；有陰、平陸則梁門不啟。故釋帝而貳之以伐宋之事，則國重而名尊，燕、楚以形服，天下不敢不聽，此湯、武之舉也。敬秦以為名，而後使天下憎之，此所謂以卑易尊者也！願王之熟慮之也！」（《戰國策》〈齊策四〉）

齊宿瘤女

齊宿瘤女，是齊國東城一帶的採桑女子，閔王的王后。她脖子上長了個很大的瘤子，所以人們都叫她宿瘤女。一天，閔王出遊，來到東城，老百姓都來看熱鬧，只有宿瘤女照常採桑。閔王覺得奇怪，叫她來問道：「寡人出遊，車水馬龍，大家都放下農活上前觀看，唯獨你依舊在路邊採桑，為什麼呢？」宿瘤女回答說：「我的父母讓我採桑，沒讓我上前圍觀啊。」齊王說：「你真是一位奇女子，可惜長了瘤子。」宿瘤女說：「我的工作就是專心致志幹活，長個瘤子，又有什麼關係呢？」閔王非常高興說：「這是個賢能的女子啊！」於是讓後車帶她回宮。宿瘤女說：「託大王的福，但我父母雙親還在，就這樣跟大王走，那不成了私奔嗎？這對大王也不好啊。」閔王大為慚愧說：「是寡人的錯。」宿瘤女說：「貞潔的女子，如果聘禮不完備，也會誓死不從。」於是齊王回宮，讓使臣以黃金百鎰前往聘迎。宿瘤女的父母惶恐不安，想為她沐浴裝扮。宿瘤女說：「要是換了樣子，大王就不認識了。」她誓死不聽從。於是像平常一樣打扮，跟隨使臣入宮。閔王回宮後告訴諸夫人說：「今天我出遊，遇見一位賢女，她來後就沒有你們的位置了。」夫人們覺得奇怪，於是盛裝出迎。過了好久宿瘤女才到，夫人們都吃了一驚，隨即掩口而笑。一旁的人也見之失態，不能自止。齊王非常羞慚地說：「不要取笑沒有打扮的人。打扮不打扮會相差十倍百倍的。」宿瘤女說：「即便相差千萬倍也不值一提。」齊王說：「為什麼這麼說呢？」宿瘤女說：「性相近，習相遠。從前堯、舜、桀、紂都是天子，堯、舜以仁義裝扮自己，雖然貴為天子，卻奉行節儉之道，宮殿的茅茨不剪，采椽不雕飾，後宮衣著樸素，飲食簡單，到現在幾千年了，天下的人仍然稱讚不已。桀、紂不行仁義，推行嚴刑峻法，修造高臺深池，後宮身著綾羅綢緞，喜好珠玉寶飾，享受美味佳餚。等到身死國亡，終於被天下人嘲笑，到現在有一千多年了，世人還沒原諒他們的惡行。所以我說，打扮不打扮，相差千倍萬倍又何值一提呢？」諸夫人聽說後都很慚愧。閔王大為感動，把宿瘤女立為王后，下令革除一切豪華奢侈，停止建造宮室，填平池澤，簡化餐飲，減少娛樂，後宮一律衣著簡樸。短短一個月，齊國就威震鄰國，各國諸侯紛紛來朝。齊國向三晉用兵，與秦國並立為帝。閔王能有這番作為，全賴宿瘤女的功勞啊！等到宿瘤女死後，燕國就攻占齊國，致使閔王出逃被殺。君子評價說宿瘤女通達有禮。《詩經》裡說：「莪蒿蔥蘢真繁茂，叢叢生長在山坳。已經見了那君子，快快樂樂好儀表。」說的就是她啊。

【出處】

宿瘤女者，齊東郭採桑之女，閔王之後也。項有大瘤，故號曰宿瘤。初，閔王出游，至東郭，百姓盡觀，宿瘤採桑如故，王怪之，召問曰：「寡人出遊，車騎甚眾，百姓無少長，皆棄事來觀，汝採桑道旁，曾不一視，何也？」對曰：「妾受父母教採桑，不受教觀大王。」王曰：「此奇女也，惜哉宿瘤！」女曰：「婢妾之職，屬之不二，予之不忘，中心謂何，宿瘤何傷？」王大悅之，曰：「此賢女也。」命後乘載之，女曰：「賴大王之力，父母在內，使妾不受父母之教而隨大王，是奔女也，大王又安用之？」王大慚，曰：「寡人失之。」又曰：「貞女一禮不備，雖死不從。」於是王遣歸，使使者加金百鎰往聘迎之，父母驚惶，欲洗沐，加衣裳，女曰：「如是見王，則變容更服，不見識也。」請死不往。於是如故，隨使者。閔王歸見諸夫人，告曰：「今日出游，得一聖女，今至斥汝屬矣。」諸夫人皆怪之，盛服而衛。遲其至也，宿瘤，駭，宮中諸夫人皆掩口而笑，左右失貌，不能自止。王大慚，曰：「且無笑，不飾耳。夫飾與不飾，固相去十百也。」女曰：「夫飾與不飾，相去千萬，尚不足言，何獨十百也！」王曰：「何以言之？」對曰：「性相近，習相遠也。昔者堯、舜、桀、紂，俱天子也。堯舜、自飾以仁義，雖為天子，安於節儉，茅茨不翦，采椽不斫，後宮衣不重采，食不重味，至今數千歲，天下歸善焉。桀、紂不自飾以仁義，習為苛文，造為高臺深池，後宮蹈綺縠，弄珠玉，意非有厭時也，身死國亡，為天下笑，至今千餘歲，天下歸惡焉。由是觀之，飾與不飾，相去千萬，尚不足言，何獨十百也。」於是諸夫人皆大慚，閔王大感，立瘤女以為後。出令卑宮室，填池澤，損膳減樂，後宮不得重采。期月之間，化行鄰國，諸侯朝之。侵三晉，懼秦、楚，立帝號。閔王至於此也，宿瘤女有力焉。及女死之後，燕遂屠齊，閔王逃亡，而弒死於外。君子謂宿瘤女通而有禮。《詩》云：「菁菁者莪，在彼中阿。既見君子，樂且有儀。」[19]此之謂也。（《列女傳》〈辯通傳〉）

19. 「菁菁者莪，在彼中阿。既見君子，樂且有儀」，出自《詩經》〈小雅・菁菁者莪〉。

公姣且麗

齊湣王對列精子高言聽計從。一次，列精子高穿著熟絹做的衣服，戴著白絹做的帽子，穿著粗劣的鞋子，早晨剛下過雨，於是撩起衣服走下臺階，對侍從說：「我這身穿戴怎麼樣？」侍從說：「非常漂亮得體。」列精子高走到井邊窺看，活脫脫一幅醜男模樣。於是仰臉感嘆說：「侍從因為齊王對我言聽計從，就這樣曲意迎合！齊王是擁有萬乘大國的君主，人們只怕會更加阿諛奉承。他自己也就更難覺察自己的過錯了。如此一來，亡國的日子也就不遠了。誰能夠做君主的鏡子呢？大概只有賢士。人們都喜歡用鏡子照出自己的真容，卻厭惡古人指出自己的缺點。以鏡子照出真容的功用與指出君主缺點的賢士相比，哪能同日而語呢？」

【出處】

列精子高聽行乎齊湣王，善衣東布衣，白縞冠，顙推之履，特會朝雨袪步堂下，謂其侍者曰：「我何若？」侍者曰：「公姣且麗。」列精子高因步而窺於井，粲然惡丈夫之狀也。喟然嘆曰：「侍者為吾聽行於齊王也，夫何阿哉！又況於所聽行乎萬乘之主。人之阿之亦甚矣，而無所鏡，其殘亡無日矣。孰當可而鏡？其唯士乎！人皆知說鏡之明己也，而惡士之明己也。鏡之明己也功細，士之明己也功大。得其細，失其大，不知類耳。」（《呂氏春秋》〈恃君覽・達郁〉）

生烹文摯

齊王長了惡瘡，派人到宋國接文摯。文摯到了，察看了齊王的病，對太子說：「大王的病可以治癒。雖然如此，大王一旦痊癒，就會殺死我。」太子說：「什麼原因呢？」文摯回答說：「要治好大王的病，必須激怒大王；但大王真被激怒的話，我就必死無疑。」太子叩頭下拜，極力懇求說：「如果治好父王的病而父王真要殺您，我和母親一定以死為您爭辯，父王哀憐我和母親，一定不會傷害您，請先生不必擔憂。」文摯說：「好吧。我願以死為大王治病。」文摯跟太子約好看病的日期，三次不如約前往。齊王已經動怒。文摯進來之後，不脫鞋就把腳放在齊王床上，還踩著齊王的衣服詢問病情。齊王十分惱怒，不跟他說話。文摯於是口出不遜刺激齊王。齊王厲聲喝斥著站了起來，病一下子就好了。齊王大怒難消，下令將文摯活活煮死。太子和王后急忙上前為文摯爭辯，苦苦哀求，未能改變齊王的主意。文摯被煮了三天三夜，容顏不改。文摯說：「真的要殺我，為什麼不蓋上蓋子，隔斷陰陽之氣呢？」齊王讓人蓋上鼎蓋，文摯這才氣絕而死。《呂氏春秋》據此評價說：在太平盛世盡忠容易，亂世盡忠卻很難。文摯並非不知道治癒齊王的結局。他是為了成全太子的孝敬之心，才自願獻身的啊！

【出處】

齊王疾痏，使人之宋迎文摯。文摯至，視王之疾，謂太子曰：「王之疾必可已也。雖然，王之疾已，則必殺摯也。」太子曰：「何故？」文摯對曰：「非怒王則疾不可治，怒王則摯必死。」太子頓首強請曰：「苟已王之疾，臣與臣之母以死爭之於王，王必幸臣與臣之母，願先生之勿患也。」文摯曰：「諾。請以死為王。」與太子期，而將往不當者三，齊王固已怒矣。文摯至，不解屨登床，履王衣，問王之疾，王怒而不與言。文摯因出辭以重怒王，王叱而起，疾乃遂已。王大怒不說，將生烹文摯。太子與王后急爭之而不能得，果以鼎生烹文摯。爨之三日三夜，顏色不變。文摯曰：「誠欲殺我，則胡不覆之，以絕陰陽之氣？」王使覆之，文摯乃死。夫忠於治世易，忠於濁世難。文摯非不知活王之疾而身獲死也，為太子行難以成其義也。（《呂氏春秋》〈仲冬紀・至忠〉）

太不忍人

成驩對齊王說：「大王過於心慈手軟了。」齊王說：「心慈手軟，不是好名聲嗎？」成驩回答說：「這是臣子的優點，君主卻不能這麼做。臣子仁慈，人們就願意和他謀事；對人溫和，人們就願意和他接近。」齊王說：「我怎麼心慈手軟呢？」成驩回答說：「大王對薛公太仁慈，對田氏宗族過於遷就。對薛公太仁慈，大臣們就沒有權勢；對田氏宗族過於遷就，大王的叔伯兄弟就會貪贓枉法。大臣們沒有權勢，軍隊就沒有戰鬥力；叔伯兄弟犯法，內政就會陷於混亂。軍力削弱，國政混亂，這是亡國的根源所在。」

【出處】

成驩謂齊王曰：「王太仁，太不忍人。」王曰：「太仁，太不忍人，非善名邪？」對曰：「此人臣之善也，非人主之所行也。夫人臣必仁而後可與謀，不忍人而後可近也；不仁則不可與謀，忍人則不可近也。」王曰：「然則寡人安所太仁，安不忍人？」對曰：「王太仁於薛公，而太不忍於諸田。太仁薛公，則大臣無重；太不忍諸田，則父兄犯法。大臣無重，則兵弱於外；父兄犯法，則政亂於內。兵弱於外，政亂於內，此亡國之本也。」（《韓非子》〈內儲說上・七術〉）

王無以應

國家的禍患都是因名不正、言不順造成的。知和行、言與實必須相符，如果視小人為賢才，拿姦邪當忠良，以悖逆為善行，國家自然會發生動亂，從而禍及君主自身，齊湣王就是這樣。齊湣王自稱喜歡士，卻不知士的含義。所以尹文問他什麼叫士，湣王竟無話可答。這就是公玉丹被信任、卓齒受重用的原因啊。任用卓齒，信任公玉丹，豈不是給自己樹敵？尹文拜見齊王，齊王對尹文說：「我非常好士。」尹文說：「您說說什麼叫士吧。」齊王答不上來。尹文說：「假如有個人，孝順父母，忠於君主，對朋友守信用，在家裡愛兄長。有這四種品行，可以叫士嗎？」齊王說：「這就是標準的士。」尹文說：「您得到他，肯用他做臣子嗎？」齊王說：「當然用，但得不到啊。」尹文說：「假如這人在大庭廣眾之中受到莫大的侮辱卻不抗爭，您還用他做臣子嗎？」齊王說：「不。受到侮辱卻不抗爭，是士大夫的恥辱。甘心受辱的人，我不會用他做臣子。」尹文說：「這個人雖然受辱而不抗爭，但他並沒有喪失上述為士的四種品行，大王您不用他做臣子，那麼您先前認為的士還是士嗎？」齊王又無話可答。尹文說：「假如有人執政，人民犯錯也責備他們，沒犯錯也責備他們，有罪懲罰他們，沒罪也懲罰他們，還埋怨社會難以治理，這可以嗎？」齊王說：「不可以。」尹文說：「我私下觀察您的臣屬治理齊國，就是這樣。」齊王說：「假如我執政真是這種水平，那也沒什麼好抱怨的。或許齊國還沒淪落到這種地步吧！」尹文說：「我既然敢這樣說，當然是有理由的。譬如您的法令說：『殺人者死，傷人者刑。』民眾敬畏您的法令，即便受到莫大的侮辱也不敢抗爭，這是遵循您的法令啊。然而您又說：『受侮辱而不敢抗爭，這是恥辱。』本該重用為臣的人您卻不用，這等於是懲罰他，這難道不是『沒罪也懲罰他』嗎？」齊王再次無話可答。

【出處】

齊湣王是以知說士而不知所謂士也。故尹文問其故，而王無以應。此公玉丹之所以見信、而卓齒之所以見任也。任卓齒而信公玉丹，豈非以自仇邪？尹文見齊王，齊王謂尹文曰：「寡人甚好士。」尹文曰：「願聞何謂士？」王未有以應。尹文曰：「今有人於此，事親則孝，事君則忠，交友則信，居鄉則悌。有此四行者，可謂士乎？」齊王曰：「此真所謂士已。」尹文曰：「王得若人，肯以為臣乎？」王曰：「所願而不能得也。」尹文曰：「使若人於廟朝中，深見侮而不鬥，王將以為臣乎？」王曰：「否。大夫見侮而不鬥，則是辱也。辱則寡人弗以為臣矣。」尹文曰：「雖見侮而不鬥，未失其四行也。未失其四行者，是未失其所以為士一矣。未失其所以為士一而王以為臣，失其所以為士一而王不以為臣，則向之所謂士者乃士乎？」王無以應。尹文曰：「今有人於此，將治其國，民有非則非之，民無非則非之，民有罪則罰之，民無罪則罰之，而惡民之難治，可乎？」王曰：「不可。」尹文曰：「竊觀下吏之治齊也，方若此也。」王曰：「使寡人治信若是，則民雖不治，寡人弗怨也。意者未至然乎！」尹文曰：「言之不敢無說，請言其說。王之令曰：『殺人者死，傷人者刑。』民有畏王之令，深見侮而不敢鬥者，是全王之令也，而王曰：『見侮而不敢鬥，是辱也。』夫謂之辱者，非此之謂也？以為臣不以為臣者，罪之也。此無罪而王罰之也。」齊王無以應。（《呂氏春秋》〈先識覽・正名〉）

惡王之賢

齊湣王從齊國出逃，居於衛國。白天散步的時候，齊湣王問公玉丹說：「我成了亡國之君，卻不知原因何在。到底是因為什麼呢，告訴我，我好糾正自己的過失。」公玉丹回答說：「我以為大王知道哩。大王真的不知道嗎？您之所以流亡國外，是因為您太賢明。天下的君主個個不肖，因而憎惡大王的賢能，於是互相勾結，合兵進攻大王。這就是大王亡國出走的原因啊！」湣王很感慨，嘆息說：「君主賢明，竟要經受這樣的苦難啊！」齊湣王作為泱泱大國的君主，邊界延綿數千里，然而軍隊敵不過諸侯，土地被燕昭王褫奪，祖宗基業喪失，宗廟無人祭祀，宮中珍寶被洗掠一空，自己到處流竄，比服勞役的罪人都不如，可他到死不知道為什麼亡國出逃，這本已十分可憐，可悲可笑的是，他竟然還自以為賢明！

【出處】

齊湣王亡居於衛，晝日步足，謂公玉丹曰：「我已亡矣，而不知其故。吾所以亡者，果何故哉？我當已。」公玉丹答曰：「臣以王為已知之矣，王故尚未之知邪？王之所以亡也者，以賢也。天下之王皆不肖，而惡王之賢也，因相與合兵而攻王。此王之所以亡也。」湣王慨焉太息曰：「賢固若是其苦邪？」此亦不知其所以也。此公玉丹之所以過也。（《呂氏春秋》〈季秋紀・審己〉）

帶益三副

齊湣王逃到衛國，問公玉丹說：「我是個怎樣的君主呢？」公玉丹回答說：「肯定是賢明的君主啊！我聽說古人拋棄天下也沒有憾色，從前我只是聽人傳說，今天才親眼見到。您號稱東帝，實際是統治天下，從齊國來到衛國，您體貌豐盈，容光煥發，一點看不出懷念江山社稷的樣子啊。」湣王說：「說得太好了！還是公玉丹了解我。寡人到了衛國，腰帶已加長了三倍呢。」

【出處】

齊湣王亡居衛，謂公王丹曰：「我何如主也？」玉丹對曰：「王賢主也。臣聞古人有辭天下而無恨色者，臣聞其聲，於王而見其實。

王名稱東帝，實辨天下。去國居衛，容貌充滿，顏色發揚，無重國之意。」王曰：「甚善！丹知寡人。寡人自去國居衛也，帶益三副矣。」（《呂氏春秋》〈貴直論・過理〉）

湣王不遜

齊湣王四十年，燕、秦、楚與三晉合謀，各派精兵進攻齊國，在濟水以西打敗齊軍。齊軍潰退，燕將樂毅率兵攻入齊都臨淄，掠取了齊國收藏的全部珍寶禮器。湣王出逃到衛國，衛國國君騰出王宮供他居住，以臣子的身分侍候他。湣王表現得非常傲慢，衛國人厭煩，就去侵擾他。湣王只得離開衛國，前往鄒、魯二國，其驕橫傲慢如故。鄒、魯的國君都不收留他，於是他輾轉奔莒。楚國派淖齒率兵救援齊國，輔佐齊湣王。淖齒竟然殺死湣王，與燕國一起瓜分了齊國的土地和寶器。

【出處】

四十年，燕、秦、楚、三晉合謀，各出銳師以伐，敗我濟西。王解而卻。燕將樂毅遂入臨淄，盡取齊之寶藏器。湣王出亡，之衛。衛君辟宮舍之，稱臣而共具。湣王不遜，衛人侵之。湣王去，走鄒、魯，有驕色，鄒、魯君弗內，遂走莒。楚使淖齒將兵救齊，因相齊湣王。淖齒遂殺湣王而與燕共分齊之侵地鹵器。（《史記》〈田敬仲完世家〉）

天地人皆以告

齊都臨淄有個叫狐咺的貧民，因為直言批評齊閔王的過失，被閔王在檀街斬首，百姓心中不服。齊國宗室中有個叫陳舉的，也因為直言不諱批評閔王，被處死於東城門外，宗族從此與閔王離心背德。司馬穰苴為政素有美譽，也被無故誅殺，大臣們自此不再親近閔王。燕王趁機派昌國君樂毅率兵攻打齊國，齊國派向子率兵迎戰。齊軍大敗，向子僅以一輛戰車逃脫。達子收拾殘兵敗將，重整旗鼓，與燕軍苦戰。達子要求閔王對勇赴國難的將士有所獎賞，閔王吝嗇不肯，齊軍再次敗北，閔王逃奔莒城。齊相淖齒面見閔王，數說閔王的罪狀說：「在千乘與博昌之間方圓數百里的地方，天降血雨，淋濕人衣，大王知道嗎？」閔王說：「不知道。」「在嬴、博之間，大地開裂泉水上湧，大王知道嗎？」閔王說：「不知道。」「有人在宮門前啼哭，去看時不見有人，走開卻又聽到哭聲，大王知道嗎？」閔王仍然搖頭說：「不知道。」淖齒說：「天降血雨，這是老天示警；地裂泉湧，這是大地示警；望宮門而泣，這是人事示警。天、地、人都來預警，你卻不知道反省收斂，你還有什麼臉活在世上呢！」於是在鼓裡殺死閔王。

【出處】

齊負郭之民有孤狐咺者，正議閔王，斮之檀街，百姓不附。齊孫室子陳舉直言，殺之東閭，宗族離心。司馬穰苴為政者也，殺之，大臣不親。以故燕舉兵，使昌國君將而擊之。齊使向子將而應之。齊軍破，向子以輿一乘亡。達子收余卒，復振，與燕戰，求所以償者，閔王不肯與，軍破走。王奔莒，淖齒數之曰：「夫千乘、博昌之間，方數百里，雨血沾衣，王知之乎？」王曰：「不知。」「嬴、博之間，地坼至泉，王知之乎？」王曰：「不知。」「人有當闕而哭者，求之則不得，去之則聞其聲，王知之乎？」王曰：「不知。」淖齒曰：「天雨血沾衣者，天以告也；地坼至泉者，地以告也；人有當闕而哭者，人以告也。天地人皆以告矣，而王不知戒焉，何得無誅乎？」於是殺閔王於鼓裡。（《戰國策》〈齊策六〉）

倚門而望

王孫賈十五歲時侍奉齊閔王。齊國戰敗後，王孫賈不知道閔王逃到哪裡去了。他的母親說：「你早上出門，我就倚著家門盼你；晚上出門，我就倚著巷門等你。如今你侍奉君王，君王出走下落不明，你還回來幹什麼？」於是王孫賈來到集市，慷慨激昂說：「淖齒擾亂齊國，殺死大王，想要跟我一起去找他報仇的人，袒露右臂！」響應他的有四百多人，於是衝入相府，殺死了淖齒。

【出處】

王孫賈年十五，事閔王。王出走，失王之處。其母曰：「女朝出而晚來，則吾倚門而望；女暮出而不還，則吾倚閭而望。女今事王，王出走，女不知其處，女尚何歸？」王孫賈乃入市中，曰：「淖齒亂齊國，殺閔王，欲與我誅者，袒右！」市人從者四百人，與之誅淖

齒，刺而殺之。（《戰國策》〈齊策六〉）

韓珉相齊

韓珉在齊國做相國時，命令官吏驅逐公疇豎，同時很惱怒周室收留成陽君。有人對韓珉說：「您擔心這兩個人有才，所去的國家會任用他們是嗎？那就不如讓他們留在周地。為什麼呢？成陽君為了秦國才離開韓國，楚王對公疇豎較為友好。如果你因此驅逐他們，兩人一定會跑到秦國和楚國，從而成為您的禍患。這樣做也表明您與天下諸侯不友好。天下諸侯中覺得您不友好的人，和那些有求於齊國的人，都會收留他們，一旦兵臨齊國，齊王就會出賣您。」

【出處】

韓珉相齊，令吏逐公疇豎，大怒於周之留成陽君也。謂韓珉曰：「公以二人者為賢人也，所入之國，因用之乎？則不如其處小國。何也？成陽君為秦去韓，公疇豎，楚王善之。今公因逐之，二人者必入秦、楚，必為公患。且明公之不善於天下。天下之不善公者，與欲有求於齊者，且收之，以臨齊而市公。」（《戰國策》〈韓策三〉）

犬猛不可叱

齊國派周最出使韓國，脅迫韓國任命韓擾為相國，罷免公叔。周最為此很苦惱，他說：「公叔和周君的關係很好，派我出使韓國，使韓國廢掉公叔而立韓擾為相。俗話說：『人在家裡生氣，一定會把怒容在大庭廣眾之下表露出來。』如果公叔怨恨齊國，那是沒有辦法的事，可是他一定會和周君絕交從而痛恨於我呀。」史舍勸道：「您就去吧，我會讓公叔尊重您的。」周最來到了韓國，公叔非常憤慨。史舍拜見公叔說：「周最本來不想出使韓國，是我私下裡強迫他來的。周最不想來，是為了您好；我強迫他來，也是為了您好。」公叔說：「請您說說您的理由。」史舍回答道：「齊國一個大夫養了一條很凶猛的狗，不能呵斥，呵斥它就要咬人。有一位客人想試試，先小心地盯住它，輕輕地呵斥，狗沒有動；又大聲呵斥它，狗竟沒有了咬人的意思。周最以前有幸能夠侍奉您，這次不得已才出使韓國。他將按照禮節慢慢地陳述齊國的要求，韓王一定以為齊王並不急於這樣做，一定不會答應這個要求。如果周最不來，別人一定也會來出使的。來的人和您沒什麼交情，又想要討好韓擾，出使肯定會很快，說話的口氣一定很急切，那麼韓王一定會答應他。」公叔說：「好。」於是就很敬重周最。韓王果然沒有讓韓擾取代公叔為相。

【出處】

齊令周最使鄭，立韓擾而廢公叔。周最患之，曰：「公叔之與周君交也，令我使鄭，立韓擾而廢公叔。語曰：『怒於室者色於市。』今公叔怨齊，無奈何也，必周君而深怨我矣。」史舍曰：「公行矣，請令公叔必重公。」周最行至鄭，公叔大怒。史舍入見曰：「周最故不欲來使，臣竊強之。周最不欲來，以為公也；臣之強之也，亦以為公也。」公叔曰：「請聞其說。」對曰：「齊大夫諸子有犬，犬猛不可叱，叱之必噬人。客有請叱之者，疾視而徐叱之，犬不動；復叱之，犬遂無噬人之心。今周最固得事足下，而以不得已之故來使，彼將禮陳其辭而緩其言，鄭王必以齊王為不急，必不許也。今周最不來，他人必來。來使者無交於公，而欲德於韓擾，其使之必疾，言之必急，則鄭王必許之矣。」公叔曰：「善。」遂重周最。王果不許韓擾。（《戰國策》〈韓策二〉）

以此得事

有人對齊王說：「君王為何不拿土地去資助周最，讓他能夠立為太子呢。」於是，齊王就派大臣司馬悍到西周，拿土地去資助周最。左尚對司馬悍說：「如果周君不同意，那麼，您不僅十分尷尬，而且西周還會與齊王斷交。您不如對周君說：『您準備立誰為太子，可派人祕密通知我，我會告訴齊王，贈送土地資助他。』」左尚因此得到重用。

【出處】

謂齊王曰：「王何不以地齎周最以為太子也。」齊王令司馬悍以賂進周最於周。左尚謂司馬悍曰：「周不聽，是公之知困而交絕於周也。公不如謂周君曰：『何欲置？令人微告悍，悍請令王進之以地。』」左尚以此得事。（《戰國策》〈西周策〉）

張生郊送

齊國將軍田瞶率軍出征，張生送至郊外，問他說：「從前堯把天下讓給許由，許由洗耳不受，將軍知道此事嗎？」田瞶答說：「是的，知道。」「伯夷、叔齊辭去諸侯的職位不做，將軍知道此事嗎？」「知道。」「於陵仲子寧肯辭去楚國的相位去當園丁，將軍知道此事嗎？」「也知道。」「智果放棄兄弟的名分，改換姓名，情願當平民，將軍知道這件事嗎？」「也知道。」「孫叔敖三次辭去楚相而不後悔，將軍知道此事嗎？」「知道。」張生最後說：「這五位大夫，名義上是辭讓高位，實際上是為身居高位而感到羞恥。現在將軍掌握一國大權，手提戰鼓，懷抱令旗，指揮十萬精銳之師，掌握將士的生殺大權，切記不要把賢士感到羞恥的權勢拿來凌辱士人。」田瞶說：「今天各位都來為我餞行，有酒有肉，只有先生用聖人的大道理來指教我，我願恭敬地接受教誨。」

【出處】

齊將軍田瞶出將，張生郊送曰：「昔者堯讓許由以天下，洗耳而不受，將軍知之乎？」曰：「唯然，知之。」「伯夷、叔齊辭諸侯之位而不為，將軍知之乎？」曰：「唯然，知之。」「於陵仲子辭三公之位而傭，為人灌園，將軍知之乎？」曰：「唯然，知之。」「智過去君第，變姓名，免為庶人，將軍知之乎？」曰：「唯然，知之。」「孫叔敖三去相而不悔，將軍知之乎？」曰：「唯然，知之。」「此五大夫者，名辭之而實羞之。今將軍方吞一國之權，提鼓擁旗，被堅執銳，旋回十萬之師，擅斧鉞之誅，慎毋以士之所羞者驕士。」田瞶曰：「今日諸君皆為瞶祖道，具酒脯，而先生獨教之以聖人之大道，謹聞命矣。」（《說苑》〈尊賢〉）

齊女徐吾

齊女徐吾，是齊國東海邊一位貧窮的婦人，與近鄰李吾等婦人合在一起點蠟燭紡線。徐吾最窮，交的蠟燭不夠，李吾就對大夥說：「徐吾交的蠟燭不夠，晚上就不要她跟著紡線了。」徐吾說：「這不好吧？我因為家窮交不起足夠的蠟燭，所以每天起早貪黑，為大家灑水掃地擦蓆子，自己坐在光線很暗的角落裡。再說了，一間屋子裡，多一個人燭光不會暗多少，少一個人燭光不會亮多少，為什麼要吝惜蠟燭的餘光，不讓我享受被憐愛的恩惠呢？我自願做大家的僕役，也使大家經常施惠於我，不也很好嗎？」李吾無言以對，仍然允許她一同熬夜紡紗。君子評論說：「婦人能以委婉的言辭求得鄰居的體諒，可見委婉得體的言辭是非常管用的。」《詩經》中說：「政令如果協調和緩，百姓便能融洽自安。」說的就是這個意思啊。

【出處】

齊女徐吾者，齊東海上貧婦人也。與鄰婦李吾之屬會燭，相從夜績。徐吾最貧，而燭數不屬。李吾謂其屬曰：「徐吾燭數不屬，請無與夜也。」徐吾曰：「是何言與？妾以貧燭不屬之故，起常早，息常後，灑掃陳席，以待來者。自與蔽薄，坐常處下。凡為貧燭不屬故也。夫一室之中，益一人，燭不為暗，損一人，燭不為明，何愛東壁之餘光，不使貧妾得蒙見哀之？恩長為妾役之事，使諸君常有惠施於妾，不亦可乎！」李吾莫能應，遂復與夜，終無後言。君子曰：「婦人以辭不見棄於鄰，則辭安可以已乎哉！」詩云：「辭之輯矣，民之洽矣。」[20]此之謂也。（《列女傳》〈辯通傳〉）

陶荅子妻

陶荅子妻，是陶大夫荅子的妻子。荅子在陶地為官三年，沒什麼政績，但家裡的財富卻增加了三倍，妻子多次勸諫不聽。為官五年，卸任還鄉時隨從的車駕多達百乘。同族的人殺牛宰羊為他接風，妻子卻抱著孩子在家哭泣。婆婆生氣說：「這多不吉利呀！」媳婦說：「我丈夫才淺官大，這是災害；沒有功績而家庭殷富，這是積累禍殃。從前楚國的令尹子文執政，家境貧困而國家富有，因而君主敬重他，百姓愛戴他，遺福子孫，名垂後世。現在我丈夫恰恰相反，只貪圖富貴撈錢，不顧慮後果。我聽說南山上有隻黑豹，下雨的時候一連七天都不吃食，為什麼呢？是想保持毛色的光澤，深藏而遠離禍患。那豬啊狗啊什麼都吃，身子吃肥了，就等著被宰殺了。而今丈夫在陶地為官，家境一天天富有，百姓一天天貧窮，君王看不起他，百姓不擁護他，禍患的徵兆已經顯露，我和小兒子還是早點逃避吧。」婆婆非常氣憤把媳婦休了。過了一年，荅子一家果然以貪污罪被誅，只有母親年老得免。被休的兒媳帶著小兒子回來奉養婆婆，為她送終。君子評

20.「辭之輯矣，民之洽矣」，出自《詩經》〈大雅・板〉。

價說：莒子的妻子堅守正義，不貪不義之財，雖然違背禮法主動離開夫家，卻能保全生命而盡婦道，可以說很有遠見。《詩經》裡說：「你們考慮上百次，不如我親自跑一遍。」說的正是這個意思啊！

【出處】

陶大夫荅子之妻也。荅子治陶三年，名譽不興，家富三倍。其妻數諫不用。居五年，從車百乘歸休。宗人擊牛而賀之，其妻獨抱兒而泣。姑怒曰：「何其不祥也！」婦曰：「夫子能薄而官大，是謂嬰害。無功而家昌，是謂積殃。昔楚令尹子文之治國也，家貧國富，君敬民戴，故福結於子孫，名垂於後世。今夫子不然。貪富務大，不顧後害。妾聞南山有玄豹，霧雨七日而不下食者，何也？欲以澤其毛而成文章也。故藏而遠害。犬彘不擇食以肥其身，坐而須死耳。今夫子治陶，家富國貧，君不敬，民不戴，敗亡之徵見矣。願與少子俱脫。」姑怒，遂棄之。處期年，荅子之家果以盜誅。唯其母老以免，婦乃與少子歸養姑，終卒天年。君子謂荅子妻能以義易利，雖違禮求去，終以全身復禮，可謂遠識矣。詩曰：「百爾所思，不如我所之。」[21]此之謂也。（《列女傳》〈賢明傳〉）

東食西宿

齊國有戶人家的女兒，村子裡有兩戶人家向她求婚。東邊那戶人家的兒子長相難看，但家裡有錢；西邊那戶人家的兒子一表人才，

21.「百爾所思，不如我所之」，出自《詩經》〈鄘風・載馳〉。

家裡卻很貧窮。父母不能決斷，就對女兒說：「你自己決定嫁到哪家吧，不好意思開口，就袒露手臂表示一下。喜歡東家就袒露右臂，喜歡西家就袒露左臂，好讓我們知道你的心思。」女兒竟然把兩隻手臂都裸露出來。父母驚奇地問說：「這是什麼意思？」女兒回答說：「我想在東家吃飯，在西家住宿。」

【出處】

俗說：齊人有女，二人求見。東家子醜而富，西家子好而貧。父母疑不能決，問其女，定所欲適，難指斥言者，偏袒，令我知之。女便兩袒。怪問其故。曰：「欲東家食，而西家宿。」此為兩袒者也。（《藝文類聚》卷四十引《風俗通》）

齊人好詬食

有位住店的齊國人喜歡邊吃東西邊罵人，每次吃飯都會責罵僕人，有時甚至拿手頭的餐具打砸僕人，幾乎頓頓如此。店主人很討厭他，也只能忍著。齊國人將要走的時候，店主人送給他一隻狗說：「這是條獵狗，送給您不成敬意。」齊國人走了二十里地，停下來吃飯。他把狗也喚過來餵食，狗一邊叫一邊吃。於是主人在桌子上罵，狗在桌子底下叫，每次吃飯都這樣。有一天，僕人終於忍不住笑出聲來，齊國人這才發覺自己與那隻狗有相同的臭毛病。

【出處】

齊人有好詬食者，每食必詬其僕，至壞器投匕箸，無空日。館人厭之，忍弗言。將行，贈之以狗，曰：「是能逐禽，不腆以贈子。」行二十里而食，食而召狗與之食。狗嘷而後食，且食而且嘷。主人詬於上，而狗嘷於下，每食必如之。一日，其僕失笑，然後覺。郁離子曰：「夫人必自侮，而後人侮之。」又曰：「飲食之人，則人賤之。」斯人之謂矣。（《郁離子》〈詬食〉）

膠柱而歸

有個齊國人跟趙國人學彈瑟，由趙國人先調好了弦，齊人就將調弦的柱子用膠黏住了回家。三年彈不成一首曲子，那齊人埋怨趙國人。有個跟趙國人學藝的人來到他這裡，詢問他埋怨的原因，才知道這個人有多麼蠢。

【出處】

齊人就趙學瑟，因之先調，膠柱而歸。三年不成一曲，齊人怪之。有從趙來者，問其意，方知向人之愚。（《太平廣記》卷二百六十二〈齊人學瑟〉）

親照境內

鉅是齊國的隱士，孱是魏國的隱士。齊、魏兩國的君主昏昧不明，不能洞察民情，卻偏聽左右佞臣的讒言，於是兩位隱士花費金錢玉璧請求入朝為官。

【出處】

鉅者，齊之居士；孱者，魏之居士。齊、魏之君不明，不能親照境內，而聽左右之言，故二子費金璧而求入仕也。（《韓非子》〈外儲說左下〉）

左方右圓

齊國披狗皮行竊的賊的兒子和受過刖刑的殘疾人的兒子在一起玩耍並相互誇耀。賊的兒子說：「我父親的皮衣上有尾巴。」受過刖刑人的兒子說：「我父親冬天不費鞋襪。」

【出處】

齊有狗盜之子，與刖危子戲而相誇。盜子曰：「吾父之裘獨有尾。」危子曰：「吾父獨冬不失褲。」（《韓非子》〈外儲說左下〉）

天不再與，時不久留

時機未到，道行高深的人就會隱蔽起來，耐心等待。時機一到，有人從平民貴為天子，有人從諸侯進而稱王天下，有人從卑賤的下位上升輔佐三王，有人從普通百姓奮起向萬乘之主報仇。所以聖人最看重時機。冰凍時節，后稷不會去耕種；后稷耕種，一定等到春暖花開。能人再有智慧，如果未遇良辰，也不能建立功業。萬物滋長的夏季，即便整天採摘，樹上仍然枝繁葉茂；等到秋霜降臨，樹葉便會翩然落下。事情的難易不在大小，關鍵在於把握時機。鄭國的子陽遇難，發生在追逐瘋狗的混亂時刻；齊國的高氏、國氏遇難，正逢人們追趕逃竄的耕牛。遇上合適的時機，連狗、牛也可以作為發難的先導，何況人呢？飢餓的馬匹充滿馬棚、寂然無聲，是因為它們沒見到草料；飢餓的狗崽擠滿狗窩，沉默無聲，是因為它們沒看見骨頭。見到骨頭和草料，狗馬一定會爭搶嘶鳴而難以制止。亂世的民眾沉寂無聲，是因為他們沒遇見賢人；如果遇見賢人，他們一定會奮不顧身去歸附。齊湣王因為僭稱東帝而被天下諸侯譴責，結果被魯國占領了徐州；趙肅侯因為修建寢陵深度擾民，人民都背叛他，結果被衛國奪取了繭氏。魯、衛這樣的小國能從大國占到便宜，不過是因為遇到了恰當的時機。所以賢主秀士最為百姓擔憂的就是亂世。上天不會給人兩次機會，機遇轉瞬即逝，沒有人可以面面俱到，成功只在於恰逢其時！

【出處】

故有道之士未遇時，隱匿分竄，勤以待時。時至，有從布衣而為天子者，有從千乘而得天下者，有從卑賤而佐三王者，有從匹夫而報萬乘者。故聖人之所貴，唯時也。水凍方固，后稷不種，后稷之種必待春。故人雖智而不遇時，無功。方葉之茂美，終日采之而不知；秋霜既下，眾林皆羸。事之難易，不在小大，務在知時。鄭子陽之難，猘狗潰之；齊高、國之難，失牛潰之。眾因之以殺子陽、高、國。當其時，狗牛猶可以為人唱，而況乎以人為唱乎？飢馬盈廄，嘆然，未見芻也；飢狗盈窖，嘆然，未見骨也。見骨與芻，動不可禁。亂世之民，嘆然，未見賢者也；見賢人，則往不可止。往者，非其形，心之謂乎？齊以東帝困於天下，而魯取徐州；邯鄲以壽陵困於萬民，而衛取繭氏。以魯衛之細，而皆得志於大國，遇其時也。故賢主秀士之慼憂黔首者，亂世當之矣。天不再與，時不久留，能不兩工，事在當之。（《呂氏春秋》〈孝行覽・首時〉）

貪於小利以失大利

昌國君樂毅率領五國的軍隊攻打齊國。齊國派觸子為將，在濟水迎戰。齊王想儘早開戰，派人羞辱並斥責觸子說：「不儘早開戰，我就滅掉你的家族，挖掉你的祖墳！」觸子心情苦悶，想讓齊軍戰敗，於是指揮齊國軍隊與聯軍開戰。剛一開戰，觸子就鳴金撤退。齊軍敗逃，聯軍乘勝追擊。觸子乘坐一輛兵車悄然離去，沒人知道他的行蹤。達子率領齊軍殘兵駐紮在秦周。齊軍士氣低落，達子派人向齊王請求打賞，齊王憤怒說；「你們這些殘兵敗將，休想從我這兒得到金錢！」齊軍與燕人再戰，再敗而潰不成軍。達子戰死，齊王逃到莒地。燕國人追趕敗逃的齊兵進入齊國國都，在美唐爭奪金錢。這是貪圖小利因而喪失了大利啊！

【出處】

昌國君將五國之兵以攻齊。齊使觸子將，以迎天下之兵於濟上。齊王欲戰，使人赴觸子，恥而訾之曰：「不戰，必剗若類，掘若壟！」觸子苦之，欲齊軍之敗。於是以天下兵戰，戰合，擊金而卻之。卒北，天下兵乘之。觸子因以一乘去，莫知其所，不聞其聲。達子又帥其餘卒以軍於秦周，無以賞，使人請金於齊王。齊王怒曰：「若殘豎子之類，惡能給若金？」與燕人戰，大敗，達子死，齊王走莒。燕人逐北入國，相與爭金於美唐甚多。此貪於小利以失大利者也。（《呂氏春秋》〈慎大覽・權勳〉）

以鐵籠得全

田單是齊國田氏王族的遠房本家。齊湣王時，田單擔任首都臨淄佐理市政的小官，不被齊王重用。燕國大將樂毅攻入齊國，湣王被迫從都城出逃，不久退守莒城。燕軍長驅直入時，田單也離開都城，逃向安平，他讓同族人把車軸兩端的突出部位全部鋸下，安上鐵箍。不久，燕軍攻陷安平。齊人爭相逃亡，車子被撞得軸斷車壞，都做了燕軍俘虜。只有田單和同族人因用鐵箍包住車軸，得以逃脫，退守即墨。燕軍占領了齊國的大小城市，只剩莒城和即墨未被攻下。燕軍聽說齊湣王在莒城，於是調集軍隊全力攻打。大臣淖齒殺死湣王，堅守城池，抗擊燕軍，燕軍幾年都不能攻破該城。迫不得已，燕將帶兵東行轉攻即墨。即墨的守城官出城與燕軍交戰，戰敗被殺。城中軍民推舉田單充當首領，稱讚說：「安平那一仗，田單和同族人因用鐵箍包住車軸才得以安然脫險，可見他很會用兵。」於是田單被推舉為將軍，堅守即墨，抗擊燕軍。田單臨危受命，為齊、燕之戰迎來了重大轉折。

【出處】

田單者，齊諸田疏屬也。湣王時，單為臨菑市掾，不見知。及燕使樂毅伐破齊，齊湣王出奔，已而保莒城。燕師長驅平齊，而田單走安平，令其宗人盡斷其車軸末而傅鐵籠。已而燕軍攻安平，城壞，齊人走，爭涂，以轊折車敗，為燕所虜，唯田單宗人以鐵籠故得脫，東保即墨。燕既盡降齊城，唯獨莒、即墨不下。燕軍聞齊王在莒，並兵攻之。淖齒既殺湣王於莒，因堅守，距燕軍，數年不下。燕引兵東圍即墨，即墨大夫出與戰，敗死。城中相與推田單，曰：「安平之戰，田單宗人以鐵籠得全，習兵。」立以為將軍，以即墨距燕。（《史記》〈田單列傳〉）

火牛神軍

即墨攻打不下，新繼位的燕王聽信讒言，以騎劫替代樂毅。樂毅被免職之後，直接逃往趙國，燕軍官兵都為他打抱不平。田單下令城中軍民吃飯前一定要祭祀祖先，使得眾多飛鳥因爭食祭祀的食物在城市上空盤旋。城外的燕軍看了，都覺得奇怪。田單於是揚言說：「神仙將要下凡指導我們克敵制勝。」又對城裡人說：「一定會有神人來做我的老師。」有個士兵說：「我可以當您的老師嗎？」說完就揚長而去。田單連忙把他拉過來，請他坐在面向東的上座，用侍奉老師的禮節侍奉他。士兵說：「我欺騙了您，我真的一點本事也沒有。」田單說：「請您不要再說了。」於是就尊他為師。每次發號施令，一定聲稱是神師的主意。他揚言說：「我最怕燕軍把俘虜的齊國士兵割鼻子，放在隊伍前面跟我們交戰，那即墨非破不可。」燕軍聽到傳言，就照此而行。城裡人看到齊國的降兵都被割去鼻子，人人義憤填膺，全力堅守城池，只怕被敵人活捉。田單又派人施反間計說：「我很害怕燕國人挖了我們城外的祖墳，侮辱我們的祖先，這可真是讓人寒心的事。」燕軍聽說之後，就把齊國人的墳墓全部挖出，將死屍焚燒殆盡。即墨人從城上望見，人人痛哭流涕，都請求出城拚命，憤怒的情緒高漲十倍。田單感覺出戰的時機到了，於是親自拿著夾板鏟鍬和士兵們一起修築工事，並把自己的妻子姬妾都編入隊伍，還把全部食物拿出來犒勞士卒。他命令裝備整齊的精銳部隊埋伏起來，讓老弱婦女上城防守，又派使者去和燕軍商談投降事宜。燕軍官兵都高呼萬歲。田單又把民間的黃金收集起來，共得一千鎰，讓即墨城裡有錢有勢的人去送給燕軍，請求說：「即墨就要投降了，希望你們進城之後，不要擄掠我們的妻子姬妾，讓我們能平安地生活。」燕軍將領非常高興，滿口答應，因此更加鬆懈。田單於是從城裡收集了一千多頭牛，給它們披上大紅綢絹製成的被服，在上面畫上五顏六色的蛟龍圖案，角上綁好鋒利的尖刀，把漬滿油脂的蘆葦綁在牛尾上，乘夜間點燃，從城牆上事先鑿開的幾十處洞穴中放出，並派精壯士兵五千人跟在火牛的後面。因尾巴被燒得發熱，火牛都狂怒地直奔燕軍。燕軍驚慌失措。牛尾上的火把將夜間照得通明如晝，燕軍看到它們身被龍紋，所到之處非死即傷。五千壯士又隨後悄然無聲地殺來，城裡人乘機擂鼓吶喊，緊緊跟隨，甚至老弱婦孺都手持銅器奮力敲打，和城外的吶喊聲匯合成驚天動地的聲浪。燕軍大敗而逃。齊國人趁亂殺死了燕國的主將騎劫。燕軍望風披靡，齊軍窮追不捨，以往被燕軍占領的城鎮紛紛背叛燕軍，歸順田單。田單的兵力日益增多，乘著戰勝的軍威，一直把燕國攆到黃河邊上，齊國的七十多座城池全被收復。於是田單到莒城迎接齊襄王返回都城臨淄。齊襄王封賞田單，賜爵號為安平君。

【出處】

樂毅因歸趙，燕人士卒忿。而田單乃令城中人食必祭其先祖於庭，飛鳥悉翔舞城中下食。燕人怪之。田單因宣言曰：「神來下教我。」乃令城中人曰：「當有神人為我師。」有一卒曰：「臣可以為師乎？」因反走。田單乃起，引還，東向坐，師事之。卒曰：「臣欺君，誠無能也。」田單曰：「子勿言也！」因師之。每出約束，必稱神師。乃宣言曰：「吾唯懼燕軍之劓所得齊卒，置之前行，與我戰，即墨敗矣。」燕人聞之，如其言。城中人見齊諸降者盡劓，皆怒，堅守，唯恐見得。單又縱反間曰：「吾懼燕人掘吾城外冢墓，僇先人，可為寒心。」燕軍盡掘壟墓，燒死人。即墨人從城上望見，皆涕泣，俱欲出戰，怒自十倍。田單知士卒之可用，乃身操版插，與士卒分功，妻妾編於行伍之間，盡散飲食饗士。令甲卒皆伏，使老弱女子乘城，遣使約降於燕，燕軍皆呼萬歲。田單又收民金，得千溢，令即墨富豪遺燕將，曰：「即墨即降，願無虜掠吾族家妻妾，令安堵。」燕將大喜，許之。燕軍由此益懈。田單乃收城中得千餘牛，為絳繒衣，畫以五彩龍文，束兵刃於其角，而灌脂束葦於尾，燒其端。鑿城數十穴，夜縱牛，壯士五千人隨其後。牛尾熱，怒而奔燕軍，燕軍夜大驚。牛尾炬火光明炫燿，燕軍視之皆龍文，所觸盡死傷。五千人因銜枚擊之，而城中鼓噪從之，老弱皆擊銅器為聲，聲動天地。燕軍大駭，敗走。齊人遂夷殺其將騎劫。燕軍擾亂奔走，齊人追亡逐北，所過城邑皆畔燕而歸田單，兵日益多，乘勝，燕日敗亡，卒至河上，而齊七十餘城皆復為齊。乃迎襄王於莒，入臨菑而聽政。襄王封田單，號曰安平君。（《史記》〈田單列傳〉）

絕脰而死

燕軍在開始攻入齊國的時候，聽說畫邑人王蠋有才有德，就命令軍隊說：「在畫邑周圍三十里之內不許進入。」這是因為王蠋是畫邑人。不久，燕國又派人對王蠋說：「齊國有許多人都稱頌您的高尚品德，我們要任用您為將軍，還封賞給您一萬戶的食邑。」王蠋堅決推辭，不肯接受。燕國人說：「您若不肯接受的話，我們就要帶領大軍，屠平畫邑！」王蠋說：「盡忠的臣子不能侍奉兩個君主，貞烈的女子不能再嫁第二個丈夫。齊王不聽從我的勸諫，所以我才隱居在鄉間種田。齊國已經破亡，我不能使它復存，現在你們又用武力劫持我當你們的將領，我若是答應了，就是幫助壞人幹壞事。與其活著幹這不義之事，還不如受烹刑死了更好！」然後他就把自己的脖子吊在樹枝上，奮力掙扎，扭斷脖子死去。齊國那些四散奔逃的官員們聽到這件事，感慨說：「王蠋只是一個平民百姓，尚且能堅守節操，不向燕人屈服稱臣，更何況我們這些享受國家俸祿的在職官員呢！」於是他們就聚集在一起，趕赴莒城，尋求齊湣王的兒子，擁立他為齊襄王。

【出處】

燕之初入齊，聞畫邑人王蠋賢，令軍中曰「環畫邑三十里無入」，以王蠋之故。已而使人謂蠋曰：「齊人多高子之義，吾以子為將，封子萬家。」蠋固謝。燕人曰：「子不聽，吾引三軍而屠畫邑。」王蠋曰：「忠臣不事二君，貞女不更二夫。齊王不聽吾諫，故退而耕於野。國既破亡，吾不能存；今又劫之以兵為君將，是助桀為暴也。與其生而無義，固不如烹！」遂經其頸於樹枝，自奮絕脰而死。齊亡大夫聞之，曰：「王蠋，布衣也，義不北面於燕，況在位食祿者乎！」乃相聚如莒，求諸子，立為襄王。（《史記》〈田單列傳〉）

人子之禮

齊湣王遇害之後，他的兒子法章更名改姓到莒太史敫的家中當傭人。太史敫的女兒見法章相貌不凡，覺得他不像傭人，同情他並時常送他一些衣食，後來又和他私下相好。淖齒離開莒城之後，莒城人和齊國的亡臣聚在一起尋找湣王的兒子，想立他為王。法章害怕他們殺害自己，過了很久，才敢承認是湣王的兒子。於是莒人立法章即位，這就是襄王，並向齊國各地布告說：「新王已經在莒即位。」襄王即位後，立太史氏的女兒為王后，生子名建。太史敫說：「女兒不經媒人而私自嫁人，不能算我的後代，她玷污了我的家風。」於是終身不與君王后見面。君王后賢惠，並不因父親生氣而喪失做子女的禮節。襄王在莒城住了五年，田單依靠即墨軍民打敗燕軍，到莒迎接襄王，回到都城臨淄。

【出處】

湣王之遇殺，其子法章變名姓為莒太史敫家庸。太史敫女奇法章狀貌，以為非恆人，憐而常竊衣食之，而與私通焉。淖齒既以去莒，莒中人及齊亡臣相聚求湣王子，欲立之。法章懼其誅己也，久之，乃敢自言「我湣王子也」。於是莒人共立法章，是為襄王。以保莒城而布告齊國中：「王已立在莒矣。」襄王既立，立太史氏女為王后，是為君王后，生子建。太史敫曰：「女不取媒因自嫁，非吾種也，污吾世。」終身不睹君王后。君王后賢，不以不睹故失人子之禮。襄王在莒五年，田單以即墨攻破燕軍，迎襄王於莒，入臨菑。（《史記》〈田敬仲完世家〉）

無死之心

田單準備攻打狄國，前去拜見魯仲連。魯仲連說：「將軍戰勝不了狄國的。」田單說：「我在即墨憑藉五里內城、七里外城，率領殘兵敗將，戰勝了擁有萬輛兵車的燕國，收復了齊國的失地。如今連小小的狄國也不能戰勝，真是豈有此理！」上車沒告辭就離開了。於是領兵攻打狄國，三個月也沒有攻克。齊國流傳的童謠唱道：「大帽子像簸箕，長劍支著下巴；狄國久攻不下，地上枯墳壘壘。」田單感到恐慌，再去拜見魯仲連說：「先生說我不能攻克狄國，請跟我講講道理。」魯仲連說：「將軍在即墨的時候，坐下就編織草筐，站起來就挖掘土溝，鼓動士兵說：『可以出徵了！宗廟滅亡！魂魄飛散！家在何處啊？』那個時候，將軍有誓死為國之心，士兵沒有貪生怕死的念頭，聽到您的呼喊，沒有人不揮淚振臂請求決一死戰，這就是您能打敗燕國的原因。如今將軍東面有封邑的租俸，西面有淄水之上的遊樂，腰帶上裝飾黃金，馳騁在淄水、澠水之間，整天享受無窮的歡樂，哪還有赴死的心情？因此我說狄國不能攻克。」田單說：「我是有決心的，先生記住我的話。」第二天，田單就去巡視攻城部隊鼓舞士氣，而後冒著狄人的弓箭和雷石親自擊鼓，狄人終於投降。

【出處】

田單將攻狄，往見魯仲子。仲子曰：「將軍攻狄，不能下也。」田單曰：「臣以五里之城，七里之郭，破亡餘卒，破萬乘之燕，復齊墟。攻狄而不下，何也？」上車弗謝而去。遂攻狄，三月而不克之也。齊嬰兒謠曰：「大冠若箕，修劍拄頤，攻狄不能，下壘枯丘。」田單乃懼，問魯仲子曰：「先生謂單不能下狄，請聞其說。」魯仲子曰：「將軍之在即墨，坐而織蕢，立則丈插，為士卒倡曰：『可往矣！宗廟亡矣！云曰尚矣！歸於何黨矣！』當此之時，將軍有死之心，而士卒無生之氣，聞若言，莫不揮泣奮臂而欲戰，此所以破燕也。當今將軍東有夜邑之奉，西有菑上之虞，黃金橫帶，而馳乎淄、澠之間，有生之樂，無死之心，所以不勝者也。」田單曰：「單有心，先生志之矣。」明日，乃厲氣循城，立於矢石之所，乃援枹鼓之，狄人乃下。（《戰國策》〈齊策六〉）

魯連為書

燕國新王繼位後，聽信讒言，對堅守聊城的燕將心生猜忌。燕將害怕回國受誅，於是固守聊城不敢回國。田單率兵攻打一年多，傷亡很重，仍然不能攻破城池。魯仲連見此情形，就給守城的燕國將領寫了一封書信，放箭射入城內。信中大略說：我聽說，明智的人善於擇機而動，勇士不迴避死亡而辱沒名聲，忠臣不考慮自己而顧念國君。如今您不顧及燕王無法駕馭臣子，是不忠；戰死身亡，丟掉聊城，是不勇；功敗名滅，後世無所稱道，是不智。有這三條，當世君主會唾棄您，遊說之士會傳為笑柄。聰明人應該當機立斷。齊軍奪回聊城的意志堅如磐石，而您據城堅守的本領已在天下顯現。為一己之私而執意固守，付出的卻是守城軍民巨大的傷亡代價。替您考慮，擺在面前的只有兩條路可走。一是保全兵力回歸燕國，二是摒棄世俗的議論，向齊國稱臣。這兩條路都是康莊大道，希望您仔細考慮，審慎地選擇其中一條。從前管仲和曹沫因為不顧忌世俗的名節和廉恥，所以能建立不朽的功業。今天的您也完全可以做到。燕將讀了信，淚流不止，猶豫不能決斷。想要回歸燕國，君臣之間已經產生隔閡，怕被誅殺；想要投降齊國，殺死和俘虜的齊人太多，恐怕投誠後會被污辱。於是慨然長嘆說：「與其讓別人殺死，還不如自殺。」燕將自刎後，聊城大亂，於是田單進軍血洗聊城。歸來代魯仲連向齊王請功，齊王想賜他爵位，魯仲連說：「與其富貴而屈身侍人，不如貧賤而放任自己的心志。」於是潛逃到海邊隱居起來。

【出處】

其後二十餘年，燕將攻下聊城，聊城人或讒之燕，燕將懼誅，因保守聊城，不敢歸。齊田單攻聊城歲餘，士卒多死而聊城不下。魯連乃為書，約之矢以射城中，遺燕將。書曰：「吾聞之，智者不倍時而棄利，勇士不卻死而滅名，忠臣不先身而後君。今公行一朝之忿，不顧燕王之無臣，非忠也；殺身亡聊城，而威不信於齊，非勇也；功敗名滅，後世無稱焉，非智也。三者世主不臣，說士不載，故智者不再計，勇士不怯死。今死生榮辱，貴賤尊卑，此時不再至，原公詳計而無與俗同。且楚攻齊之南陽，魏攻平陸，而齊無南面之心，以為亡南陽之害小，不如得濟北之利大，故定計審處之。今秦人下兵，魏不敢東面；衡秦之勢成，楚國之形危；齊棄南陽，斷右壤，定濟北，計猶且為之也。且夫齊之必決於聊城，公勿再計。今楚魏交退於齊，而燕救不至。以全齊之兵，無天下之規，與聊城共據期年之敝，則臣見公之不能得也。且燕國大亂，君臣失計，上下迷惑，栗腹以十萬之眾五折於外，以萬乘之國被圍於趙，壤削主困，為天下僇笑。國敝而禍多，民無所歸心。今公又以敝聊之民距全齊之兵，是墨翟之守也。食人炊骨，士無反外之心，是孫臏之兵也。能見於天下。雖然，為公計者，不如全車甲以報於燕。車甲全而歸燕，燕王必喜；身全而歸於國，士民如見父母，交游攘臂而議於世，功業可明。上輔孤主以制群臣，下養百姓以資說士，矯國更俗，功名可立也。亡意亦捐燕棄世，東游於齊乎？裂地定封，富比乎陶、衛，世世稱孤，與齊久存，又一計也。此兩計者，顯名厚實也，原公詳計而審處一焉。且吾聞之，規小節者不能成榮名，惡小恥者不能立大功。昔者管夷吾射桓公中其鉤，篡也；遺公子糾不能死，怯也；束縛桎梏，辱也。若此三行者，世主不臣而鄉里不通。鄉使管子幽囚而不出，身死而不反於齊，則亦名不免為辱人賤行矣。臧獲且羞與之同名矣，況世俗乎！故管子不恥身在縲紲之中而恥天下之不治，不恥不死公子糾而恥威之不信於諸侯，故兼三行之過而為五霸首，名高天下而光燭鄰國。曹子為魯將，三戰三北，而亡地五百里。鄉使曹子計不反顧，議不還踵，刎頸而死，則亦名不免為敗軍禽將矣。曹子棄三北之恥，而退與魯君計。桓公朝天下，會諸侯，曹子以一劍之任，枝桓公之心於壇坫之上，顏色不變，辭氣不悖，三戰之所亡一朝而復之，天下震動，諸侯驚駭，威加吳、越。若此二士者，非不能成小廉而行小節也，以為殺身亡軀，絕世滅後，功名不立，非智也。故去感忿之怨，立終身之名；棄忿悁之節，定累世之功。是以業與三王爭流，而名與天壤相弊也。原公擇一而行之。」燕將見魯連書，泣三日，猶豫不能自決。欲歸燕，已有隙，恐誅；欲降齊，所殺虜於齊甚眾，恐已降而後見辱。喟然嘆曰：「與人刃我，寧自刃。」乃自殺。聊城亂，田單遂屠聊城。歸而言魯連，欲爵之。魯連逃隱於海上，曰：「吾與富貴而詘於人，寧貧賤而輕世肆志焉。」（《史記》〈魯仲連鄒陽列傳〉）

王之教澤

齊軍擊敗燕軍，議立國君。田單猶豫不決，齊國上下都以為田單會自立為王。後來田單仍然扶立襄王，自居相位。一天，田單路過淄水，看見一位老人打赤腳過河，腳凍僵了無法行走，就讓隨從分件衣服給他，隨從們沒有多餘的衣服，田單就脫下自己的皮裘送給老人。襄王很憎惡田單這種收買人心的行為，自言自語說：「田單用小恩小惠收買人心，是想圖謀王位嗎？如果不及早採取措施，後悔就來不及了。」猛然從自言自語中驚醒，左右察看無人，只有岩石下有個採珠人，襄王把他叫到跟前，問他說：「你聽到我說什麼了嗎？」採珠者回答說：「聽到了。」襄王問道：「你認為我該怎麼做？」回答說：「大王不如順水推舟，把田單的善行變成自己的善行。您可以發布詔令嘉獎田單說：『寡人擔心百姓子民挨餓受凍，相國就分賜他們衣食；寡人關心百姓的疾苦，相國也滿腹憂慮。相國這樣做，正合寡人心意。』田單既有這些優點，大王表揚他，也等於宣揚大王的賢德啊。」襄王說：「好主意！」於是以酒肉賞賜田單，表揚他給貧民送衣的行為。過了幾天，採珠人又來拜見襄王，進言說：「來日百官上朝，大王應該專門召見田單，並在朝堂上加倍禮讓尊敬，親自表示慰問，然後下令調查飢寒交迫的百姓，給予賑濟。」襄王一一照辦後，又派人到街頭裡巷打探民眾的態度，聽見老百姓都在談論說：「田單很愛護百姓，哎呀！這全是大王教導有方啊！」

【出處】

燕攻齊，齊破。閔王奔莒，淖齒殺閔王。田單守即墨之城，破燕兵，復齊墟。襄王為太子征。齊以破燕，田單之立疑，齊國之眾，皆以田單為自立也。襄王立，田單相之。過菑水，有老人涉菑而寒，出不能行，坐於沙中。田單見其寒，欲使後車分衣，無可以分者，單解裘而衣之。襄王惡之，曰：「田單之施，將欲以取我國乎？不早圖，恐後之。」左右顧無人，岩下有貫珠者，襄王呼而問之曰：「女聞吾言乎？」對曰：「聞之。」王曰：「女以為何若？」對曰：「王不如因以為己善。王嘉單之善，下令曰：『寡人憂民之飢也，單收而食之；寡人憂民之寒也，單解裘而衣之；寡人憂勞百姓，而單亦憂之，稱寡人之意。』單有是善而王嘉之，善單之善，亦王之善已。」王曰：「善。」乃賜單牛酒，嘉其行。後數日，貫珠者復見王曰：「王至朝日，宜召田單而揖之於庭，口勞之。乃布令求百姓之飢寒者，收谷之。」乃使人聽於閭裡，聞丈夫之相與語，舉曰：「田單之愛人！嗟，乃王之教澤也！」（《戰國策》〈齊策六〉）

捨本而問末

齊襄王派使者問候趙威後，還沒有打開書信，趙威後問使者說：「今年收成行吧？百姓也挺好吧？你們大王也挺好吧？」使者面有不悅，回答說：「臣下奉大王之命向太后問好，您不先問候我們大王，卻先打聽收成和百姓的狀況，這有點先卑後尊吧？」趙威後回答說：「話不能這樣說。如果收成不好，老百姓哪有什麼快樂可言？如果百姓缺吃少穿，大王哪坐得安穩？怎麼能說是捨本問末呢？」接著又問：「齊國的隱士鍾離子還好吧？他主張有糧食的人讓他們有飯吃，沒糧食的人也讓他們有飯吃；有衣服的給他們衣服，沒有衣服的也給他們衣服。這是在幫助君王養活百姓，齊王為什麼至今還沒有重用他？葉陽子還好吧？他主張憐恤鰥寡孤獨，賑濟窮困不足，這是在替大王存恤百姓，怎麼至今還沒有任用他呢？北宮家的女兒嬰兒子還好嗎？她摘去耳環玉飾至今不嫁，一心奉養雙親，用孝道為百姓做出表率，為什麼至今還沒受到朝廷褒獎？有這樣的隱士不予重用，這樣的孝女不被嘉獎，齊王在怎樣治理國家、撫卹萬民呢？於陵子仲還活著嗎？他上不對君王稱臣，下不能料理家業，中不與諸侯交往，這是在引導百姓不與朝廷合作啊。為什麼至今還不處死他呢？」

【出處】

齊王使使者問趙威後。書未發，威後問使者曰：「歲亦無恙耶？民亦無恙耶？王亦無恙耶？」使者不說，曰：「臣奉使使威後，今不問王，而先問歲與民，豈先賤而後尊貴者乎？」威後曰：「不然。苟無歲，何以有民？苟無民，何以有君？故有問捨本而問末者耶？」乃進而問之曰：「齊有處士曰鍾離子，無恙耶？是其為人也，有糧者亦食，無糧者亦食；有衣者亦衣，無衣者亦衣。是助王養其民也，何以至今不業也？葉陽子無恙乎？是其為人，哀鰥寡，恤孤獨，振困窮，補不足。是助王息其民者也，何以至今不業也？北宮之女嬰兒子無恙耶？撤其環瑱，至老不嫁，以養父母。是皆率民而出於孝情者也，胡為至今不朝也？此二士弗業，一女不朝，何以王齊國，子萬民乎？於陵子仲尚存乎？是其為人也，上不臣於王，下不治其家，中不索交

諸侯。此率民而出於無用者，何為至今不殺乎？」（《戰國策》〈齊策四〉）

梧桐之大

楚國派使者到齊國訪問，齊王在梧宮設宴款待。使者讚歎說：「好大的梧桐樹啊！」齊王說：「大江的魚能吞沒漁船，大國的樹木肯定很高大，使者何必驚訝呢！」使者說：「從前燕國攻打齊國，軍隊循著雒路，渡過濟橋，燒燬雍門，全力攻擊齊國的左邊。王歜在杜山吊死，公孫差在龍門戰死。燕兵在淄水和澠水飲馬，把戰旗插上琅琊山。齊王和太后奔逃莒城，躲到城陽山中。那個時候，梧桐樹有多大呢？」齊王說：「陳先生回答他。」陳子說：「我口才不如刁勃。」王說：「刁先生回答他。」刁勃說：「使者問梧桐樹的年齡嗎？從前楚平王無道，加害申氏，殺死伍子胥的父親和長兄。子胥披頭散髮在吳國討飯。闔閭重用他為相國。三年後，吳國在柏舉戰勝楚國，獲首百萬。楚將囊瓦逃往鄭國，楚昭王逃往隨國避難。子胥引兵進郢都，親自射擊宮門，挖掘平王的墳墓，指責他的罪行說：『我的先人無罪，你竟殺死他。』叫士兵每人鞭撻一百下，然後才停止。那個時候，梧桐樹大約已經可以用來製作伍子胥的弓把了。」

【出處】

楚使使聘於齊，齊王享之梧宮。使者曰：「大哉梧乎！」王曰：「江漢之魚吞舟，大國之樹必巨，使何怪焉？」使者曰：「昔燕攻齊，遵雒路，渡濟橋，焚雍門，擊齊左而虛其右，王歜絕頸而死於杜山，公孫差格死於龍門。飲馬乎淄澠，定獲乎琅琊。王與太后奔於莒，逃於城陽之山。當此之時，則梧之大何如乎？」王曰：「陳先生對之。」陳子曰：「臣不如刁勃。」王曰：「刁先生應之。」刁勃曰：「使者問梧之年耶？昔者荊平王為無道，加諸申氏，殺子胥父與其兄。子胥被發乞食於吳。闔閭以為將相。三年，將吳兵，復仇乎楚。戰勝乎柏舉，級頭百萬。囊瓦奔鄭，王保於隨，引師入郢，軍云行乎郢之都。子胥親射宮門，掘平王冢，笞其墳，數以其罪，曰：『吾先人無罪而子殺之！』士卒人加百焉，然後止。當若此時，梧可以為其柎矣。」（《說苑》〈奉使〉）

齊孤逐女

孤逐女，齊國即墨人，齊國相國的妻子。逐女是個孤兒，因為長相醜陋，三番五次被鄉里驅逐，過了婚嫁之年仍無人問津。相國的夫人去世後，逐女前往拜訪襄王，對看門的人說：「我是個孤兒，多次被鄉里驅逐，無所歸依，有幾句話，想對威儀的君王訴說。」看門的稟報齊王，國王正在吃飯，當即放下筷子站起來準備接見。左右的人勸諫說：「三逐於鄉是不忠，五逐於里是少禮，不忠少禮的人，大王何必著急見她呢？」齊王說：「你們不了解。牛叫馬不應，並非沒聽到牛的聲音，因為不是同類。此人一定與眾不同。」於是接見逐女，和她交談了三天。第一天，逐女問齊王說：「大王知道什麼是國家的頂梁柱嗎？」齊王說：「你說說看。」逐女說：「相國是國家的頂梁柱。這根柱子要是不正，正梁就會不穩，正梁不穩，屋頂上的椽子就會掉下來，房子就會倒塌。國王好比棟梁，老百姓就是屋椽，國家等同於房屋。房屋是否堅牢，全看這根頂梁柱。國家的安與不安，關鍵在於相國。明智的大王，對於國家的相位不可不審慎啊！」國王點頭說：「我明白了。」第二天，齊王問逐女說：「除了做頂梁柱，相國還像什麼？」逐女回答說：「像比目魚。內外觀察，左右比較，然後成就大事。」齊王說：「怎麼解釋？」逐女回答說：「明察左右，善待妻子，不就是外比內比嗎？」第三天，齊王說：「你覺得現任相國勝任嗎？」逐女說：「現今人才稀缺，假如有更合適的人才，當然可以替換，不過現在並沒有誰能超過他。賢明的君主擇能而用，所以楚國用虞邱子而得孫叔敖，燕國用郭隗而得樂毅，大王只要嚴格要求，現任的國相已經不錯。」齊王說：「我應該怎樣對他？」逐女回答說：「從前齊桓公尊崇一位只懂九九乘法之人，於是天下賢才都歸順他；越王敬螳螂之怒，越國勇士都願為他效死拚命；葉公好龍，於是真龍果然下凡見他。這一類的例子太多了。」齊王說：「好，我聽你的。」於是對相國更加禮敬，並將逐女嫁給他為妻。沒過多久，天下士子紛紛投奔齊國，齊國因此得到很好的治理。《詩經》中說：「已經見到那君子，同坐彈瑟樂晏晏。」說的就是這個意思啊。

【出處】

孤逐女者，齊即墨之女，齊相之妻也。初，逐女孤無父母，狀甚醜，三逐於鄉，五逐於里，過時無所容。齊相婦死，逐女造襄王之門而見謁者曰：「妾三逐於鄉，五逐於里，孤無父母，擯棄於野，無所容止，願當君王之盛顏，盡其愚辭。」左右復於王，王輟食吐哺而起。左右曰：「三逐於鄉者，不忠也；五逐於里者，少禮也。不忠少禮之人，王何為遽？」王曰：「子不識也。夫牛鳴而馬不應，非不聞牛聲也，異類故也。此人必有與人異者矣。」遂見與之語三日。始一日，曰：「大王知國之柱乎？」王曰：「不知也。」逐女曰：「柱，相國是也。夫柱不正則棟不安，棟不安則榱橑墮，則屋幾覆矣。王則棟矣，庶民榱橑也，國家屋也。夫屋堅與不堅在乎柱，國家安與不安在乎相。今大王既有明知，而國相不可不審也。」王曰：「諾。」其二日，王曰：「吾國相奚若？」對曰：「王之國相，比目之魚也，外比內比，然後能成其事，就其功。」王曰：「何謂也？」逐女對曰：「明其左右，賢其妻子，是外比內比也。」其三日，王曰：「吾相其可易乎？」逐女對曰：「中才也，求之未可得也。如有過之者，何為不可也？今則未有。妾聞明王之用人也，推一而用之。故楚用虞邱子，而得孫叔敖；燕用郭隗，而得樂毅。大王誠能厲之，則此可用矣。」王曰：「吾用之奈何？」逐女對曰：「昔者齊桓公尊九九之人，而有道之士歸之。越王敬螳螂之怒，而勇士死之。葉公好龍，而龍為暴下。物之所徵，固不須頃。」王曰：「善。」遂尊相，敬而事之，以逐女妻之。居三日，四方之士多歸於齊，而國以治。詩云：「既見君子，並坐鼓瑟。」[22]此之謂也。（《列女傳》〈辯通傳〉）

玉連環

秦始皇派使者向齊襄王后進獻玉連環，然後說：「聽說齊國人很

22.「既見君子，並坐鼓瑟」，出自《詩經》〈秦風‧車鄰〉。

聰明，有沒有人解得開玉連環呢？」王后把玉連環拿給群臣看，群臣沒有人知道如何解開。王后拿起一把金錘，一舉把玉連環擊碎，然後對秦國使者說：「已經解開了。」襄王后病危時，告誡兒子齊王建說：「群臣中某某人可以任用。」齊王建說：「請把他們的名字寫下來。」王后說：「好。」齊王趕緊取來筆和木簡要她寫下遺言，太后卻說：「我已經忘記了。」太后死後，後勝擔任齊國相國，接受了秦國間諜的大量賄賂，派往秦國的賓客，都站在秦國的立場上說話，甚至奉勸齊王建去朝拜秦國，根本不考慮備戰的事。

【出處】

秦始皇嘗使使者遺君王后玉連環，曰：「齊多知，而解此環不？」君王后以示群臣，群臣不知解。君王后引椎椎破之，謝秦使曰：「謹以解矣。」及君王后病且卒，誡建曰：「群臣之可用者某。」建曰：「請書之。」君王后曰：「善。」取筆牘受言。君王后曰：「老婦已亡矣！」君王后死，後後勝相齊，多受秦間金玉，使賓客入秦，皆為變辭，勸王朝秦，不修攻戰之備。（《戰國策》〈齊策六〉）

奉漏甕沃焦釜

齊王建即位的第六年，秦國進攻趙國，齊、楚出兵救援。秦國盤算說：「齊、楚救援趙國，如果真心相救，我們就退兵；如果不真心，我們就繼續進攻。」趙國沒有糧食，請求齊國支援，齊國不答應。周子說：「不如答應，這樣秦國的計謀就不能得逞，否則齊、楚聯合救趙的計劃就破產了。況且趙國對於齊、楚來說，就是一道屏障啊，就好像牙齒外面有嘴唇一樣，唇亡齒寒。今天趙國滅亡，明天禍患就輪到齊、楚兩國了。現在救趙，就像捧著漏水的甕去澆燒焦的鍋一樣緊迫。救趙是高尚的義舉，使秦兵退兵可以顯揚國威。仗義解救危亡的國家，揚威退卻強秦的軍隊，不盡力去做功德無量的事而吝惜糧食，這一定是錯誤的謀略。」齊王不聽勸諫。結果秦軍在長平戰勝趙國的四十多萬大軍，隨後包圍了邯鄲。

【出處】

王建立六年，秦攻趙，齊楚救之。秦計曰：「齊楚救趙，親則退兵，不親遂攻之。」趙無食，請粟於齊，齊不聽。周子曰：「不如聽之以退秦兵，不聽則秦兵不卻，是秦之計中而齊楚之計過也。且趙之於齊楚，扞蔽也，猶齒之有脣也，脣亡則齒寒。今日亡趙，明日患及齊楚。且救趙之務，宜若奉漏甕沃焦釜也。夫救趙，高義也；卻秦兵，顯名也。義救亡國，威卻強秦之兵，不務為此而務愛粟，為國計者過矣。」齊王弗聽。秦破趙於長平四十餘萬，遂圍邯鄲。（《史記》〈田敬仲完世家〉）

齊王入秦

齊王建前往秦國朝見秦王，雍門的司馬官橫戟擋在他的車前說：「請問，我們擁立大王，是為國家呢？還是為大王您自己？」齊王說：「為國家。」司馬說：「既然是為國家，那您為什麼要拋棄國家去朝拜秦國呢？」齊王於是調轉車頭回宮。即墨大夫因為雍門司馬的勸諫，認為還可以與齊王共謀救國，於是進宮拜見齊王說：「齊國方圓數千里，帶甲士兵數百萬。而且三晉的大夫們都不願聽從秦國，在東阿、鄄城之間聚集的抵抗力量，大王可以收編加入抗秦大軍。這樣既能收復三晉被秦國占領的失地，還可以攻進秦國東部的臨晉關；楚國大夫也不願聽從秦國，在郢都南部也有抵抗力量匯聚。大王如果能邀請他們加入反秦大軍，則不僅可以收復楚國失地，還可以攻打秦國南部的武關。這樣，齊國就能重振國威，滅掉秦國。如果您捨棄南方稱王的機會，甘願向西聽命於秦，那將是非常不可取的。」齊王沒有聽從即墨大夫的勸諫。秦王派賓客陳馳誘使齊王入秦，相約劃給他五百里土地作為獨立王國。到達秦國之後，秦王把他安置在邊遠的共邑，齊王活活餓死在荒涼的松柏之間。在這之前，齊國人編了歌謠唱道：「松樹啊！柏樹啊！讓齊王死在共邑的，就是那些欺詐的賓客啊！」

【出處】

齊王建入朝於秦，雍門司馬前曰：「所為立王者，為社稷耶？為王立王耶？」王曰：「為社稷。」司馬曰：「為社稷立王，王何以去社稷而入秦？」齊王還車而反。即墨大夫與雍門司馬諫而聽之，則以為可可為謀，即入見齊王曰：「齊地方數千里，帶甲數百萬。夫三晉大夫皆不便秦而在阿、鄄之間者百數，王收而與之百萬之眾，使收三晉之故地，即臨晉之關可以入矣；鄢、郢大夫不欲為秦而在城南下者百數，王收而與之百萬之師，使收楚故地，即武關可以入矣。如此，則齊威可立，秦國可亡。夫舍南面之稱制，乃西面而事秦，為大王不取也。」齊王不聽。秦使陳馳誘齊王內之，約與五百里之地。齊王不聽即墨大夫而聽陳馳，遂入秦。處之共松柏之間，餓而死。先是齊為之歌曰：「松邪！柏邪！住建共者，客耶！」（《戰國策》〈齊策六〉）

昌明文庫・悅讀國學 A0602017

國學經典故事：齊國卷

主　　編　萬安培
版權策畫　李煥芹

發 行 人　林慶彰
總 經 理　梁錦興
總 編 輯　張晏瑞
編 輯 所　萬卷樓圖書股份有限公司
排　　版　菩薩蠻數位文化有限公司
印　　刷　百通科技股份有限公司
封面設計　菩薩蠻數位文化有限公司

出　　版　昌明文化有限公司
桃園市龜山區中原街 32 號
電話 (02)23216565
發　　行　萬卷樓圖書股份有限公司
臺北市羅斯福路二段 41 號 6 樓之 3
電話 (02)23216565
傳真 (02)23218698
電郵 SERVICE@WANJUAN.COM.TW
大陸經銷　廈門外圖臺灣書店有限公司
　電郵 JKB188@188.COM

ISBN 978-986-496-551-9
2020 年 2 月初版
定價：新臺幣 780 元

如何購買本書：
1. 轉帳購書，請透過以下帳戶
　合作金庫銀行 古亭分行
　戶名：萬卷樓圖書股份有限公司
　帳號：0877717092596
2. 網路購書，請透過萬卷樓網站
　網址 WWW.WANJUAN.COM.TW
大量購書，請直接聯繫我們，將有專人為您服務。客服：(02)23216565 分機 610

國家圖書館出版品預行編目資料

國學經典故事：齊國卷 / 萬安培主編. -- 初版. -- 桃園市：昌明文化出版；臺北市：萬卷樓發行, 2020.02
　面；　公分. -- (昌明文庫；A0602017)
ISBN 978-986-496-551-9(平裝)

1.漢學 2.通俗作品

030　　109002905